READER'S DIGEST
1001
REMEDIOS
CASEROS

Publicado por Reader's Digest México
Buenos Aires • México • Nueva York

READER'S DIGEST

1001

REMEDIOS
CASEROS

Tratamientos confiables para problemas de salud cotidianos

1 001REMEDIOS CASEROS

CORPORATIVO READER'S DIGEST
MÉXICO, S. DE R.L. DE C.V.

Editores
Cecilia Chávez Torroella y
Arturo Ramos Pluma

Asistencia editorial
Susana Ayala

Título original de la obra
1 001 Home Remedies © 2005

Edición propiedad de
Reader's Digest México, S.A. de C.V.,
preparada con la colaboración de
Alquimia Ediciones, S.A. de C.V.

D.R. © 2006 Reader's Digest México

Edificio Corporativo Opciones Santa Fe III,
Av. Prolongación de Paseo de la Reforma 1236,
Piso 10, Col. Santa Fe, Del. Cuajimalpa,
C.P. 05348, México, D.F.

Visite www.selecciones.com
Envíenos sus dudas y comentarios a:
editorial.libros@selecciones.com

Estamos comprometidos con nuestros clientes y lectores a
ofrecerles tanto servicios como productos editoriales de
calidad. Apreciamos mucho sus comentarios y los exhortamos
a que nos escriban a nuestro domicilio en México como a
nuestro correo electrónico.

Esta primera edición se terminó de imprimir el día 14 de julio
de 2006 en los talleres de Leo paper Products, Ltd.
7/F, Kader Building, 22 Kai Cheung Road, Kowloon bay, Kowloon, Hong Kong, China

ISBN 968-28-0404-3

Editado en México por Reader's Digest México, S.A. de C.V.

Impreso en China
Printed in China

ASESORES MÉDICOS

Doctora Carolyn Dean, Asesora, Medicina Integradora, City Island, Nueva York

Doctor Mitchell A. Fleisher, Instructor Clínico, Centro de las Ciencias de la Salud de la Universidad de Virginia y Colegio de Medicina de Virginia; Médico Familiar, práctica privada, Nellysford, Virginia

Doctor Larrian Gillespie, Profesor Clínico Asistente Retirado de Urología y Uroginecología, Beverly Hills, California

Odontólogo Chris Kammer, Centro de Odontología Cosmética, Madison, Wisconsin

Médico Naturista Chris Meletis, N.D. Director de Asuntos Educativos, Profesor de Farmacología Natural de la Clínica Pearl, Escuela Nacional de Medicina Naturopática, Portland, Oregon

Doctora Lylas G. Mogk, M.D. Centro Ford para la Rehabilitación e Investigación de Problemas Visuales, Grosse Pointe y Livonia, Michigan

Doctor Zorba Paster, Profesor de Medicina Familiar, Centro Médico Dean, Universidad de Wisconsin-Madison

Doctor Ricki Pollycove, Facultad Clínica, Escuela de Medicina de la Universidad de California; Práctica Privada de Ginecología, San Francisco, California

Doctor David B. Posner, Jefe de Gastroenterología, Centro Médico Mercy, Baltimore, Maryland; Profesor Asistente de Medicina, Escuela de Medicina de la Universidad de Maryland

Doctora Adrienne Rencic, Dermatóloga, Centro Médico Mercy, Baltimore, Maryland; Instructora Clínica, Sistema Médico de la Universidad de Maryland

Doctor Kevin R. Stone, Cirujano Ortopedista y fundador y Director de la Fundación Stone para la Medicina Deportiva y la Investigación de la Artritis, y de la Clínica Stone, San Francisco, California

Doctora Cathryn Tobin, Pediatra, Práctica Privada, Markham, Ontario

Colaboradores

Editores de prensa
Edward B. Claflin
E. A. Tremblay

Redactores
Matthew Hoffman
Eric Metcalf

Investigadores
Janel Bogert
Elizabeth Shimer

Ilustradores
Harry Bates
Inkgraved Illustration:
Cindy Jeftovic

CONTENIDO

PARTE 1 TRASTORNOS COTIDIANOS

PARTE 2 LOS 20 PRINCIPALES REMEDIOS CASEROS

SECCIONES ESPECIALES

Prólogo

DOCTORA PAMELA MASON

Cuando yo era niña, mi madre solía llevarme a visitar a una anciana que, cada primavera, preparaba sin falta una bebida a base de saúco. Si alguno de nosotros tenía gripe o catarro, aparecía una botella verde de la que ella vaciaba un brebaje espumoso. También recuerdo la infusión de ortiga que la anciana tomaba para mitigar sus reúmas. Dado que yo jugaba en los campos colindantes donde constantemente me picaba con las ortigas, no entendía yo cómo alguien podía obtener remedio alguno con una bebida hecha a base de esa planta.

Años después, cuando me recibí como farmacéutica, me interesé en las vitaminas y en la herbolaria, y empecé a darme cuenta del gran valor potencial de las plantas comunes y corrientes que crecían en los setos. Si aprendía más sobre las sustancias químicas que contenían, podría yo descubrir remedios que no eran puros cuentos, sino medicinas con verdadero valor terapéutico.

Mi tía, que era enfermera, tomaba a pecho la responsabilidad de cuidar su propia salud y prevenir enfermedades tanto como era posible. Si se me infectaba un dedo, ella me administraba en seguida un menjurje que resultaba infalible. La tos y los resfriados me los curaba con inhalaciones de mentol y eucalipto, y no recuerdo haber tomado antibióticos hasta que llegué a la adolescencia.

En la actualidad, esta tendencia a la autoayuda y a la prevención cobra cada día más importancia. Los remedios caseros no son tan caros como la medicina alopática y ayudan a sentirse mejor. A menudo paran en seco a la enfermedad o al trastorno y hacen ahorrar una visita al médico. Al recurrir nosotros a ellos le facilitamos un poco la vida a los servicios públicos de salud, que cada día se ven más y más llenos de trabajo.

Cuando yo era niña, allá por los años 50, el Servicio Nacional de Salud (SNS) también era joven. Mis padres (oftalmólogos ambos) hablaban de 1947, pues fue cuando nació el SNS, y de lo ocupados que estaban haciendo exámenes de la vista gratis por primera vez a las personas.

A medida que avanzaban los años 50, la gama de medicamentos empezó a ampliarse. Vinieron los años de los primeros antibióticos que habían aparecido durante la Segunda Guerra Mundial y después, así como una cantidad cada vez mayor de tranquilizantes, antidepresivos, analgésicos, hormonas. Algunos, en particular los medicamentos para las cardiopatías, el asma y el cáncer, no sólo aumentaron la esperanza de vida sino que mejoraron la calidad de vida. Otros más, como la talidomida, causaron daños graves y despertaron la preocupación general sobre los efectos adversos que podrían tener algunos fármacos poderosos.

Soy una farmacéutica desde los años setenta, y empecé a trabajar en una época en que las medicinas de patente iban en ascenso. El valor de los remedios caseros –incluyendo preparaciones herbolarias y homeopáticas– se habían olvidado debido a la fuerza de la creencia en los nuevos fármacos. No es que ponga en duda el valor de las medicinas de patente –muchos de nosotros no viviríamos si no fuera por ellas–, sino que tendemos a olvidar los remedios a nuestro alcance, dentro de casa, tales como los cubos de hielo, el jugo de arándano, las sales de Epsom, la mostaza, el bicarbonato… y las plantas que crecen en nuestro jardín o en nuestras macetas.

Aquí es donde *1 001 Remedios caseros* encuentra su utilidad. Los médicos están más ocupados y menos disponibles que nunca. Más aún: necesitan tiempo y espacio para atender a los enfermos crónicos. Los trastornos menores pueden tratarse a menudo sin ver al médico, y *1 001 Remedios caseros* le da a usted, la información para que usted se atienda. Aunque debe visitar al médico si tiene procupaciones acerca de su salud, muchas dolencias puede tratarlas en casa, a menudo con ingredientes que tiene en la alacena o en la cocina. Y no olvide a su farmacéutico –los farmacéuticos saben bien cómo tratar enfermedades leves y pueden ayudarle a escoger el remedio más apropiado para usted.

Este libro no sólo trata de plantas medicinales y vitaminas, sino sobre lo que usted tiene en casa: limones, miel, vinagre… Se centra en consejos prácticos y sencillos para su bienestar y el de todos los miembros de su familia.

Acerca de este libro

Está a punto de descubrir más de 1 000 remedios caseros a los que puede acudir cuando necesite aliviar problemas de salud leves o de todos los días —acné o náuseas, insomnio o verrugas.

Pero antes vea la "Utilización de los remedios caseros", donde encontrará consejos sobre el uso de los autotratamientos. Busque en la página 18 las instrucciones para cultivar cinco útiles plantas medicinales. Y para advertencias sobre hierbas y complementos, consulte la guía de la página 434.

La Parte 1, "Trastornos cotidianos", ofrece remedios caseros para más de 100 trastornos en orden alfabético. Un remedio casero es el que pueda usar en casa que no requiera receta médica. Quizá cuente con muchos de los ingredientes en su alacena: por ejemplo, bicarbonato (en lugar del talco para neutralizar el olor corporal), mostaza (añádala a un baño tibio de pies para aliviar el dolor de cabeza) o bolsitas de té (sostenga una de ellas húmeda contra un fuego para mitigar el escozor). Algunos otros, como la pomada de arnica, pueden adquirirse en las tiendas naturistas; otros más, como el la manzanilla, se encuentran en los supermercados.

Algunos de los remedios, como los complementos de aceite de pescado para la angina de pecho, deben usarse bajo supervisión médica debido a que pueden interactuar con otros fármacos.

La Parte 2 describe "Los 20 principales remedios caseros" –hierbas, alimentos y otros productos que vale la pena tener a la mano para su uso en varios de los remedios de este libro. Averigüe para qué son buenos el vinagre, el yogur, las sales de Epsom y el jengibre, y descubra los ácidos grasos Omega-3, las grasas "buenas" que se encuentran en ciertos pescados, que no solamente protegen su corazón, sino que también alivian la artritis, los cólicos menstruales y hasta la depresión.

Este libro fue muy divertido para quienes trabajaron en él (no sólo por los descubrimiento de remedios, sino al ponerlos a prueba). Ojalá que también disfrute de este libro, y encuentre muy útiles sus sugerencias hoy y siempre.

Los editores

Utilización de los remedios caseros

Las personas siempre han recurrido a lo que de su entorno les parece útil para curar enfermedades, trátese de lodos y sales, o de plantas y alimentos curativos. Se creía que algunas plantas tenían poderes mágicos debido a la forma de sus raíces o de sus hojas. Pero, a la larga, la elemental observación científica condujo a la identificación de lo que realmente funcionaba. Ello era vital: algunas sustancias que son del todo seguras cuando se usan externamente pueden resultar fatales si se ingieren. Esto es verdad hasta hoy. No olvide que los remedios caseros y las hierbas, lo mismo que los fármacos, contienen potentes ingredientes, y que el hecho de que algo sea "natural" no significa que sea necesariamente "seguro".

Casi todas las familias cuentan con "remedios" transmitidos de una generación a otra, y los orígenes de esos remedios se pierden en la oscuridad de los tiempos. ¿Quién fue la primera abuela que dio té de menta a un nieto enfermo? ¿Por qué la madre que partió un limón por la mitad, lo asó y con él untó las picaduras de mosquitos para eliminar la comezón? ¿Quién fue el primer cocinero que descubrió que la sopa de pollo ayuda a aliviar el resfriado común?

Si consideramos la frecuencia con que los remedios caseros se han empleado para curar los achaques cotidianos y aliviar el dolor, es lamentable que no podamos agradecer a sus descubridores. En cambio, sí nos beneficiamos con los consejos.

Más de mil remedios

Los remedios caseros comenzaron en el hogar, que es donde suelen guardarse los secretos. Al abrir este libro, usted está entrando de hecho a miles de hogares y descubriendo miríadas de remedios a los que se ha recurrido por generaciones.

Algunos de esos remedios, incluyendo la curación de la garganta irritada, cómo detener el hipo, un calmante para el dolor muscular y la forma de aliviar las picaduras de insectos, nos llegaron por correo. Todos esos remedios caseros se han incluido en los capítulos principales.

Pero eso fue sólo el principio. También exhumamos los tratamientos de acupresión de los médicos chinos, los métodos curativos de los chamanes, las curas populares europeas, y las que se usaban en la América prehispánica. Ofrecemos los remedios caseros respaldados por herbolarios, homeópatas, naturópatas y masajistas, especialistas en medicina cardiovascular y médicos de renombre.

Elección de lo mejor

Si bien el repertorio era muy amplio, la selección final de los mejores remedios caseros fue un proceso cuidadoso. Muchos remedios caseros no tenían cabida porque eran muy extraños o repugnantes. La bolsa de asafétida, que fuera alguna vez una valiosa cura para el resfriado, olía tan mal que quienes la usaron la recordaban con horror. Otros remedios son tan extraños, supersticiosos o complejos que sólo por curiosidad vale la pena mencionarlos. Por ejemplo, una cura de los apalaches para las verrugas consiste en frotar una papa en la verruga, poner la papa en un saco y dejar éste en la bifurcación de un camino.

Cada remedio de este libro fue cuidadosamente revisado por nuestro consejo de asesores para garantizar que su uso es seguro si se emplea como aquí se recomienda.

Claro está que cualquier remedio que no perjudica quizá también beneficia en algo, en especial si lo administra quien tiene un trato afectuoso y terapéutico, y que cuida del paciente. Pero una vez que descartamos los más extraños, los menos verosímiles, los más complicados o peligrosos, nos quedamos con los remedios que encontrará usted en este libro: más de un millar que han ayudado a sanar a millones de personas. Luego, cada remedio fue analizado por nuestro consejo de asesores, en el que figuran médicos, especialistas habilitados y naturópatas, para garantizar que su uso es seguro si se emplea como aquí se recomienda.

Todo a su alcance

A medida que lea (y empiece a aplicarse) los remedios caseros que incluye este libro, quizá comience a recordar métodos de curación probados y seguros pertenecientes al pasado de su propia familia. Nos hemos acostumbrado tanto a los análisis de sangre, los rayos X y las potentes medicinas alopáticas, así como a toda la parafernalia de la medicina moderna, que tendemos a olvidar o a ignorar nuestro asombroso legado de curas caseras. Los remedios probados por el tiempo son hoy tan útiles como siempre lo fueron. Los trucos que aprendió de sus padres y sus abuelos, como colocar una bolsita de té húmeda y fría sobre los ojos cansados, o aplicar una hoja caliente de col cocida para extraer un pelo enterrado, no son, por supuesto, sucedáneos de los tratamientos de alta tecnología. Pero usted puede contar con ellos para sentirse mejor sin tardanza y, en muchos casos, para prevenir que un problemita se agrande. Hay algo muy gratificante y casi mágico en ver cómo se cura una quemadura cuando se le aplica gel de zábila. O cuando al inhalar el aroma de la lavanda la ansiedad se desvanece. Pero la nostalgia no es la razón por la que los médicos abogan por los remedios caseros. Los recomiendan porque funcionan.

Cuando se siguen los consejos de la abuela, hay algo casi mágico en ver cómo se cura una quemadura cuando se le aplica gel de zábila.

¿Sabía usted que por lo menos 25% de los medicamentos de su botiquín contienen sustancias activas que son similares o idénticas a las que se hallan en las plantas? La sustancia activa de la aspirina (uno de los fármacos de mayor empleo en todo el mundo) provino de la corteza del sauce blanco. La descongestionante efedrina se basa en los ingredientes químicos de la efedra. La digitalina, un medicamento para el corazón, se deriva de la digital. El fármaco anticancerígeno paclitaxel proviene del tejo del Pacífico. De hecho, las grandes compañías farmacéuticas suelen mandar equipos de científicos a lugares lejanos para que busquen sustancias médicamente promisorias.

Cómo averiguar qué es lo que funciona

En la práctica médica actual las técnicas tradicionales de curación suelen descuidarse, pero no han sido olvidadas. Los fisioterapeutas emplean los mismos tratamientos calientes y fríos populares antaño, que a menudo funcionan mejor que los fármacos, y sin efectos colaterales. Si usted se corta con un cuchillo, sanará más rápido si se aplica pomada antiséptica; pero si cubre la herida con miel de abeja el efecto será el mismo y quizá más rápido. (Como con cualquier cortadura, asegúrese de lavarla a fondo con agua corriente antes de aplicar nada.)

Molly Hopkins, de 60 años de edad y paisajista , descubrió que los tratamientos alternativos pueden funcionar mejor que la medicina alopática. "Padecía yo sinusitis cada vez que me resfriaba, y tenía que tomar antibióticos", afirmó. Un amigo suyo, médico familiar, le dijo que comenzara a tomar equinacea a la primera señal de flujo nasal. "Desde entonces no he tenido un resfriado de cuidado, ni sinusitis alguna", concluyó.

La mayoría usa las curas tradicionales para molestias y dolores menores, pero los médicos de instituciones de investigación avanzada comienzan a percatarse de que también pueden ayudar en problemas de salud graves. Veamos la diabetes, por ejemplo. Cientos de miles de británicos necesitan inyectarse o ingerir sustancias para mantener estables los valores de azúcar en su sangre. Sin embargo, las personas que comen a diario nopales o un diente de ajo pueden bajar esos valores. La depresión es otra afección que requiere a menudo fármacos, pero los estudios ponen de manifiesto que la hierba de san Juan puede ser tan eficaz como el medicamento en los casos leves o moderados.

Muchos de los más populares remedios, como el yogur para las micosis o la manzanilla para el insomnio, se han empleado por generaciones. Otros, a los que bien podría llamarse "futuras tradiciones" y que, esperamos, heredarán nuestros hijos y nuestros nietos, se están desarrollando sin cesar.

- Las cremas que contienen árnica ayudan a los moretones a sanar más rápido y con menos dolor debido a que la hierba contiene analgésicos y desinflamatorios.
- Una mezcla de miel y yogur es un decolorante natural que aclara las manchas cafés hepáticas que suelen aparecer en el dorso de la mano con la edad.
- Los investigadores de un hospital infantil de Estados Unidos descubrieron que la cinta para ductos, ese auxiliar hogareño multiusos, logra que las verrugas desaparezcan en unos días.

Empleo del sentido común

Si bien este libro contiene muchos remedios y curas, no hay nada como el buen juicio cuando se trata de usar remedios caseros. A veces será necesario estar al pendiente de signos de problemas más graves. Clara Boxer cometió un tipo de error que preocupa a los médicos. Es una contadora de cincuenta y tantos años que sufre de leves mareos ocasionales, por las mañanas al levantarse. Leyó en Internet que el jengibre es un buen remedio para el mareo. Así que se proveyó de complementos de jengibre en una tienda naturista y los tomó durante algunas semanas. Una mañana, al ponerse de pie en el baño, se desmayó, cayó y se fracturó la muñeca.

El traumatólogo que la trató explicó el accidente. El jengibre es un remedio para el vértigo, un tipo de mareo asociado con trastornos del oído interno. Pero Clara no padecía vértigos, sino súbitos descensos de la presión sanguínea causado a veces por dosis altas de medicamentos para controlar la presión. Su médico redujo la dosis y el mareo desapareció.

La mayoría de los remedios son seguros, pero hay quienes los toman por razones equivocadas.

Aun cuando la mayoría de los remedios son seguros, en ocasiones se toman por razones equivocadas. También las personas se autodiagnostican en casos en que claramente deberían acudir al médico. Algunas afecciones pueden identificarse y tratarse sin dificultad en el hogar. No se requieren análisis si sus encías sangran durante un par de días o padece un malestar estomacal. Pero como no siempre es fácil decidir qué es grave y qué no lo es, lo mejor será acudir al médico si tiene dudas.

Así, es importante que acuda a una revisión médica antes de tomar hierbas u otros complementos, o bien, que diga a su médico qué está tomando antes de que recete otro medicamento. Los complementos pueden alterar los efectos de los fármacos. Por ejemplo, quienes toman vitamina E junto con anticoagulantes corren riesgo de una hemorragia interna.

Incluso cuando un té parece inocuo (ortigas espinosas para la artritis o diente de león para la presión baja), si se toman con regularidad conviene que el médico lo sepa.

Hay que tomar algunas precauciones

Las curas tradicionales se han usado durante miles de años en prácticamente todo el mundo, lo que significa que la gente no recurriría a ellas si no funcionaran. Pero existe el riesgo de provocar efectos colaterales, interferencia con otros medicamentos o de usar el remedio equivocado. La eficacia de los remedios caseros que ofrece este libro está respaldada por pruebas empíricas y en muchos casos por estudios científicos, además de que ha sido investigada, para mayor seguridad, por nuestros asesores médicos. Cerciórese de leer las notificaciones de "Alerta" que aparecen después de ciertos remedios, y tenga presente que en algunas ocasiones usted deberá tener especial cuidado, como cuando:

● **Está embarazada** No tome hierba, complemento o medicamento alguno sin antes hablar con su médico. Muchos de ellos pueden afectar la salud del bebé, sobre todo si se usan en grandes dosis.

• **Está tomando un medicamento prescrito** Comente con su médico las posibles interferencias del fármaco prescrito con hierbas, complementos o medicamentos de libre venta que se recomiendan en este libro. Las advertencias de las páginas 434–437 ofrecen alguna orientación sobre las interferencias de medicamentos, hierbas y complementos, así como prevenciones adicionales. Usted deberá comentar también con su médico sobre cualquier otro complemento o medicamento que esté tomando simultáneamente, en especial si padece de una afección crónica, como diabetes, hipertensión arterial o cardiopatía.

• **Sepa si es alérgico a un alimento o a un medicamento** Las personas alérgicas redoblarán sus precauciones: asegúrese perfectamente de que la sustancia que le provoca alergia no es uno de los ingredientes de lo que piensa tomar o aplicarse en la piel. Por ejemplo, el aceite de cacahuate que contienen algunos laxantes y ciertos humectantes de la piel es un aceite purificado posiblemente peligroso para quienes son alérgicos al cacahuate. También ponga atención a la "reacción cruzada" entre alimentos, plantas y hierbas. En otros términos, si es alérgico al camarón, muy probablemente también lo será a los cangrejos y la langosta. Las personas que son sensibles a la ambrosía suelen tener reacciones cuando comen melón, en tanto que quienes son alérgicos al polen de abedul pueden reaccionar con la cáscara de manzana.

• **Padezca de una afección grave** Preste especial atención al recuadro "¿Debo llamar al médico?" que figura en cada capítulo. Los remedios caseros son para ayudarlo a tratar los achaques cotidianos y mejorar su salud general, no trate de disimular enfermedades graves que requieren tratamiento médico.

• **Trate usted a un niño o bebé** Algunas hierbas, complementos y remedios caseros no son apropiados para niños ni para bebés. A menos que un remedio se recomiende específicamente, pida a su médico general consejo antes de tratar a sus pequeños. Y compre productos destinados a los niños y no a los adultos (por ejemplo, jarabe de paracetamol pediátrico en lugar del jarabe para adultos).

Cultivo de plantas medicinales

Varias de las plantas que se recomiendan en este libro son tan bonitas como fáciles de cultivar. Algunas tienen la ventaja de ser deliciosas, sea en guisos o en ensaladas. Lo mejor es que, si usted las cultiva, garantizará su frescura y pureza.

Puede plantar semillas de muchas hierbas y plantas medicinales. Algunas se siembran en el interior en bandejas para trasplantarlas después de las últimas heladas. A otras no les gusta que las cambien de lugar y por ello conviene sembrarlas donde se desea que crezcan. Las hierbas leñosas, como la lavanda y el romero, se propagan mejor por esquejes. Plante los brotes saludables en en una maceta con abono y, en general, prosperarán.

No necesita gran espacio para las hierbas: muchas prosperarán en cestos colgantes, jardineras y toda suerte de macetas. Si tiene jardín, las hierbas y los bulbos pueden plantarse entre las flores y los arbustos en una orilla, pero alejados de los caminos muy transitados, o lo que obtendrá será una dosis poco saludable de residuos de gases tóxicos junto con los ingredientes benéficos. Por la misma razón evite los pesticidas.

Plantadas en una orilla o en una maceta, la mayoría de las hierbas requiere buen drenaje, si bien a la menta no la afectan los suelos húmedos. Las hierbas crecen mejor en los suelos pobres que en los ricos. Piense en el tomillo silvestre, en una ladera del Mediterráneo, para darse una idea.

Zábila

Compre un par de plantas pequeñas y manténgalas dentro de casa en un alféizar soleado. La cocina está bien, pero no deje que las plantas se sequen o se enfríen. Morirán si la temperatura baja de 5° C.

Cómo usarla *Corte una hoja y exprima la gelatina sobre las heridas o las quemaduras leves. La gelatina se seca y forma un vendaje que conserva la humedad y evita que penetren las bacterias.*

Ajo

Su cultivo es muy fácil. Antes de Navidad, separe los dientes de una cabeza robusta y saludable y plántelos a cinco cm de profundidad en filas apartadas entre sí unos 15 cm, y olvídelos. De cada diente crecerá una cabeza que estará lista para desenterrar en julio o agosto. Conserve los tallos (para que pueda trenzarlos) y cuélguelos en un lugar caliente y ventilado para que se sequen.

Cómo usarlo *Pele los dientes y úselos para guisar o comérselos enteros. Un diente o dos al día durante la temporada de resfriados y gripe ayudará a reforzar el sistema inmunitario.*

Manzanilla

La manzanilla es una de las plantas más populares de Occidente. Para sembrar las semillas, espárzalas y manténgalas húmedas. La manzanilla prefiere un lugar bien drenado y a media sombra.

Cómo usarla *En cuanto acabe de florear, corte las flores y extiéndalas sobre muselina en un lugar seco y caliente, o cuélguelas boca abajo sobre una bolsa de papel para recoger los pétalos que se desprendan. El té de manzanilla aplaca el malestar estomacal y disminuye la ansiedad.*

Menta

Esta planta crece en suelo rico y húmedo, al sol o en sombra ligera. Sus semillas o vástagos se cultivan con facilidad. Para mantenerla controlada, cultívela en una maceta sin fondo enterrada en el suelo, o en un recipiente, pero asegúrese de mantener la tierra bien mojada.

Cómo usarla *Use las hojas en infusiones digestivas y en enjuagues bucales. Añada sus hojas a un vaporizador o inhalador para tratar gripes.*

Comino y alcaravea

El comino y la alcaravea producen muchas semillas con un gusto anisado. Su sabor es estupendo en platillos condimentados o aromáticos, y hacen maravillas con la digestión. Ambos pueden sembrarse en el exterior en un lugar soleado.

Cómo usarlos *Recolecte las semillas al finalizar el verano. Puede machacarlas. Vierta una cucharada de cada una, o una mezcla de ambas, en una taza de agua hirviendo. Déjelas reposar durante 10 minutos, cuele la infusión y bébala antes de ingerir sus alimentos.*

Curación herbaria

A principios de la década de 1990 James Duke sufrió el deslizamiento de un disco de la parte superior de la columna, hizo todo lo que le recomendó su médico: reposo, ultrasonido y grandes dosis de antiinflamatorios. Mas no se detuvo ahí. Tomó orozuz para calmar el estómago, cardo lechoso para proteger el hígado de la aspirina, y equinácea antes de la operación para evitar una infección.

Duke, es un especialista en plantas medicinales y autor del libro *The Green Pharmacy,* es una de las millones de personas que valoran los poderes curativos de las plantas. De acuerdo con la Organización Mundial de la Salud, cerca del 80% de la población mundial confía en las hierbas como principal fuente medicinal. Son más baratas; en muchos casos resultan tan eficaces como laos fármacos y menos agresivas para el organismo.

Cerca de 80% de la población mundial depende de las hierbas como fuente primaria de cuidado médico.

Si usted está acostumbrado a la medicina alopática, la idea de manipular hojas secas quizá parezca desalentadora. No debería ser así. Casi todas las plantas están disponibles en cápsulas o en forma líquida, con instrucciones de uso impresas en la etiqueta. También puede comprar hierbas sueltas (hojas, semillas, tallos) en las tiendas naturistas y preparar aromáticas y ricas infusiones curativas.

Puede cultivar fácilmente las plantas en el jardín o en macetas. El método de cosecha es cortar los tallos con tijera, enjuagar las hierbas con agua y colgarlas para que sequen. Cuando las hojas estén quebradizas, pero no resecas, almacénelas en un recipiente oscuro y hermético, que las resguardará del oxígeno y las conservará. Si cultiva hierbas cuyas flores son medicinales, coséchelas después de que la planta ha florecido.

La mayoría de las infusiones requieren de una cucharadita colmada de hierba seca o fresca en una taza de agua hirviendo. Déjela reposar 10 minutos y que enfríe; cuélela y bébasela. La corteza, semillas o raíces necesitan remojarse más. Empiece con cantidades pequeñas de un té herbario terapéutico: de una a tres tazas al día, digamos. Use cantidades mayores sólo bajo la supervisión de un herbolario o de un médico versado en uso de hierbas.

Otros complementos

Por complementos se entienden las vitaminas y los minerales que toman las personas para reforzar su ingesta de nutrientes. Hoy, los estantes de las farmacias rebosan en aminoácidos, hormonas y antioxidantes, por mencionar sólo unos cuantos.

Durante mucho tiempo los médicos desdeñaron las afirmaciones (en ocasiones extravagantes) de los fabricantes de complementos. Están a la venta algunos productos dudosos que hacen promesas indignantes: desde la pérdida instantánea de peso hasta conseguir una mayor potencia viril en una noche. Por otra parte, incluso los médicos más anticuados, se han percatado de que algunos complementos se han ganado su lugar junto a los medicamentos tradicionales.

La glucosalina es un buen ejemplo. Inicialmente fue rechazada por los médicos, pero estudios efectuados en los últimos 15 años han mostrado que ayuda al cuerpo a reparar el cartílago dañado. Los reumatólogos y ortopedistas ahora la recomiendan frecuentemente a personas que requieren alivio en las articulaciones artríticas.

Incluso los médicos más anticuados se han percatado de que algunos complementos se han ganado su lugar junto a los medicamentos convencionales.

El licopeno también llama la atención de los científicos. Es un antioxidante que se encuentra en los jitomates y se vende en forma de complemento; además, puede ayudar a disminuir el riesgo de cáncer prostático. La coenzima Q_{10}, sustancia que el cuerpo produce, mejora la capacidad de bombeo del corazón en personas que padecen insuficiencia cardiaca por congestión venosa. Las cápsulas de aceite de pescado pueden reducir los niveles de colesterol y de las sustancias inflamatorias que aumentan el riesgo de infarto. La lista es larga.

La compra de complementos

No es necesario que usted pierda mucho tiempo en Internet para darse cuenta de que muchas afirmaciones acerca de los complementos son, al menos exageradas. Existe mucha confusión en la ley por lo que se refiere a los complementos: desconciertan aun a algunos fabricantes y nutriólogos. El problema se debe en parte a que a los complementos se les aplica la legislación correspondiente ya sea a los alimentos o a las medicinas, ninguna de las cuales es por fuerza la apropiada.

La mayoría de los complementos se clasifican como alimentos, de modo que no tienen que sujetarse a las leyes de que son objeto los fármacos, y a los fabricantes no se les permite ofrecer en las etiquetas beneficios específicos para la salud. Se les autoriza, no obstante, a describir los posibles beneficios, tales como "promueve el colesterol saludable" o "puede ayudar a la digestión".

Incluso si una hierba o un complemento han probado ser seguros y eficaces, nada garantiza que el producto que esté comprando contenga las sustancias activas en las cantidades necesarias. He aquí unos consejos que le ayudarán a elegir y utilizar buenos productos.

Compre marcas confiables   Cuando los complementos se analizan en laboratorios particulares, a veces no se encuentra en ellos nada útil. Pueden contener poco o nada de las sustancias que enumeran. Además, las cantidades de esas sustancias pueden variar mucho de una píldora a otra. Los fabricantes establecidos tienen un prestigio que cuidar, de modo que procurarán que sus productos contengan lo que se establece en las etiquetas.

Compre extractos de hierbas homologados Siempre que pueda compre complementos que incluyan en la etiqueta la palabra "homologados". Ello indica que cada píldora o cápsula contiene una cantidad específica de la sustancia activa.

Ingiera la dosis correcta   Cerciórese de leer las etiquetas y los instructivos, y nunca exceda las dosis recomendadas para los remedios herbarios o los complementos.

Aromaterapia: fragancias que curan

En un herbario quizá no pueda resistir la tentación de tomar unas hojas, machacarlas con los dedos y disfrutar su fragancia. Se sabe que esos aromas no sólo son agradables, sino a menudo terapéuticos. Apresadas en aceites esenciales, las fragancias pasan directamente a los centros nerviosos del cerebro, donde producen muy diversas respuestas. Los aceites esenciales pueden ayudar a aliviar la ansiedad y la depresión, suavizar nuestras respuestas al estrés y aumentar nuestra energía. La investigación demuestra que el olor de ciertas hierbas (como la lavanda, la bergamota, la mejorana y el sándalo) modifican de hecho las ondas cerebrales, induciendo al relajamiento y al sueño.

Hoy podemos obtener esos beneficios de los aceites esenciales comercialmente elaborados y muy concentrados. Una planta puede contener la cantidad de 1% de aceite fragante, pero cuando éste se extrae y se destila el olor es intenso.

Usted puede disfrutar en varias formas los efectos curativos de los aceites esenciales: inhalando el aroma, bañándose en agua que contenga una esencia, o bien aplicándola en la piel con un masaje. Para inhalar la fragancia, basta con que ponga una o dos gotas de aceite esencial en un pañuelo, o unas cuantas gotas en un anillo de latón sobre una bombilla encendida, o que use un vaporizador o un difusor.

El aceite para bañarse o darse un masaje debe diluirse en un aceite "vehículo" (o excipiente). Para un masaje con aceite, añada de 8 a 12 gotas a 8 cucharaditas de un aceite extraído en frío, como el de almendras, de semillas de uva o de girasol. Para bañarse, la mezcla usual es de 10 a 30 gotas de aceite esencial disueltas en 20 cucharaditas del aceite "vehículo".

Los aceites esenciales pueden ayudar a aliviar la ansiedad y la depresión, suavizar nuestras respuestas al estrés y aumentar nuestra energía.

Los aceites esenciales están muy concentrados y no deben ingerirse. Algunos son alérgicos a los aceites, así que tome precauciones cuando vaya a usar uno nuevo. Asimismo, debido a que los aceites esenciales pueden incorporarse al torrente sanguíneo a través de la piel, no deben usarlos las embarazadas. Consulte a un médico antes de aplicarse un aceite esencial si tiene usted piel sensible, padece epilepsia, presión alta o si se ha sometido a una cirugía.

Para asegurarse de que ha adquirido aceites esenciales de alta calidad y para almacenarlos como es debido siga las recomendaciones de un aromaterapeuta. Muchos aceites pueden almacenarse durante años sin perder su fragancia, aunque algunos aceites de cítricos (como la naranja y el limón) necesitan permanecer en el refrigerador. Almacene los aceites en botellas oscuras selladas y en un lugar frío donde no dé la luz del sol.

¿Qué es la homeopatía?

Si antes no ha recurrido a la homeopatía, quizá desconfíe de los frasquitos con palabras en latín. No hay por qué temerle a esos remedios. Las mezclas homeopáticas que se recomiendan en este libro son por demás seguras, y muchas de ellas son ampliamente respetadas como agentes curativos, incluso cuando es imposible explicar por qué funcionan. Imagínese que toma sólo una gota de cualquier medicamento (de un líquido descongestionante, digamos). Diluya esa gota en 10 gotas de agua. Agite bien la mezcla, tome de ella una sola gota y dilúyala en 10 gotas de agua. Repita el proceso varias veces. ¿Qué es lo que queda? No mucho, de acuerdo con las leyes científicas. Pero, de acuerdo con la homeopatía, la mezcla altamente diluida figura entre los medicamentos más potentes.

Se dará cuenta de por qué la homeopatía, una rama de la medicina que fue desarrollada por un médico alemán hace más de 200 años, no se ha ganado el favor de los médicos comunes. Sin embargo, muchos homeópatas son también médicos convencionales, y la experiencia de millones de pacientes (más varios estudios científicos) explica por qué es así.

He aquí los fundamentos: los homeópatas, que trabajan con un repertorio de más de 2 000 sustancias, dan a sus pacientes una sustancia que en una dosis mayor no haría sino reproducir los síntomas de su enfermedad, pero que en cantidades minúsculas alivia sus síntomas. Muchos de los remedios usados en homeopatía provienen de hierbas o de minerales, como la hierba de san Juan para la depresión, la consuelda para las heridas o moretones y la eufrasia para los ojos irritados y cansados. Pero muchos de ellos se diluyen en tanta agua que contienen poco o casi nada de la sustancia activa.

El análisis de 107 estudios científicos de las medicinas homeopáticas puso de manifiesto que 77% de ellas tuvieron efectos positivos.

La mayoría de los expertos afirman que la homeopatía viola un principio básico de la ciencia farmacéutica: cuanto menor es la dosis, menores son sus efectos. Pero quienes investigan la homeopatía han llegado a resultados sorprendentes. Por ejemplo, en un estudio de 478 pacientes con gripe se halló que 17% de los tratados con homeopatía mejoraron, en comparación con el 10% de quienes sólo tomaron placebos. En 1991, el prestigiado *British Medical Journal,* en un análisis de 107 estudios científicos de medicamentos homeopáticos, halló que 77% de ellos tuvieron efectos positivos.

Se ha señalado que el proceso de diluir y agitar las soluciones de alguna manera "potencia" a la solución resultante y modifica sus propiedades químicas. Pero de hecho nadie sabe cómo funciona en realidad la homeopatía. Por otro lado, debido a que las dosis de las sustancias activas son tan pequeñas, no hay peligro en usarlas. Usted debe consultar a un homeópata. Para cada uno de los síntomas se usan diferentes remedios, y éstos, lo mismo que las dosis, pueden variar dependiendo de su estado mental y emocional en un momento determinado.

Al principio resultan desconcertantes las dosis homeopáticas. Por lo general, las verá señaladas con una "x" o con una "c" en la etiqueta. Un remedio 1x se ha diluido usando una parte de la sustancia activa en 10 partes de agua. El 2x contiene una parte de la sustancia activa en 100 partes de agua, y el 3x contiene una parte de la sustancia activa en 1 000 partes de agua. Las soluciones c están más diluidas aún: es posible que no contengan una sola molécula de la sustancia activa original.

La homeopatía no es un sucedáneo de la atención médica. La mayoría de los homeópatas dedican al menos una hora con los pacientes nuevos. Redactan un historial médico completo, analizan los síntomas y juzgan si la homeopatía es apropiada para el paciente, y también si éste requiere acudir a un alópata.

Medicina psicosomática

Para muchos de los padecimientos que figuran en este libro se recomiendan remedios basados en la meditación, la relajación, el yoga o el tai chi. Cualquiera que sea la forma que adopten, el relajamiento y la meditación han probado su eficacia. Una de las prácticas mejor estudiadas es la meditación trascendental, o MT. Al investigar sus beneficios, el doctor Herbert Benson, de la Universidad de Harvard, midió las respuestas físicas de los estudiantes que se sentaban callados y con los ojos cerrados y repetían una palabra o una frase (llamada *mantra*) una y otra vez. Los ejercicios duraban 20 minutos y se hacían una o dos veces al día. Benson descubrió que la profunda calma inducida por la MT reducía la presión sanguínea, así como los ritmos cardiaco y respiratorio. Muchos de los beneficios de la MT para el alivio del estrés contribuyeron a fortalecer el sistema inmunitario y a combatir la ansiedad y la depresión.

Toda técnica de MT o de relajación puede practicarse en casa, en cualquier momento y sin requerir mucha preparación, por lo que se recomiendan para muchos padecimientos: desde ansiedad y presión alta hasta psoriasis y achaques menstruales.

Si nunca ha intentado meditar, empiece con un ejercicio

sencillo de 20 minutos. Siéntese erguido y cómodo, con la espalda recta, la cabeza levantada y el cuerpo relajado. Cierre los ojos y concéntrese en su respiración. Aspire profundamente y con regularidad, y sienta cómo el abdomen, no el pecho, sube y baja. Concéntrese en una palabra, como "paz" u "om", y repítalo una y otra vez. Si se distrae, comience de nuevo. Deténgase a los 20 minutos, abra los ojos y estírese. Cuando se levante, hágalo despacio y comience a moverse otra vez.

Si tiene dificultad para meditar, quizá le convenga tomar clases con un instructor de MT, yoga o tai chi.

Un equipo de profesionales

Podemos gastar mucho dinero en hierbas y complementos, pero no por ello descartemos la medicina convencional. Queremos lo mejor de ambos mundos: las técnicas avanzadas de la medicina moderna y los tratamientos caseros naturales de los que dependieron las generaciones anteriores.

Esta postura, conocida como medicina complementaria, tiene sentido. Si, por ejemplo, usted padece una cardiopatía o diabetes, querrá tener a su alcance los cuidados más avanzados. Pero a la vez es mucho lo que usted puede hacer por usted, no sólo para aliviar síntomas y sentirse mejor, sino para ayudarle a su cuerpo a revertir la afección.

No dude en comentar con su médico los remedios que está usando en casa. Quizá incluso descubra que su médico general tiene sus remedios favoritos, como eliminar con masaje un dolor de cabeza. Después de todo, la medicina convencional y los remedios caseros no son adversarios, como en ocasiones se cree. Cada uno tiene sus puntos fuertes y sus puntos flacos, y ambos funcionan mejor cuando se emplean a la par.

Si le agrada la idea de los métodos curativos "naturales", que implican la no supresión de los síntomas y la no interferencia con los sistemas de defensa naturales del cuerpo, considere la visita a un naturópata. Un naturópata ha adquirido su diploma al cabo de un curso de algunos años. Los naturópatas se adiestran en el diagnóstico tan rigurosamente como los médicos alópatas.

Los remedios: una última palabra

Este libro contiene una enorme cantidad de remedios

provenientes de las más diversas fuentes, incluyendo los remedios populares tradicionales. Muchas de las "recetas" tradicionales que encontramos para infusiones, elíxires y tónicos requerían medidas específicas. Por ejemplo, una abuela pudo haber indicado dos cucharaditas de miel, 24 dientes de ajo y tres manojos de perejil fresco. Pero en muchos casos la cantidad exacta no es decisiva para el buen resultado del remedio. Así, las cantidades que encuentre en este libro quizá difieran de las correspondientes a los remedios caseros que usted ha heredado de su familia.

Queremos lo mejor de ambos mundos: las técnicas más avanzadas de la medicina moderna y los tratamientos caseros naturales de los que dependieron anteriores generaciones.

Sin embargo, en cada "receta" hemos incluido aquellos ingredientes cuya probabilidad de beneficiar directamente a la salud es mayor, y hemos omitido los que no son eficaces o pueden causar problemas.

Siempre que es posible recomendamos ingredientes que se consiguen en mercados, farmacias o tiendas naturistas.

Por supuesto, la mayoría de los remedios que aquí ofrecemos no requieren en absoluto ingredientes especiales: sólo la alimentación, el ejercicio y la curación práctica adecuados. El alivio temporal, e incluso la cura, pueden estar tan cerca como su cocina o su botiquín.

Si un remedio no le funciona, pruebe otro. Si funciona, comuníquelo a un familiar o a un amigo, de modo que algún día también se beneficien con él.

Recomendamos que siempre tenga a la mano los números telefónicos del médico o de los médicos que atiendan a los miembros de la familia. Asimismo, incluya los de los hospitales y servicios médicos de emergencia. Si tiene seguro de gastos médicos, también anote el número telefónico en la misma lista, así como el número de póliza. Los números telefónicos cambian a veces, por lo que usted debe asegurarse periódicamente de que siempre estén actualizados.

PARTE 1

TRASTORNOS COTIDIANOS

Cuando usted experimenta comezón, dolor o ardor; cuando tose, estornuda o sufre de otra manera, resulta **muy reconfortante** saber que existen muchos **remedios eficaces** que pueden ayudarlo. Ninguno de ellos requiere receta médica. Basta con tener en la despensa unos cuantos **productos esenciales** (*vea Los 20 mejores productos caseros*); luego asalte su **refrigerador** o su **despensa**, haga su agosto en el **jardín** y saquee la **cochera** para encontrar lo que necesita. Algunos remedios, como las sencillas técnicas de acupresión, están precisamente **en la palma de la mano o en la yema de los dedos**. ¿Algo le causa malestar? Descubra cómo **calmarlo** con harina de avena, **aliviarlo** con menta, **eliminarlo** con bicarbonato de sodio o **aplacarlo** con bolsitas de té. Del mal aliento a las picaduras de insectos, de la acidez estomacal al herpes, aquí hallará el tratamiento para más de **cien dolencias**.

Acidez estomacal

La acidez estomacal es muy molesta; además, no siempre conoce la causa. Algunos aconsejan comer poco o despacio; otros culpan a los alimentos condimentados, o la atribuyen a los limones y naranjas. Para empezar, consulte a su farmacéutico sobre los antiácidos de venta libre, o los inhibidores de ácido, como la ranitidina, el omeprazol o la cimetidina. Pero el objetivo a largo plazo es determinar (y evitar) lo que a usted le provoca acidez estomacal.

¿Qué ocurre?

Cuando el ácido gástrico refluye a su esófago usted siente un ardor molesto. Un esfínter esofágico de tejido muscular, llamado píloro, suele mantener el ácido gástrico en su lugar. La acidez estomacal ocurre porque el ácido se dirige hacia arriba, lo que se conoce como reflujo. Las comidas abundantes y ciertos alimentos pueden causar acidez estomacal, y ésta es más probable en las embarazadas, en las personas con sobrepeso y en los fumadores, o en quienes padecen hernia hiatal. Ciertos medicamentos (como la aspirina), algunos antibióticos y ciertos antidepresivos y sedantes pueden agravar la acidez estomacal.

Apague el fuego

- Tan pronto como sienta el inquietante ardor de la acidez estomacal beba un vaso de **agua** grande. Ésta diluirá el ácido y lo hará descender al esófago y de ahí al estómago.
- Prepare un té para aliviar la acidez estomacal añadiendo una cucharadita de **raíz de jengibre** recién rallada a una taza de agua hirviendo; déjelo reposar 10 minutos y luego bébaselo. Usado desde hace mucho para calmar la náusea provocada por el mareo debido al movimiento, el jengibre también ayuda a relajar los músculos que recubren las paredes del esófago, evitando que el ácido gástrico sea impelido hacia arriba.
- Según los herbolarios, una infusión de **anís, alcaravea** o **semillas de hinojo** también alivia la acidez. Añada dos cucharaditas de cualquiera de ellos a una taza de agua hirviendo; déjela reposar 10 minutos, cuele y bébala.
- Los doctores de la medicina ayurvédica, práctica tradicional de India, recetan infusiones de **canela** o **cardamomo** molidos para aliviar las agruras. Añada una cucharadita de cualquiera de ambos, molidos o en polvo, a una taza de agua hirviendo; deje reposar y tómesela.

Recubra con una capa protectora

- La **raíz de malvavisco** es uno de los remedios más antiguos para la acidez estomacal. Esta planta produce una sustancia pegajosa y feculosa, llamada mucílago, que recubre y protege las membranas mucosas del esófago. Quizá esto sea lo que necesita si le arde el esófago. En una taza de agua, agite una cucharadita de raíz de malvavisco en polvo y bébala a sorbos. Tome de tres a cuatro tazas al día.

• Puede hacerse una bebida no menos mitigadora con **olmo americano**. Añada una cucharadita de corteza en polvo a una taza de agua caliente. Beba varias tazas al día.

• También una variante de **orozuz**, llamada DGL (orozuz deglicirricinado), contiene un mucílago calmante. Puede adquirirse en cápsulas, pero funciona mejor mezclado con saliva, de modo que tómelo de preferencia en forma de goma de mascar. Mastique de dos a cuatro piezas de 380 mg de DGL tres veces al día, media hora antes de comer. Si no consigue la goma de mascar, entonces compre cápsulas de DGL (tome hasta 1 g al día). Algunas marcas contienen 250 mg, con una dosis recomendada de 2 a 4 cápsulas al día.

Use neutralizadores

• La saliva ayuda a neutralizar el ácido gástrico. Mastique una pieza de **goma de mascar sin azúcar**, chupe un dulce que le encante o sueñe con una jugosa arrachera o con papas a la mantequilla: todo es bueno siempre que le haga producir y tragar saliva extra.

• El **bicarbonato de sodio** es alcalino y neutraliza al ácido gástrico. Mezcle ½ cucharadita de bicarbonato y unas gotas de jugo de limón en media taza de agua tibia. No tome el bicarbonato solo: el **jugo de limón** es necesario para disipar parte del gas que el bicarbonato genera en el estómago cuando entra en contacto con el ácido de éste.

• Los jugos de verduras como la **zanahoria**, el **pepino** o el **rábano** ayudan a neutralizar el ácido gástrico por su naturaleza alcalina. Si preparar el jugo le resulta inconveniente o no le atrae, entonces cómaselas crudas.

El poder de la prevención

• Sin importar cuán mal se sienta, manténgase erguido. Si está de pie, la fuerza de gravedad mantendrá al ácido en el estómago. Evite agacharse después de comer y no se acueste.

• Si la acidez lo molesta de noche, tome sus alimentos por lo menos **dos horas antes de acostarse**. En ese lapso los ácidos gástricos podrán descender antes de que usted se acueste.

• Puede **elevar la cabecera de su cama** unos 15 cm con directorios telefónicos. Al dormir inclinado, la fuerza de gravedad contribuye a mantener el ácido en el estómago.

¿Llamaré al doctor?

La acidez estomacal ocasional no es grave; pero si es recurrente podría ser un síntoma de reflujo gastroesofágico, enfermedad que puede causar afecciones como úlcera esofágica y tos crónica. Acuda a su médico si experimenta acidez estomacal tres o cuatro veces por semana durante varias semanas, si resuella o ha enronquecido, si se le dificulta tragar o ha perdido peso con rapidez. Los anteriores podrían ser síntomas de cáncer, en especial si usted ya rebasó los 40 años de edad. Los síntomas de la acidez estomacal grave llegan a confundirse con los de un infarto. Si se presentan después de ingerir alimentos y se aplacan con agua o con antiácidos, muy probablemente se trata de acidez estomacal. Pero si usted experimenta la sensación de estar lleno, opresión o un dolor sordo en el centro del pecho, dificultad para respirar o mareo ligero y sudor frío, llame de inmediato a su médico, a una ambulancia, o acuda a un hospital.

CURE SU HOGAR

Usted tiene en casa detectores de humo. Siempre usa filtro para el agua. En los baños hay jabón antibacterial y a diario cambia las toallas. ¿Qué más puede hacer para proteger a su familia de las enfermedades? Bastante. En especial, si vive en un hogar sellado y donde todo funciona con electricidad, las toxinas que se generan en el aire pueden acumularse rápidamente.

Use limpiadores naturales

Usted ya sabe que debe abrir las ventanas y encender los extractores de aire cuando usa solventes, limpiadores y otras sustancias nocivas. Pero será aún mejor si reemplaza esos productos, siempre que sea posible, con opciones hechas en casa.

• Limpia-todo: disuelva cuatro cucharadas de bicarbonato en un litro de agua tibia.

• Limpia-cañerías: vierta ½ taza de bicarbonato de sodio en el desagüe. Añada ½ taza de vinagre blanco. Espere cinco minutos y vierta una jarra llena de agua hirviendo.

• Limpia-retretes: haga una pasta con jugo de limón y bórax (disponible en ferreterías). Aplique la pasta en la taza; déjela actuar dos horas, y luego cepille y enjuague.

• Limpia-hornos: rocíe con agua las salpicaduras mientras el horno aún está caliente; luego añada sal. Cuando el horno se enfríe raspe las salpicaduras.

• Aromatizante: evite usar aromatizantes químicos. Abra la ventana del baño; cultive ahí una planta aromática o cuelgue manojos de lavanda o de menta.

Combata el moho

Muchas personas que le achacan su tos o su resuello al pelaje de los animales o al polen, de hecho están reaccionando a las esporas de moho que hay en su hogar. Nada favorece más al moho que la humedad excesiva, así que mantenenga bajo control a ambos. Ello significa que debe vigilar los techos que gotean y las tuberías con fugas. Pero también asegúrese de darle mantenimiento regular a todos los calentadores de ambiente, estufas de leña, chimeneas de gas y demás, así como de ventilar muy bien las habitaciones donde se usan. Esos aparatos no sólo emiten monóxido de carbono y otros productos por la combustión; también llenan el aire con vapor de agua. Considere comprar un deshumidificador para usarlo junto con los calentadores mencionados.

Menos cloro

La mayoría del agua de la tubería está clorada. Ello es bueno en la medida en que el cloro es un eficaz germicida. Por desgracia, el agua clorada se ha relacionado con algunas enfermedades como el cáncer de vejiga y el de recto.

El agua embotellada es cada vez más barata, pero si no desea estarla comprando puede eliminar el cloro del agua potable instalando en su cocina un filtro de agua de carbón activado.

Cierre la puerta al plomo

Este tóxico metal no sólo se encuentra en el agua de la tubería y en la pintura vieja. Aunque hace décadas que la gasolina con plomo se prohibió oficialmente, el suelo de algunos lugares sigue contaminado con residuos de gases de combustión de los autos que usaban gasolina con plomo. Para protegerse, limpie el polvo y, si vive cerca de una vía transitada, pida a todos que se quiten los zapatos antes de entrar a casa.

Déle la espalda a los gérmenes

No importa cuán esmeradamente asee usted su hogar: es imposible deshacerse de todos los gérmenes. Pero quizá pesque menos resfriados y otros virus con sólo insistir en que todos en casa se laven las manos antes de comer y después de ir al baño. Procure no tocarse ojos ni boca: si los gérmenes no pueden entrar a su organismo, no podrán enfermarlo. Use un aerosol desinfectante en picaportes, auriculares de teléfonos y llaves del agua para proteger a su familia cuando hay un enfermo en casa.

• Un lugar en el que los gérmenes se esconden es en un cepillo dental húmedo. Muchos virus, entre ellos los de la gripe, pueden sobrevivir más de 24 horas en las cerdas húmedas. Use alternadamente tres cepillos, para que cada vez se lave la boca con uno seco. Si se ha resfriado, reemplácelos todos una vez que se haya recuperado. Si no quiere usar muchos cepillos,use uno y enjuáguelo diariamente con agua oxigenada o con enjuague bucal.

• Al igual que los cepillos dentales, los trapos de cocina o las esponjas son caldo de cultivo de bacterias. También es posible transferir a los platos y cacerolas los bichos que se generan en los alimentos crudos, como la salmonela y los espirilos, de los trapos que se han usado para limpiar las tablas de picar. Para evitarlo, cambie el trapo y la esponja cada semana, y siempre déjelos secar cada vez que los use. También conviene desinfectarlos con regularidad en una mezcla de agua y cloro.

¡Guerra a los ácaros del polvo!

Estas microscópicas criaturas se alimentan de células muertas de la piel. Sus heces pueden provocar alergias. ¿Cómo deshacerse de una plaga a la que no puede ver? Una vez a la semana aspire las alfombras y los muebles tapizados, además de lavar sábanas y toallas en agua caliente (a 60° C por lo menos). Puede colocar en la secadora una vez a la semana las colchas y los edredones que no desee lavar con tanta frecuencia para aniquilar a los ácaros. Antes de empacar esos blancos al finalizar la estación fría, lávelos o llévelos a la tintorería.

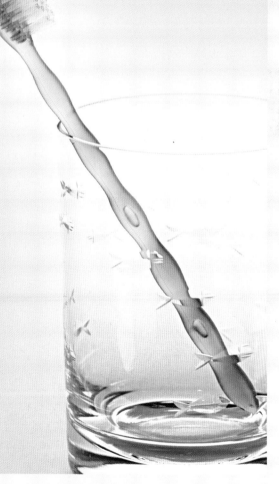

• Procure **dormir sobre su costado izquierdo**. Cuando así lo hace, el estómago se ladea y los líquidos se acumulan en la concavidad mayor, lejos del esfínter esofágico inferior. De este modo, esos líquidos se mantienen alejados del esófago.

• Coma **menos cantidades de alimento con más frecuencia** para minimizar la producción de ácido gástrico. Evite comer demasiado de una sola vez, pues al hacerlo así forzará a abrirse al esfínter esofágico inferior, un grueso anillo muscular que separa al esófago del estómago y mantiene a los ácidos gástricos en este último.

• Si aún no lo ha hecho, **deje el cigarrillo**. La investigación ha mostrado que fumar dilata el esfínter esofágico inferior. Lo mismo les sucede a los fumadores pasivos, así que no frecuente lugares donde se fuma mucho.

Alimentos que debe evitar

Si usted es propenso a la acidez estomacal, evite ciertos alimentos y bebidas. Absténgase de los siguientes o limite su consumo:

Cerveza, vino y otras bebidas alcohólicas Estas bebidas tienden a dilatar el esfínter esofágico inferior, importante válvula entre su estómago y el esófago inferior.

Leche Sentirá alivio mientras bebe leche, pero las grasas, proteínas y el calcio estimulan la secreción de ácido gástrico.

Café, té y bebidas de cola Las bebidas con cafeína dilatan el esfínter esofágico inferior, irritan al esófago inflamado.

Chocolate Contiene dos agentes de acidez estomacal: grasa y cafeína.

Bebidas gaseosas El carbonato que contienen estas bebidas expande el estómago, lo que ejerce en el esfínter esofágico inferior el mismo efecto que comer demasiado.

Alimentos fritos y grasosos Las grasas permanecen mucho tiempo en el estómago. y provocan una producción excesiva de ácidos.

Frutas y jugos cítricos Aunque contienen ácidos, éstos resultan leves comparados con los que produce el estómago, por lo que quizá no sean tan dañinos.

Menta y hierbabuena Al igual que los jitomates, dilatan también el esfínter esofágico inferior.

Acné

Si los científicos pueden descifrar el genoma humano, ¿por qué no erradican el acné? No hay señal de curación a la vista, y a usted le corresponde combatir los granos que dañan su aspecto y su autoestima mucho después de pasada la adolescencia. Cuando asoma la cabeza de un barro, hay varios productos que pueden ayudar; pero también lo hacen algunos sencillos remedios naturales.

Deshágase de los barros ahora

• El primer paso es usar una crema, loción, líquido o gel cuya fórmula contenga **peróxido de benzoilo**. Éstos actúan irritando levemente la piel, lo que provoca que se acelere el desprendimiento de las células muertas. A su vez, ello contribuye a destapar los poros.

• Los **ácidos alfa-hidróxidos** (AAH), como el ácido glicólico, provocan que se desprenda la capa externa de células muertas de la piel, lo que ayuda a mantener los poros limpios y sin obstrucciones. Compre una crema, loción o gel para la piel que contenga ácido glicólico.

• Al primer indicio de un barro, tome un **cubito de hielo, envuélvalo** en un pedazo de cinta adhesiva y manténgalo en el área afectada por lo menos dos veces al día o, si puede, cada hora, pero no por más de cinco minutos en cada ocasión. El frío disminuirá el enrojecimiento y la inflamación.

• Tome **aspirina** o **ibuprofeno**. Estos analgésicos son antiinflamatorios y ayudan a aplacar un brote de acné. Ingiera la dosis recomendada para adultos hasta cuatro veces al día. (No tome aspirina con regularidad durante más de cinco días sin consultarlo con su médico, y nunca le dé aspirina a un niño menor de 16 años.)

Tratamientos alternativos del acné

• Aplique una gota de **aceite de árbol del té** en las zonas afectadas tres veces al día, para de detener la infección y acelerar la cura. La investigación ha descubierto que 5% de aceite de árbol del té resulta tan eficaz contra el acné como una solución al 5% de peróxido de benzoilo.

¿Qué ocurre?

Su piel produce demasiado sebo (un lubricante oleoso natural), y ese excedente es el que bloquea sus poros. Existen dos tipos de acné. El más común, el acné vulgaris, es el que se presenta en su cara, pecho, hombros y espalda en la forma de puntos negros, puntos blancos o granos rojos. El acné quístico se presenta en la forma de quistes dolorosos o como duras protuberancias indoloras. Las fluctuaciones hormonales que responden a la pubertad, a la ingesta de anticonceptivos, a la menstruación, a la preñez o al inicio de la menopausia suelen aumentar la producción de sebo, lo que a su vez causa brotes de acné. Otros responsables son ciertos tipos de maquillaje, tomar el sol y el estrés. El acné suele ser hereditario.

¿Llamaré al doctor?

No es un gran problema si de vez en cuando sale un barro, pero si la zona afectada no responde en tres meses a los tratamientos de venta libre, o si su piel se inflama severamente con protuberancias dolorosas, rojizas o moradas, y llenas de líquido, acuda a su médico. También hágalo si su piel está siempre roja o con rubor, aun cuando no se presente acné, pues podría tratarse de la etapa inicial de rosácea, una afección de la piel que se caracteriza por un rubor persistente, barros y dilatación de los vasos sanguíneos.

• Aplique a los barros **vinagre** o **jugo de limón** con un algodón. El ácido de los vinagres y el limón ayuda a abrir los poros. Untar **pasta dental** en la zona afectada también funciona.

• Un remedio para curar los barros consiste en una mezcla de **especias y miel**. Mezcle una cucharadita de nuez moscada en polvo con una cucharada de miel y aplíquela al barro. Déjela actuar 20 minutos y enjuáguese. No hay prueba científica de que funcione, pero la miel tiene propiedades antisépticas.

• Use **zábila** *(aloe vera)*. Un estudio descubrió que esta planta sanaba en cinco días 90% de las excoriaciones. Compre un producto que contenga zábila, o bien, exprima la gelatina de la parte media de una hoja recién cortada y aplíquela a la piel.

Mantenga su piel limpia, pero no exagere

• Quizá piense que mantener su piel limpia evitará que se tapen los poros; pero una limpieza excesiva puede provocar acné al estimular las glándulas sebáceas para que produzcan más aceite. **Evite los limpiadores granulados.** Y no use una franela, pues es **abrasiva**. Use almohadillas limpiadoras.

• Elabore un limpiador facial añadiendo una cucharadita de **sales de Epsom** y tres gotas de **yodo** a 125 ml de agua. Póngalo a hervir, deje enfriar y aplíquelo con algodón limpio.

• **Limpie su rastrillo** con fenol después de usarlo para evitar que en él se alojen las bacterias.

Exprimir o no exprimir

Si es preciso combatir los barros siga el método que a continuación se describe, aprobado por un dermatólogo y apropiado para los granos de punto blanco. Limpie la zona afectada y esterilice la punta de una aguja calentándola a fuego directo durante tres segundos (cuidando de no quemarse) o limpiándola con fenol. Luego perfore con suavidad y firmeza la superficie del barro.

Séquelo con un algodón y límpielo con agua oxigenada de 20 volúmenes. No exprima ni escarbe el barro, pues así puede empeorarlo. Para los granos de punto negro, compre un extractor de éstos *(blackhead extractor)*, disponible en Internet y en laboratorios químicos. Suavice la zona afectada aplicándose una compresa de agua caliente durante 10 minutos antes de usar el producto.

Afeitada, problemas en la

Si no nos afeitáramos tendríamos menos problemas con los vellos enterrados. Algunas precauciones antes de pasar el rastrillo por la piel serán de gran ayuda. También convendría cambiar el tipo de rastrillo. Con todo, de vez en cuando tendrá que echar mano de trucos para desenterrar un vello. Si se ha afeitado descuidadamente y su piel está irritada, hay varias maneras de aliviar el sarpullido sin necesidad de costosas cremas faciales o lociones caras.

Extracción de vellos

• Si un vello se ha rizado hacia atrás y crece dentro de su piel usted deberá eliminarlo. Para comenzar, coloque una **franela empapada con agua caliente** en la zona afectada. Déjela ahí unos cinco minutos para que se ablande el vello. Con unas **pinzas para depilar** jale suavemente la punta del vello fuera de la piel. Luego corte el rizo con unas **tijeras para uñas**.

Todo sobre rastrillos

• Si los vellos enterrados siguen presentándose, cambie su dispositivo de afeitar y así puede resolver el problema. Si se afeita con un rastrillo, cambie a una **rasuradora eléctrica**. Si usa una rasuradora eléctrica, cambie a un rastrillo.
• Muchos rastrillos presentan hojas dobles o hasta triples para una afeitada al ras. Pero cuando se trata de prevenir vellos enterrados, un rastrillo tradicional de una sola hoja es a menudo mejor. Los rastrillos de hojas gemelas suelen jalar la barba cerdosa de la piel antes de cortarla. Los vellos responden bruscamente y pueden acabar incrustados en la superficie.
• Si un vello enterrado se infecta y usa usted un rastrillo, cambiar las hojas debe acelerar el proceso de curación ayudándolo a evitar exponer de nuevo su piel a los gérmenes que causaron la infección la primera vez. Si desea volver a usar una hoja, esterilícela limpiándola con **alcohol quirúrgico**.

Prepare su piel

• Antes de su próxima afeitada, **frote enérgicamente la zona con un estropajo**, un guante exfoliador, una esponja o una franela secas. Lo anterior retira la células muertas de la piel que

¿Qué ocurre?

Usted raspa células de la superficie de la piel cuando se afeita. Sin esa capa protectora externa, la piel debajo de ella se seca e irrita. Afeitarse apresurada o incorrectamente aumenta el riesgo de irritación. Ciertos individuos, como los afrocaribeños y los hombres con barba rizada, son propensos a reaccionar adversamente a la afeitada. En las mujeres, afeitarse las axilas y las piernas puede tener efectos similares: piel irritada con excoriaciones. Los vellos enterrados dan lugar a barros rojos y dolorosos, y pueden ser el resultado de una afeitada demasiado al ras que daña al folículo del que nace el vello, o bien, presentarse cuando la punta de un vello muy rizado crece hacia el interior del folículo.

¿Llamaré al doctor?

Pocos médicos se interesarán en los vellos enterrados o en la irritación por la afeitada. Como sea, si usted padece esta última de manera severa y persistente, quizá se trate de una reacción alérgica a su gel o a su crema de afeitar, o bien, de una infección bacteriana o micótica. Su médico deberá diagnosticar y tratar el problema. Además, si el grano rojo debido a un vello enterrado se hincha y le duele más en lugar de mejorar, quizá tenga una infección, por lo que será necesario que su médico le recete un antibiótico.

pueden bloquear los folículos capilares (un proceso llamado exfoliación) y separa los vellos de sus folículos.

Ponga cuidado al rasurarse

- Aféitese siguiendo **el nacimiento de su vello**. Por ejemplo, cuando los varones se afeitan el cuello deberían hacerlo más bien hacia abajo y no hacia arriba. Cuando las mujeres se afeitan las piernas o el pubis deberían hacerlo de igual manera: hacia abajo, no hacia arriba. Quizá no logre una afeitada al ras, pero evitará que el vello quede tan corto que pueda enterrarse bajo su piel.
- Si se afeita las axilas, **no cometa el error de estirar la piel** antes de pasar el rastrillo. Ello hace que los vellos sobresalgan ligeramente y, al cortar los extremos, se retraen bajo la piel. Por esta misma razón los varones no deben estirarse el cutis cuando se afeitan.

Deshágase de granos y barros

- El **peróxido de benzoilo**, ingrediente que contienen muchas cremas para el acné y enjuagues faciales, reduce al mínimo los granos de los vellos enterrados.
- Las lociones que contienen **ácidos alfa-hidróxidos** (AAH) exfolian su piel y permiten cortar los vellos que quedan atrapados bajo ella. Aplique día y noche una loción con AAH a la piel que suele afeitar. Una de esas aplicaciones deberá hacerla inmediatamente después de afeitarse. Sin embargo, tenga cuidado, pues los AAH pueden ser irritantes, sobre todo si la piel está húmeda. Cuando comience a usar una loción con AAH, aplíquesela cada noche para verificar si su piel la tolera.
- Para reducir la inflamación, aplíquese una crema de **venta libre** que contenga **hidrocortisona**, un esteroide tópico, y siga las instrucciones de la etiqueta. (*Alerta* deberá evitarse en lo posible aplicar en la cara cremas con esteroides. Si es preciso, que use una, compre el esteroide tópico más suave y con una dosificación baja —uno por ciento de hidrocortisona—, y úsela sólo por breves periodos.)

Cómo no afeitarse

- **Olvídese** de una afeitada al ras. Cuanto más lo haga, tanto mayor será el riesgo de vellos enterrados. El único problema con este consejo es que, si usted evita esa molestia, su pareja quizá acabe padeciendo irritación por la aspereza de su barba.

- Algunas mujeres usan **cremas** o **lociónes depilatorias** en lugar de afeitarse. Ahora los hombres ya pueden disponer de productos similares. Asegúrese de seguir las instrucciones cuidadosamente. No use el producto más de dos veces a la semana para minimizar el riesgo de irritar la piel.

Alivie la irritación por la afeitada

- El **aloe vera** es uno de los mejores ingredientes naturales para la piel irritada o quemada. Si tiene una planta de zábila, corte la punta de una hoja, exprima un poco de la gelatina transparente y aplíquesela directamente en la piel. También puede usar un producto dermatológico de patente que contenga el extracto de la planta. El mejor es el que consiste 100% en gelatina pura de zábila.
- El **aguacate** es rico en vitaminas y aceites que brindan alivio. Aplíquese directamente en la piel pulpa machacada de aguacate.
- Los **pepinos** cuentan con una larga historia como sanativos de problemas de la piel. Aplíquese directamente una rebanada en la zona irritada. También puede pelar el pepino, pasarlo por la licuadora y aplicarse el puré. Y es mejor aún si añade algo de aguacate a la licuadora.
- Frote con crema de **caléndula** la zona afectada. Las cremas que contienen extractos de esta flor gozan de buena fama por sus virtudes curativas de lesiones de la piel, incluyendo la irritación por la afeitada.

Reflexione: ¿con qué se afeita?

- Para evitar o minimizar la irritación por la afeitada, **cambie el rastrillo** después de usarlo tres o cuatro veces. Si el filo de la navaja está ligeramente gastado tendrá que ejercer más presión, que a su vez causará mayor irritación. Los rastrillos desechables no deberán usarse más de tres veces, y una sola vez si su barba es cerrada.
- Será aún mejor si **alterna** el uso del rastrillo con una rasuradora eléctrica. Aféitese un mes con uno y luego cambie a la otra. Los dermatólogos ignoran la razón, pero esa alternancia reduce el riesgo de irritación.

¡No lo haga!

La cera quizá sea la mejor manera de lograr un depilado perfecto del pubis o unas piernas extraordinariamente suaves, pero en absoluto es lo mejor si usted es proclive a los vellos enterrados. Después de depilarse con cera, los vellos tienden a crecer en ángulo y no derechos, lo que aumenta la probabilidad de que se entierren.

Cuando el envase está vacío

Le sorprenderá saber lo que puede usar como sustituto de la crema para afeitar cuando descubre que el envase está vacío. Le ofrecemos algunas opciones que, al parecer, han sido probadas por muchas personas y han resultado eficaces. Todas parecen razonables. Muchas de ellas tienen una base oleosa, lo que brinda la humedad y la protección que usted requiere para afeitarse. Sin embargo, lo más probable es que sólo recurra a ellas cuando se sienta desesperado…

- queso para untar
- crema acondicionadora para el cabello
- pasta dental
- crema batida en aerosol
- mantequilla de cacahuate (sin trocitos)
- mantequilla
- crema humectante
- mayonesa
- aceite para cocinar

Suavice los vellos y humedezca la piel

Si se afeita con rastrillo, asegúrese antes de que su piel y los vellos estén **húmedos**. Remójelos mientras se ducha, o apliquese en la cara durante 10 minutos una franela con agua caliente antes de afeitarse. Cuando la piel está húmeda, los vellos se mantienen más derechos, lo que facilita cortarlos. (Si usa rasuradora eléctrica, deberá hacer lo contrario: mantener la piel y los vellos completamente secos.)

Elija la **crema para afeitar correcta**. Opte por una crema para piel sensible: la ideal es la que contiene, entre otros ingredientes, zábila. Evite los productos que contienen perfume, peróxido de benzoilo o mentol, pues quizá irriten su piel. No se afeite con jabón. Las cremas para afeitar y los geles son más espesos y más humectantes, además de que protegen mejor la piel.

Evite las lociones para después de afeitar. Éstas contienen mucho alcohol, lo que resecará su piel y exacerbará la irritación. Una buena alternativa es el hamamelis, que contiene sólo un poco de alcohol y le da a su piel tersura y suavidad. Si se corta al afeitarse, también lo puede usar para limpiar la herida.

Alergias

Picazón, estornudos, ojos adoloridos o irritados y flujo nasal son síntomas de la fiebre del heno y otras alergias. Puede tomar medicamentos antialérgicos, pero hágalo antes de que se presente un ataque de alergia, o bien pruebe algún antihistamínico de los que se mencionan aquí. También resguárdese del polen, de los ácaros del polvo y de la caspa de sus mascotas que trastornan su sistema inmunológico.

Los antihistamínicos de la naturaleza

- Las **ortigas** contienen una sustancia que actúa como un antihistamínico natural. En las tiendas naturistas se venden cápsulas de las hojas liofilizadas. Tome 500 mg tres veces al día.
- El **ginkgo biloba** ha adquirido renombre debido a sus propiedades para mejorar la memoria, pero también es un eficaz antialérgico. Este árbol contiene unas sustancias llamadas ginkgolides, que inhiben la actividad de ciertas sustancias alérgenas. Tome no más de 240 mg al día.
- La **quercitina**, pigmento que da a las uvas su tono morado y al té verde este color, inhibe la liberación de histamina. Tome 500 mg dos veces al día. (*Alerta* no la tome si ya está recurriendo a la ortiga, pues ésta contiene quercitina.)

Inténtelo con pescado

- Los **ácidos grasos omega-3** ayudan a contrarrestar las respuestas inflamatorias, como las de las alergias. Atún, salmón, sardinas y macarela son buenas fuentes de esas grasas. Si prefiere tomar perlas de aceite de pescado, recurra a los complementos que proporcionen al día 1 000 mg de AEP/ADH (ácidos eicosapentanoico y docosahexanoico) combinados.
- El **aceite de semillas de linaza** es otra estupenda fuente de ácidos grasos omega-3. Tome una cucharada de este aceite al día. Puede añadirlo al aderezo de ensalada, a un vaso de jugo, o bien mezclarlo con algo que suavice su sabor, pero nunca lo caliente.

Ensaye con calmantes sencillos

- Para bajar el ardor y la hinchazón de ojos, humedezca una franela con **agua fría** y colóquela sobre los ojos varias veces.
- Los **rociadores nasales salinos** se han usado desde hace

¿Qué ocurre?

Los síntomas de alergia significan que el sistema inmunológico reacciona exageradamente a sustancias que son inofensivas, como el polen, el polvo, la caspa de las mascotas y el moho. El sistema inmunológico suele ignorar estos "agentes provocadores" y concentrarse en protegerlo de amenazas reales, como virus y bacterias. Pero cuando alguien es alérgico, su sistema inmunológico es incapaz de distinguir entre sustancias dañinas e inocuas. Los "agentes provocadores" pueden ingerirse (como el trigo y el cacahuate), absorberse por la piel (como sucede con las plantas o los metales base), inhalarse (como el moho o el polen) o inocularse mediante una inyección (como la penicilina). La sensibilidad a los alergenos suele ser hereditaria

¿Llamaré al doctor?

Si la lengua, la cara, las manos o el cuello de una persona se hinchan con rapidez, si experimenta dificultad para respirar, y si no tarda en presentar urticaria o ronchas (rojas o blancas), llame en seguida una ambulancia, pues se trata de un choque anafiláctico, que es una respuesta alérgica, que puede resultar fatal, a la picadura de una abeja, al maní o a los mariscos, por ejemplo. Generalmente, los síntomas de alergia sólo resultan incómodos y exasperantes. Sin embargo, si los medicamentos de venta libre no resultan acertados o han dejado de funcionarle, o si usted no puede averiguar a qué es alérgico, entonces lo recomendable es que acuda a su médico

mucho para despejar las fosas nasales y para mantenerlas húmedas. Sin embargo, estudios recientes probaron que algunos de esos aerosoles contienen un conservador que daña las células de los senos nasales. Así, es más seguro si usted lo prepara: disuelva media cucharadita de sal en 250 ml de agua tibia; llene con ella una jeringa de perilla, inclínese sobre el lavabo y vierta dentro de su nariz un chorro de la solución.

Protéjase de los síntomas de la fiebre del heno

* **Refúgiese** en un lugar cerrado antes de una **tormenta**, y permanezca ahí hasta tres horas después de que haya cesado. A las tormentas las precede una gran humedad, ésta hace que los granos de polen se hinchen, revienten y liberen su irritante fécula, causante de ataques de fiebre del heno.
* Si va a salir, cálese unas **gafas para el sol con protectores laterales**, de modo que el polen no penetre en sus ojos.
* Si no le preocupa cómo se ve, **póngase un tapabocas** si tiene que exponerse al polen. No son caros, pero sí eficaces.
* En el exterior también puede protegerse con un "atrapa-polen". Unte una pizca de **vaselina (petrolato puro)** dentro de las ventanas de la nariz. La capa pegajosa atrapará las esporas que flotan en el aire antes de que usted las inhale.
* **Mantenga las ventanas cerradas** cuando viaje en auto. Si éste está equipado con acondicionador de aire, elija la opción "reciclar", de modo que el aire polinizado no penetre al interior. Algunos autos pueden equiparse con filtros de polen: acuda a su mecánico o proveedor para enterarse de los detalles.
* **Lávese el cabello** antes de ir a acostarse: así no contaminará su almohada con polvo y polen.

No abandone la jardinería

Si le gusta la jardinería, ¿por qué no crearse un entorno de polen amigable? Cultive plantas a las que polinizan los insectos, como geranios, lirios y clemátides. Piense en sustituir el césped con un atractivo empedrado, decorado con macetas, pues podar el pasto genera nubes de polen y esporas que agudizarán los síntomas. No cultive setos nuevos y tampoco corte los que ya tiene. Aléjese de los montones de abono, pues producen esporas de moho. Busque en la librería o en Internet consejos prácticos para crear el tipo de jardín que no agrave su fiebre del heno.

Combata los ácaros del polvo

- Los **ácaros del polvo**, pequeños monstruos carnívoros, demasiado pequeños para detectarse a simple vista, se alojan en alfombras, cortinas y ropa de cama. Sus heces pueden ser causa de alergia. Para privar a los ácaros del polvo que comen, que en su mayor parte consiste en células muertas desprendidas, **cubra su colchón, la base de éste y las almohadas** con cubiertas fabricadas especialmente para repeler a los alérgenos. Las encontrará en farmacias y en tiendas departamentales.

- **Aspire sus alfombras con regularidad.** Si está a su alcance, compre una aspiradora que use doble bolsa y un filtro HEPA (filtro de aire de ultra baja penetración). Esas aspiradoras filtran incluso los alérgenos microscópicos. Si bajo sus alfombras tiene un bonito piso de madera o de baldosas, piense en la conveniencia de prescindir de las primeras.

- **Cambie las sábanas** una vez por semana y lávelas en agua muy caliente (por lo menos a 60° C) para matar a los ácaros.

- **Ordene las cosas que tiene amontonadas**, pues en ellas se acumula el polvo y se alojan los ácaros de éste.

- Si no tiene un **deshumidificador** estaría bien comprar uno. Mantener el aire seco en casa reducirá notablemente la población de ácaros del polvo, pues éstos mueren cuando el nivel de humedad desciende de 45 por ciento.

Reduzca sus reacciones a los alérgenos animales

- **Que su mascota no entre a la recámara.** Las reacciones alérgicas pueden ser provocadas por el pelo, la saliva seca y la caspa (partículas de epidermis) de los animales. Estos alérgenos permanecen en la habitación aun cuando el animal sale de ella.

Mito...

Se afirma que los purificadores de aire filtran las moléculas que provocan la fiebre del heno y otras alergias.

...y verdad

Ciertos estudios han mostrado que los modernos filtros de aire, en especial los HEPA, atrapan alérgenos. De acuerdo con algunos especialistas, no está tan claro si de hecho atenúan o no los síntomas en las personas alérgicas. Si piensa comprar un filtro de aire, pregunte qué tipo de alérgenos puede atrapar, ya que algunos de éstos son diminutos y, con excepción de los filtros más finos, se colarán por donde sea. Use también otros métodos de control de alérgenos, pues éstos a menudo se adhieren a los muebles tapizados y a las alfombras.

Un beso no siempre es un beso...

Evitar los alérgenos conocidos en la comida o en medicamentos quizá parezca fácil, pero a veces usted puede exponerse de una manera menos evidente. Considere el caso de una joven que, sólo por besar a su novio, experimentó una reacción alérgica que amenazó su vida. Él había comido camarones una hora antes de besarla para despedirse. Casi de inmediato se le hincharon los labios, la garganta se le cerró, comenzó a respirar con dificultad, aparecieron ronchas, sintió retortijones y su presión sanguínea bajó bruscamente. Sobrevivió, pero la lección es clara: si su pareja es sensible a ciertos alimentos, usted también debe dejarlos. Tal vez bastaría con cepillarse los dientes para evitar consecuencias, pero lo mejor es no arriesgarse.

Estrategia militar contra las alergias

El siguiente remedio mostró ser eficaz en pruebas hechas por el ejército de Estados Unidos. Coma miel de un lugar cercano a donde vive y mastique el panal. La idea es que comer miel elaborada por las abejas que son sus vecinas hará que su sistema inmunológico deje de ser sensible al polen local. Comience dos meses antes de la temporada de la fiebre del heno; tome a diario dos cucharadas de miel y mastique la cera del panal de cinco a 10 minutos. Siga así hasta que concluya la temporada de la fiebre del heno.

- Algunos perros son felices en una **perrera en el jardín**. Si es alérgico a sus perros, ésa sería la mejor solución.
- **Bañe a su mascota una vez a la semana**. El baño puede eliminar hasta 85% de la caspa de su mascota. Báñela sólo con agua o con un champú especial anticaspa.

Limpie el aire

- Los **actuales filtros de aire** captan alérgenos que se generan en el aire y dan algún alivio a las alergias al moho, al polen y a la caspa de los animales, aunque un estudio mostró que sólo reducen de modo significativo los alérgenos de los gatos en hogares no alfombrados. Los filtros HEPA funcionan mejor; si usa uno en su recámara mantenga la puerta cerrada, de modo que pueda filtrar eficazmente el aire de esa habitación.
- Una limpieza hogareña a fondo reduce considerablemente el polvo, el moho, la caspa animal y otros alérgenos comunes. Así que **hágalo** dos veces al año: en primavera y en otoño. Lave las superficies que puedan frotarse con cloro diluido, desde el interior de los clósets hasta los anaqueles inferiores de la cocina. Limpie los muebles con un trapo húmedo. Si sus alergias son graves, contrate a alguien para que haga la limpieza.
- En los sótanos y los áticos se refugian el moho, los hongos y los ácaros del polvo, sobre todo si esos lugares se humedecen en la temporada de lluvias. **Ponga a funcionar un deshumidificador** todo el tiempo sobre una base húmeda, y vacíe su depósito con regularidad.
- Una secadora de mano puede echar fuera miríadas de partículas de pelusa y polvo. Asegúrese de que la manguera de la secadora esté sellada y de que su respiradero dé al exterior de su hogar, pues así no esparcirá por éste los alergenos.

Ampollas

Se preguntará: ¿qué puedo hacer con una ampolla? ¿Reventarla? ¿Dejar que desaparezca? En general, no le haga nada a las ampollas pequeñas o a las que quizá no revienten solas. Es menos probable que se infecten si conserva intacto el recubrimiento, y si les da tiempo para formar nueva piel debajo del cojín protector de líquido. Mientras, los siguientes consejos aliviarán el dolor y el ardor, y acelerarán la curación. Si su ampolla es grande, o está donde ejerce presión, extraiga el líquido en forma correcta. Pero no reviente una ampolla de quemadura, pues si lo hace corre el riesgo de infección.

Déjela ser

- Deje a la ampolla intacta, y si va a reventar, que lo haga sola; manténgala limpia (agua y jabón). Puede untarle **petrolato puro**, como **vaselina**, u otro emoliente para minimizar la fricción.
- Si la ampolla debe o no **cubrirse**, y en qué momento, depende del lugar donde se esté; si es probable que vaya a reventar, cúbrala con un **emplasto** adhesivo que cambiará por lo menos una vez al día. Si no es probable que reviente, lo mejor es dejar que le dé el aire.
- Proteja la ampolla con una almohadilla suave y adhesiva de venta en las farmacias. Déjela pegada dos días y luego quítela con cuidado para no arrancar la delicada piel.
- **En la noche** quite todo con lo que haya cubierto la ampolla y déjela ventilarse. Así acelerará la cura. Pero si está en una zona expuesta y es probable que roce con la ropa de cama, manténgala cubierta con una gasa ligera.
- Aplique **crema de caléndula**, tradicional remedio para las heridas. Mantenga limpia la crema cubriéndola con un parche adhesivo o con gasa.
- Si no consigue crema de caléndula, aplique gelatina de zábila *(aloe vera)* en la ampolla y cúbrala con un emplasto. Cerciórese de usar la gelatina pura de la planta (corte una hoja y exprima la gelatina de su parte media), pues los productos manufacturados pueden contener alcohol, que reseca.
- Pruebe la **preparación H.** Quizá no sea el uso normal de una crema para las hemorroides, pero contiene ingredientes

¿Qué ocurre?

La causa más frecuente de las ampollas es el frotamiento excesivo de la piel húmeda. A medida que se forma la ampolla, un líquido transparente se acumula en una bolsa entre las capas de la piel. A veces se daña un pequeño vaso sanguíneo en la zona afectada, lo que tiñe de sangre al líquido. Estas ampollas suelen formarse en las manos y los pies, pero también pueden presentarse en otros lugares. Otras causas posibles de las ampollas son las quemaduras en general y las del sol, el eccema y otras afecciones de la piel.

¿Llamaré al doctor?

que alivian el dolor y el ardor, además forma una capa que protege a la piel.

- Alivie el dolor y el ardor con una **franela húmeda**. Empape la franela en agua fría, exprímala y colóquela sobre la ampolla.

Si se revienta por accidente...

- Lave la ampolla con agua y jabón. Aplique una crema o un gel sanativos y cúbrala con un emplasto. Cuatro veces al día retire el emplasto y trate la zona de piel viva con una mezcla elaborada con una parte de **aceite de árbol del té** y tres partes de **aceite vegetal**. Ayudará a eliminar las bacterias y prevendrá la infección.

Practique el arte de extraer el líquido

No extraiga el líquido de una ampolla si no es indispensable, sea porque es muy grande o porque se halla donde es inevitable ejercer presión.

- Esterilice una aguja. Con unas pinzas para depilar sostenga la aguja mientras la calienta a fuego directo durante unos tres segundos, hasta que se ponga al rojo. Déjela enfriar. Limpie la ampolla con **fenol** o con un antiséptico como **Betadine.**
- Desdoble una **almohadilla de gasa estéril** y colóquela suavemente sobre la ampolla. Perfore la orilla de ésta deslizando la aguja de lado; exprima con cuidado el líquido presionando con la gasa. Asegúrese de no desgarrar o eliminar esa capa de piel, pues protege a la piel viva y extremadamente sensible que se encuentra debajo.
- Aplique una crema antiséptica y cúbrala con un emplasto. También puede cubrirla con **Second Skin**, un emplasto para ampollas fabricado por Spenco: consiste en una capa húmeda y similar a la gelatina que amortigua la presión y reduce la fricción. Puede cortarse al tamaño y pegarse en el lugar afectado. Cámbielo dos veces al día.
- Si luego la ampolla se llena otra vez de líquido, **extráigalo** como ya se indicó.
- Aplique una mezcla de **vitamina E** y **crema de caléndula** para que la piel sane más rápidamente. La vitamina E viene en cápsulas: abra una y mezcle cantidades iguales de vitamina y aceite de caléndula. Aplique la mezcla a la ampolla. Repita la operación cuantas veces sea necesario hasta por una semana.

Derrotado por una ampolla

Según *El libro Guinness de récords mundiales*, Robert Wadlow, de Alton, Illinois, medía 2.70 m de altura, pero sus pies eran desproporcionadamente pequeños. Para resistir su extraordinaria estatura, Wadlow tenía que usar soportes en los tobillos, y sus pies eran casi insensibles. En una ocasión en que se presentó en público, el hombre más alto del mundo acabó con una ampolla. Un tratamiento oportuno la habría sanado sin demora; en cambio, se infectó, y la infección se propagó, lo que acabó con la vida del gigante de 22 años de edad en la mañana del 15 de julio de 1940.

El poder de la prevención

• No asuma que sabe de qué número calza, o que sus pies no han cambiado desde la última vez que se compró zapatos. Haga **que le midan los pies** cada vez que compra calzado. Cuando se lo pruebe cerciórese de usar el mismo tipo de calcetines que usará con sus nuevos zapatos.

• Compre zapatos por la **tarde**. Sus pies se hinchan durante el día y si hace la compra en la mañana, quizá compre zapatos medio número más chicos.

• Asegúrese de que sus nuevos zapatos son **amplios en la parte donde se alojan los dedos**. Estando de pie, entre el dedo más largo y la punta del zapato habrá 1 cm de espacio.

• Para las caminatas procure usar **dos pares de calcetines** para reducir la fricción. El par interior será de tela delgada, que no retenga el sudor; el par exterior será de algodón.

• Conviene que **use un antisudorante** en los pies para mantenerlos secos, pues así es menos probable que se ampollen.

• Cubra las zonas que tienden a ampollarse con un lubricante, como **petrolato puro (vaselina)**, antes de la caminata.

• Si practica la jardinería, proteja sus manos usando **guantes para jardinería de cuero suave**. Si se ampolla cuando usa el azadón, aun con guantes, busque un azadón con mango más largo o con agarradera acojinada.

• Quien practica deportes de raqueta tendrá problemas de ampollas en las manos. Si las ampollas son recurrentes, pregunte a su proveedor de artículos deportivos sobre la conveniencia de **cambiar la agarradera** de su raqueta, o bien, de cubrirla con algún material suave y absorbente.

Angina de pecho

A quien tenga síntomas de angina de pecho y consulte a un médico probablemente se le recetará nitroglicerina (conocida como trinitrato de glicerilo). En lugar de estallar, esta sustancia ayuda al paciente a tolerar el inicio de los ataques, aliviando el dolor y la opresión en el pecho debido a que aumenta el suministro de sangre y oxígeno al corazón. Como dice un anuncio de tarjetas de crédito: "no salga sin ella". Pero, además de los medicamentos, hay multitud de formas de sobrellevar los ataques de angina, reducir su frecuencia e incluso prevenir su ocurrencia.

¿Qué ocurre?

Ese opresivo y aplastante dolor de pecho es un aviso a gritos de que su corazón no está recibiendo suficiente sangre rica en oxígeno. La causa más probable es la acumulación de una sustancia grasa, llamada placa, que bloquea las arterias que suministran sangre al corazón. El dolor de angina de pecho a menudo se inicia debajo del esternón y se propaga al hombro, el brazo o a la mandíbula. Puede acompañarse de dificultad para respirar, náusea transitoria, mareo, pulso irregular y ansiedad.

Tomar medidas de inmediato

- Si está de pie, caminando o haciendo ejercicio cuando ocurre el ataque, **siéntese y descanse** unos minutos.
- Si está descansando cuando siente la opresión, **cambie de postura**, sentándose o poniéndose de pie. Así disminuirá la presión sobre el nervio cardiaco que da señales dolorosas. La angina que se presenta cuando descansa es signo de que corre el riesgo de un infarto, así que acuda a su médico cuanto antes.
- Si el ataque ocurre cuando usted está alterado o ansioso, **procure calmarse**. Lo mismo que el estrés físico, el mental aumenta la demanda de oxígeno del corazón. Favorezca a su corazón aprendiendo yoga, tai chi, meditación o cualquier otra técnica de relajamiento que pueda practicar con regularidad.

Ayude con alimentos y complementos

- Los ácidos grasos omega-3 protegen al corazón y a los vasos sanguíneos. Los contienen las **cápsulas de aceite de pescado**, pero si come pescados oleosos (como macarela, salmón o sardinas) dos veces a la semana las cápsulas serán innecesarias. Consulte a su médico antes de tomar los complementos de aceite de pescado, para cerciorarse de que no interferirán con otro medicamento que esté usando. Busque un complemento que proporcione 1 000 mg diarios de AEP/ADH (ácidos eicosapentanoico y docosahexanoico).
- Varios estudios han mostrado que **un diente de ajo** al día puede abatir los niveles elevados de colesterol, y existen pruebas de que el ajo también reduce la proclividad a la coagulación. Para mejorar su efecto cómalo crudo (machacado

en aderezo de ensalada). Si no tolera el olor, las cápsulas de ajo le brindarán beneficios similares. Elija cápsulas que le suministren a diario 4 000 mcg de alicina, y tome de 400 a 600 mg por día.

• El **ácido fólico** y la **vitamina B$_{12}$** bajan los niveles de homocisteína, sustancia de la sangre que puede aumentar el riesgo de cardiopatías. La mejor fuente de estas vitaminas radica en la dieta (algunos estudios cuestionan los beneficios de los complementos). Coma mucha carne, pescado o huevos para obtener vitamina B$_{12}$, y verduras de hoja y cítricos para el ácido fólico. Otras investigaciones indican que puede eliminar el riesgo de una cardiopatía tomando 400 mcg de ácido fólico y 0.5 mg de vitamina B$_{12}$ al día.

El poder de la prevención

• Practique un **programa de ejercicios** con asesoría del médico; el ejercicio ayuda a evitar el dolor de angina de pecho.

• **Si fuma, deje de hacerlo.** La nicotina de los cigarrillos contrae las arterias, provocando la angina de pecho o agravándola. Asimismo, aléjese de los lugares donde se fuma mucho.

• **Prescinda del café.** Según estudios recientes, el tomar café se ha relacionado con el incremento de los niveles de homocisteína, lo que aumenta el riesgo de sufrir ataques de angina.

• Después de una comida abundante, descanse o **realice una actividad reposada.** Al comer mucho, va al tracto digestivo un mayor flujo sanguíneo para ayudar a la digestión; así, el corazón recibe menos oxígeno y es más vulnerable a un infarto.

• **Si hace frío no permanezca a la intemperie.** El frío estimula reflejos musculares que pueden causar angina de pecho.

• **Evite el esfuerzo físico repentino**, como es correr para abordar el autobús o levantar un objeto pesado.

• Procure **mantenerse en peso.** Coma al día cinco porciones de frutas y cinco de verduras, así como cereales enteros y alimentos con fécula, como papas, pastas y arroz. Evite aquellos alimentos grasosos, en particular los que se fríen, las galletas y el chocolate, y tome leche descremada. Coma carne magra en lugar de cortes con grasa, y consuma pescado por lo menos dos veces por semana. Reduzca los aderezos y los aceites, y varíelos. También ayudará tomar el vino tinto con moderación.

¿Llamaré al doctor?

Muchas personas que por primera vez experimentan la angina de pecho creen que sufren un infarto. Si bien la primera no bloquea por completo el flujo de sangre al corazón, como sucede en un infarto, constituye en cambio una advertencia que no debe ignorarse. Si cree que quizá padece de angina de pecho, acuda cuanto antes a su médico. Si el dolor de pecho se prolonga 15 minutos o se acompaña de dificultad para respirar y náusea, llame una ambulancia de inmediato. Mientras llega ésta, tome sin demora una Aspirina efervescente de 300 mg (por lo común, una tableta, pero verifique la dosis en el envase).

Ansiedad

Si siente usted que las causas de su ansiedad lo acosan por doquier, consuélese: los remedios también abundan. Existen hierbas y aceites que pueden añadirse a un sedativo baño caliente, infusiones calmantes y alimentos sosegadores. Para esos momentos, le decimos cómo tener autoconsideración y atenuar preocupaciones.

¿Qué ocurre?

La ansiedad es una reacción a una amenaza o a un peligro indefinidos o, más aún, desconocidos. Usted siente preocupación, pero sin saber a ciencia cierta por qué. La ansiedad puede manifestarse por muchos otros síntomas, entre los que figuran sudor, estómago revuelto, pulso acelerado, temblor, irritabilidad, falta de concentración, respiración entrecortada, y pensamientos o conducta indeseados

Ponga sus preocupaciones a remojar

• Un **baño caliente** es una de las maneras más placenteras y confiables de calmar sus nervios. Para mejorar sus efectos, añada un poco de **aceite de lavanda** (o flores secas de lavanda) a la bañera y remójese para contento de su corazón. Se ignora en qué consiste la virtud sedante de esta planta aromática, pero lo cierto es que se ha usado cerca de 2 000 años para relajar y calmar los nervios. Si no tiene tiempo para un baño de tina, úntese un poco de aceite de lavanda en las sienes y la frente, y siéntese unos minutos reposadamente.

Respire lenta y profundamente

• **Regular su respiración** le ayudará a dominar su ansiedad rápidamente. Para respirar con mayores lentitud y profundidad, siéntese, ponga una mano sobre su abdomen, y aspire lentamente de modo que con la mano sienta cómo se expande su vientre, pero sin que se levanten sus hombros. Contenga la respiración cuatro o cinco segundos, y luego exhale muy despacio. Repita el ciclo hasta que se sienta más calmado.

Beba algo que induzca el sueño

• **Beber un vaso de leche caliente** es un antiguo remedio que realmente funciona contra el insomnio… a cualquier hora del día. La leche contiene triptófano, un aminoácido que interviene en la producción de serotonina, sustancia del cerebro que realza los sentimientos de bienestar. Los plátanos y el pavo también son ricos en triptófano.

• El **lúpulo**, que da a la cerveza su sabor distintivo, tiene larga historia como sedativo. Más aun, quienes lo cosechan suelen experimentar somnolencia y fatiga. Añada dos cucharaditas de la hierba seca en una taza de agua muy caliente, y beba diariamente hasta tres tazas de este té "contra la ansiedad".

● Para preparar tés relajantes se usan **tres flores**: flor de naranjo (amargo) de Sevilla, de lavanda y de árbol de lima. Tome cualquiera de estos tés suavemente aromáticos antes de ir a dormir para pasar una noche de verdadero descanso.

No empeore los síntomas

● Limítese a tomar una taza de **café, té o bebida de cola** al día. Los estudios indican que las personas con síntomas de ansiedad son especialmente sensibles a la cafeína.

● **Vigile su consumo** de vino, cerveza y demás bebidas alcohólicas. Al principio parece que controlan la ansiedad, pero cuando cesan sus efectos ésta aumenta de hecho.

Acelere y frene

● El **ejercicio aeróbico** es un gran alivio para la ansiedad. Una enérgica caminata de 30 minutos estimula la secreción de endorfinas, que bloquean el dolor y mejoran el humor.

● Mientras ora, poda sus rosales o mira a su pez dorado, realice algún tipo de **actividad meditativa** durante 15 minutos varias veces al día.

Pruebe con un calmante natural de la ansiedad

● No espere usted que el olor de la **valeriana** le agrade, pero si busca con qué aplacar la ansiedad, olvídese del hedor. La investigación indica que los ingredientes activos de la valeriana se unen a los mismos receptores en el cerebro que resultan afectados por el diazepam, un fármaco que combate la

¿Llamaré al doctor?

La ansiedad prolongada y severa puede afectar gravemente su salud física. Busque ayuda si está ansioso la mayor parte del tiempo, si no puede dormir ni concentrarse, si recurre al alcohol, a las drogas o a la comida para aplacar su ansiedad, o si siente que podría lastimarse a sí mismo o a los demás. Vale la pena señalar que los síntomas de la ansiedad pueden imitar los de afecciones graves, como el hipertiroidismo, la hipoglucemia (azúcar baja en sangre) y un infarto, o bien, presentarse como efecto colateral de algunos medicamentos. Es aconsejable, pues, que comente sus síntomas con un médico.

Ansiedad o ataques de pánico

A diferencia de la preocupación habitual, los ataques de ansiedad ocurren de pronto y con intensidad abrumadora. El corazón comienza a acelerarse, se eleva la presión, respirar se dificulta, y la víctima puede experimentar mareo o desmayarse. Sus síntomas se confunden incluso con los de un infarto. Es más probable sufrir un ataque de ansiedad tras un periodo de estrés extraordinario, como un fallecimiento o un divorcio. El mejor manejo es tomarlo por lo que es: un estado emocional inofensivo, aunque espantoso. Manténgase tan calmado como pueda, procure regularizar su respiración (como se indicó antes), y deje que el ataque siga su curso.

Venza la ansiedad con pensamientos positivos

Si se repite con una afirmación, creerá en ella. Ésta es una herramienta para hacer frente a situaciones retadoras. Pruebe con los pensamientos que siguen o invente otros.

Al conocer extraños: *"Es una buena ocasión para conocer a alguien que me era extraño."*

Al comenzar un nuevo trabajo: *"Soy capaz de hacer este trabajo, y tengo las capacidades que me permitirán alcanzar el éxito."*

Al enfrentar un reto: *"No importa si los otros piensan que me equivoco, mientras juzgue lo mejor que pueda y diga lo que pienso en realidad."*

Al enfrentar contratiempos: *"Ya he superado obstáculos como éste en el pasado, y puedo volver a hacerlo."*

Al presentarse en público: *"Tengo algo importante que decir, y todos en este lugar desean escucharlo."*

Al enfrentar el rechazo: *"Se me ha dado la oportunidad de probar otras opciones y seguir un rumbo diferente. Estoy preparado para nuevos retos."*

ansiedad, mejor conocido como Valium. Tome 250 mg dos veces al día, y hasta 500 mg antes de acostarse.

• Cada día **tome multivitaminas del complejo B**. Los estudios indican que el complejo B es un reductor natural del estrés (por ejemplo, el organismo requiere vitamina B_6 para elaborar serotonina). No ingerir suficientes vitaminas B puede contribuir a la ansiedad.

• El **5-hidroxitriptófano (5-HTP)** puede reabastecer serotonina, sustancia del cerebro que aplaca la ansiedad. El 5-HTP de su organismo proviene del aminoácido triptófano, pero también se encuentra en pequeñas cantidades en las semillas de una planta africana: *Griffonia simplicifolia.* Los complementos de 5-HTP se elaboran con extractos de esa planta o se producen sintéticamente. Puede adquirirlos por Internet o en tiendas de productos naturistas. Tome 50 mg tres veces al día con sus alimentos, pero consulte a su médico si está tomando un antidepresivo por prescripción, como Prozac, Lustral o Seroxat, ya que estos fármacos también afectan a los receptores de la serotonina, y el efecto combinado podría ser peligroso. No conduzca ni haga trabajos peligrosos hasta saber cómo lo afecta el 5-HTP. En algunas personas causa somnolencia.

Arrugas

A medida que envejecemos, nuestra piel pierde humedad y elasticidad, y por ello tiende a arrugarse. Los dermatólogos cuentan con recursos para combatir esas finas líneas que marcan el paso del tiempo. Entre ellos figuran cremas, *peels* químicos, e inyecciones de la toxina Botox, que paraliza temporalmente los músculos faciales, evitando que la piel se arrugue cuando, por ejemplo, usted frunce el ceño. Quizá la mejor opción sea proteger su piel de manera natural para mantenerla saludable.

Suavice las arrugas con ácidos naturales

• Use una loción o crema que contenga ácidos alfa-hidróxidos (AAH). Éstos se encuentran en la leche, la fruta y el azúcar de caña, y actúan eliminando las células muertas de la epidermis. También promueven el crecimiento de colágeno, que "rellena" las arrugas, y combaten los radicales libres (moléculas de oxígeno perjudiciales que pueden dañar su piel). Debido a que los AAH causan irritación, pruebe antes frotando un poco del producto en una zona pequeña de su piel. Si al día siguiente ésta no ha enrojecido, el uso del humectante no implica riesgo.

• Remoje una franela limpia en **leche** y aplíquela a su piel. La leche contiene ácidos alfa-hidróxidos.

• Aplíquese **gelatina de zábila** fresca, que contiene ácido málico. Corte una hoja desde su base y ábrala con un corte. Recoja la gelatina rascando con una cuchara, pero evite romper el hollejo verde, y aplíquesela.

• La **papaya** contiene enzimas que dan tersura a su epidermis al suavizar las arrugas. Pele una papaya; luego mezcle perfectamente dos cucharadas de la pulpa con una cucharada de harina de avena seca para exfoliar su piel. Aplíquesela, dejando que la mezcla actúe 10 minutos. Enjuáguese frotando con una franela.

Suavice e hidrate

• Aplíquese un humectante cada mañana después de asearse: así conservará la humedad y su piel se sentirá más suave. Use uno que también contenga bloqueadores de sol para protegerse de los rayos ultravioleta. No olvide aplicarlo también en sus **manos y cuello**.

• Pruebe con una mascarilla de **aguacate**. Éste aporta

¿Qué ocurre?

¡Nada! Es sólo que a partir de los 30 años de edad, más o menos, el tejido conectivo de su piel empieza a estropearse, la producción de aceite disminuye y las arrugas comienzan a aparecer. Es un hecho de la vida. Sin embargo, las arrugas también se deben a factores que cabe controlar. Fumar es uno de los mayores: aminora la circulación, de modo que su piel no se oxigena lo suficiente. Asolearse es otro. Los rayos ultravioleta del sol dañan directamente las fibras conectivas de la piel, además de que promueven que en el organismo se generen moléculas de oxígeno perjudiciales, llamadas radicales libres, que hacen estragos en las membranas celulares.

humedad y **vitamina E**, que es un antioxidante. Machaque la pulpa, extiéndala sobre su cara y déjela actuar 20 minutos.

Coma, duerma y muévase para suavizar su piel

• Coma pescados como **salmón**, **sardinas**, **atún fresco** y **macarela** varias veces por semana. Éstos son ricos en ácidos grasos omega–3, formidables nutrientes para su piel.

• Otra forma de ingerir los aceites omega–3 consiste en tomar una cucharadita al día de **aceite de semillas de linaza.**

• Llene su plato con **frutas**, **verduras**, **nueces** y **semillas**. Éstas proporcionan vitaminas A, C y E, antioxidantes que bloquean los dañinos radicales libres antes de que dañen a su piel.

• Puede dar un paso más si se aplica la **vitamina C** en la piel. Investigaciones francesas recientes descubrieron que la crema para la piel a base de vitamina C resulta tan eficaz como las cremas de retinol a base de vitamina A, consideradas óptimas. Si quiere darle un giro a la vitamina C, busque la crema correctora de día Reti-C, y ésta misma en su versión de tratamiento para la noche.

• Adquiera la costumbre de **dormir boca arriba**. Cuando duerme de lado o boca abajo, usted entierra su cara en la almohada, lo que acentúa los pliegues de arrugas y grietas.

• **Haga ejercicio** de 20 a 30 minutos casi todos los días. El ejercicio hace que su piel se ruborice, lo que significa que el oxígeno y los nutrientes que hay en su sangre están llegando a los vasos capilares de su piel.

El poder de la prevención

• **No fume**.

• Beba agua suficiente para que su orina sea clara. Ello realmente ayuda a mantener humectada su piel.

• En los días soleados, aplíquese antes de salir una **crema bloqueadora** de amplio espectro en cara, cuello y demás zonas expuestas. Manténgase en la sombra a mediodía.

• **Nunca acuda a un salón de bronceado**. Media hora en una cama de rayos ultravioleta daña más que echarse todo el día en la playa sin una crema bloquedora.

• Use **gafas para el sol** para evitar las "patas de gallo", pues éstas se forman por entrecerrar los ojos. Aun las ya formadas se desvanecen tras varios meses de usar con constancia las gafas.

Artritis

Si le duelen las articulaciones, únase al club. Es tanta la gente que sufre de osteoartritis, que usted no tardará en recibir consejos de su médico, su familia, sus amigos, el plomero y el vecino. Los fármacos antiinflamatorios calman el dolor, y la mayoría de las personas quisieran tomarlos. Pero el alivio de la artritis no termina ahí. Existen muchas otras medidas para tener días sin dolor y en los que moverse no se dificulta.

Cómo eliminar el dolor

• Para artritis de suave a moderada tome **complementos de glucosalina** y de **sulfato de condroitina** para atenuar el dolor y disminuir la pérdida de cartílago. Siga las instrucciones de dosificación que vienen en la etiqueta.

• Tome ½ cucharadita de **jengibre en polvo** o hasta 35 g (unas 6 cucharaditas) de jengibre fresco al día. El jengibre ayuda a aliviar el dolor de la artritis, debido a su capacidad para aumentar la circulación sanguínea, lo que desvía las sustancias inflamatorias de las articulaciones.

• Tome diariamente dos dosis de 400 mg de **SAM-e** (S-ade-nosil-l-metiotina). Los complementos con SAM-e, sustancia que contienen todas las células del organismo, ayudan a aliviar el dolor de la artritis al aumentar en la sangre los niveles de proteoglicanos (moléculas que al parecer desempeñan un papel determinante en la preservación del cartílago al ayudar a man-tenerlo "rellenito" y bien oxigenado). La SAM-e también puede reducir la inflamación. Se ha descubierto que este com-plemento es tan eficaz como el ibuprofeno, fármaco antiinfla-matorio para combatir el dolor de artritis.

Si obtiene buenos resultados con 800 mg al día, al cabo de dos semanas reduzca la dosis a 400 mg diarios . La SAM-e tiene pocos efectos colaterales, aunque puede causar dispepsia y náuseas. Parece seguro tomarla con muchos fármacos, pero si está medicado contra el trastorno bipolar (manía-depresión) o contra la enfermedad de Parkinson, debe consultar a su médico antes de tomar los complementos SAM-e.

¿Qué ocurre?

Existen más de 100 tipos de artritis, pero el más común es la osteoartritis. Entre los síntomas figuran rigidez dolorosa e inflamación de las articulaciones en cualquier parte del cuerpo. El dolor es el resultado del uso y el desgaste del cartílago, una materia, semejante a gelatina, que amortigua el impacto entre las articulaciones. Cuando el cartílago se desgasta, los huesos se friccionan entre sí. La osteoartritis puede presentarse a cualquier edad, pero en la mayoría de los casos sobreviene alrededor de los 45 años, y es más común en las mujeres. Otras formas de la enfermedad son la artritis reumatoide y la psoriásica.

¿Llamaré al doctor?

Puesto que no sabe con certeza qué tipo de artritis padece usted, o si sus síntomas corresponden del todo a otra afección, lo mejor será que comente con su médico la rigidez y la inflamación en las articulaciones, así como el enrojecimiento y el dolor en las mismas. Si ya se le diagnosticó artritis, acuda a su médico si nota un tipo nuevo o diferente de inflamación en las articulaciones.

Busque alivio con lo caliente y con lo frío

• **Aplicarle calor** a una articulación adolorida proporciona considerable alivio. Caliente la articulación adolorida durante 20 minutos con cobertores eléctricos, almohadillas térmicas o bolsas de agua. Tomar un baño caliente también brinda alivio.

• Los **tratamientos fríos** funcionan bién si las articulaciones están inflamadas. Envuelva cubos de hielo con una toalla o con una franela y sostenga el envoltorio sobre la articulación. Puede usar una bolsa de chícharos congelados.

¿Dormir con guantes?

• Si suele amanecer con las manos rígidas e inflamadas, intente dormir con un **par de guantes ajustados**. Así puede ayudar a mantener la inflamación bajo control. Pero deje de hacerlo si al dormir con guantes empeora la inflamación matutina.

Aceite sus articulaciones adoloridas

• Coma más **aceite de pescado**. Muchas personas que complementan su dieta con ácidos grasos omega-3 (obtenidos de pescados grasos como la macarela, el arenque, el salmón y las sardinas) descubren que el dolor y la rigidez disminuyen. Esas sustancias al parecer inhiben la inflamación en el organismo.

• También puede tomar esos aceites solos o en cápsulas. Se ha demostrado que los ácidos grasos omega-3 que contiene el **aceite de hígado de bacalao** pueden aminorar e incluso revertir la destrucción del cartílago que lleva a la osteoartritis. La dosis recomendada es de 2 000 mg tres veces al día, con los alimentos. Antes de tomarlo, consulte a su médico si le han recetado un anticoagulante, si su nivel de colesterol es elevado o si es diabético.

• Como alternativa de las cápsulas de aceite de pescado, tome una cucharada de **aceite de semillas de linaza** al día, pues contiene el mismo tipo de ácidos grasos omega-3. Tome el aceite directamente de la cuchara, mézclelo con jugo de naranja o úselo como aderezo en una ensalada.

• Si le gustan las nueces, adelante. Contienen aceites benéficos.

Frótese alivio

• El **aceite de eucalipto** puede ser eficaz. Ponga unas cuantas gotas en la piel y fróteselo, pero no lo use con un cojín térmico

Artritis reumatoide

Una forma grave de artritis, la reumatoide (AR), se presenta cuando el sistema inmunológico ataca al organismo en lugar de defenderlo. Junto con el dolor y la inflamación de las articulaciones, la AR puede causar fatiga, circulación deficiente, anemia y problemas en los ojos. Ofrecemos algunas estrategias para combatirla.

• Inicie un diario alimentario para identificar qué comió cuando sus síntomas se agravaron. Quizá descubra que la reacción de su organismo se aceleró con alimentos, como trigo, lácteos, cítricos, huevos o jitomates.

• Intente ser vegetariano (bajo vigilancia médica). En un estudio de un año de duración, las personas con AR que siguieron una dieta vegetariana, excluyendo huevos, gluten (proteína del trigo), cafeína, alcohol, sal, azúcar refinada y lácteos, experimentaron menos dolor e inflamación en las articulaciones al cabo de un mes. Tres meses después volvieron a ingerir lácteos sin efectos adversos.

• La investigación ha descubierto que los complementos de ácido gamma-linoleico (AGL) pueden ayudar a disminuir el dolor y la inflamación de la AR. Las mejores fuentes son los aceites de semillas de borraja, de grosella negra y de prímula. Estudios recientes indican que el mayor alivio se obtiene tomando por lo menos 1.4 g de AGL al día; pero debe consultar a un médico herbolario antes de ingerir esa dosis.

• Algunos médicos creen que un breve ayuno (de uno o dos días) puede aliviar el dolor. La idea es que ayunar brinda al sistema inmunológico que se ha forzado el necesario descanso. Consúltelo antes con su médico, sobre todo si toma medicamentos prescritos.

ni con compresa caliente, pues el calor puede quemar la piel.

• La **capsaicina** es el componente que da a los chiles su sabor picante. También es la sustancia activa en algunos productos que combaten el dolor persistente de las articulaciones. La capsaicina irrita las terminaciones nerviosas y distrae al cerebro del dolor artrítico. Acuda a su médico para comentar el uso de cremas a base de chile.

Mantenga en movimiento sus articulaciones

• Inicie una **rutina** de **ejercicios ligeros**. Cuanto mejor sea su condición física, menores serán el dolor y la rigidez. Si tiene artritis en el tobillo, la rodilla o la cadera, camin con un bastón, al menos al principio, para ayudar a estabilizar sus articulaciones. Si éstas se encuentran hinchadas o inflamadas al doler, deje de hacer el ejercicio y descanse.

CÚRESE USTED MISMO

ARTRITIS

El ejercicio es de lo más importante que usted puede hacer para prevenir que sus articulaciones se endurezcan en exceso. Cada uno de estos ejercicios puede repetirse de tres a cinco veces, pero no los haga si siente dolor intenso o repentino.

ESTIRE LOS HOMBROS Los siguientes ejercicios le ayudarán a aumentar la movilidad de sus hombros mientras relaja los músculos de éstos y del cuello.

1 *Párese derecho con los dedos entrelazados detrás del cuello y con sus codos derechos hacia delante.*

2 *Eche los codos hacia atrás despacio y, al hacerlo, respire profundamente. Manténgase así cinco segundos; luego suelte el aire y mueva los codos hacia delante, hasta que se toquen.*

EJERCICIO PARA LAS RODILLAS

Fortalecer los músculos cuadríceps de la cara anterior del muslo le dará a sus rodillas el apoyo que necesitan.

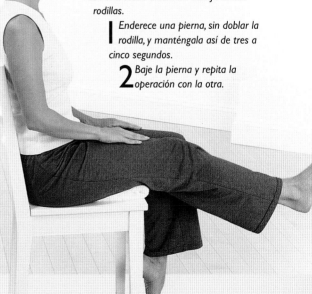

Siéntese en una silla de respaldo rígido, con una toalla enrollada debajo de sus rodillas.

1 *Enderece una pierna, sin doblar la rodilla, y manténgala así de tres a cinco segundos.*

2 *Baje la pierna y repita la operación con la otra.*

EJERCICIOS PARA LOS DEDOS

Si tiene artritis en las manos, los siguientes ejercicios le ayudarán a mejorar la flexibilidad de sus dedos de modo que pueda agarrar y sostener objetos con mayor facilidad.

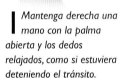

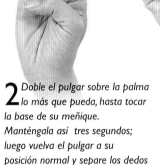

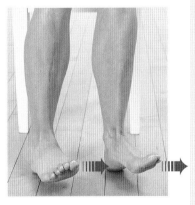

1 *Mantenga derecha una mano con la palma abierta y los dedos relajados, como si estuviera deteniendo el tránsito.*

2 *Doble el pulgar sobre la palma lo más que pueda, hasta tocar la base de su meñique. Manténgala así tres segundos; luego vuelva el pulgar a su posición normal y separe los dedos cuanto sea posible.*

1 *Cierre su mano en forma de puño, pero sin apretar, con el pulgar encima de los demás dedos.*

2 *Manténgala así tres segundos y luego ábrala. Estire y separe los dedos.*

EJERCICIOS PARA LOS TOBILLOS

Para conservar la flexibilidad en los tobillos inflamados haga los siguientes ejercicios sentado en una silla de respaldo duro, pero cómoda, y con los pies desnudos en el suelo.

1 *Con los talones apoyados en el suelo, levante el frente de sus pies.*

2 *Gire despacio los dedos de un lado a otro, usando los talones como palanca.*

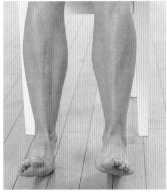

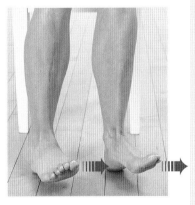

3 *Apoye la punta de los pies en el piso y levante los talones.*

4 *Gire los talones suavemente de izquierda a derecha.*

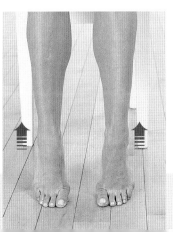

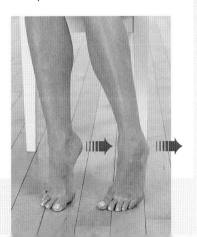

Mito...

Las personas con artritis desde hace mucho usan brazaletes de cobre para "alejar el dolor".

...y verdad

Los investigadores de Australia han descubierto que las personas que llevan brazaletes de cobre y también toman aspirina sienten menos dolor que quienes sólo toman esta última como analgésico.

○ Que su médico le indique cómo iniciar un programa de **entrenamiento de pesas**. Los músculos fuertes le ayudarán a sostener las articulaciones y a amortiguar los impactos.

Procure medirse

○ Si tiene artritis en la cadera o en la rodilla, pida a su médico que le **mida el largo de las piernas**. Una de cada cinco personas con artritis en esas articulaciones tiene una pierna ligeramente más larga que la otra. Su médico podrá remitirlo a un ortopedista o a un podólogo que le indique el calzado correctivo hecho a la medida.

Escuche al servicio meteorológico

○ Muchas personas artríticas sienten dolor cuando **cambia el clima**. Si usted es una de ellas, no es su imaginación: un repentino aumento de humedad o el brusco descenso de la presión atmosférica afectan el flujo de sangre que irriga las articulaciones con artritis. Cuando se avecine una tormenta ponga a funcionar un deshumidificador para secar el aire.

El poder de la prevención

○ **Mantenga un peso saludable** para prevenir la osteoartritis en las rodillas. No importa cuál sea su peso actual; bajarlo unos cinco kg y conservarlo durante 10 años reducirá a la mitad el riesgo de padecer osteoartritis en las rodillas.

○ Compre un buen par de **zapatos para caminar**. Los tacones suaves reducirán el impacto en las articulaciones de tobillos, piernas y caderas. Los zapatos planos y que brindan soporte se consideran los mejores para las rodillas.

○ Estudios clínicos recientes han mostrado que la **vitamina C** y otros antioxidantes pueden contribuir a reducir el riesgo de osteoartritis. Los antioxidantes previenen la fractura ósea al destruir los radicales libres (moléculas de oxígeno perjudiciales que dañan el tejido). Tome cada día 500 mg de vitamina C.

○ Tome complementos de cinc. Un estudio a largo plazo de casi 30 000 mujeres descubrió que quienes toman complementos de cinc reducen el riesgo de artritis reumatoide. Sin embargo, el cinc en exceso genera otros riesgos así que limite su ingesta a 15 mg diarios, y tómelo con los alimentos.

Asma

Para los ataques graves de asma (opresión, resuello y dificultad para respirar realmente aterradora) la mayoría de las personas hacen lo que su médico recomienda: recurrir al inhalador. Si esto es lo que usted hace, y le funciona, siga haciéndolo. Si usa un inhalador preventivo, debe seguir usándolo como se le indicó, pues así reducirá el riesgo de un ataque. No hay cura para el asma, pero sí muchas maneras de reducir los síntomas, incluso eliminarlos. Unos sencillos cambios en su modo de vida pueden ayudar a los asmáticos a respirar con mayor facilidad.

Respire con calma durante un ataque

• Cuando se presente un ataque de asma, procure **permanecer calmado** e intente el siguiente truco: cierre los ojos, a medida que inhala, imagine cómo los pulmones se expanden. Sienta cómo la respiración se normaliza. Repita este ejercicio dos o más veces.

• En caso de emergencia, beba una taza de **café** cargado, dos latas de 330 ml de refresco de cola o un Red Bull. La cafeína es pariente química de la teofilina, un medicamento para el asma que ayuda a abrir los conductos respiratorios.

Combata la contracción con complementos

• Quienes ejercen la medicina china han utilizado durante siglos el **ginkgo** para el asma. Un estudio indica que esta hierba interfiere una proteína de la sangre que contribuye a los espasmos de los conductos aéreos. Si desea probarla, compre complementos en cuya etiqueta aparezca: extracto de ginkgo biloba, y tome hasta 250 mg al día.

• El **magnesio** puede hacer que se sienta mejor. Muchas investigaciones indican que el magnesio relaja las vías aéreas. La dosis recomendada es de 300 mg al día para los hombres y 270 mg para las mujeres.

Combata la inflamación

• Los **ácidos grasos omega-3**, presentes en los pescados como el atún, el salmón y la macarela, funcionan como fármacos para el asma llamados inhibidores del leucotriene, que detienen las acciones de los compuestos del organismo que causan la infla-

¿Qué ocurre?

Un ataque de asma puede presentarse cuando un irritante (usualmente una sustancia común como el humo, el aire frío o seco, el polen, el moho o los ácaros del polvo) entran en contacto con unos pulmones sensibles. Las fluctuaciones hormonales, el estrés y la ira también pueden provocar un ataque. A veces la causa no es aparente. La dificultad para respirar se debe que los bronquiolos (los conductos de aire de los pulmones) sufren espasmos. Esto provoca la tos y la opresión en el pecho. Los espasmos provocan la liberación de histamina y de otras sustancias que causan inflamación y la producción de moco que obstruye los conductos.

¿Llamaré al doctor?

mación de las vías aéreas. Tome seis cápsulas de 1 000 mg de aceite de pescado al día en dosis separadas. Consulte a su médico si está tomando anticoagulantes.

El **aceite de prímula** es rico en un ácido graso llamado ácido gamma-linoleico (AGL), que el organismo transforma en antiinflamatorios. Tome 1 000 mg tres veces al día, y hágalo con los alimentos para mejorar la absorción.

Los **bioflavonoides**, compuestos que dan a frutas y verduras sus brillantes colores, tienen propiedades antiinflamatorias y antialergénicas. La **quercetina**, uno de los bioflavonoides mejor conocidos, inhibe la liberación de histamina. Tome 500 mg de quercetina tres veces al día, 20 minutos antes de sus alimentos.

La **cúrcuma**, especia que se usa para condimentar los platillos indios de curry, es un poderoso antiinflamatorio. Los compuestos que contiene inhiben la liberación de prostaglandinas COX-2, sustancias similares a las hormonas que intervienen en la inflamación. Mezcle una cucharadita de cúrcuma en polvo (compre la especia en los supermecados) con una taza de leche tibia y beba tres veces al día esta mezcla. En las tiendas de productos naturistas venden cápsulas y tintura de cúrcuma.

Lleve un registro

Durante un mes, **anote todo lo que come al día**. Y registre sus síntomas de asma. Aunque las alergias por alimento rara vez se relacionan con el asma, ocasionalmente existe un vínculo. Compare su registro contra los síntomas para saber si algo que ingirió aumenta la frecuencia o intensidad de sus ataques.

Si toma medicamentos para el asma, consiga un **medidor de flujo máximo** en una farmacia. Este dispositivo mide la velocidad a la que el aire sale de sus pulmones, lo que indica qué tan bien está respirando. Si lee su "flujo máximo" en determinados momentos, podrá saber cómo está funcionando un medicamento o un remedio. También puede usarlo durante un ataque de asma para determinar la gravedad y decidir si requiere atención médica.

El poder de la prevención

No fume, y aléjese de las personas que lo hacen. El humo del tabaco irrita las vías aéreas.

Practique la respiración abdominal

Este truco de respiración profunda puede ayudar a reducir la gravedad o la frecuencia de los ataques de asma. Cuando se inicia un ataque es natural que usted se sienta más ansioso a medida que se le dificulta respirar. Ello produce una respuesta de constricción que puede cerrar más sus vías respiratorias. Pero si practica esta técnica antes, puede ayudarse a respirar mejor.

• Acuéstese de espaldas en la alfombra y coloque un libro sobre el estómago.

• Aspire suave y profundamente, pero no expanda su pecho, sino su abdomen. Mire al libro: si éste se levanta es que está respirando correctamente.

• Cuando crea que ya alcanzó su máxima capacidad, inhale un poco más de aire. Vea si puede lograr que el libro se eleve otro poco.

• Exhale poco a poco, contando lentamente hasta cinco. Cuanto más exhale más relajado se sentirá.

• Repita el ciclo al menos cinco veces.

No se instale cerca de una **chimenea** o de una estufa de leña, pues el humo podría irritar las vías respitarorias.

Cuando haga frío, **tápese con una bufanda** la nariz y la boca para calentar el aire frío antes de inhalarlo.

Esté pendiente de los causantes inusuales del asma, como las **comidas condimentadas** o los **perfumes de olor intenso,** incluyendo las muestras que vienen en las revistas, y haga lo posible por evitarlas. También es buena idea abrir la ventana cuando cocine con condimentos fuertes, como ajo o cebolla.

Procure comer en menor cantidad y con más frecuencia, y no coma antes de ir a dormirse. El reflujo de los ácidos gástricos que causan la acidez estomacal también puede provocar un ataque de asma.

Cerca de 5% de los asmáticos son alérgicos a los medicamentos antiinflamatorios no esteroides, como la aspirina y el ibuprofeno, que pueden provocarles un ataque. Si usted es uno de ellos, use un **analgésico sin aspirina**, como el paracetamol.

Considere el **método Buteyco**, una terapia complementaria para controlar los síntomas del asma y otros trastornos respiratorios relacionados. El método se basa en la creencia de que los trastornos respiratorios relacionados son el resultado de una hiperventilación crónica, e incluye ejercicios muy específicos de respiración, así como cambios en la dieta y el estilo de vida.

Astillas

Quizá recuerde cuando era niño y uno de sus padres empuñaba una aguja para extraer de su piel una astilla mientras usted trataba de zafarse haciendo muecas de dolor. El agudo pincho de la aguja quizá era peor que la astilla. ¡Ay! Una aguja esterilizada y unas pinzas para depilar siguen siendo las herramientas para extraer astillas. Sin embargo, pruebe lo siguiente para hacerlo con menos dolor y sufrimiento.

¿Qué ocurre?

Casi todo se puede enterrar en su piel: una astilla de madera, de vidrio o de metal. Pero las astillas diminutas causan un gran dolor, en especial si se alojan en un lugar sensible, como es debajo de una uña. Existe también la posibilidad de infección si no se extraen del todo y con cuidado.

Inténtelo con el truco de la cinta

• Si parte de la astilla asoma por la piel, trate de usar alguna cinta antes de acometerla con pinzas para depilar y una aguja. Coloque **cinta adhesiva** sobre la astilla y presione suavemente hacia abajo, para que la cinta la atrape. Levante la cinta, junto con la cual debe salir la astilla. Esto es eficaz si las astillas son muchas y diminutas, y no se han enterrado profundamente.

Haga que las astillas salgan

• Si la astilla se está en la punta del dedo, llene una botella de cuello angosto con **agua muy caliente** hasta 1 cm antes de que se colme. Coloque esa parte del dedo sobre la boca de la botella y presione ligeramente hacia abajo. Así, el calor del agua "retirará" la astilla. Cuide de colocar la botella en una superficie estable para evitar el riesgo de una quemadura.

• Corte un pedazo de **emplasto para verrugas** que contenga **ácido salicílico** (se vende en las farmacias), y péguelo sobre el lugar donde está la astilla. Cambie el emplasto cada 12 horas. Proteja la piel de alrededor con vaselina; detenga el tratamiento si hay dolor (en las partes sensibles como es la punta de los dedos). La astilla debe estar lo suficientemente cerca de la superficie como para poderla asir con unas pinzas para depilar.

Truco de leñadores

Antes, cuando la gente cortaba leña, todos se astillaban las manos. Pero los leñadores tenían una forma especial de extraer las astillas. Untaban resina de pino tibia sobre la piel y la retiraban una vez que se había secado, junto con la astilla. No hay razón por la que ello no funcione hoy en día: sólo necesita obtener la resina o un sustituto de ella, como la cera para depilarse o, quizá, una mascarilla exfoliante.

Procure que se hinche

• Si la astilla es de madera, saldrá sola si consigue que se hinche. Durante 10 o 15 minutos remoje la zona donde está enterrada la astilla en una taza de agua tibia a la que habrá añadido una cucharada de **bicarbonato de sodio**. Hágalo así dos veces al día. Una astilla pequeñita se hinchará hasta salir de la piel. Si es más grande, este truco logrará que asome lo suficiente para poder asirla con unas pinzas para depilar.

Consejos sobre las pinzas para depilar

• Si la astilla va a salir sola, use unas **pinzas para depilar**. Esterilícelas antes frotando las puntas con fenol o aplicándoles la llama directa de un cerillo o encendedor (deje que se enfríen antes de usarlas). Desinfecte la piel con fenol o yodo. Jale suavemente la astilla Si la requiere, use una lupa.

• Si la astilla está enterrada, use además una **aguja**. Previamente **aplique un cubo de hielo** durante 10 minutos; así se adormecerá la zona y dolerá menos. Esterilice la aguja con fenol o aplicándole directamente una llama; con la punta levante y sostenga la piel que cubre un extremo de la astilla. Luego retire ésta con las pinzas para depilar. Todo será más fácil si **alguien le ayuda**.

• Verifique si extrajo la astilla completa y lave la zona con agua y jabón, seque muy bien y **cúbrala con un emplasto**. Si parte de la astilla sigue enterrada será necesario que repita el proceso.

Recetas para el alivio

• Antiguamente, un cocinero que se astillaba usaba un remedio de cocina que aún funciona: la **grasa de tocino** Suavizar la piel que rodea a la astilla, sea con ésta o cualquiera otra grasa o aceite, ayuda a que la astilla se deslice hacia fuera.

• Coloque un poco de **puré de plátano** o **jabón** sólido un poco suavizado en la astilla; cubra con un emplasto y déjelo así toda la noche. Esto hace que la astilla salga sin dolor. Intente lo mismo, pero con una cucharadita de **bicarbonato de sodio** con agua suficiente para formar una pasta.

¿Llamaré al doctor?

Por lo general, el problema puede tratarse en casa. Pero si la astilla se ha enterrado profundamente, o si lo hizo bajo una uña o en algún lugar de la cara, quizá sea mejor que la trate un médico. Haga lo mismo si nota que se avecina una infección, lo que significa que parte de la astilla sigue enterrada. Los signos típicos de infección son dolor, inflamación, enrojecimiento o rayas rojas. Por último, quizá usted requiera vacunarse contra el tétanos, aunque ahora los médicos lo consideran innecesario si usted se ha vacunado por lo menos cinco veces en su vida. La mayoría de los niños cuentan ya con cuatro vacunas cuando ingresan por vez primera a la escuela; la quinta se aplica en la adolescencia. Si usted nació antes de 1961 (cuando se inició la vacunación rutinaria), o si no está seguro de haberse vacunado, hágalo.

Boca seca

Si la falta de saliva le hace difícil hablar con comodidad, definitivamente necesitará humedecerse la boca. Primero hable con el doctor sobre la posible causa de que su boca esté tan deshidratada. Considere un sustituto de saliva. Pero con sólo tomar mucha agua puede mantener la boca húmeda.

¿Qué ocurre?

Las membranas mucosas de la boca se han vuelto anormalmente secas debido a la falta de saliva. Las causas de una boca seca pueden ser medicamentos, o la radiación, quimioterapia y cirugía utilizadas para tratar el cáncer oral. Y algunas veces es el resultado de una condición autoinmune llamada síndrome de Sjögren, en el cual el sistema inmunológico ataca a las glándulas de producción de humedad. Tener una boca seca también está relacionado con el envejecimiento. Cerca del 40% de las personas de más de 65 años de edad lo padecen. Debido a que la saliva nos protege de infecciones orales y de las caries, tener una boca seca puede llevar a tener mal aliento, úlceras bucales, caries y hongos, además de infecciones bacterianas en la boca.

Revise su botiquín

• Docenas de medicamentos pueden causar que se le seque la boca. **Lea la etiqueta** de lo que esté tomando y si enlista boca seca como un efecto colateral, pregunte a su doctor si puede cambiar el medicamento. Con frecuencia, entre los culpables se encuentran muchos antihistamínicos y descongestionantes como enalapril (Innovace), fluoxetina (Prozac), amlodipina (Istin) y paroxetina (Seroxat).

Sólo agregue agua

• Lleve una **botella de agua** con usted y tome traguitos frecuentemente. Pase el agua por toda la boca antes de tragarla.
• Para estimular el flujo de saliva, añada jugo de **lima** o **limón** o agregue media cucharadita de **vinagre de manzana**.

Estimule para que se le haga agua la boca

• Mastique **goma de mascar** o chupe un **dulce sin azúcar** para estimular el flujo de saliva. Las gomas de mascar sin azúcar que contienen edulcorante natural también pueden ayudar a reducir la bacteria que causa las caries.
• Tenga un **salero con chile piquín** en la mesa. El mismo "picante" que hace sus ojos llorar y su nariz escurrir, puede hacer fluir su saliva. Agregue sólo una pizca para dar sabor a sus comidas.

Evite inductores de sequedad

• **Limite** la ingesta de **café** y de otras **bebidas con cafeína**, así como el **alcohol**. Beberlas en exceso provocará que orine con más frecuencia, haciendo que su cuerpo pierda más líquidos.
• **Renuncie a tomar bebidas gaseosas**, hasta las que no contienen cafeína. Si tiene la boca seca, tampoco tiene la suficiente saliva para romper los ácidos que contienen.

Diga **no a la comida salada** o a **bebidas altamente ácidas** como el jugo de naranja o limonada. Pueden causar dolor si su boca está demasiado seca. Prefiera jugo de manzana o pera, o algún lácteo.

Mantenga al mínimo los **refrigerios azucarados**.

Deje de fumar. El humo del tabaco seca la saliva.

Agregue un poco de humedad nocturna

Para evitar que se le seque la boca en la noche, utilice un **humidificador** o **vaporizador** en su recámara.

Mezclando bien

Si utiliza un enjuague bucal de marca, elija uno que **no contenga alcohol**, que seca la boca y puede irritar sus ya sensibles encías.

Para un enjuague bucal casero, mezcle un poco de sal con otro poco de **bicarbonato de sodio** en una taza con agua tibia. Enjuague la boca y escupa. Esta solución contrarresta los ácidos en su boca y elimina los agentes infecciosos.

Tratamiento de dientes

Elija una pasta dental que **no contenga laurilsulfato de sodio (LSS)**, que puede irritar los tejidos de la boca. La mayoría de las marcas lo contienen, pero en las tiendas de alimentos naturales venden marcas sin LSS.

Asegúrese de **cepillarse** y **utilizar el hilo dental** a conciencia. La saliva es importante para eliminar los residuos de alimento en su boca, y cuando está seca puede adherirse la comida.

Mantenga la boca cerrada

Cuando inhala por la nariz, se humedece el aire al entrar en su cuerpo. Pero cuando los senos nasales están bloqueados, naturalmente se respira mucho por la boca y eso significa que se está aspirando aire frío. Tome las medidas para tratar una **condición de sinusitis** o **alergias** y también se ayudará a prevenir una boca seca.

¿Llamaré al doctor?

Si nota la boca inusualmente seca durante unos días, llame a su doctor o a su dentista. Una consulta es importante si la condición le impide comer o hablar normalmente, o si tiene la boca roja e irritada. Cuando discuta el problema con su doctor, asegúrese de mencionar los medicamentos que está tomando, ya que pueden influir en el problema.

Bronquitis

Su meta es aflojar la flema en su pecho y hacer que se mueva para que pueda toser y expulsarla. El acercamiento más directo hacia sus pulmones es el aire que respira; por lo tanto, los tratamientos de inhalación son el primer paso. Piense en ellos como un vapor que limpia sus vías respiratorias. Los alimentos y bebidas apropiados también pueden ayudar a mover la mucosa. Al mismo tiempo, debe tomar algún antiséptico para impedir que la bacteria se adhiera a la mucosidad.

¿Qué ocurre?

Generalmente, los casos de bronquitis de corta vida son causados por una infección viral o bacterial, aunque también pueden ser provocados por alergias. Los bronquios se inflaman y los cilios — pequeños vellos que cubren el tracto respiratorio— se paralizan. La acumulación de mucosidad lo obliga a toser muy fuerte. También puede experimentar dolor, falta de aliento, además puede jadear, transpirar, tener escalofríos, fatiga y una alza de temperatura. Por lo común, estos síntomas desaparecen en 10 días. Por otro lado, la bronquitis crónica puede durar toda la vida. Mucho de este padecimiento es efecto de fumar, y puede aumentar por la larga exposición al polvo.

Disuelva la tos con vapor

• **Inhale vapor.** Lo puede hacer con sólo tomar un baño de agua caliente o poniéndola en un recipiente;   inclínese sobre él cubriendo la cabeza con una toalla para crear un toldo de vapor. Si utiliza el vapor de un hervidor, espere un minuto o dos antes de inclinarse sobre él, así evitará quemarse la cara. Al inhalar el vapor ayuda a aflojar las secreciones de sus pulmones. Muchas farmacias venden un sencillo inhalador de vapor, barato y seguro.

• Será más efectivo darse un tratamiento de vapor: agregue unas gotas **aceite de eucalipto** o **de pino** al agua. El eucalipto ayuda a suavizar la mucosidad que obstruye las vías respiratorias y tiene propiedades antibacteriales. (Use hojas de eucalipto, hiérvalas en agua, quítelas del fuego e inhale el vapor.) El aceite de pino actúa como expectorante, así que ayudará a "subir" la flema desde los bronquios.

• Cuando duerma ponga un **humidificador** en la recámara. Asegúrese de seguir las instrucciones del fabricante para la limpieza del humidificador. De otro modo, se pueden acumular bacterias y moho en el mecanismo.

• Si tiene bronquitis con frecuencia, considere un humidificador de ultrasonido y vaporización fría.

Alimentos y bebidas que ayudan e inhiben

• Para adelgazar la mucosidad y ayudarse a toser con mayor facilidad, **beba mucha agua:** por lo menos ocho vasos grandes al día. **Evite el alcohol** y las bebidas con cafeína, que deshidratan su sistema y le dificultan desalojar la mucosidad.

Coma **chiles y salsas muy picantes**. Las comidas fuertes adelgazan la mucosa de sus pulmones, ayudándolo a toser con más productividad.

Beba **té de gordolobo**, también conocido como vara de Aarón. Es un tradicional remedio para enfermedades respiratorias y se usa para hacer jarabes expectorantes para la tos. Contiene sustancias conocidas como saponinas, que ayudan a aflojar la flema, y otra sustancia gelatinosa que tranquiliza las membranas mucosas. Hierva una taza de agua, quítela del fuego y ponga dos cucharaditas de flores de gordolobo secas. Deje reposar la infusión 10 minutos, luego cuele y beba el té. Puede tomar hasta tres tazas al día.

¿Beber leche o no? Un principio dice que la leche estimula la producción de mucosa en la parte alta y baja del tracto respiratorio y en los intestinos. (La teoría se basa en que los becerros, con cuatro estómagos, necesitan de esta mucosidad extra para ayudarles a proteger sus tractos intestinales de los fuertes ácidos estomacales… pero los humanos no). Pero otras autoridades dicen que casi no existe evidencia de alguna **relación entre la leche** y **la mucosidad**, y que de hecho, la gente se hace más daño eliminando la leche porque perjudican su ingesta de calcio.

Complemente sus esfuerzos

El **N-acetilcisteína (NAC)**, una forma del aminoácido de cisteína, ayuda a adelgazar y aflojar la mucosidad, y reduce la recurrencia de la bronquitis. Otro hallazgo interesante es que también es el antídoto para la intoxicación por paracetamol. El NAC está disponible en las tiendas de alimentos naturales en cápsulas de 600 mg. Tome una al día con el estómago vacío. Si está tratando una bronquitis ligera, continúe tomando NAC por unas semanas después de que ya no tenga tos.

La **equinácea** y el **astrágalo** son hierbas que fortalecen el sistema inmunológico y ayudan a luchar contra bacterias y virus. Tome 200 mg de cualquiera de estas hierbas, cuatro veces al día para una bronquitis aguda o dos veces para bronquitis crónica.

Para un ataque agudo de bronquitis, beba té de tomillo para adelgazar las secreciones de moco. Use una o dos cucharaditas por 240 ml de agua hervida y agregue miel. Beba tres o cuatro

¿Llamaré al doctor?

Vea a su doctor si su tos está interfiriendo con su sueño o su rutina normal, si se le dificulta respirar, tiene fiebre, tose con sangre o con flema amarilla o verde. La bronquitis puede llevar a la neumonía. También debe llamar al doctor si piensa que su hijo tiene bronquitis.

¡No lo haga!

Cuando tiene tos, puede sentirse tentado a tomar una sustancia supresora. Pero, si su tos es húmeda y productiva, no debería tratar de suprimirla porque sus pulmones están expectorando la mucosidad perjudicial. Puede probar con un jarabe expectorante para la tos. Estos ayudan a aflojar la mucosidad, ya que el toser despeja los pasajes bronquiales. Las mezclas de expectorante de tos contienen el ingrediente guaifenesin. Sin embargo, muchos doctores creen que la forma más efectiva de aflojar la mucosidad es tomar muchos líquidos.

tazas al día. Otras hierbas que se pueden combinar con el tomillo o usarse como alternativas son **inula**, **hisopo**, **llantén** y **angélica**. Prepárelas igual que el tomillo.

El poder de la prevención

Para prevenir bronquitis crónica, el mejor consejo es **no fumar**. Si es un fumador, busque programas que le ayuden a dejar ese hábito. Ser un fumador pasivo es casi igual de malo, evite bares donde se fume y pida a sus amigos fumadores que lo hagan lejos de usted.

Si en su trabajo hay mucho polvo, humos o contaminantes —cualquiera de ellos puede contribuir a la bronquitis crónica— asegúrese de usar una **mascarilla** o **respirador** para filtrar las impurezas del aire que respira.

Reduzca el riesgo de contraer bronquitis viral, **lávese las manos** frecuentemente y manténgalas lejos de la cara, en especial cuando esté cerca de alguien resfriado.

Lávese la nariz y senos nasales con una solución salina (vea Alergias) para prevenir que agentes alérgenos e infecciosos entren en sus pulmones.

La **vitamina C** ayuda a luchar en contra los virus que atacan las vías respiratorias. Trabaja bien junto con suplementos de flavonoides. Tome hasta 500 mg de vitamina C y 250 mg de flavonoides dos veces al día.

Bursitis y tendinitis

No hay nada peor que tener un brazo o una pierna inmovilizados debido al dolor causado por la bursitis. Debido a que la condición surge cuando un movimiento repetitivo pone tensión en una articulación específica, con frecuencia afecta los codos de los jardineros o los hombros del golfista. También la tendinitis es una lesión de tensión repetitiva. Los corredores pueden sufrir de la tendinitis de Aquiles; los mecanógrafos con frecuencia experimentan el dolor en las muñecas. Para curar ambas condiciones se debe empezar por reconocer la necesidad de un descanso de la actividad que está agravando la inflamación. Los remedios para reducir la inflamación le ayudarán a aliviar el dolor.

Descanse

- **Descanse** antes de repetir la actividad que provoca el dolor. Tenga paciencia, pues esto pude durar semanas.
- Para restringir la inflamación envuelva una **banda elástica** alrededor de la articulación, no muy apretada. Luego elévela sobre el nivel del corazón. Si es el codo el que le duele, manténgalo en un apoyabrazos alto, o siéntese en una silla baja con el codo sobre una mesa. Si está tratando la rodilla, recuéstese de espalda con la rodilla recargada en almohadas.

Alternar calor y frío

- **Ponga hielo en la articulación adolorida** para reducir el dolor y la inflamación. Envuelva hielo en una toalla y aplíquela de 10 a 20 minutos cada cuatro horas. O congele un vaso de papel lleno de agua, quite la orilla de la parte superior y frote el hielo donde le duela. Repita el tratamiento tres o cuatro veces al día, dejando cada aplicación de 2 a 5 minutos.
- Después de unos tres días de dar a su articulación el tratamiento en frío —o hasta que ya no se sienta caliente al tacto— empiece a **alternar frío con calor**. El calor incrementa el flujo de sangre hacia la lesión, ayudándola a sanar más rápido. Use un saco de calor para horno de microondas o una almohadilla eléctrica. Para un calor envolvente, ponga de dos a tres tazas de arroz en un calcetín grande, amarre la punta y métalo al horno de microondas de 60 a 90 segundos. El arroz se amoldará bien a su rodilla, codo o tobillo.

¿Qué ocurre?

Con frecuencia, estas condiciones son el precio de un movimiento repetitivo como jugar al tenis. La bursitis es la inflamación de las bolsas sinoviales, pequeños sacos llenos de fluido que amortiguan donde el músculo toca el hueso o se frota con otro músculo. La tendinitis es la inflamación de los tendones, los fuertes cordones que unen los músculos con los huesos. Con frecuencia, la bursitis se siente como un débil dolor en una articulación, la tendinitis tiende a producir un dolor agudo. Estas condiciones aparecen frecuentemente en los hombros, caderas, codos, rodillas y tobillos.

¿Llamaré al doctor?

Si el problema empeora luego de tres o cuatro días, o interfiere con sus actividades diarias, debe visitar al médico. Hágalo también si su articulación está caliente, roja y blanda. Lo anterior podrían ser señales de gota o bursitis séptica, un tipo de infección que puede propagarse de una articulación a todo su cuerpo.

Voltee a los analgésicos

• El **ibuprofeno** es un efectivo antiinflamatorio que también ayudará a aliviar a corto plazo este tipo de dolor.

• Intente con **olibano hindú (incienso)**. El cuerpo produce ciertos químicos que de hecho incrementan el dolor. Pero este extracto de la resina del árbol de incienso reduce la producción de esos químicos. Tome una o dos tabletas de 150 mg tres veces al día. Si el dolor decrece, reduzca la dosis.

• Considere un **remedio homeopático**. Si su articulación está rígida y le duele cuando la mueve, pero se siente mejor con más uso, tome una dosis de rhus toxicodendron en una dilución de 6c ó 12c, cada tres o cuatro horas hasta que se sienta mejor. (La "c" significa "centésimo", una dilución de 1:100. Se piensa que entre más diluciones se hagan, el remedio será más potente.) Si el dolor de la articulación empeora con el movimiento, tome **brionia** en una dilución de 6c o 12c cada tres o cuatro horas hasta que el dolor disminuya. Para el dolor repentino y agudo, los médicos homeópatas recomiendan **ruta** y **árnica**, la dosis sugerida es una dilución de 6c o 12c cada 3 o 4 horas.

Alivio con una fricción o una cataplasma

• Para aliviar el dolor del área, friccione con crema o gel de **árnica** —un remedio derivado de flores montañesas— dos o tres veces al día. El árnica reduce la inflamación, y por lo tanto también se recomienda para el tratamiento de golpes o torceduras. Para un alivio aún mayor, presione una **botella con agua caliente** o una almohadilla térmica contra la articulación después de aplicar el árnica.

• El **bálsamo del tigre**, crema de mentol en lienzo importada de China, puede desaparecer el dolor. Frótela en el área adolorida, una o dos veces al día. Pero pruebe primero con un pequeño parche en la piel, es caliente y algunas personas pueden desarrollar sarpullido y enrojecimiento si lo usan con demasiada frecuencia. (*Alerta* no se ponga el bálsamo cerca de los ojos o boca, pues resulta muy irritante, y lávese las manos después de usarlo.)

• Use una tranquilizadora **compresa de jengibre** para ayudar a mitigar el dolor de afuera hacia dentro. Machaque 2 cucharadas de raíz fresca de jengibre, mézclela en 500 ml de agua hirviendo y deje reposar la infusión durante 20 minutos. Meta un lienzo doblado en el té caliente y exprímalo. Póngalo en la articulación adolorida durante 5 minutos. Repita de tres o cuatro veces al día.

- El **vinagre**, si se aplica tópicamente, también libera el dolor. Introduzca una franela o un paño de cocina en una solución de partes iguales de agua y vinagre. Exprima y aplique.

Tome calmantes

- El **jengibre** no es sólo para compresas. Los suplementos de este antiinflamatorio natural pueden ayudar también. Para un dolor agudo, tome una cápsula de 250 mg de raíz de jengibre dos veces al día. (*Alerta* no use el jengibre si está tomando anticoagulantes como warfarin o aspirina, ya que interfiere con los mecanismos de coagulación de la sangre.)

- La **curcumina** es un activo constituyente de la cúrcuma, especia amarilla de la India e ingrediente clave en muchas recetas de curry. La cúrcuma tiene una antigua reputación como antiinflamatorio y agente para aliviar el dolor, pero parece ser que es la curcumina la que hace el verdadero trabajo; se ha encontrado que inhibe la síntesis de prostaglandinas, unos compuestos involucrados en la transmisión de signos de dolor. Tome de 400 a 500 mg de raíz seca tres veces al día.

- La **bromelina**, una enzima encontrada en la piña, reduce la inflamación. La fuerza del extracto intercambiable se mide en unidades de coagulación de leche (UCL). Para un fuerte efecto terapéutico, un producto debe contener por lo menos 2 000 UCL. Tome 500 mg con el estómago vacío tres veces al día.

- Un **tazón de cerezas** tiene la reputación de aliviar el dolor artrítico; coma por lo menos 20 cerezas al día para aliviar el dolor; equivale a una aspirina.

- Antioxidantes adicionales pueden ayudar a fortalecer y reparar el tejido conectivo en sus articulaciones. El **extracto de semilla de uva** contiene poderosos flavonoides antioxidantes. En las tiendas naturistas está disponible en cápsulas; tome 200 mg todos los días a la misma hora.

¿Sabía qué?

El repentino ataque de bursitis y de tendinitis ha recibido diferentes nombres. Por ejemplo, el codo de tenista, es una de las formas más comunes de tendinitis. El dolor del talón puede ser causado por bursitis, tendinitis o ambas. El dolor del músculo rotatorio en el hombro —una dolencia común entre los jugadores de bolos— está también relacionado con la bursitis y tendinitis.

CÚRESE USTED MISMO
ALIVIE EL DOLOR DE HOMBRO

Si le duele el hombro, podría estar tentado a descansar el brazo para mitigar el dolor. Pero no espere tanto tiempo antes de empezar a usarlo otra vez o desarrollará una condición conocida como "hombro congelado". Una vez que haya tratado al hombro hasta el punto donde ya no sienta un excesivo dolor, haga algunos ejercicios diarios para terminar de mejorar.

Recuéstese en la cama o en un sofá boca abajo, con el hombro adolorido ligeramente recargado en un lado de la cama con el brazo colgando. Balancéelo con suavidad de atrás hacia adelante de 15 a 30 minutos, tres veces a la semana. (Es mucho tiempo para balancear el brazo, pero afortunadamente es fácil ver la televisión desde esa posición.)

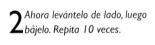

2 *Ahora levántelo de lado, luego bájelo. Repita 10 veces.*

1 *Párese con los brazos a los lados. Levante el brazo afectado frente a usted hasta que señale el techo, luego, regrese a la posición anterior. Repita 10 veces.*

Inclínese con los brazos colgando relajadamente frente usted y gire la mano como si estuviera dibujando círculos en el piso. Después de que haya "dibujado" 10 círculos con una mano, repita con la otra.

I Párese frente a una esquina y ponga la punta de los dedos de un mano contra la pared. Úselas para "trepar" la esquina, acercándose a la pared conforme sube la mano.

2 Cuando la mano esté totalmente extendida, mantenga la posición por unos segundos, luego baje el brazo. Repita tres veces, luego haga el mismo ejercicio con el otro brazo.

I Agáchese sobre sus manos y rodillas, con los brazos estirados y las manos ligeramente delante de los hombros.

2 Inclínese poco a poco hacia atrás sobre los talones hasta que pueda sentir el estiramiento en sus hombros. Luego regrese a la posición inicial. Haga 5 repeticiones.

Escoja grasas que cuiden sus articulaciones

- Los **ácidos grasos omega-3** ayudan a reducir la inflamación. Coma más pescados grasosos como el salmón y el atún fresco. Considere tomar suplemento de aceite de pescado, en una dosis de 1 000-2 000 mg al día. Los omega-3 también se encuentran en las semillas de linaza. Tome de una a dos cucharadas de semillas molidas con agua hasta tres veces al día o una cucharada de aceite de semillas dos veces al día.

- **Evite** alimentos procesados que tengan aceites **hidrogenados** y renuncie a las frituras que se cocinan con esos aceites, pues incrementan la inflamación.

Caliente apropiadamente antes de ejercitarse

- Cuando haga deporte u otras actividades, la articulación adolorida necesitará atención extra. Dé un **masaje** a los músculos cerca de la articulación para una liberación del dolor y una relajación adicional.

- **Estire** los músculos antes y después de ejercitarse.

- Si ha tenido dolor en la rodilla, asegúrese de que usa los **zapatos indicados**. Esto es importante antes de practicar el tenis o la carrera, donde es esencial usar zapatos que le queden bien y que estén en excelente condición. Deshágase de esos pares usados que ya han recorrido demasiados kilómetros.

El poder de la prevención

- Empiece un **programa de entrenamiento de resistencia** usando pesas ligeras para mejorar los músculos alrededor de la articulación lesionada.

- Evite dormir con el **brazo doblado sobre la cabeza,** es un clásico causante de bursitis.

- Asegúrese de interrumpir movimientos repetitivos con descansos regulares de **estiramiento**.

- Si juega al tenis, evite el "codo del tenista" verificando que la raqueta tenga mango largo y disminuya la tensión de las cuerdas. También, esta dolencia puede desarrollarse si la raqueta es muy grande o pequeña. Pida a su instructor que verifique el **agarre**, la **tensión** y el **tamaño de la raqueta**.

- Cuando trabaje con sus rodillas –por ejemplo, cortar la maleza– arrodíllese en una **almohadilla de espuma de caucho** especialmente diseñada.

Cabello graso

Si parece como si alguien hubiera puesto aceite en su cabello o está lacio y poco atractivo, no culpe a sus hábitos de higiene, porque es probable que su problema sea hereditario. Contraataque con el champú correcto —asegúrese de lavar y enjuagar su cabello dos veces— y pruebe un enjuague que detenga la grasa, hecho por usted.

Lea la botella del champú

• ¿Lo que desea es un champú clarificativo que tienda a arrasar la grasa del cuero cabelludo y del eje del cabello? Escoja un champú que sea alto en laurilsulfato de sodio y bajo en cualquier tipo de acondicionador, como la lanolina.

• Aunque no tenga caspa, puede obtener buenos resultados con un champú anticaspa que contenga **brea de carbón**. Las fórmulas usadas para elaborar estos champús tienden a secar el cabello más graso.

Haga el doble diario

• Puede ser obvio que necesite lavar el cabello todos los días, hasta dos veces en un clima cálido y húmedo. Pero sobre todo, debería darse **champú dos veces** cada vez que se lave el cabello, haga espuma y déjelo en su cabello por unos minutos (que le da tiempo para eliminar la grasa), enjuague a conciencia, luego repita de la misma forma.

• No use acondicionador. Todo lo que hace es regresar la grasa que usted ha lavado tan cuidadosamente.

Cambie el ciclo de enjuague

• Está bien enjuagar el cabello con agua, pero conseguirá mejores resultados si usa una **infusión concentrada de romero**. Maravillosamente aromática, esta hierba contiene aceites esenciales que ayudan a controlar la sobreproducción de grasa en el cuero cabelludo. Para enjuagarse, ponga 2 cucharadas de romero seco en una taza de agua hirviendo. Deje reposar la infusión unos 20 minutos, cuele, enfríe y vierta en una botella de plástico vacía. Guárdela en el cuarto de baño y después de eliminar el champú con agua, dése un último enjuague con el té. No es necesario volver a enjuagar, si le gusta la fragancia.

¿Qué ocurre?

Si su cabello está lacio y pegado a la cabeza puede parecer sucio aunque lo haya lavado ayer (o hace sólo unas horas). Pero no culpe a su cabello. Las glándulas sebáceas productoras de grasa, que se encuentran justo debajo de la superficie de la piel, secretan sebo, una mezcla de ácidos grasos que protegen el cuero cabelludo. Las glándulas sebáceas de algunas personas producen tanto sebo que cada cabello se cubre con él. La genética, el estrés, las hormonas —en especial las masculinas como el andrógeno— o una dieta pobre pueden contribuir al problema, al igual que las pastillas anticonceptivas.

"Champú" de talco de emergencia

Ya se le hace tarde — no hay tiempo para bañarse. Pero su cabello se ve como un marea negra. Para un champú "seco" de emergencia, busque su bote de talco. Divida en partes el cabello y espolvoreé una pequeña cantidad de talco en cada una. Dé un masaje para que el talco entre primero en el cuero cabelludo y luego hacia el cabello. El talco absorberá algo de la grasa. Y ya está — un "champú" instantáneo". Recuerde, sólo use una pequeña cantidad, ya que si se pone mucho, terminará con mechones sin brillo que se verán un poco blancuzcos.

¿Llamaré al doctor?

• Haga un enjuague de **jugo de limón**. Mezcle el jugo de dos limones con dos tazas de agua destilada y viértalo en una botella de champú. Después de lavar y enjuagar su cabello, séquelo y aplique la mezcla en el cuero cabelludo. Déjelo unos cinco minutos, para que el ácido del jugo del limón trabaje sobre la grasa. Luego enjuague con agua fría.

• El **vinagre**, que también es ácido, puede quitar la grasa de su cabello. Mezcle una taza de vinagre con una de agua, luego úsela como último enjuague en su cabello. No se preocupe por el olor a ensalada, se desvanece rápidamente.

Medidas extremas: enjuague bucal

• Si tiene el cabello extremadamente graso, puede mezclar una solución que ayudará a bajar la producción de sebo del cuero cabelludo. En una taza pequeña, mezcle partes iguales de hamamelis con cualquier enjuague bucal comercial. Ambos ingredientes son astringentes, lo que significa que ayudan a cerrar los poros de la piel al secarse. Empape una bolita de algodón en la solución y luego úntelo en el cuero cabelludo (no en el cabello) después de su último enjuague.

Cabello reseco

Si cree en lo que se anuncia en la televisión, puede estar convencido de que únicamente los champús y acondicionadores de marca pueden darle el flotante y rizado cabello que hace la vida tan alegre. Lo que esos anuncios no le dicen es que algo tan simple como la mayonesa puede agregar lustre a la apariencia demasiado seca, dándole el rebote y el movimiento que esos modelos ostentan.

Empiece en la regadera

- Lave su cabello sólo **cada tercer día**. Su cabello estará lo suficientemente limpio y conservará sus grasas naturales.
- Use **champú para bebé**, que reseca menos que los otros.
- Lave y enjuague el cabello con **agua tibia** en lugar de caliente, que elimina los aceites protectores de su cabello. La mejor temperatura es sólo ligeramente más caliente que la temperatura corporal.
- Enjuague a conciencia su cabello después del champú. Éste puede dejar algún residuo, que lo resecará.

Soluciones de ensalada

- El **aguacate** humecta el cabello y lo llena de proteínas, haciéndolo más fuerte. Mezcle un aguacate maduro y pelado con una cucharadita de aceite de germen de trigo y una de aceite de jojoba. **Aplíquelo** en el cabello recién lavado hasta las puntas. Cubra el cuero cabelludo con una gorra de baño o bolsa de plástico, espere de 15 a 30 minutos, luego enjuague muy bien.
- La **mayonesa** es una excelente alternativa del aguacate; el huevo que contiene es una buena fuente de proteína para su cabello. Friccione la mayonesa en el cabello y déjelo casi una hora. Luego lave el cabello.

Manténgase en buena condición

- Si usa un acondicionador comprado, escoja uno con ingredientes "termoprotectores" como la **dimeticona** o **trimeticona de fenilo,** que protegen su cabello del calor, lo que es especialmente importante si usa secadora.

¿Qué ocurre?

Su cabello se puede volver reseco, áspero, quebradizo y crespo por muchas razones. Es un material no viviente, similar en composición a las uñas, pero cada cabello tiene una capa exterior de células que protegen al eje interior. Si esta capa se daña, el cabello pierde humedad y lustre, y las puntas se encrespan. El excesivo uso de tintes, fijadores y tenazas, o exposición al cloro, pueden dañarlo. Y algunas personas tienen cabello reseco sólo porque no tienen abundantes glándulas productoras de grasa en el cuero cabelludo.

• Haga su propio acondicionador mezclando 60 g de **aceite de oliva** y 60 g de gel de **zábila** con seis gotas de **romero** y aceite esencial de **sándalo**. El aceite de oliva es un emoliente natural, la zábila (o *aloe vera*) hidrata, mientras que el romero agrega cuerpo y suavidad al cabello. (El sándalo, opcional, da fragancia.) Deje la mezcla una o dos horas y enjuáguelo.

• Cuando use un acondicionador, primero aplíquelo abundantemente en las **puntas**, donde el cabello está más reseco. Luego siga hacia arriba hasta el cuero cabelludo.

• En una emergencia de cabello crespo, simplemente use un poco de **loción para manos** y espárzalo en el cabello reseco.

Secado suave

• Cuando le sea posible, permita que su **cabello se seque al aire**. Si debe usar secadora, que sea con moderación. Lo mismo pasa con las tenazas eléctricas, alaciadores o rulos calientes. Cuando se aplica calor es como si se secara una hoja al rayo del sol, usted está invitando a la fragilidad.

• Cuando utilice la secadora, asegúrese de que esté en el nivel de **tibio** y no de caliente.

Practique su técnica de cepillado

• Use un cepillo de **cerdas naturales** en lugar de unas sintéticas. Los materiales sintéticos generan electricidad estática, que hace que su cabello sea más quebradizo.

• Primero **cepille las puntas para desenredar**. De esa forma, no se jalará ni romperá el cabello cuando dé cepilladas.

• Luego cepille con movimientos largos y completos desde la raíz hasta la punta del cabello para **distribuir uniformemente sus aceites naturales**.

Fortalezca el cabello

• Las **vitaminas B** pueden fortalecer el cabello. Tome un suplemento de 50 mg de complejo B dos veces al día con los alimentos.

• El **selenio** mineral también ayuda para mantener un cabello saludable. Tome 200 mg al día o coma nueces de la India; 30 g de nuez seca contienen 840 mg de selenio. (*Alerta* la ingesta excesiva de selenio puede ser tóxica y uno de los síntomas es… la caída del cabello.)

• Un buen aceite que puede ayudar a mantener lustroso el cabello desde adentro de su cuerpo es el de la **primavera nocturna**.

Tome 100 mg de esta hierba tres veces al día con los alimentos. El aceite es alto en ácido gama-linolénico, un ácido oleico esencial.

El poder de la prevención

• Cuando nade en una alberca clorada, use una **gorra de baño** para mantener el cloro fuera de su cabello. Después de salir de la alberca, lave el cabello lo más pronto posible.

• Use un **humidificador** en su recámara. En un clima frío, es probable que su calentador mantenga el aire seco, lo que hace que se reseque el cabello.

• Vaya a **cortarse el cabello** por lo menos cada seis semanas, para eliminar las puntas resecas y abiertas.

Calambres

A veces algo tan simple como el calor o el masaje alivian los calambres. Cuando el dolor ha pasado, inicie una campaña contra calambres. Quizá le falte potasio, magnesio y calcio, minerales que ayudan a regular la actividad nerviosa y muscular. (No le faltará potasio si come fruta y verduras, pero puede ser que le falte si ingiere muchas proteínas.) También necesita beber mucha agua y ejercitarse regularmente.

¿Qué ocurre?

Algunas veces se sufre un calambre mientras se hace ejercicio. Pero también puede suceder cuando alguna parte del cuerpo ha permanecido fría en una posición por horas, digamos sujetando una pluma o una brocha. En cualquier caso, lo que provoca el calambre es el uso excesivo de un músculo, la deshidratación, el estrés y la fatiga. Pero si las pantorrillas se acalambran con mucho dolor cuando está tratando de dormir o si un músculo se tensa sin razón aparente, la raíz de la causa es una defectuosa señal química del sistema nervioso que le "dice" al músculo que se contraiga. Con frecuencia, el problema está ligado con una falta de balance de potasio y sodio.

Ponga calor encima

● Coloque **una franela caliente** en el músculo para relajar el calambre y aumentar el flujo de sangre.

● Tome un largo baño caliente de regadera o de tina. Para mayor alivio, vierta media taza de **Sales Epsom**. El magnesio de estas sales promueve la relajación de los músculos.

Presione para quitar el dolor

● Encuentre el punto central del calambre. Presiónelo con el pulgar, la palma de la mano o el puño ligeramente cerrado. Mantenga la presión por 10 segundos, libere por otros 10 segundos, luego presione otra vez. Después de unas cuantas repeticiones, el dolor debe empezar a desaparecer.

Dé un masaje

● Mezcle una parte de **gaulteria** (disponible en tiendas de aceites esenciales) con **4 partes de aceite vegetal** y dé un masaje en el calambre. La gaulteria contiene ácido salicílico (relacionado con la aspirina), que mitiga el dolor y estimula el flujo sanguíneo. Puede usar esta mezcla varias veces al día, pero no con una almohadilla caliente: podría quemarse la piel. (*Alerta* la gaulteria es altamente tóxica para la boca).

Deshágase de los calambres nocturnos de pierna

● Antes de ir a dormir tome un vaso de agua quinada. La quinina es un remedio contra los calambres. La investigación apoya el uso de quinina para los calambres, pero **no tome tabletas de quinina**; pueden traer serios efectos colaterales, como zumbido en los oídos y visión nublada.

- Para prevenir los calambres en la pantorrilla al ir a la cama, trate de dormir **con los dedos de los pies en punta.** Y no se meta debajo sábanas demasiado tirantes —esto tiende a doblar los dedos de los pies hacia atrás, causando calambres.
- Tome 250 mg de **vitamina E** al día para prevenir los calambres nocturnos en las piernas. Los estudios sugieren que tomar vitamina E mejora el flujo de la sangre por las arterias.

Preste atención a sus minerales

- Los niveles bajos de minerales conocidos como electrolitos –que incluyen al potasio, sodio, calcio y magnesio– pueden contribuir a los calambres. Tal vez no necesite más sodio (sal) en su dieta, pero puede requerir más de los demás. Las fuentes de **magnesio** de una buena alimentación son pan y cereal de grano entero, nuez y frijol. Puede obtener el **potasio** de las frutas y vegetales, en especial de plátanos, naranjas y melones. Y los lácteos suministran el **calcio.**
- Si a pesar de cambiar su dieta, sigue teniendo calambres, tome 500 mg de **calcio** y 500 mg de **magnesio** dos veces al día, aumentando hasta 1 000 mg de cada suplemento. Algunas personas que tienen calambres debido a una deficiencia de magnesio obtienen un rápido alivio con estos suplementos. No tome magnesio sin calcio, ya que trabajan en par.
- Si toma diuréticos para presión sanguínea alta, su frecuente necesidad de orinar puede estar eliminando potasio de su organismo. El resultado es una condición llamada hipocalemia, que puede causar fatiga, dolor muscular y calambres. Pregunte a su doctor si puede cambiar a una medicación para presión alta que no sea diurética.

Beba hasta su tope

- Con frecuencia, la deshidratación es la causa de los calambres, así que si usted los padece frecuentemente, **beba más agu**a.
- Si tiende a tener calambres durante el ejercicio, beba por lo menos dos vasos de agua dos horas antes de cada sesión de ejercicios. Durante sus sesiones, deténgase y beba de 100 ml a 250 ml cada 10 a 20 minutos. Si suda mucho, considere las bebidas para deportistas, que reemplaza la pérdida de sodio y de otros electrolitos.

¿Llamaré al doctor?

Por lo general, los calambres musculares son temporales y no causan daño permanente. Pero consulte a su doctor si el calambre o el espasmo duran más de un día o si continúa molestándole, a pesar de realizar estos remedios caseros. Y llame de inmediato si el espasmo ocurre en la espalda baja o en la nuca, acompañado por dolor que irradia hacia abajo a las piernas o al brazo. Finalmente, si el estómago se acalambra en la parte baja derecha, puede ser una señal de apendicitis.

ESTIRE SUS MÚSCULOS Y
MITIGUE LOS CALAMBRES

La siguiente vez que tenga un calambre, alívielo con uno de estos movimientos. Sostenga por 10 a 20 segundos y repita tres veces.

CALAMBRES NOCTURNOS

Si un calambre lo despierta en la noche, haga este estiramiento tres veces al día, antes de ir a dormir. Párese a unos 75 cm de la pared. Coloque las palmas sobre ella al nivel de los ojos. Mantenga los talones en el piso y mueva las manos hacia arriba de la pared lo más que pueda. Sostenga y vuelva a la posición inicial.

PANTORRILLA

Separe las piernas; los pies apuntando hacia adelante. Mueva el peso a la pierna adelantada y conserve recta la otra

EN EL MUSLO FRONTAL

Deteniéndose en una silla, doble la pierna acalambrada y sujete el pie, llevando el talón hacia el glúteo, hasta donde pueda. Conserve la rodilla apuntando hacia abajo.

EN LAS CORVAS

Ponga el talón de la pierna acalambrada sobre un banco. Despacio, inclínese hasta que sienta que se estira la parte posterior de la pierna.

Cálculos renales

Se dice que el dolor que causa expulsar una piedra del riñón es comparable con el de parto. Sea cierto o no, deseará estar en casa y tomando analgésicos para tranquilizar esa dolencia. También puede poner una bolsa de agua caliente sobre el área de dolor para proporcionar algo de alivio. Después de eso, es un juego de espera. Los cálculos pueden pasar en pocas horas, pero algunas veces les lleva días. Afortunadamente, existen medidas para acelerar un poco el proceso.

Arrójela

• Para drenar la piedra hacia la vejiga, beba por lo menos **tres litros de agua** al día. Si está ingiriendo suficiente agua para hacer el trabajo, su orina deberá ser clara, incolora.

• Durante un ataque, beba té de **diente de león** lo más que pueda. Es un fuerte diurético que estimula la circulación de la sangre a través de los riñones, aumentando la eliminación de orina y ayudando a arrojar la piedra. Para hacer el té, ponga 2 cucharadas de hierba seca en una taza de agua hirviendo. Deje reposar la infusión durante 15 minutos, luego bébala.

• Procure beber dos o tres tazas de **té de buchú** al día. Igual que el diente de león, esta hierba tiene propiedades diuréticas que pueden ayudar a arrojar y prevenir las piedras en el riñón. Ponga una bolsita de buchú en una taza de agua hirviendo y bébala, tres veces al día antes de las comidas.

Piedra en movimiento

• Es común que cuando usted tiene una piedra en el riñón, el mínimo movimiento sea muy doloroso. Pero si soporta **caminar**, hágalo. Caminar puede sacudir la piedra para desprenderla. A pesar de la molestia, podrá arrojar la piedra más rápido si se mantiene en activo.

El poder de la prevención

• Muchos expertos creen que lo más importante que usted puede hacer para prevenir cálculos renales, es lo mismo que debe hacer para arrojarlos más rápido —o sea, beber suficientes líquidos. Quien es propenso a tener piedras en el riñón, debería

¿Qué ocurre?

El dolor en su espalda y al costado es tan agudo que siente como si fuera a volver el estómago. La causa es una pepita de cristales que se separan de la orina y se acumulan en las superficies interiores del riñón. Ahora esa pequeña piedra quiere salir vía la uretra, el tubo del grueso de un espagueti que vacía la vejiga. La mayoría de las piedras de riñón se forman de compuestos de calcio. Se cree que la herencia, la deshidratación crónica, repetidas infecciones en el tracto urinario y una vida sedentaria contribuyen a la formación de cálculos renales.

¿Llamaré al doctor?

beber por lo menos de ocho a 10 vasos de agua al día. Entre más beba, más diluirá las sustancias que forman las piedras.

• Ajústese a una dieta **baja en sal** para reducir el calcio en la orina, que puede reducir el riesgo de formar nuevas piedras. Un buen comienzo es limitar el consumo de alimentos grasos, sopas enlatadas y otros alimentos procesados. Lea las etiquetas con cuidado. La meta es menos de 6 g. de sal (2 400 mg de sodio) al día.

• Beba dos vasos de 250 ml de **jugo de arándano** todos los días. Las investigaciones sugieren que puede ayudar a reducir la cantidad de calcio en la orina. En un estudio con personas con piedras de calcio, el jugo de arándano redujo la cantidad de calcio en 50%.

• Si no le gusta el jugo de arándano, beba **jugo de naranja** o de **limón real,** 200 ml en cada alimento. El ácido cítrico que contienen ambos elevará el nivel de citrato en la orina, ayudará a evitar que se formen nuevas piedras.

• El **magnesio** ha probado que previene todo tipo de piedras de riñón. Coma más alimentos ricos en este mineral, como los vegetales de hojas de color verde oscuro, el germen de trigo y los mariscos. También puede tomar 300 mg al día, en forma de suplemento.

• Aumente su ingesta de frutas y vegetales, especialmente plátanos, naranjas y jugo de naranja, que son ricos en potasio. En estudios se ha comprobado que, quienes comen muchos productos frescos disminuyen a la mitad su riesgo de tener piedras en el riñón. Si usted sufre de cálculos regularmente, pregunte a su doctor si los suplementos de potasio podrían ayudarlo a evitar futuros ataques.

• **Elimine el café.** La cafeína incrementa el calcio en la orina, lo que aumenta el riesgo de la formación de piedras.

Use una red para recoger esa piedra

Aunque suene muy desagradable, los médicos expertos recomiendan que durante un ataque agudo, las personas con piedras de riñón, deban orinar a través de una pieza de gasa, estopilla o un colador de malla fina. La razón para esto es recoger la piedra, si es que pasa una, y llevarla al doctor. Entonces él puede mandar analizar la composición de la piedra y basado en ese análisis, podrá dar un consejo dietético específico sobre los cambios que le ayudarán a prevenir la recurrencia.

• Si usted sabe que sus piedras están formadas de oxalato de calcio (un análisis de orina se lo puede decir), **excluya los alimentos ricos en oxalatos**. Estos alimentos incluyen ruibarbo, espinacas, chocolate, salvado de trigo, nueces, cacahuates, fresas y frambuesas. También **evite beber infusiones de té**, que es alto en oxalatos.

• Si ya ha tenido piedras de ácido úrico en el pasado, necesitará mantener su orina lo más alcalina posible para prevenir la recurrencia. **Evite alimentos que eleven los niveles de ácido**, que incluyen las anchoas, sardinas, menudencias y levadura de cerveza. Tampoco coma más de 100 g de carne, ni más de una porción de guisado, atún, jamón, alubias o espinacas en un día.

• El **calcio** en la dieta puede ayudar a prevenir las piedras de oxalato de calcio, probablemente porque el calcio se combina con el oxalato en el intestino y así evita que el cuerpo absorba el oxalato puro. Consuma alimentos ricos en calcio, incluidos la leche, el yogur, los vegetales de hojas verde oscuro, nueces y semillas. Tomar suplementos de calcio durante y justo después de los alimentos puede tener un efecto similar, pero tomarlos entre comidas puede aumentar el riesgo de piedras.

Callosidades

En toda farmacia hay un anaquel dedicado al cuidado de callos y callosidades. Ahí puede empezar a buscar alivio, pero la investigación de remedios puede llevarlo más lejos. Si sus pies están afectados, el aceite correcto suavizará la piel dura, use parches durante el día, calcetines, zapatos y plantillas para protegerlo del dolor. Para las manos, unos guantes apropiados pueden ayudar. he aquí algunas formas para aliviar la irritación de callosidades y callos.

¿Qué ocurre?

Cuando su cuerpo trata de defenderse de una lesión, algunas veces crea extrañas corazas. La capa exterior de la piel acumula un grueso refuerzo de células muertas cada vez que es frotada demasiado o muy seguido. Que es lo que sucede cuando zapatos mal ajustados frotan el mismo dedo o cuando el rastrillo con mango de metal fricciona la parte interior del pulgar. Gradualmente, la epidermis construye una callosidad, que puede evolucionar a callo, con un centro duro. Es posible que las callosidades de las manos y los pies sean indoloras y protectoras. Pero si presionan un hueso o nervio debajo de la piel, se puede sentir tanto dolor como si se tuviera una pequeña piedra entre los dedos.

Raspe y Lime

* Si una callosidad le está causando dolor o irritación, necesita raspar algunas de esas células muertas para evitar demasiada presión en sus nervios. Inmediatamente después de un baño caliente, en regadera o tina, cuando su piel está húmeda y suavizada, frote la callosidad con una **piedra pómez**, para remover las células muertas. Este tipo de piedra, disponible en las farmacias, es simplemente una áspera pieza de mineral volcánico. No trate de eliminar toda la callosidad de una vez, ya que frotaría la piel viva. En lugar de eso, límela un poco todos los días y sea paciente. Si es muy gruesa o dura, el proceso de limar puede tardar varias semanas.

* Entre los dedos de los pies pueden salir callos suaves cuando los huesos raspan la piel hasta engrosarla. Se les llama "suaves" porque por lo general, la piel entre los dedos es más húmeda. Una piedra pómez no entrará en el pequeño espacio entre los dedos, así que compre una **lima para callos** y remueva la piel gruesa, un poco a la vez, o libere la presión entre los dedos con un pequeño algodón. Si sus pies requieren más atención, vea a un pedicuro o podólogo registrado que pueda quitar los callos sin dolor, aplicar parches o plantillas para liberar la presión, o accesorios correctivos para un alivio a largo plazo.

Suavice la oposición

* En lugar de limar los callos y callosidades puede remojarlos y lubricarlos hasta que se suavicen. Para los callos en los dedos de los pies use **aceite de oliva** como suavizador, con unos **par-**

ches para callos como protección, especialmente los parches sin medicamento y con forma de dona, que venden en las farmacias. Coloque uno alrededor del callo, en un algodón ponga unas gotas de **aceite de ricino** y apliquelo en el callo, luego ponga encima del parche una tela adhesiva para detenerlo. El pequeño parche rodea el callo y lo protege de la presión y también conserva la humedad del aceite de ricino. (El aceite se filtra por la venda y mancha, así que use unos calcetines viejos cuando haga este tratamiento.)

• Otra buena forma para suavizar callosidades y callos es meterlos en agua con **sales de Epsom**. Siga las instrucciones del paquete.

Ataque al callo con ácido

• Busque los parques medicados para remover callos que contengan **ácido salicílico**. Aplique el parche después de bañarse y asegúrese que está tratando sólo el área dura de la callosidad, no la suave que la rodea, pues este ácido puede causar quemaduras o ulceraciones en la piel normal.

• Otra fuente de ácido salicílico es la aspirina. Para crear su propio compuesto para suavizar callos, machaque 5 tabletas de aspirina hasta hacer un polvo fino. Mézclelo bien con ½ cucharada de jugo de limón y ½ cucharada de agua. Unte la pasta en la piel más gruesa, envuelva el pie con un plástico, luego cúbralo con una toalla caliente. Remueva la envoltura después de 10 minutos y con suavidad restriegue la piel suelta con una piedra pómez. (*Alerta* este consejo no es apropiado para las personas alérgicas a la aspirina).

Libere la fricción

• Para ayudar a proteger de la presión un callo en los pies, elabore su propio parche de "dona" usando una pieza de **tela de algodón**. Corte un círculo más grande que el callo, dóblelo a la mitad y corte un medio círculo en el centro. Cuando la abra, tendrá un anillo acolchonado. Péguelo en el callo con una cinta adhesiva.

• Si tiene un callo suave entre dos dedos de los pies, ponga un **separador de hule espuma** entre ellos para evitar que se froten. Puede comprarlos en la sección de cuidado de los pies en la farmacia.

¿Llamaré al doctor?

Para algunas personas con diabetes, las callosidades y callos en los pies son particularmente amenazantes. Una mala circulación es de alto riesgo cuando aparecen infecciones de los pies, y es peligroso intentar tratarse uno mismo con instrumentos no esterilizados que puedan introducir bacterias. Así que si usted tiene diabetes, consulte a su doctor si llega a tener callosidades o callos que necesiten atención. Otras personas pueden intentar primero tratamientos caseros en el entendido de que el consejo médico es importante; si el callo o callosidad parecen inflamados es signo de una probable infección.

¡No lo haga!

Algunas personas pueden aconsejarle que se recorte las callosidades y los callos usted mismo, usando una navaja para callos, una hoja de rasurar o unas tijeras. No lo haga. No importa averiguar qué tan extraordinarias puedan ser sus habilidades quirúrgicas, es riesgoso practicar en su propia piel. Existe un verdadero peligro de infección por utilizar mal instrumentos filosos.

● Trate con calcetines que tienen gruesas suelas acojinadas. Pueden detener el empeoramiento de sus callos.

● Algunas veces, agregar una **plantilla** dentro de sus zapatos puede disminuir la presión en el área con callosidad y ayudarla a recuperarse más rápidamente.

El poder de la prevención

● Aplique una loción que contenga **urea**, para eliminar puntos ásperos antes de que se conviertan en callosidades problemáticas. Empiece con una pequeña cantidad, las lociones con base de urea pueden picar.

● Otra forma de prevenir el endurecimiento es remojar los pies en un recipiente con **agua tibia** una vez a la semana y después, aplicar una **loción humectante**.

● **Escoja zapatos que le queden bien.** Debe existir un espacio del tamaño de su pulgar entre el dedo del pie más largo y el final del zapato. Estos deben ser lo suficientemente amplios para que su dedo y la parte lateral del pie no estén apretados. Pero si los zapatos son demasiado espaciosos, su pie se deslizará y rozará contra los lados.

● Ya que los pies se hinchan de forma natural durante el día, **compre zapatos por las tardes,** cuando están más inflamados. Si los compra temprano en la mañana, terminará con un par de zapatos demasiado pequeños.

● Para las mujeres: es aconsejable **dejar los zapatos de tacón para ocasiones especiales.** Sin embargo, para una salida nocturna debe escoger zapatos de tacón que tengan mucha amortiguación al frente para reducir la presión en los dedos.

● No juegue tenis con zapatos para correr. Para cada deporte, seleccione el **tipo apropiado de zapato**. Numerosas investigaciones han servido para diseñar zapatos adecuados para los movimientos particulares de los pies.

● Para prevenir callosidades en las manos, use **guantes** con un grueso acojinamiento cuando esté haciendo un trabajo que requiera fuerza muscular como rastrillar, pintar o podar.

Cama mojada

Los niños no mojan la cama a propósito. Es importante recordarlo, en especial en esas mañanas cuando se encuentra, otra vez, con sábanas empapadas. Una cosa es cierta: el problema no se puede resolver con castigos. Ayudará más mantener una actitud comprensiva y paciente, y aun algo de sentido del humor sobre la situación, que indudablemente pasará. Cuide en todo caso de no herir la susceptibilidad del niño. Mientras tanto, pruebe estas técnicas.

¿Qué ocurre?

Mantenga secas esas "horas mañaneras"

- Restrinja la ingesta de líquidos de su hijo una hora antes de ir a la cama. En particular elimine las bebidas de cola o de chocolate que contienen **cafeína**, que irrita la vejiga.
- Si generalmente su hijo bebe una **taza de leche** a la hora de ir a la cama, no se la dé durante una semana o dos, para ver si ayuda. Algunos niños son alérgicos a las proteínas de la leche, sobre todo a la caseína y al suero, y la alergia puede causar que moje la cama.
- Asegúrese que el niño **vaya al baño** antes de ir a la cama. Esto no garantiza que no moje la cama, pero habrá menos almacenamiento de orina, lo que significa que se mojará menos la cama.
- Antes de enviarlo a dormir acostumbre una **rutina tranquila**. Los juegos activos y fuertes o hasta un programa emocionante de televisión, aumentan el riesgo. Ya en la cama, lean un cuento.
- Si el niño tiene siete años o más, considere comprar una **alarma de cama mojada**. Este sensor que opera con baterías, emite un zumbido o un sonido de timbre cuando detecta humedad. Esto condiciona a los niños para reconocer la necesidad de orinar y se despiertan a tiempo para ir al baño. No se dé por vencido si la alarma no resuelve el problema en una o dos semanas; la mayoría de los niños responden en dos meses.

Limite el daño

- Ponga un protector de colchón a prueba de agua en la cama de su hijo (los supermercados venden paquetes de protectores acolchonados desechables). No sólo protegerá el colchón, sino

Por lo general, nada. Cuando se está criando a un niño, que moje la cama forma parte de su vida. De hecho, según estudios por lo menos el 15% de los niños de más de cinco años no atienden al llamado de la naturaleza durante la noche. Probablemente, la mejor explicación es que su hijo no se despierta cuando su vejiga está llena, el único problema puede ser que está produciendo mucha orina en la noche o tiene una vejiga de algún modo con poca capacidad.

Ayuda médica

Algunos niños pueden tener un nivel bajo de hormonas antidiuréticas, que ayudan a los riñones a retener agua, y si hay una deficiencia, se acumula más orina en la vejiga. Un doctor puede prescribir un medicamento nasal en aerosol que contenga una versión sintética de la hormona, para usarse antes de ir a la cama. Pero puede ser más efectiva una modificación en su comportamiento (con la ayuda de una alarma de cama mojada).

¿Sabía qué?

Las investigaciones sugieren que si ambos padres mojaban la cama cuando eran niños, su hijo tiene un 70% de posibilidad de tener el mismo problema.

que también asegurará que usted puede tratar el accidente como tal, y no como un desastre. Su hijo y usted dormirán mejor sabiendo que no tienen que preocuparse por un gran trabajo de limpieza.

Involucre a su hijo

● Pídale a su hijo que lo ayude con las **tareas que ocasiona la cama mojada**, como lavar las sábanas, hacer la cama o sacar un camisón o piyama limpio. Asegúrele que su participación no es un castigo, sino sólo una responsabilidad.

Caspa

Diga la verdad: ¿parece como si hubiera nevado en sus hombros? ¿Lo ciega una ventisca cada vez que cepilla su cabello? La caspa no es un problema serio de salud, pero ciertamente puede ser embarazoso. Para controlar las escamas, use el champú correcto. También puede hacer un enjuague casero que tratará el hongo presente en de muchos casos de caspa y ayudará a detener la temida comezón.

Quite la caspa con el lavado

* Busque champús que contengan **sulfato de selenio**, **piritione de cinc** o **alquitrán**. Los dos primeros bajan la proporción en que las células de su cuero cabelludo se multiplican. El alquitrán es la base de otros champús que retardan el crecimiento de las células. Todos estos champús son más efectivos que los productos a base de ácido de sulfúrico o salicílico, que desprenden la caspa para que se quite con el lavado.

* Si su caspa no responde con un champú de sulfato de selenio, intente con uno que contenga **ketoconazol**, que controla el hongo que matará al que puede estar causándole la caspa.

* Si su champú anticaspa deja de tener efecto después de unos meses, es probable que su cuero cabelludo se haya acostumbrado al ingrediente activo y empieza a ignorarlo. Cambie a otro champú con un **ingrediente activo diferente**. Puede necesitar cambiar a otro en unos cuantos meses.

* Deje el champú en su cuero cabelludo **por lo menos 10 minutos** antes de enjuagar para que haga su trabajo. En un caso grave de caspa vale la pena tomarse un poco más de tiempo. Haga espuma, póngase una gorra de baño y deje allí el champú por una hora.

Confíe en los enjuagues

* Haga un enjuague para caspa usando la hierba de sello dorado. Contiene berberina, que tiene fuertes propiedades antibacteriales y contra hongos. Vierta una taza de agua hirviendo sobre dos cucharaditas de raíz picada. Deje reposar la

¿Qué ocurre?

La gente elimina continuamente las capas exteriores de piel muerta. Cuando esas células de piel caen del cuero cabelludo a gran velocidad, usted tiene un caso de caspa, que tiene muchas posibles causas. El estrés es una de ellas. Otras incluyen la sobreactividad de producción de grasa de las glándulas y la dermatitis seborreica: un salpullido escamoso e irritado que puede afectar la cara y pecho, así como al cuero cabelludo. Hay evidencia que sugiere que la caspa con frecuencia es causada por el crecimiento excesivo de un hongo común llamado *Pityrosporum orbiculare*. La caspa se alimenta de los aceites de la piel, lo que puede explicar por qué la gente que tiene cuero cabelludo grasoso es más susceptible a la caspa.

¿Llamaré al doctor?

Normalmente, un leve caso de caspa responderá al auto-tratamiento, así que aplique remedios caseros o con champúes de venta directa durante dos semanas. Consulte a su doctor si no hay ninguna mejora o si tiene una severa comezón y enrojecimiento, cuero cabelludo irritado. También necesita el consejo del doctor si nota un grueso aumento, costras amarillentas y parches rojos en el escote. Estos síntomas sugieren dermatitis seborreica, una condición que requiere consejo y tratamiento médico

infusión hasta que se enfríe. Úsela como enjuague después del champú. Si no encuentra la raíz, agregue unas gotas de tintura de sello dorado a un poco de champú.

• Prepare un enjuague de **romero**. El romero ataca la bacteria y el hongo, es mucho más fácil de encontrar. Vierta una taza de agua hirviendo sobre una cucharadita de romero machacado. Deje que se asiente unos minutos y cuele. Use la infusión como enjuague una vez al día. Si irrita su piel intente un remedio diferente.

• Otro enjuague contra la caspa se hace con **hojas de laurel**. Agregue un puñado de hojas de laurel machacadas a un litro de agua recién hervida. Cubra y deje que repose unos 20 minutos. Cuele, deje enfriar y aplique. Lo puede dejar en el cabello una hora aproximadamente, antes de enjuagar.

• El **vinagre de sidra** mata varios hongos y bacterias. Se recomienda con frecuencia como remedio casero contra la caspa. Mezcle una parte de agua por una parte de vinagre de sidra. Aplique como enjuague después del champú.

Intente con árbol de té

• El **árbol de té** posee propiedades antimicóticas. Diluya siete gotas de aceite de árbol de té en una cucharada de aceite vegetal (aceite de oliva o de semillas de uva). Aplique en el cuero cabelludo y déjelo durante la noche.

Una cura cultivada

• No es muy agradable, pero puede funcionar: esparza búlgaros en el cuero cabelludo y déjelos media hora; luego enjuague. El yogur contiene bacterias "amigables" que mantienen al hongo bajo control.

Tome algunos ácidos grasos útiles

• Tome una o dos cucharaditas de **aceite de semillas de linaza** al día. Contiene ácidos grasos esenciales, que parece ayudar en condiciones de piel irritada como la psoriasis y el eczema, y posiblemente la caspa. Sea paciente, puede necesitar tomar el aceite más de tres meses antes de notar una diferencia. Un beneficio adicional es que la semilla de lino ayuda a prevenir enfermedades del corazón.

Colesterol alto

Los tres lugares donde es más probable hallar barro son sus cañerías, el motor del auto y las arterias. El primero afectará su fregadero; el segundo, la movilidad, y el tercero, su vida. Para evitar que las arterias se obstruyan –o limpiarlas si ya están en problemas– necesitará bajar loss niveles de colesterol. Pero no todo es perjudicial. El colesterol de lipoproteínas de baja densidad (LBD) es malo, y el colesterol de lipoproteínas de alta densidad (LAD) es bueno, ya que ayuda a eliminar el LBD.

Elimine las grasas "malas"

- Elimine **grasas saturadas** de su dieta. Eso significa cambiar a cortes de carne magra y versiones bajas en grasa de productos lácteos como mantequilla, leche, helado, queso y yogur. Evite las carnes procesadas —como embutidos y carne enlatada.
- Aléjese del aceite de **palma y de coco**, muy altos en grasas saturadas. Los denominados aceites tropicales se encuentran en muchos alimentos procesados.
- Otro tipo de grasa, llamada **ácidos grasos trans**, se deben evitar al máximo. Se producen cuando aceites basados en plantas son hidrogenados para producir productos untables sólidos, como la margarina. Tiene el mismo efecto en los niveles de colesterol que las grasas saturadas. Para encontrarlo, busque la palabra "hidrogenada" en las etiquetas.
- **Coma más frutas y verduras frescas, y granos enteros**. Ésta es la forma más fácil para sentirse satisfecho, al disminuir la carne y otros alimentos grasosos. Además de ser bajos en grasa no tienen colesterol; los vegetales contienen mucha fibra, que baja el colesterol, vitaminas y antioxidantes que son buenos para su corazón.

Consiga más grasas buenas

- Numerosos estudios han mostrado que el **aceite de oliva** no sólo baja el LBD, sino que también eleva el LAD. Un estudio encontró que las personas que tomaron como dos cucharadas de aceite de oliva al día tuvieron un nivel más bajo LBD en sólo un semana. Úselo en pan de ajo, aderezo de ensalada en lugar de margarina y como sustituto de otros aceites para freír.

¿Qué ocurre?

Dentro de las arterias ha ocurrido un peligroso cambio en el balance de sustancias grasas que circulan en su corriente sanguínea. Hay mucho del tipo "malo" de colesterol, llamado lipoproteína de baja densidad (LBD). Este es el tipo que congestiona sus arterias y aumenta su riesgo de ataque al corazón y apoplejía. Por otro lado, es probable que no tenga el suficiente colesterol "bueno", conocido como lipoproteína de alta densidad (LAD). Estas son las moléculas que actúan como el "camión de la basura:, se llevan el LBD al hígado para su eliminación.

¿Llamaré al doctor?

¿Sabía qué?

Una investigación indica que no todos los panes son bajos en grasa. Frecuentemente, se agrega grasa en forma de aceites hidrogenados a muchos panes para mejorar el sabor y mantenerlo fresco más tiempo. Así, tres rebanadas de esos panes proporcionan más grasa que una barra Mars. Lea las etiquetas y escoja pan con 1 gr de grasa por rebanada.

- Disfrute las **nueces**. Están llenas de saludables grasas insaturadas, incluyendo el omega-3. Parece que la nuez y la almendra son especialmente buenas para bajar el LBD. Coma una pequeña cantidad diariamente y vea cómo bajan sus niveles de colesterol. Pero contienen muchas calorías, así que cómalas en lugar de otros bocadillos.
- Coma un **aguacate** al día y bajará su LBD en 17%. El aguacate también es muy alto en grasas (y calorías), principalmente insaturadas.
- Coma **mantequilla de cacahuate**. Puede tener muchas calorías, pero la mayoría de la grasa que contiene es insaturada. Compre una marca que no contenga aceites hidrogenados.

Pescado para omega-3

- El **pescado** es mucho más que un sucedáneo de la carne. Contiene ácidos grasos omega-3, que bajan el colesterol LBD. La finalidad es comer pescado dos o tres veces por semana, aunque sean sardinas o arenques enlatados. Su mejor apuesta es el atún y el salmón, que abundan en omega-3. Curiosamente, atún y salmón en lata pierden casi todos sus aceites beneficiosos, aunque las sardinas y la mayoría de los pescados enlatados los conservan.
- Si detesta el pescado, tome diariamente un **suplemento de aceite de pescado** que contenga EPA y DAH (dos tipos de ácidos grasos omega-3). Tome 1 000 mg dos veces al día.
- Cocine con **cebolla,** en especial la roja. Es rica en compuestos de azufre que elevan el LAD, más un antioxidante llamado cuarsetín, que combate el LBD. Además contiene antioxidantes beneficiosos adicionales conocidos como flavonoides.
- Las **semillas de linaza** son una magnífica fuente de grasas de omega-3 y de fibra soluble. Muela las semillas y agréguelas a su yogur o cereal. Un estudio encontró que comer dos cucharadas de semillas de lino molidas al día reduce el colesterol LBD. Las tiendas de alimentos naturales venden semillas y su aceite, pero contra el colesterol alto será mejor comer las semillas. Si las compra enteras, **muélalas** antes de comerlas o pasarán directo por su sistema digestivo sin romperse.

Coma avena

- La **sopa de avena** es una rica fuente de fibra saludable, que forma en el intestino una clase de gel que reduce la absorción de las grasas. Comer un tazón de sopa de avena al día es excelente para bajar el colesterol. Escoja avena de cocción rápida o las hojuelas tradicionales, en lugar del cereal de avena caliente.

Otras fuentes especialmente buenas de fibra soluble son: la **ciruela, cebada, frijoles, berenjena** y **espárragos.**

Agregue fibra soluble a su dieta con semillas de **plantago** (ispágula). Se venden en las tiendas de alimentos naturales y en las farmacias. Una cucharada de semillas machacadas equivale a un tazón de cereal alto en fibra. Agréguela a cualquier alimento o bebida. O simplemente pida por laxantes con base de plantago, por lo general están etiquetados como "natural" o "vegetal". Tome 10 gramos de semillas de plantago al día durante ocho semanas puede reducir el LBD hasta en un 7%.

Exprima al colesterol

Recién exprimido o directo del envase, el **jugo de naranja** puede mejorar su balance de colesterol. Los participantes en un estudio que tomaron tres vasos de jugo al día durante un mes, aumentaron sus niveles de LAD 21% y cambiaron el índice del colesterol malo por bueno (LBD por LAD) en un 16%.

Niacina: ¿debe tomarla o no?

En cantidades altas, la niacina de la vitamina B puede bajar el colesterol. Pero no la tome hasta que su doctor le recomiende una dosis específica y controle su salud mientras la está tomando. La niacina tiene el efecto de bajar el colesterol LBD mientras que eleva el LAD. Sin embargo, la cantidad de niacina que necesita para obtener estos beneficios es muy alta y cuando se toma en dosis excesivas, tiene un alto riesgo de efectos colaterales. Algunas personas sienten sofocos y hasta corren el riesgo de daño en los riñones. Así que no es recomendable tomar suplementos de niacina sin vigilancia médica.

Déle un giro a la soya

Para una deliciosa leche malteada que baje el colesterol, mezcle en la licuadora una taza de leche de soya, vainilla, 2 cucharadas de semillas de linaza molidas y algunas fresas. La proteína de la soya y las semillas de lino ayudan a bajar el colesterol LBD y aumentan el LAD, mientras que las fresas agregan fibra para bajar el colesterol.

¿Por qué tomar vino moderadamente?

• El **alcohol** –sin importar lo que tome– **eleva los niveles del colesterol "bueno" LAD**. "Moderadamente" significa una copa para una mujer y dos para un hombre al día. Si bebe más de eso, el daño sobrepasará a los beneficios. El vino rojo ofrece también poderosos antioxidantes que vienen de los pigmentos de la piel de la uva.

Incorpórese a la vida deportiva

• Ate las agujetas de sus **zapatos para caminar** y camine con energía a grandes zancadas, 30 minutos diarios. Alternadamente, ir a nadar o a correr antes o después de trabajar. Los beneficios de un ejercicio regular son innegables. Los estudios muestran que la actividad física disminuye el riesgo general de enfermedades del corazón y apoplejías. Un **ejercicio regular** también ayuda a controlar la diabetes y la presión alta, los cuales son factores independientes de riesgo de enfermedades del corazón.

De ajo y jengibre

• Tome una dosis diaria de **ajo**, fresco o en tabletas. Contiene alicina un compuesto al que se cree que es el responsable del efecto de bajar el colesterol del bulbo. Si se decide por los suplementos de ajo, busque productos de capa entérica, para prevenir el "aliento a ajo". Los suplementos deberían proporcionar un total de alicina de 4 000 mcg por tableta.

• Tome cápsulas de jengibre cuatro veces al día. La dosis común es de 100 a 200 mg. Los estudios sugieren que los compuestos del jengibre ayudan a reducir la absorción y aumentan la eliminación del colesterol LBD.

Cólico infantil

El lastimero llanto de un bebé con cólico puede poner a los padres bajo una enorme presión y hasta hacerlos caer en un pánico total si no pueden encontrar la forma de detener los acongojados gritos. Así que la prioridad en la agenda es relajarse. Tome un descanso; si son dos, tomen turnos; si no, pida a un amigo compasivo que lo ayude de vez en cuando. Para calmar el llanto, primero revise las causas más obvias de angustia: hambre, pañal mojado, calor o frío excesivo, resfriado o simplemente el deseo de un abrazo. Luego trate las siguientes alternativas que lo pondrán a prueba.

Boca abajo es mejor

● Sostenga al bebé en una posición con el estómago hacia abajo. Por alguna razón, parece que un bebé con cólico está más a gusto cuando está sobre su estómago. Si usted está en una silla mecedora, sostenga al bebé en su antebrazo, viendo él hacia abajo mientras se mece suavemente. Debe sostenerle la cabeza con una mano. (Un infante de esta edad siempre necesita soporte en la cabeza).

● Cuando desee **caminar**, continúe sosteniendo al bebé en su antebrazo, con la cabeza en su mano. Pero llévelo cerca de su pecho, con la ayuda de su otra mano.

● Ponga al bebé en una **cangurera**. El solo hecho de estar acurrucado contra su cálido pecho es confortable, al igual que los latidos de su corazón. Con las manos libres, puede hacer una agradable caminata, que ayudará a consolar a su hijo.

● Su bebé se podría calmar en su cuna si lo **envuelve apretado** y lo acuesta de lado. Pero quédese cerca para vigilarlo. Si el bebé se rueda boca arriba, vuelva a ponerlo de lado. La Fundación para el Estudio de Muerte de Infantes dice que colocar al bebé de espalda para dormir es la clave para evitar el riesgo de muerte súbita.

Envuelto cómodamente

● Envolver al bebé con una sábana **simula la presión** que un bebé habría sentido en el vientre. La idea es hacer que el bebé se sienta seguro más que mantenerlo abrigado. Además se ha reportado que envolverlo también reduce el riesgo de muerte súbita. Extienda una sábana de algodón para cuna, con una

¿Qué ocurre?

Su bebé llora... y llora... y llora... y nada parece calmarlo. Puede cerrar los puños y llevar las piernas contra su estómago, que se puede sentir duro como un tambor. El bebé también tiene flatulencias o movimientos intestinales inmediatamente antes o después de un ataque de llanto. Un bebé que llora por más de tres horas al día, tres días a la semana y durante tres semanas —cuando no hay problemas subyacentes de salud— se dice que tiene cólico. Éste tiende a empeorar entre la cuarta y sexta semanas y disminuye sin ninguna razón aparente en tres o cuatro meses.

¿Llamaré al doctor?

punta doblada. Recueste al bebé boca arriba en la sábana con el doblez detrás de la nuca. Envuelva el lado izquierdo de la sábana sobre sus brazos y cuerpo, y métala debajo del bebé. Lleve la parte de abajo sobre sus pies y luego cúbralo con el lado derecho, dejando sólo la cabeza y el cuello afuera. **No use cobijas** para envolver al niño —podría tener mucho calor—, tampoco lo envuelva muy apretado, ya que podría cortarle la circulación.

- Para una comodidad extra, calme a un bebé que no se quiere dormir **calentándole el estómago** con una bolsa para agua, pero tibia (nunca caliente). Escoja una bolsa con una cubierta o envuélvala en una toalla suave, y póngala sobre el estómago de su bebé mientras lo tiene sentado en sus rodillas. No deje a su bebé envuelto de esta forma en la cama junto con una bolsa de agua caliente, ya que ésta podría derramarse o quemarlo.

Mezca al bebé

- Póngalo en una mecedora mecánica para bebé. Por alguna razón, el ir y venir ha calmado a muchos bebés gritones. La clave es el movimiento continuo y estable.

Deje que los aparatos arrullen al bebé

- Pase la **aspiradora**. El sonido es una canción de cuna para los oídos de algunos infantes con cólico. Como un bono adicional, limpia la alfombra. Si esto no sirve, intente con la secadora de pelo.
- Sintonice una **estación de radio con estática**, y déjela con el volumen bajo. El monótono "ruido de fondo" ayuda al bebé a tranquilizarse. O c**ompre un CD** de sonidos que los bebés hallan reconfortantes, como el latido del corazón de mamá, cascadas, una lejana segadora de pasto o un ventilador.
- Algunos bebés con cólico responden al sonido y vibraciones de la secadora de ropa. Si usted está en la cocina o en el cuarto de lavado, ponga al bebé en un asiento que toque un lado de la secadora.

Ofrézcale su meñique

- Aunque no sea hora de alimentarlo, la **estimulación oral** lo reconforta. Deje que el bebé se chupe el dedo meñique, siempre que el dedo esté limpio, la uña bien recortada y sin barniz. Es un tranquilizador tan bueno como el mejor, además no se desgasta ni se cae.

Elimine los productos lácteos

- Algunos expertos han sugerido que el llanto podría ser causado por la transmisión madre-hijo de **leche de vaca.** Si está amamantando a su bebé y ha bebido leche o comido productos lácteos, elimínelos durante una semana. Si esto no resuelve el problema, puede regresar a su dieta.
- **Evite** los alimentos y bebidas que contengan **cafeína,** como tés, café, refrescos de cola y chocolate.
- **Identifique otros "alimentos detonantes"** que pudieran estar afectando a su bebé a través de la leche materna. Los más comunes son: frijol, huevo, cebolla, ajo, uva, jitomate, plátano, naranja, fresas y cualquier condimento. Si encuentra que al suspender estos alimentos por una semana no hay mucha diferencia, siga comiéndolos.

Detenga el estímulo externo

- A veces, entre más se trata de calmar a un bebé con cólico, parece que llora más. Eso puede ser porque el sistema nervioso del bebé es inmaduro para manejar el ruido. Hasta el más suave susurro puede ser ruidoso para sus sensibles oídos, Para **minimizar la estimulación,** intente dejar llorar al bebé de 10 a 15 minutos. Sosténgalo en brazos durante este tiempo. Evite el contacto a los ojos.

Siéntelo derecho y hágalo eructar a menudo

- Cuando lo amamante **mantenga recto al bebé,** y haga que eructe con frecuencia. Al usar biberón, que eructe después de cada onza y pruebe diferentes chupones. Algunos están diseñados para reducir la cantidad de aire que tragan.
- **No deje que succione el biberón vacío;** pues llenenará su estómago de aire. Por la misma razón, no deje que el bebé succione en un chupón con un agujero demasiado grande. Aunque tragar aire no es una causa de cólico, algunas veces puede hacer que llore mucho.

¡No lo haga!

Los conocimientos que brinda ser mamá incluyen muchos remedios para "aliviar el cólico", como el jugo fresco de una cebolla. Las revistas aconsejan fórmulas para curar el cólico o la "gripe", y se pueden encontrar "curas milagrosas" en sitios en Internet. Algunos pueden ayudar a liberar flatulencias, pero si su infante tiene cólico, ni éstas ni los remedios tradicionales o las más nuevas curas le harán mucho bien.

Comezón

Tan sólo en pensar en la comezón hace que uno se rasque. Algunos tipos de comezón son fáciles de tratar con remedios antimicóticos más un poco de higiene extra. La irritación anal puede aliviarse con cremas y enjuagues, así como con una compresa y algunas nuevas formas de limpieza y enjuague. También ponga atención en lo que come. Aunque es pasajero, el alimento puede influir en qué tan a gusto pueda usted sentarse unas cuantas horas después.

¿Qué ocurre?

La molesta comezón puede afectar tanto a los oficinistas sedentarios como a los atletas comprometidos. Usualmente una infección del hongo tinea cruris es la causa del área enrojecida e irritada que da comezón. Pero también puede ser causado por el hongo de pie de atleta (tinea pedis) que se esparce hasta la ingle. Otras causas incluyen a la levadura o la bacteria, o simplemente por una irritación de piel: la ingle es un lugar caliente y húmedo donde ocurre mucha fricción, así que es casi inevitable tener problemas en la piel.

Comezón en la ingle
Pruebe enjuagues de un antimicótico herbal

• Moje algodón en **té de tomillo** y aplíquelo en la ingle. El tomillo contiene thymol, un potente antimicótico. Para hacer el té, ponga dos cucharadas de tomillo en una taza de agua hirviendo y deje reposar 20 minutos. Enfríelo y aplique.

• Otro remedio es el **jengibre**. Contiene un total de 23 compuestos antihongos. Ralle 30 g de raíz de jengibre, póngalo en una taza con agua hirviendo y cuélelo. Cuando se enfríe, aplique el té usando una bolita de algodón.

• El regaliz también es antimicótico y por siglos se ha usado en la medicina china para remediar la comezón en la ingle. Ponga seis cucharaditas de **raíz de regaliz** pulverizada en una taza de agua hirviendo y deje la infusión 20 minutos. En cuanto se enfríe, úntelo en la zona afectada.

• **El aceite de árbol del té** es un antiséptico que combate hogos y gérmenes. Unte el aceite en la piel tres veces al día incluso dos semanas después de que se quite la comezón. Si el aceite puro irrita su piel, dilúyalo; mezcle 10 gotas en 2 cucharadas de **crema de caléndula**. Aplíquelo en el lugar afectado dos veces al día. No ingiera este aceite.

¿Qué usar?

• Use ropa **holgada y ventilada**. La ropa apretada calienta la ingle, haciendo más probable la comezón.

• Para los hombres que usan suspensorios para hacer deporte o ejercitarse, es una buena idea usar debajo **ropa interior de** algodón. El algodón absorbe el sudor y protege la piel suave.

Mantenga la zona limpia y seca

• Después de cualquier actividad que le provoque sudar, báñese con prontitud pues el sudor nutre al hongo, luego póngase ropa interior fresca y limpia. De igual modo, no se quede en un traje de baño mojado más de lo necesario.

• Lave su ropa **para hacer deporte** antes de volver a usarla.

• Si tiene pie de atleta, póngase los calcetines antes que su ropa interior. Si sus pantalones tocan su pie descalzo cuando los sube, podría esparcir el hongo hasta la ingle.

• No saque una **toalla usada** del bote de la ropa sucia para usarla otra vez. El hongo prospera en condiciones húmedas y oscuras, y es probable que usted contraiga otra infección.

• Después del baño, séquese con aire frío de una **secadora**.

• Aplique algún tipo de **enjuague bucal** con una bolita de algodón para matar el hongo.

El polvo y el talco

• Cuando se vista o ponga ropa interior, añada **talco normal** o **para bebé**. Ayudará a mantener la piel seca.

Baje de peso

• Si tiene sobrepeso, **deshágase de algunos kilo**s. Los pliegues de piel tienden a calentar y a humedecer, facilitando que se forme el hongo.

COMEZÓN ANAL
Calmantes instantáneos de comezón

• Si el problema son las fisuras anales (un desgarre o cortada en la piel que reviste el ano) o hemorroides, **compre un ungüento** o supositorios diseñados para este propósito. Las farmacias venden una variedad de productos que contienen una combinación de analgésicos locales, anti-inflamatorios y un suave esteroide. Úselos en la noche y en la mañana, y después de cada deposición. Pueden detener la inflamación — la principal fuente de molestia— igual que la comezón. No use estos productos por más de siete días seguidos.

• En el baño, disuelva tres o cuatro cucharadas de **bicarbonato de sodio** en poca agua caliente. Siéntese en la tina unos 15 minutos, El bicarbonato ayuda a mitigar la irritación de la piel.

Mito...

El vinagre de sidra es un remedio útil para la comezón en la ingle.

...y verdad

El vinagre es ácido y el hongo no puede prosperar en un ambiente ácido. Use algodón limpio, aplique el vinagre en la zona afectada una vez al día. Use este tratamiento en piel no dañada.

¿Llamaré al doctor?

Si una ingle irritada tiene ampollas o no se compone después de unas semanas de autotratamiento, hable con su doctor. Puede ser una reacción alérgica a la ropa (el látex en los elásticos es un alérgeno común) o al detergente que usa. En casos raros, la comezón de ingle está asociada con afecciones serias como la diabetes o el cáncer. Si tiene comezón anal y nota sangre o secreción, o si siente un bulto, debe consultar a su doctor.

BAÑOS TERAPÉUTICOS

Desde tiempos remotos los baños se han usado para todo tipo de trastornos. Hoy contamos con medios más confiables de tratamiento para enfermedades graves pero, para quien tiene una molestia menor (como la comezón, articulaciones, músculos adoloridos y ansiedad), es difícil darse un baño relajante. Los baños hacen que usted se sienta bien, especialmente si agrega sustancias sanadoras.

El agua caliente de un baño relajante da un sutil masaje a los músculos cansados y estimula la circulación de la sangre, acelerando el suministro de nutrientes y removiendo el ácido láctico y otros productos de desecho. Un baño caliente hasta puede ayudar a quemar unas cuantas calorías al estimular el metabolismo. A pesar de esto, evite baños prolongados en agua muy caliente. El calor se puede sentir bien, pero es posible que ayude a la inflamación.

Una técnica practicada en todo el mundo por siglos es la hidroterapia contrastante. Alternar agua caliente y fría provoca que los vasos sanguíneos se dilaten y contraigan sucesivamente. Es como un bombeo que incrementa la circulación sanguínea, reduce la congestión y la inflamación, mejora la digestión y estimula la actividad de los órganos. Los médicos naturistas piensan que también estimula la función inmune. Para probar esto en casa, necesita de una tina grande que actúe como un segundo baño o se puede sentar bajo la regadera caliente y una de mano para mojarse de vez en cuando con agua fría. Siempre empiece con agua caliente y termine con la fría.

Alivio a la comezón

Si padece de comezón, un baño puede ser lo que ordene el doctor. Presentamos unos productos que puede agregar al agua.

• **Bicarbonato de sodio.** Es un excelente remedio para la piel irritada. Si su hijo tiene varicela para calmar la comezón agregue ½ taza de bicarbonato a una tina poco profunda o una taza completa a una más grande.

• **Avena.** Como remedio contra el sarpullido o las quemaduras de sol, llene la tina con agua tibia y agregue unas cuantas cucharadas de avena coloidal que venden en las farmacias. Si no la tiene a mano, sólo ponga una taza de sopa de avena simple en una media de nylon, amarre la punta y déjela flotar en la tina mientras se sumerge; la avena vuelve la tina resbaladiza, así que tenga mucho cuidado al meterse.

• **Vinagre.** Es otra sustancia que puede calmar la comezón. Trabaja al acidificar la piel. Para aliviar la comezón producida por la quemadura de sol o la psoriasis, dése un baño con agua fría a la que agregue dos tazas de vinagre antes de meterse.

Dolor y torceduras

Para torceduras menores, un baño con sales de Epsom puede dar un rápido alivio. Las sales extraen los fluidos del cuerpo y ayudan a desinflamar los tejidos. Agregue 2 tazas al baño caliente y sumérjase. Un baño con estas sales también elimina el ácido láctico, cuya acumulación contribuye al dolor muscular. Después de una vigorosa sesión de ejercicios, agregue una o dos tazas de sales a un baño caliente y disfrute de la relajación.

Agregue aceites esenciales

Una maravillosa forma de acentuar el valor medicinal de un baño de tina es agregar aceites esenciales, disponibles en tiendas naturistas. Después de un largo día, unas gotas de aceite de pino en el agua, puede ser vigorizante. El aceite de eucalipto promueve el estado de alerta y elimina la congestión. El aceite de geranio reduce la ansiedad; la lavanda, contra la depresión. El romero estimula la memoria. Las combinaciones de aceites también son beneficiosas.

Si es propenso a las alergias, pruebe su reacción a los aceites esenciales antes de usarlos. Unte aceite diluido en el interior de su brazo. Si en 12 horas no tiene ninguna reacción, es seguro agregarlas a su baño.

• **Baño de tratamiento de artritis** Mezcle cuatro gotas de aceite de junípero y dos de lavanda, ciprés y romero, junto con media taza de sales Epsom. Para un baño más sencillo, use tres gotas de aceite de lavanda y tres de aceite de ciprés.

• **Baño para un buen dormir** Use dos o cuatro cucharadas de sal de mar; cuatro gotas de aceite de lavanda; tres de aceite de mejorana, y tres de aceite de limón. Otros aceites que pueden ayudar a mejorar su sueño incluyen la flor de lima, canela romana, incienso y rosa.

• **Baño para liberar la tensión** agregue tres gotas de ilang-ilang, cinco de lavanda, dos de bergamota y ½ taza de sales Epsom.

Puede usar hierbas secas en lugar de aceites. Agregue canela –junto con lavanda y la valeriana– para un baño contra la ansiedad. Para un mayor beneficio, amárrelas en una pieza de muselina y sosténgala bajo el chorro de agua mientras se llena la tina.

Baños en palangana

No tiene que sumergir todo el cuerpo para obtener los beneficios de un baño. Un baño de pies o de asiento puede proporcionar una rápida y sencilla solución desde dolor de cabeza a hemorroides.

• Para fiebre, congestión o dolor de cabeza, sumerja los pies en agua caliente con **polvo de mostaza**. Esto lleva la sangre a los pies, que estimulan los vasos sanguíneos en la cabeza.

• Contra las molestias de las hemorroides, añada un puñado de sales de Epsom a una tina o palangana con agua caliente y siéntese.

• Para un baño de pies, agregue dos gotas de **aceite de menta** y cuatro de **aceite de romero** en agua caliente.

• **Hamamelis** es un limpiador de la piel y puede remover irritaciones anales. Más importante, su acción astringente puede ayudar a reducir la inflamación responsable de la comezón. Empape una almohadilla de algodón y aplíquela en el área irritada. Esto puede picar por unos minutos después de la aplicación.

• Use una **bolsa de té caliente** como compresa astringente contra comezón e inflamación. Vierta agua hirviendo en la bolsa de té como si hiciera té para eliminar los químicos de las hojas, deje enfriar hasta una temperatura agradable, luego aplíquela en la zona problemática por varios minutos.

El poder de la prevención

• Manténgase limpio. Enjuáguese más de una vez para eliminar todos los rastros de materia fecal. Evite irritar su piel, use un papel sanitario blanco, húmedo y sin perfume o compre **toallas limpiadoras humedecidas** en el supermercado o farmacia.

• Conserve secos los glúteos y las ingles. Use una **secadora de pelo** en el nivel más bajo durante 30 segundos para secarse. Luego ponga **talco para bebé** o **harina de maíz** generosamente en el área. Si usa talco para bebé busque uno sin perfume, que provoca irritación en la piel de algunas personas.

• Escoja **ropa interior de algodón** holgada y evite lo ajustado.

• Si tiene comezón en el ano, suspenda alimentos ácidos, como las frutas cítricas, por algún tiempo y evite los alimentos condimentados como pimentón o salsas picantes. Ambos pueden provocar irritación.

• Los aceites en los granos de **café** son irritantes también. Limítese a tomar una o dos tazas de café de 200 ml al día, o mejor evítelo, y vea si la irritación disminuye.

• Use **detergente**, suavizante y jabón **sin fragancia**. También evite productos de baño con esencia

(Vea también Alergias; Piel reseca; Eczema; Infecciones micóticas; Piojos; Urticaria y Psoriasis)

Conjuntivitis

La conjuntivitis puede dar comezón, doler y causar una sensación arenosa en los ojos. Puede lesionarlos y, si es por bacteria o virus, esparcirse como plaga. Entonces, ¿qué se supone que se debe hacer? Busque ayuda médica. Si tiene una infección bacterial, le recetarán gotas para los ojos. Mientras tanto, puede realizar pasos que alivien la irritación y controlen la formación de costra.

Déle un vistazo al alivio

• **Compresas calientes o frías** pueden ayudar. Si tiene mucho lagrimeo, moje un lienzo en agua caliente y úselo como compresa para impedir secreciones pegajosas que se sequen en las pestañas. Use compresas de agua fría para desinflamar y reducir la comezón, especialmente si la causa de su conjuntivitis es una alergia. Aplique uno —o ambos— durante cinco minutos tres o cuatro veces al día. Use un lienzo limpio cada vez.

• Enjuague las secreciones y material incrustado con una bolita de algodón empapada con una parte de **champú para bebé** y 10 partes de agua caliente. Ésta desprende la costra y el champú limpia el área donde se unen el párpado y las pestañas.

• Use una solución ocular hecha con **agua ligeramente salada**. Ponga a hervir 250 ml de agua, agregue una cucharadita de sal, deje que hierva otros 15 minutos y deje enfriar. Use un gotero o un lavador de ojos, esterilizados, para aplicar el lavado. Después de cada tratamiento, esterilícelos otra vez en agua hirviendo.

• Un lavado con **sello dorado** combatirá la infección. Esta hierba contiene un componente con propiedades antibacteriales llamado berberina. Para hacer un lavado, ponga una cucharadita de sello dorado seco en agua hirviendo, unos 10 minutos, cuele y deje enfriar. Aplique con un gotero esterilizado tres veces al día.

Prepare sus ojos para dormir

• Si su doctor le ha prescrito antibióticos, esteroides en gotas para los ojos o ungüentos, utilícelos todas las noches antes de ir a la cama para asegurarse que sus párpados no se peguen mientras duerme. Asegúrese que la punta del tubo o del envase de las

¿Qué ocurre?

Cuando los ojos están rojos, irritados y pegados con una secreción pegajosa, es probable que tenga conjuntivitis. Es una inflamación de la conjuntiva, la membrana transparente que reviste los párpados interiores y que cubre el globo de los ojos. Generalmente, la causa es una bacteria, una infección viral o una reacción alérgica al polen, los cosméticos, la solución para limpiar los lentes de contacto u otras sustancias. Dependiendo del tipo, la conjuntivitis puede provocar que los ojos ardan, den comezón, lagrimeen profusamente y se vuelvan muy sensibles a la luz. Una secreción pegajosa adhiere sus pestañas y párpados mientras duerme.

¿Llamaré al doctor?

Llame a su doctor si sus síntomas son severos. Mientras sean casos leves de conjuntivitis, especialmente aquellos causados por virus, deberían desaparecer por sí mismos en una semana; algunas formas de esta afección pueden causar a los ojos daños potencialmente severos. Busque el consejo de su doctor lo más pronto posible si su visión se nubla, ve puntos o desarrolla ampollas cerca del ojo, si la conjuntivitis no desaparece por sí sola o si no ve ninguna mejora después de tres o cuatro días de un tratamiento continuo. Si tiene una conjuntivitis bacterial, un rápido tratamiento evitará complicaciones.

gotas no toque los ojos. De lo contrario, puede contaminar la medicina y volver a infectar sus ojos la siguiente vez que la use.

Calmantes para ojos adoloridos

- Aplique una compresa de **manzanilla**. Coloque una bolsa de té de manzanilla en agua tibia (no caliente) dos o tres minutos, exprima y coloque la bolsa sobre el ojo adolorido durante diez minutos. Repita cuatro veces al día con una bolsa de té nueva. Mantenga los ojos cerrados para que el lavado no entre en contacto directo con el ojo.
- Los practicantes del Ayurveda, la medicina tradicional de la India, tratan la conjuntivitis con pulpa de hojas frescas de **cilantro**. Muela en la licuadora un manojo de cilantro con 100 ml de agua. Cuele el jugo y aplique la pulpa en los párpados cerrados. Déjelo unos minutos; enjuague antes de abrir los ojos.
- Otro tratamiento ayurvédico para la conjuntivitis es poner una cucharadita de semillas de **cilantro** en una taza de agua de hirviendo y dejar reposar la infusión por 15 minutos. Cuele, deje enfriar y use el agua para lavar sus ojos cerrados. Quite cualquier exceso antes de abrirlos.

Detenga el contagio

- Evite volver a infectarse, **no use maquillaje para ojos ni lentes de contacto** hasta que la infección se haya ido por completo. Deshágase del maquillaje para ojos que estaba usando cuando se desarrolló la infección.

Tres tipos de conjuntivitis

Los tres tipos principales de conjuntivitis son viral, bacterial y alérgica. Existen ciertos síntomas compartidos, pero un doctor puede distinguir la causa de otro:

VIRAL

- Generalmente la infección comienza en un ojo, pero puede pasar al otro
- Lagrimeo
- Irritación/enrojecimiento

BACTERIAL

- Usualmente afecta sólo a un ojo, pero se puede esparcir al otro
- Irritación, enrojecimiento, terrosidad
- Lagrimeo abundante

ALÉRGICA

- Por lo general afecta ambos ojos
- Da comezón y lagrimeo
- Inflamación en los párpados

● **No se toque los ojos**. Pero si los toca, lávese las manos con agua y jabón y séquelas con una toalla de papel desechable.

● Si tiene algo en el ojo, use un **pañuelo desechable para cada ojo**. Tírelos a la basura y en seguida lávese bien las manos.

● Lleve consigo una botella de **gel antibacterial para manos** y úselo con frecuencia.

● Si usa **lentes de contacto**, no se los ponga mientras tenga conjuntivitis, luego esterilícelos apropiadamente antes de usarlos otra vez cuando se haya aliviado. Siempre lávese las manos antes de ponerse o quitarse los lentes. Y nunca los limpie con saliva.

● Todos los días **lave** su toalla, lienzo y funda de almohada para prevenir que se vuelva a introducir la bacteria o el virus al mismo ojo o que contagie al otro. (Además de que otras personas pueden adquirirlo al usar el mismo lienzo o toallas que usted está usando.)

● **Deje que otra persona haga las camas**. La conjuntivitis puede esparcirse de sus manos a las sábanas.

● Si tiene hijos con conjuntivitis que sean demasiado pequeños para seguir las reglas sobre no tocar sus ojos y lavarse las manos, **deben quedarse en casa, no ir a la escuela ni a la guardería**. La mayoría de estas instituciones no admiten a un niño con síntomas de conjuntivitis.

Si tiene conjuntivitis alérgica...

Cuando un arde un ojo y se produce una sustancia pegajosa, el problema puede ser una alergia. Pruebe tomar un **antihistamínico oral** para eliminar la comezón y la inflamación.

● Si es posible, **evite lo que la está provocando**: polen, animales o cosméticos. Puede ser la nueva mascota, una nueva clase de maquillaje para ojos o un champú diferente.

● Para ayudar a combatir la inflamación causada por alergias, intente una combinación de vitamina C y cuercetín. Tome 1 000 mg al día de la primera, en dosis divididas, junto con 1 500 mg del segundo. El cuercetín entra en una clase de nutrientes llamados bioflavonoides, derivados de una variedad de frutas y verduras, que tienen propiedades antiinflamatorias.

¡No lo haga!

Algunos sanadores herbales recomiendan ojo brillante (eufrasia) para tratar la conjuntivitis, basados en su uso tradicional entre los indios nativos norteamericanos para aliviar los problemas de los ojos. Sin embargo, estudios recientes han mostrado que de hecho, esta hierba puede causar lagrimeo, ardor y enrojecimiento si entra en contacto con el ojo. Su valor terapéutico nunca ha sido probado

¿Sabía qué?

Las lágrimas contienen sustancias antibacteriales, motivo por el cual, con el tiempo, la mayoría de las infecciones se curan sin ser tratadas.

Cortaduras y rasguños

Si puede detener la sangre y mantener la herida limpia para evitar infecciones, usted habrá hecho su parte; la naturaleza se encarga de lo demás. Lo que necesita es algodón y agua para limpiar, alcohol quirúrgico o antiséptico, vendajes, tela adhesiva y crema antiséptica. Otros remedios que pueden servir para heridas cuando no tiene nada más, se encuentran al alcance de la mano, desde miel, ajo o su propia saliva.

¿Qué ocurre?

Se acaba de cortar con un objeto filoso —un cuchillo de cocina, la rasuradora, un pedazo de vidrio, hasta con una hoja de papel. O ha tenido un encuentro repentino con el pavimento y perdió un poco de piel del codo o rodilla. Habrá un sangrado visible y posiblemente una invisible invasión de bacterias en la herida, e inminente riesgo de infección.

Limpie, desinfecte y cubra

• Para detener el sangrado, aplique **presión** en la herida con una tela limpia o gasa. Para oprimir use su mano.

• Una vez que el sangrado se ha detenido, limpie suavemente el área alrededor de la herida con jabón y agua. Luego aplique un vendaje.

• También puede limpiar una cortada con tintura de **caléndula,** una hierba que mata las bacterias, conocida por sus poderes sanadores de heridas. Busque extracto de caléndula, que es una fórmula baja en alcohol. Si no la encuentra, use la tintura estándar y dilúyala con un poco de agua. Para un alivio más rápido, pruebe aplicar crema de caléndula que se vende en tiendas de alimentos naturales y farmacias.

• Dos veces al día, puede limpiar la cortada con **mirra,** que estimula la producción de glóbulos blancos, las células que se juntan en el lugar de la lesión para combatir la infección. Mezcle una cucharadita de tintura de mirra (disponible en las tiendas de alimentos naturales) con 100 ml de agua. Vierta un poco sobre la herida o abrasión y no cubra hasta que se seque.

• aceite de **árbol del té** contiene un fuerte compuesto antiséptico y es muy popular alrededor del mundo para tratar las heridas. Vierta 1.5 cucharaditas de aceite en una taza de agua tibia y úsela para enjuagar las heridas, dos veces al día.

Curas desde la cocina

• Si no tiene acceso a una crema antiséptica, entonces unte un poco de miel y cubra la herida con una tela o vendaje limpios. La miel tiene propiedades antibacteriales y hay estudios que muestran que puede acelerar la curación de la herida. Si no tiene tela o bandas adhesivas a la mano, no se preocupe, la miel se seca para formar una cubierta natural.

* El **ajo** es otro antibiótico natural. Pruebe poniendo un diente de ajo machacado sobre la herida. Si irrita la piel, quítelo de inmediato.

¿Rodilla raspada? Mantenga la costra suave

* Parece que los niños se las arreglan para rasparse las rodillas casi todos los días. Una útil solución es la **Vaselina**. Protege la piel raspada y mantiene la costra suave para evitar la tentación de levantarla. Además, la vaselina o cualquier otro producto parecido harán lo que haga falta.

Una lección de su compañero canino

* Si no se puede lavar la herida —estando en una caminata a la mitad de ninguna parte, por ejemplo— entonces lama la herida. Un reporte en *The Lancet* describe los efectos beneficiosos de lamer una herida, pero debe ser con su propia saliva. Si lo hace alguien más existe el riesgo de infección.

Endúlcela

* Existen productos médicos que unen la piel instantáneamente, por lo que resultan muy útiles para atender pequeñas cortaduras, como las que se causan con una navaja o una hoja de papel. Sin embargo, necesita presionar y juntar apropiadamente las orillas de la cortada, ya que esto no puede trabajar con heridas muy profundas o desgarradas, o en unas sobre una articulación que se mueva mucho. Si no se usa bien, lo único que hace es dejar una cicatriz más grande, ya que el pegamento puede crear simplemente una "capa" en la herida que impide que las orillas de la piel se unan. Asegúrese de no tocar el pegamento mientras se está secando o terminará pegando pedacitos de usted que no quiere que se peguen.

* Lo más recomendable es aplicar miel pura de abeja en la herida. Tan pronto como ésta se ha lavado bien bajo el chorro del agua, cúbrala de miel, que por ser un magnífico astringente la mantendrá limpia y ayudará a cicatrizarla de manera natural.

¿Llamaré al doctor?

Llámelo si su herida no cierra, deja de sangrar o si tiene cualquier signo de infección (pus, fluido inusual, fiebre, rayas rojas que se esparcen hacia fuera desde la herida). Si tiene una herida profunda —en especial si está contaminada con abono— su doctor puede aconsejarle que se vacune contra el tétanos

Mito...

Algunas personas dicen que espolvorear pimienta negra sobre la herida detendrá el sangrado de inmediato

...y verdad

Puede ser que detenga o no el sangrado más rápido, pero la pimienta negra tiene propiedades analgésicas, antisépticas y antibióticas

Cruda o resaca

"Nunca volveré a tomar" –dicen quienes despiertan con dolor de cabeza y el mundo dando vueltas. Si tiene ganas de vomitar, hágalo, pues así puede el cuerpo deshacerse de las toxinas. Si no puede sobrevivir sin analgésicos, escoja aspirina o ibuprofeno. Evite el paracetamol, que puede dañar el hígado. Para reducir la resaca, pruebe los siguientes consejos. En lo que respecta a una valiente resolución… bueno, si vuelve a beber, tome medidas para limitar el impacto del alcohol en su sistema.

¿Qué ocurre?

Anoche bebió mucho y se despertó con una espantosa cruda. Su cabeza palpita. Está empapado en sudor. Tiene ganas de volver el estómago. También puede sentirse tembloroso y con ansiedad. ¿Qué está pasando? El alcohol en su sistema lo ha dejado deshidratado y sin minerales. Al mismo tiempo, ha provocado que los vasos sanguíneos en su cabeza se dilaten, lo que provoca el dolor de cabeza. Finalmente, el alcohol hace que su sangre sea anormalmente ácida (una condición llamada acidosis) que causa náuseas y sudoración.

Primer paso para un alivio rápido

- Al despertarse, beba dos vasos grandes de **agua** para aliviar la deshidratación.
- Tome un gran vaso de **jugo de uva, naranja o jitomate**. El jugo de frutas contiene la fructosa simple de azúcar que acelera el metabolismo del alcohol.
- Si toma **café**, beba una o dos tazas lo más pronto posible. La cafeína es una vasoconstrictora, lo que significa que adelgaza los ensanchados vasos sanguíneos de la cabeza. Pero no se sobrepase. Como el alcohol, el café es diurético y si toma demasiado, se deshidratará más.
- **Kudzu** es un remedio tradicional chino para el envenenamiento por alcohol, usualmente tomado como un té de la "mañana siguiente". Puede comprar tintura de kudzu en alguna tienda de alimentos naturales, aunque es difícil de encontrar. También puede comprarla en línea, pero hágalo con anticipación…Siga las instrucciones de dosificación del paquete.

Refrigerios de recuperación

- Una vez de que le hayan pasado las náuseas, hágase un buen tazón de **sopa o caldo de pollo**. Cualquiera le ayudará a reemplazar la sal y el potasio que su cuerpo pierde cuando ha estado tomando.
- Un **licuado de plátano** es una forma especialmente buena para reemplazar el potasio y otros nutrientes perdidos durante una noche de mucha bebida. Mezcle ½ taza de leche con un plátano y dos cucharadas de miel en la licuadora y bébala. El

plátano es una buena fuente de potasio, que se pierde en la orina. Y la miel es rica en fructosa.

● Si se siente lo suficientemente bien, coma algo ligero: fruta fresca, pan con miel. La **fruta** y la **miel** son buenas fuentes de fructosa. Guarde el tocino y los huevos para otro día.

Ayuda homeopática

● El remedio homeopático **nux vómica** es considerado como un antídoto para los que tienen cruda de alcohol. Disuelva de tres a cinco comprimidos de 30c potencia en la lengua cada cuatro horas.

Muévase

● Aunque su instinto le diga que se quede en cama, es mejor que se levante y si puede salga a caminar o a correr. Esto estimulará su producción de **endorfinas**, los analgésicos naturales del cuerpo. Tomar mucho puede bajar los niveles de endorfina.

El poder de la prevención

● Si va a asistir a un evento social donde se servirá alcohol, **coma algo** – idealmente con un poco de grasa – antes de ir. Las sustancias grasosas ayudan a cubrir el intestino, disminuyendo la absorción de alcohol, lo que significa una menor posibilidad de ebriedad, y una más pequeña de desarrollar una cruda al día siguiente.

● Si toma bebidas embriagantes, escoja **vodka** o ginebra sobre el whisky, ron o brandy, y vino blanco sobre el tinto. Las bebidas puras como el vodka no contienen congéneres, compuestos que ocurren naturalmente y que contribuyen a la náusea de la mañana siguiente y al dolor de cabeza. El vino blanco contiene menos congéneres que el tinto.

● **Beba lentamente.** Su cuerpo quema el alcohol a una velocidad regular de apenas 30 ml por hora. Déle más tiempo para quemar ese alcohol y llegará menos al cerebro.

● Alterne bebidas alcohólicas con **agua mineral, jugo de frutas** o cualquier otra bebida s**in alcohol**.

● Evite el champagne o cualquier otra bebida alcohólica con **burbujas** (ginebra con agua quina o ron con refresco de cola). La efervescencia pone el alcohol en su flujo sanguíneo más rápido.

¿Llamaré al doctor?

Aún sin tratamiento, una cruda no debería durar más de 24 horas. Si todavía se siente mal después de eso, llame al doctor. Naturalmente, si no puede recordar qué pasó mientras estaba tomando o si tiene crudas regularmente, puede tener problemas con la bebida. Llame al doctor para discutir sobre tratamientos opcionales.

Puros cuentos

El dramaturgo inglés del siglo XVI, John Heywool sugirió que la mejor forma de recuperarse de una cruda era tener el "pelo del perro que te mordió", refiriéndose a otro trago. La expresión se deriva de la noción equivocada de que se podía recuperar de la mordida de un perro arrancándole el pelo y poniéndolo en la herida. Desafortunadamente, el consejo no sirve ni para los crudos ni para las mordidas de perro. Seguir bebiendo para eliminar la cruda sólo pospondrá y prolongará su agonía.

Cuello y espalda, dolor de

La mayoría hemos dormido en una mala posición o sentado frente a la computadora por mucho tiempo, tejiendo varias o trabajando con madera; el resultado, un dolor de cuello o rigidez en los hombros. O posiblemente por años hemos hablado por teléfono con el auricular sostenido entre la oreja y el hombro... y pagado el precio. Los medicamentos antiinflamatorios como aspirina o ibuprofeno pueden ayudar, además hay otras formas para aliviar la tensión.

¿Qué ocurre?

En general, el dolor en el cuello resulta de estar en una misma posición demasiado tiempo. Con frecuencia, el dolor de hombros es la causa de tendinitis, una inflamación del cordón que conecta el músculo con el hueso. Pero también podría ser bursitis, inflamación del saco, o bursa, que encajona la articulación del hombro (vea Bursitis y tendinitis). El dolor de hombro es un "dolor referido": se origina en otra parte del cuerpo. Este tipo de dolencia en el hombro puede venir de órganos abdominales como el estómago o vesícula biliar (debido a que los impulsos viajan hacia arriba del nervio frénico si el diafragma está irritado) o desde el pulmón. Otras causas de dolor de cuello y hombro son lesiones, artritis y la enfermedad de Lyme.

Sane con calor

El calor alivia el dolor, relaja los músculos, reduce la rigidez articular y acelera la curación. Usted puede usar una almohadilla térmica en el nivel bajo, una bolsa de **agua caliente** o un **cojín caliente**. O bien tomar un baño caliente de regadera o tina.

La humedad caliente alivia el dolor y la rigidez de cuello debido a la tensión muscular. Haga una **compresa para cuello** empapando una toalla en agua caliente (no hirviendo). Dóblela y exprímala bien; desdóblela y póngala en la nuca y hombros. Cubra la toalla mojada con una seca y déjelas 10 minutos.

Pase aire tibio de la secadora de pelo por el cuello.

Aplique algo de presión

Un truco: con el pulgar o la punta de los dedos, **aplique una presión firme** en el punto adolorido en su cuello unos tres minutos. Esto debe reducir el dolor significativamente.

Un **masaje suave** hace maravillas con el dolor de cuello y hombros. Ponga los dedos de la mano izquierda del lado derecho de su cuello debajo de la oreja y dé un masaje a los músculos con un movimiento descendente hacia la clavícula. Haga esto tres veces y repita del otro lado. Use un aceite o loción para masaje al que agregue unas gotas de **aceite de lavanda** o de **geranio** para realzar los efectos sedantes.

Use un bálsamo

Aplique crema contra la irritación, pues irrita las terminaciones nerviosas, desviando la atención del cerebro del dolor.

El poder de la prevención

- Si por lo general usted duerme boca abajo, puede hacerle un favor a su cuello al **cambiar su postura nocturna**. En lugar de eso, duerma boca arriba. Y trate de usar una **almohada que soporte la cabeza**, disponible en las tiendas departamentales, algunas farmacias y en línea. También debería considerar invertir en un colchón nuevo si el suyo está viejo y hundido.

- Asegúrese de sentarse en sillas que le den un **buen soporte a su espalda y cabeza** (compre un rollo de soporte lumbar si lo necesita, use una toalla enrollada o un pequeño cojín detrás de su espalda baja), y cuide de no encorvarse.

- Al estar parado o sentado, mantenga las orejas, hombros y caderas en una **línea recta**.

- ¿Sostiene el teléfono en la curva de su cuello? Para evitar la tensión, **sostenga el auricular con la mano** o si pasa mucho tiempo hablando por teléfono, **compre unos audífono**s o un **altoparlante de teléfono**.

- Si usted es una mujer con grandes senos, usar un sostén para deporte puede ayudar a aliviar el dolor de cuello y hombros. Ofrece más soporte y, debido a que tiene tirantes más gruesos que los otros, distribuye mejor el peso por los hombros.

- No sobrecargue una bolsa de hombro. No sólo pone peso en el hombro, también saca su postura de su alineamiento. Las mejores alternativas son una **mochila** —pero use las dos correas y compre una que tenga una correa que cruce el pecho— o una **bolsa para la cintura**.

- Si pasa horas en la computadora, asegúrese que el monitor esté **angulado y levantado** para que no tenga que doblar el cuello o inclinar la cabeza para verlo.

- **Evite usar zapatos de tacón alto.** Pueden contribuir indirectamente al dolor de cuello al inclinar su espina fuera de su alineamiento, haciendo que el cuello sobresalga hacia atrás.

- **Use una bufanda** cada vez que el clima esté frío o húmedo. Las condiciones invernales pueden agravar la rigidez y dolor de cuello.

- **No** se siente o duerma en una **corriente de aire**. Use una bufanda en la cama si tiene que dormir en un cuarto frío.

¿Llamaré al doctor?

Si los remedios caseros no funcionan y el dolor dura por más de tres días, consulte a su médico. también necesitará antención si padece el tipo de dolor que le impide levantar el brazo sobre la cabeza o si no puede mover el hombro. Llame de inmediato al médico si comienza a sentir dolor en hombros o cuello luego de una caída o accidente. Y busque atención médica urgente si el cuello no sólo le duele si no que además está entumecido, y se presentan dolor de cabeza, aumento de la temperatura, aversión a la luz y sarpullido persistente. Lo anterior son síntomas de meningitis.

CÚRESE USTED MISMO

DOLOR DE CUELLO Y HOMBROS

ESTIRAMIENTO DE HOMBROS

La mejor manera de aminorar el dolor es mantener fuertes y flexibles los músculos de los hombros. Estos ejercicios pueden hacerse en una sesión.

Sostenga una latita en una mano. Inclínese, dejando que el brazo con el peso cuelgue recto. Lentamente trace una figura de ocho con la mano que tiene la lata. Repita de 10 a 20 veces. Deténgase si siente entumecimiento, dolor u hormigueo.

Cruce el brazo izquierdo frente a su cuerpo. Use la mano derecha para presionar en la parte exterior de los bíceps y empuje el brazo hacia la clavícula. Presione por 15 segundos, luego libere por 15 segundos y presione otra vez. Repita cinco veces, y cambie de lado.

Levante el brazo izquierdo y dóblelo detrás de la cabeza para que la mano izquierda toque el omóplato derecho. Entonces ponga la mano derecha en el codo izquierdo y empuje ese codo hacia la derecha. Sostenga por 15 segundos, relaje por otros 15 y repita cinco veces. Cambie de lado.

ALIVIO DE CUELLO

Para aliviar el dolor de cuello, intente estos dos estiramientos. Hágalos despacio, sin brusquedades que pudieran desgarrar un músculo o ligamento.

Relaje los músculos del cuello e incline la cabeza a la izquierda tanto como pueda sin estirar el cuello ni levantar el hombro. Sostenga por 10 segundos. Regrese la cabeza a su posición derecha. Luego haga lo mismo hacia la derecha. Repita cuatro veces.

Manteniendo los hombros relajados, lentamente deje caer la cabeza hacia delante. Sostenga por 10 segundos. Repita cuatro veces.

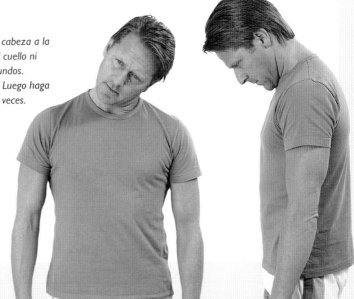

Dentición

Cuando al bebé le sale un diente, él y sus padres sufren. La sección de cuidado del bebé en su farmacia local vende geles para dentición, además puede comprar analgésicos de venta directa para infantes, pero asegúrese de seguir las instrucciones de la etiqueta. Aquí, encontrará otras formas de aliviar los problemas de dentición de un bebé. Sin embargo, el ingrediente principal serán los mimos, el amor y la paciencia durante esos difíciles días o semanas en que aparecen los primeros dientes.

Enfríe las encías calientes

• Compre un **anillo para dentición** lleno de agua en la farmacia o tienda para bebés, enfríelo en el refrigerador y deje que su bebé lo mastique. La temperatura fría entumece las encías y le da alivio. Asegúrese de no ponerlo en el congelador. Esto podría quemar las encías.

• Los bebés mayores de seis meses pueden morder un lienzo **limpio** mojado con agua fría.

• Envuelva un cubo de hielo en un trapo de algodón limpio y frótelo suavemente en las encías del bebé. Asegúrese de que el hielo no las toque y no deje de moverlo para que un área no se enfríe demasiado.

• Si a su bebé le está saliendo el primer diente, puede usar una **cuchara fría** para ayudar a calmar el dolor. Métala al refrigerador (no al congelador) y aplique la parte redonda en las encías del bebé. Igual que con un anillo de dentición, la cuchara ayuda a entumecer las áreas que duelen más.

• Los **alimentos fríos** pueden ayudar a aliviar el dolor de encías. Corte una rosquilla de pan, ponga unos pedazos en una bolsa y métala el refrigerador. Cuando su bebé este inquieto, ofrézcale un pedazo de pan frío para que lo muerda. Lo frío ayuda a entumecer las encías y las orillas del pan darán masaje a las encías al morderlo. Sólo esté pendiente de quitarle el pan cuando se ablande.

• Ofrezca al bebé un **plátano congelado** (pelado, naturalmente). Éste se deshiela con rapidez cuando su bebé lo muerde y las frutas frías calman las encías. Sin embargo, igual que con el pan, deberá quitarle el plátano cuando se ablande.

¿Qué ocurre?

Entre los cuatro y ocho meses, cuando empieza a salir el primer diente, las encías de un bebé se pueden enrojecer, ablandar e inflamar. Algunos bebés pasan bien la dentición pero otros se ponen quisquillosos e irritables y tienen dificultad para dormir. La mayoría se mete los dedos a la boca y se puede esperar mucha salivación. Por lo general, los problemas de dentición deben notarse con los primeros dos o cuatro dientes. Pero algunos niños sentirán dolor cuando les salgan los demás, lo que puede continuar hasta los tres años.

¿Llamaré al doctor?

Contrario a la creencia general, la dentición no causa fiebre, diarrea, vómito o pérdida del apetito. Si su hijo desarrolla cualquiera de estos síntomas, es por estar enfermo y no por la dentición, así que consulta a su doctor. Es muy importante ir al médico si su hijo tiene una alta temperatura que dure más de dos o tres días.

¡No lo haga!

Un remedio tradicional consistía en frotar alguna bebida alcohólica como whisky o ginebra en las encías del bebé. Sin embargo, dar alcohol a bebés y niños no es sólo imprudente sino ilegal. Así que no utilice este remedio.

Abrace a su bebé

- Algunas veces darle al bebé **más cariño** puede aliviar el dolor de la dentición. Apapáchelo o paséelo por la casa para distraer la molestia.
- Con un dedo limpio **dé masaje** a las encías del bebé por unos minutos. La presión lo hará sentir bien y su atención lo reconfortará.

Tranquilizadores herbales para encías

- Mezcle dos gotas de **aceite esencial de clavo** con por lo menos una cucharada de aceite vegetal. Antes de untarlo en las encías del bebé, pruebe la mezcla en sus propias encías para asegurarse que no sea demasiado fuerte. Si siente alguna irritación, agregue más aceite vegetal. Nunca use aceite de clavo solo en las encías de un bebé: es demasiado fuerte.
- Ponga dos gotas de **aceite de manzanilla** en una bolita de algodón y aplíquela en las encías dos veces al día. El aceite tiene un efecto tranquilizador en la piel irritada y en las encías.

Intente con geles tradicionales para dentición

- Los farmacéuticos venden varios geles anestésicos para dentición, que pueden ayudar a aliviar el dolor. Sólo asegúrese de escoger un gel analgésico sin alcohol, ya que éste puede picar en las encías y no es recomendable para su uso en bebés. Cualquier anestésico tópico debería usarse en cantidades muy pequeñas. No sólo entumece las encías, sino que también lo hace en el "reflejo de hacer horcadas", que significa que el alimento tragado podría entrar por las vías respiratorias sin producir una horcada normal o respuesta de vómito.

Empiece una rutina de limpieza de dientes

- Tan pronto como surjan los dientes, empiece una **limpieza regular**. Dos veces al día, talle las encías con mucha suavidad con un cepillo suave para dientes o un lienzo. Esto ayuda a controlar bacterias en la boca, lo que también reduce la irritación de la dentición. Al mismo tiempo, es importante acostumbrar a su bebé a la sensación de tener los dientes limpios.

Depresión

Quizá usted no sepa lo que tuvieron en común Ludwig van Beethoven, Winston Churchill y Vincent van Gogh? Todos, en algún momento, sufrieron de depresión. De hecho, está tan extendida que algunos psicólogos la llaman el resfriado común de los desórdenes emocionales. Si usted está deprimido, no está solo. Pero no deje que la depresión controle su vida. Para una depresión crónica grave, hay medicamentos y varias terapias. Para combatir una depresión de leve a moderada, que viene y va, existen muchas estrategias que usted mismo puede probar.

Combátala con ejercicio

Salga y mueva su cuerpo. Numerosos estudios han confirmado que el **ejercicio frecuente** puede elevar el estado de ánimo. Para una depresión leve o moderada el ejercicio logra trabajar tan bien como los antidepresivos. Todo lo que usted necesita son 20 minutos de ejercicio aeróbico tres veces a la semana. Camine, levante pesas, brinque la cuerda, ande en bicicleta, cualquiera servirá. Ejercítese hasta que sude para que consiga un mejor efecto.

Busque la comida que cambie su estado de ánimo

Si usted se encuentra en una dieta alta en proteínas para perder peso, la **falta de carbohidratos** podría contribuir en su estado de ánimo. Los alimentos como frutas, vegetales, frijoles y granos enteros ayudan al cerebro a elaborar la serotonina que hace que cerebro regule el estado de ánimo.

Se debe **comer pescado** tres veces a la semana o más. Investigadores en Finlandia encontraron que la gente que comió pescado menos de una vez a la semana tuvo 31% más incidencia de depresión que quienes comieron pescado con más frecuencia. El atún fresco, el salmón y las sardinas; son ricos en ácidos grasos omega-3, esenciales para un funcionamiento normal del cerebro. Hay pruebas de que también influyen en la producción de serotonina.

Si bebe **café o refrescos de cola**, redúzcalos o **elimínelos**. La cafeína suprime la producción de serotonina y ha sido ligada con la depresión.

¿Qué ocurre?

Es posible que esté experimentado un evento traumático. O quizás, sin ninguna razón aparente, se siente triste y vacío. Por lo general, la depresión está ligada a una combinación de factores médicos, genéticos y ambientales. Existen cuatro tipos: la depresión principal, en la cual la baja emocional es severa, y dura más de dos semanas; la depresión leve o distimia, que tiene menos síntomas y más ligeros; el desorden bipolar, que causa extremos desórdenes de estado de ánimo (maniaco depresión) y la depresión posnatal, que algunas veces afecta a la madre después de dar a luz.

¿Llamaré al doctor?

Un divorcio, una muerte, una mudanza o un cambio de carrera pueden darle temporalmente sentimientos de tristeza, mientras experimenta una pérdida o enfrenta nuevos retos. Casi todas las personas padecen depresión en algún momento de su vida. Pero si la tristeza dura más de dos semanas o si está acompañada por sueño y cambios de apetito (comer y dormir demasiado o no hacerlo), pérdida de interés en el sexo y una reducida habilidad para concentrarse, es probable que usted necesite un tratamiento. Su doctor podrá aconsejarle si necesita psicoterapia, medicación o ambas.

• **Evite el alcohol**. Mientras que el vino, la cerveza y demás bebidas alcohólicas pueden elevar su estado de ánimo en un principio, el alcohol es de hecho un depresivo.

Póngalo en papel

• **Registre sus sentimientos en papel,** especialmente los dolorosos. Las investigaciones muestran que las personas que escriben sobre sus más dolorosas emociones por 20 minutos al día, mejoran considerablemente su bienestar psicológico en sólo cuatro días. Siéntese con una hoja en blanco frente a usted y escriba sin parar sobre el evento más desconsolador que sucede en su vida en ese momento. No piense; sólo escriba.

Levante el espíritu

• **Vaya a la iglesia** o a cualquier otro lugar de culto. En un estudio de 4 000 personas mayores, los investigadores encontraron que quienes asistieron a servicios religiosos con regularidad, tuvieron la mitad de probabilidades de deprimirse que aquellos que no fueron.

Pruebe tomar "samy"

• Tome **SAM-e**, se pronuncia "samy". En muchos países, la efectividad de SAM-e contra la depresión es tan aceptada que los doctores lo prescriben con frecuencia. SAM-e es una sustancia que se encuentra naturalmente en toda célula viva y sus niveles bajos se han ligado con la depresión. Docenas de estudios han mostrado que tomar SAM-e produce un mejoramiento significativo después de tres semanas. Busque cápsulas con capa entérica que son más fáciles de digerir. La dosis recomendada para una depresión leve son 200 mg dos veces al día. Si no siente alguna mejoría después de dos o tres semanas, esta dosis se puede incrementar gradualmente hasta un máximo de 400 mg tres veces al día. (*Alerta* no tome SAM-e si tiene trastorno bipolar, puede provocar episodios de manía.)

• Tome **hierba de San Juan** con las comidas, tres veces al día. Originalmente, en la medicina tradicional se creía que ahuyentaba a la brujas. Más de 20 estudios científicos han mostrado que la hierba de San Juan puede ayudar a aliviar la depresión leve, al permitir que ciertos químicos del cerebro se produzcan entre las células nerviosas, como lo hacen algunos antidepresivos. Opte por una marca estandarizada a 0.3% de hipericina y déle por lo menos cuatro semanas para empezar a tener efecto, antes de que usted haga algún juicio sobre su resultado. Debido a que esta hierba puede causar sensibilidad a la luz del sol, trate de estar lejos de los rayos del sol tanto como pueda mientras la esté tomando. Siempre informe a su doctor si está tomando la hierba de San Juan y antes de tomar cualquier otra medicina, pues interactúa con muchos otros medicamentos.

* Empiece con 50 mg de 5-HTP una vez al día y, si es necesario, incremente hasta un máximo de 100 mg tres veces al día. Es mejor no conducir ni hacer trabajos peligrosos ya que puede causar somnolencia. Si está tomando otro medicamento, consulte a su doctor, ya que interactúa con muchos de ellos. No tome este suplemento por más de tres meses a no ser que tenga la aprobación de su doctor. No tome 5-HTP en caso de embarazo o si planea embarazarse.

* **Tome** 1 000 mg, tres veces al día, de acetil-L-carnitina, un aminoácido que es químicamente similar al acetilenocolino, un neurotransmisor que actúa en los músculos y en el sistema nervioso central. El acetil-L-carnitina ayuda a incrementar la pro-

Siéntase mejor con usted mismo y con su vida

¿Su monólogo interior lo está deprimiendo? Aquí se presenta la forma en que puede cambiar su modo de pensar:

1 Haga un acercamiento real. Desafíe las creencias irracionales que destrozan su confianza. Si piensa que la gente se está riendo de usted, busque las pruebas. ¿Se podrían estar riendo de algo más?

2 No sea perfeccionista. ¿Por qué preocuparse si usted no puede manejar todas las situaciones?

3 Cuando algo malo sucede, piensa en lo peor (Reprobé el examen porque soy tonto). Hay muchas razones por las que las cosas salen mal. Búsquelas objetivamente y concéntrese en lo que puede cambiar ("Lo haré mejor la próxima vez si lo reviso más").

4 Si su autoexamen revela una debilidad personal, no haga hincapié en eso. Trate de mantener las implicaciones de no caer en espiral ("Soy inútil. No puede hacer nada bien") Y recuerde que reconocer que es débil en un área, no lo hace una persona débil. En cambio, ese conocimiento puede ayudarlo a identificar dónde invertir más esfuerzo y guiarlo adonde tiene usted más fortalezas.

5 Disminuya su deseo de controlar. Inevitablemente, las cosas no siempre salen como usted quisiera ni tampoco se pueden esperar. Acepte que el mundo no es, ni puede estar bajo su control y esfuércese en estar calmado frente a la adversidad. De esa forma, dos problemas –la situación perturbadora y su reacción a ella– se reducen a una sola.

ducción de energía en las células del cerebro, protege las membranas de las células nerviosas y mejora el estado de ánimo y la memoria.

• El **magnesio** natural es muy importante para restaurar y mantener saludable la función nerviosa. Es un componente clave en la producción y función de serotonina. Los suplementos pueden ayudar a aliviar la ansiedad y la depresión. Tome 150 mg, preferentemente como citrato de magnesio (la forma más fácil de absorber), dos veces al día. Si hace esto, asegúrese de ingerir también un suplemento de calcio. El desequilibrio en las cantidades de estos dos minerales en el cuerpo, puede reducir sus efectos beneficiosos.

• Tome un suplemento de **complejo de vitamina B** todas las mañanas con el desayuno. Los niveles bajos de vitaminas B se han ligado con la depresión y fatiga. Compre una marca con 50 mcg de vitamina B_{12} y biotina, 400 mcg de ácido fólico y 50 mg de otras vitaminas B (pero tome nota de que la dosis máxima recomendada de B_6, a largo plazo, es de 10 mg al día).

El poder de la prevención

• **Duerma lo suficiente**. La gente que duerme menos de 8 horas, noche tras noche, tiende a tener niveles más bajos de serotonina que quienes duermen lo debido. Trate de ir a la cama y de levantarse a la misma hora todos los días, incluso los fines de semana.

• Apague la televisión. Las investigaciones indican que entre más televisión vea, más sufre su estado de ánimo. El ver por horas las repeticiones de series cómicas, los maratones de películas o programas de concursos puede parecer una buena forma de liberar el estrés y deleitarse en el entretenimiento. Pero hay estudios que demuestran que, por lo contrario, la gente que ve mucha televisión tiende a intensificar sentimientos de aislamiento.

Diarrea

Cuando un caso de diarrea lo obliga a correr al baño, tiene dos objetivos: impedir la deshidratación y evitar todo lo que empeore el padecimiento. Si se puede quedar en casa, simplemente deje que el problema "siga" su curso (y tome muchos líquidos). Pruebe con tés astringentes, coma más fibra soluble (que elimina el exceso de fluidos en el intestino) o intente con otros remedios como los siguientes.

Domine la diarrea con taninos

- Beba **té negro** con **azúcar,** pues rehidrata el cuerpo; contiene taninos astringentes que ayudan a reducir la inflamación intestinal y a bloquear la absorción de toxinas de los intestinos.
- Por mucho tiempo, en los remedios tradicionales se han usado las **moras negras** ricas en taninos. Para hacer este té, ponga 1.5 gr de hojas secas de moras negras en una taza de agua hirviendo; deje hacer la infusión durante 10 minutos y cuele. Tome tres tazas al día entre comidas. O ponga a hervir dos cucharadas de esta fruta fresca en 250 ml de agua, hierva a fuego lento por 10 minutos, luego cuele. Beba una taza varias veces al día. También puede comprar té de mora negra en bolsitas. De igual modo, puede comprar **té de hojas de frambuesa,** que se dice es efectivo. Contiene minerales y algunas vitaminas. Se usa ampliamente en el embarazo, pero es mejor evitarlo en las primeras etapas (hasta las 12 semanas).

Elimine el problema con raíces

- Las cápsulas de **sello dorado,** hechas de la raíz amarilla brillante de una hierba, parecen matar muchas bacterias, como la *E. coli,* que causa de la diarrea. El compuesto clave en la hierba es la berberina, tan efectiva que algunas veces al sello dorado se le llama "antibiótico herbal". Tome dos o tres cápsulas de 125 mg al día, hasta que desaparezca la diarrea.

Impregne su cuerpo con fluidos

- Si la diarrea es profusa, necesita reforzar el suministro de agua y de electrolitos a su cuerpo, lo que incluye sodio, potasio y cloruro, que mantienen a su corazón latiendo apropiadamente, además de cumplir muchos otros papeles importantes. Haga la

¿Qué **ocurre?**

Normalmente, cuando el alimento pasa por el tracto digestivo, el intestino grueso elimina el agua sobrante. Sin embargo, algunas veces, no lo hace y usted se deshace del líquido al obrar, un problema muy molesto al que llamamos diarrea. Entre las causas comunes están las infecciones virales, como la gripe, la exposición a parásitos (o a versiones extranjeras de la bacteria *E. coli,* cuando se viaja), el envenenamiento bacterial por alimento y la intolerancia a un ingrediente en los productos lácteos. Sin embargo, la diarrea que dura días o semanas, puede sugerir el síndrome de intestino irritable. Además, la diarrea que no se resuelve rápidamente puede causar deshidratación, lo que es especialmente peligroso en niños y en personas mayores.

¿Llamaré al doctor?

perfecta **bebida electrolítica** al batir ½ cucharadita de sal y cuatro cucharaditas de azúcar en un litro de agua. Agregue un poco de jugo de naranja, limón o sal para el potasio. Beba un litro durante el día. No use más de esta cantidad de azúcar o sal, ya que esto podría deshidratar su cuerpo.

Algunas bebidas registradas para deportes o energéticas también pueden reponer la pérdida de electrolitos.

Es muy importante para un niño con diarrea que su madre siga amamantándolo. Para los que aún toman mamila o los más grandes, use una solución rehidratante, que esté especialmente diseñada para reabastecer los electrolitos en niños.

Si la diarrea es moderada y no está deshidratado, empiece a beber a sorbos **refrescos embotellados** (cuando las bebidas son carbonatadas, agite y elimine las burbujas —el agua carbonatada hace que tenga flatulencias—. Estas bebidas mantendrán normales sus niveles de fluidos. Haga esto algunas horas, y empiece a beber tanto como pueda, hasta llegar a 500 ml de líquidos cada hora. Evite bebidas de dieta —su cuerpo necesita el azúcar. También tome más líquidos nutritivos como **caldo de pollo**.

Reincorpore su dieta

Empiece por comer sólo alimentos que no contengan sustancias sólidas, como el **caldo de pollo** o un poco de **gelatina**. El caldo es una elección especialmente buena, ya que suministra agua, electrolitos de la sal y proteína al cuerpo. Apéguese a estos alimentos "sin grasa" por uno o dos días. Pero evite los **jugos de frutas**. Pueden contener grandes cantidades de azúcar llamada fructosa, que para mucha gente es difícil digerir aun cuando se sienten bien.

Consiéntase con la dieta PAMP, que quiere decir plátano, arroz, manzana hervida y pan tostado. Todos estos ingredientes son blandos y calmantes; los plátanos y la manzana contienen pectina, un tipo de fibra soluble que elimina el exceso de fluido en su intestino y retarda el paso de la materia fecal. (Sin embargo, evite el jugo de manzana, lo que puede empeorar la diarrea.)

La zanahoria es otra fuente de pectina. Cocine algunas hasta que estén suaves, luego póngalas en la licuadora con un poco de agua y haga una papilla. Coma una o dos cucharadas cada hora.

La diarrea del viajero

La diarrea del viajero, conocida con muchos otros nombres es la maldición de los viajeros internacionales. Por lo general, la causa es la exposición a cepas extranjeras de bacterias en alimentos o agua. Antes de salir a lugares remotos, conozca los cuidados que debe tomar para evitarla.

• Tome Pepto-Bismol antes, durante y después del viaje. Los estudios demuestran que este remedio puede ayudar a prevenir la diarrea del viajero. Aunque haya empezado, el Pepto-Bismol auxilia a reducir la gravedad de los síntomas. Siguiendo las instrucciones en el paquete, mastique dos pastillas cuatro veces al día o (si lo toma líquido) una cucharada cuatro veces al día. No se preocupe si la materia fecal o la lengua se ponen negras, es un efecto normal de este medicamento.

• Antes de salir, empiece tomando cápsulas de acidophilus, dos veces al día, para estimular el número de bacterias beneficiosas en su intestino. Siga tomándolas mientras esté de viaje. Pero asegúrese de conseguir la bacteria viva.

• Sólo beba agua u otras bebidas que vengan en botellas cerradas o en lata, o agua que haya hervido de tres a cinco minutos. Use agua embotellada para lavarse los dientes y cocinar, y nunca ponga cubos de hielo en sus bebidas (no sabe qué agua usaron para hacerlos).

• Las bebidas ácidas como el jugo de naranja o los refrescos de cola también son buenas para la prevención de diarrea porque ayudan a mantener la bacteria *E. coli* bajo control.

• Sólo coma alimentos recién cocinados y muy calientes, además asegúrese de evitar cualquier alimento que haya sido cocinado y luego recalentado o conservado caliente.

• Sólo coma frutas que usted pueda pelar y evite las ensaladas, ya que es probable que las hojas hayan sido enjuagarlas con agua local.

• Tome un vaso de vino con las comidas. En experimentos de laboratorio se ha demostrado que el vino mata la bacteria que causa la diarrea del viajero. En realidad, no hay ninguna investigación que confirme esto, pero si a usted le gusta el vino (con moderación) ¿por qué no? ¡Disfrute sus vacaciones!

Evite alimentos que sean **poco digeribles**, entre los que están los frijoles, col y col de Bruselas.

Vale la pena evitar los **productos lácteos** por unos días, ya que un ataque de diarrea puede dañar el revestimiento intestinal, provocando una intolerancia temporal a la lactosa.

Una excepción es el yogur, que contiene bacterias beneficiosas como la *Lactobacillus acidophilus* y la *Bifidobacterium*. Comer yogur con cultivos vivos ayuda a restaurar los niveles saludables de estas bacterias en su intestino. Si su diarrea está relacionada con la ingesta de antibiótico, que mata indiscriminadamente a las bacterias buenas y las malas, es muy importante reabastecer sus niveles de bacteria buena. Si no le gusta el yogur, podría comprar **cápsulas de acidophilus** o tomar probióticos, como **yakult** o **actimel**.

Un antiguo tratamiento chino

• Aquí está un antiguo remedio chino para la diarrea. No se sabe cómo trabaja, pero no lastima. Pele y machaque dos dientes de ajo, agregue dos cucharaditas de **azúcar morena**, hierva en ¾ de taza de agua y bébala dos o tres veces al día. El ajo es un potente antibacterial y, por lo tanto, puede matar las bacterias que causa la diarrea.

El poder de la prevención

• Si tiene diarrea después de consumir leche u otro producto lácteo, elimínelo de su dieta. Intente con sustitutos como leche de soya. Es posible que pueda comer ciertos alimentos lácteos bajos en lactosa, etiquetados como "deslactosados".

• **Evite** cualquier producto que contenga edulcorantes artificiales que con frecuencia se encuentran en las gomas de mascar sin azúcar y en algunos chocolates o caramelos. Al igual que en las fresas, cerezas, ciruelas y duraznos. Nuestros cuerpos no pueden digerir fácilmente los edulcorantes.

• **Lávese las manos con jabón** y agua tibia antes de preparar los alimentos y después de manejar carne cruda, asegúrese de lavar los implementos para cocinar que hayan estado en contacto con ella.

• Para prevenir el envenenamiento por alimentos, descongélelos en el horno de microondas o en el refrigerador, nunca en la mesa de la cocina.

• Grandes dosis de vitamina C pueden dar diarrea.

• Si regularmente toma antiácidos que contengan **magnesio**, considere cambiar por otro tipo de antiácidos. Este ingrediente puede provocar diarrea.

Dolor de cabeza

En nuestro estresante mundo de congestionamientos de tráfico, fechas límite y todo a gran velocidad, no es de sorprenderse que ocasionalmente tengamos un dolor de cabeza. Para uno fuerte tome tabletas de paracetamol de 500 mg o dos pastillas de ibuprofeno de 200 mg. También la aspirina es un analgésico efectivo pero no es recomendable para personas menores de 16 años, o para quien sea alérgico a ella. Sin embargo, los analgésicos sólo son una parte de la solución. Hay mucho más que hacer para escapar del dolor de una cabeza punzante.

Déle algo de acupresión

Con un movimiento firme y circular, **dé masaje** al tejido de la piel entre la base de su dedo pulgar y el índice. Continúe por varios minutos; cambie de mano y repita hasta que el dolor desaparezca. Los expertos en acupresión llaman LIG4 a este punto detonador de área carnosa y sostienen que está ligado a áreas del cerebro donde se originan los dolores de cabeza.

Caliente y frío

Meter los pies en **agua caliente** lo ayudará a sentirse mejor. Al bombear sangre a sus pies, aliviará la presión en los vasos sanguíneos de su cabeza. Si el dolor es realmente fuerte, agregue un poco de polvo de mostaza al agua.

Para una jaqueca por tensión, ponga una **compresa caliente** en la frente o en la nuca. El calor ayudará a relajar los músculos de esta área.

Podría sonar contradictorio, pero puede continuar el tratamiento de calor (o sustituirlo) al aplicar una **compresa fría** en su frente. Envuelva un par de cubos de hielo en un lienzo o use una bolsa de verduras congeladas envuelta en un paño. El frío contrae los vasos sanguíneos y cuando se encogen, dejan de presionar a los sensibles nervios. Debido a que algunas veces el dolor de cabeza se origina en los nervios en la nuca, pruebe mover la compresa a los músculos de la base del cráneo.

Otra alternativa podría ser una compresa fría: sumerja las manos en **agua helada** el tiempo que aguante. Mientras hace esto, abra y cierre los puños. Este tratamiento trabaja igual que una bolsa de hielo aplicada en la cabeza –el frío hace que se contraigan los vasos sanguíneos dilatados.

¿Qué ocurre?

Los especialistas han identificado unos cuantos tipos principales de dolor de cabeza. Parece que la contracción de músculos en la cabeza y cuello es la causa del dolor de cabeza por tensión y se caracterizan por una monótona y constante presión. Las migrañas se originan con la retracción y expansión de vasos sanguíneos en la cabeza. Provocan un dolor palpitante con frecuencia acompañado por náuseas y sensibilidad a la luz o al sonido. Algunas veces, beber o fumar son disparadores del dolor de cabeza. Vienen en episodios, seguidos por periodos de remisión.

¿Llamaré al doctor?

Por lo general, una jaqueca ocasional no es nada de qué preocuparse. Pero un dolor repentino y severo sugiere una seria condición. Busque ayuda de inmediato si desarrolla un agudo dolor de cabeza acompañado por visión borrosa o si repentinamente tiene dificultad para mover cualquier parte del cuerpo. Lo mismo aplica si tiene fiebre, un cuello rígido, si tiene una pronunciación inarticulada o confusión, en especial si ha recibido un golpe en la cabeza. También debería llamar al doctor si sufre de dolores de cabeza tres o más veces a la semana o si se encuentra tomando calmantes todos o casi todos los días.

¿Sabía qué?

El uso frecuente de aspirina o ibuprofen puede causar "dolor de cabeza de rebote" que se dispara tan pronto como una dosis empieza a dejar de hacer efecto. Es mejor dejar de confiar en estos analgésicos, aunque duela.

Pruebe la cura de cafeína

Tome una taza de **café fuerte**. La cafeína reduce la inflamación de los vasos sanguíneos; por lo tanto, puede ayudar a aliviar el dolor de cabeza. De hecho, la cafeína es un ingrediente de algunos analgésicos extra fuertes. Si usted ya es un gran tomador de café, no utilice este consejo. La eliminación de cafeína puede causar dolor de cabeza, con lo que se crea un círculo vicioso.

Haga algo constrictivo

Pruebe con una **banda**, **bufanda** o **corbata** alrededor de la cabeza, luego apriétela justo en el punto donde puede sentir presión en toda la cabeza. Reducir el flujo de sangre a su cuero cabelludo ayuda a aliviar el dolor causado por la inflamación de vasos sanguíneos. Podría empapar la banda en **vinagre**, un tradicional remedio para este dolor.

Relaje el dolor con lavanda y menta

Ciertos aceites esenciales pueden ayudar a aliviar la tensión y liberar el dolor de cabeza. Dé un suave masaje con un poco de aceite de lavanda en la frente y sien, luego recuéstese y disfrute del aroma. Para un mayor alivio, vaya a un cuarto que sea frío, oscuro y tranquilo. Entre más permanezca recostado tranquilamente respirando el aroma, será mejor.

También puede usar **aceite de menta**. Su fragancia primero estimula, y luego relaja los nervios que causan el dolor.

Si tiene un vaporizador, agregue siete gotas de **aceite de lavanda** y tres de **menta**, luego inhale. Como alternativa, rocíe unas cuantas gotas de aceite de menta en un pañuelo desechable. Aspire profundamente varias veces.

Exprima dos bolsas mojadas de té de menta y colóquelas en los párpados cerrados o frente por cinco minutos.

Beba a sorbos algo reconfortante

El **jengibre** tiene propiedades antiinflamatorias y durante mucho tiempo se ha usado como un efectivo remedio para dolores de cabeza. Para hacer una efectiva solución, muela hasta ½ cucharadita de jengibre, agítelo en un vaso con agua y bébala. O, alternadamente, vierta una taza de agua caliente sobre una cucharadita de jengibre fresco molido, deje que el té se enfríe un poco y bébalo. El jengibre es especialmente efectivo contra las migrañas, aunque a ciencia cierta no se sabe cómo trabaja. Los doctores saben que el jengibre tiene un efecto en la prostaglandina, sustancia parecida a las hormonas que contribuyen a la inflamación. Esta raíz también ayuda a controlar la náusea que con frecuencia acompaña a las migrañas.

• Tome una taza de **té de romero**; algunas personas dicen que ayuda a que no empeore un dolor de cabeza. Vierta una taza

Migrañas

Las migrañas se caracterizan por un palpitante y agudo dolor, frecuentemente acompañado por náusea, vómito, sensibilidad a la luz o desorden visual. Los doctores no están seguros de qué las causa, pero suponen una asociación con una constricción y dilatación anormal de las arterias que suministran sangre al cerebro. El problema tiende a ser hereditario. Existen muchos posibles detonadores, incluyendo la sensibilidad a alimentos o a los aditivos que contienen, el estrés, fluctuaciones hormonales durante el ciclo menstrual, anticonceptivos orales, dejar de tomar café, cambios de clima o de estación, luces brillantes y ciertos olores. Las migrañas son más comunes en las mujeres que en los hombres.

Es más fácil prevenir una migraña que tratarla. Pruebe estas técnicas:

• Evite alimentos que contengan mucho aminoácido tiramina. Esos alimentos incluyen las carnes curadas y procesadas, como el pepperoni y el salami, salchichas y otros embutidos, quesos añejos como el Cheddar, nueces y cacahuates. El chocolate y el vino tinto son importantes detonadores de migraña, al igual que ricos en tiramina.

• La hierba llamada poca fiebre tiene el poder de reducir la intensidad y frecuencia de las migrañas. Tome 250 mg de extracto (estandarizado para que contenga por lo menos 0.4% de parthenolide) todas las mañanas. Tal vez pasen varias semanas antes de que la hierba alcance su máximo poder preventivo.

• Las semillas de linaza son ricas en ácidos grasos esenciales, que ayudan a su cuerpo a producir menos prostaglandinas que provocan inflamación, químicos parecidos a las hormonas, que puede contraer los vasos sanguíneos. Tome de una a dos cucharadas al día. Compre aceite procesado en frío y consérvelo en el refrigerador para protegerlo de la luz y el calor. Tómelo mezclado en una bebida o agréguelo al aderezo de ensalada.

• La vitamina B riboflavina puede ayudar a prevenir las migrañas. Se recomienda una dosis máxima de 40 mg al día.

• Un suplemento de magnesio también puede ayudar. En algunos estudios, la gente reportó que sus síntomas fueron mejorando al tomar 200 mg de magnesio al día. Pero si usted ya toma magnesio, asegúrese de tomar 500 mg de calcio a la vez, el desequilibrio de los dos minerales puede reducir sus efectos beneficiosos. Los dos suplementos no deben tomarse al mismo tiempo, deje pasar por lo menos tres horas entre uno y otro.

• Al primer signo de migraña, tome de uno a dos g de jengibre fresco en polvo o un trozo de un centímetro de raíz fresca de jengibre. Investigadores daneses descubrieron que puede ayudar a prevenir las migrañas al bloquear las prostaglandinas.

de agua hirviendo sobre una cucharadita de hierba seca, deje hacer la infusión por 10 minutos, cuele y beba.

- Un remedio de la abuela consistía en tomar **té negro** con un poco de **clavo de olor** machacado. El té contiene cafeína, y los clavos de olor, propiedades antiinflamatorias, así que este brebaje debería ayudar a quitar el dolor de cabeza.
- Beba un gran vaso de **agua** y vea si ayuda. Con frecuencia, la deshidratación causa dolor de cabeza.

El poder de la prevención

- Si usted está rechinando los dientes o apretando la quijada –dormido o despierto– tome medidas para prevenir el problema. Puede necesitar un **protector bucal** en la noche. (vea *Problemas de quijada*.)
- **Coma a intervalos regulares**. Hay pruebas de que una caída en el nivel de azúcar en la sangre –el resultado de pasar mucho tiempo sin comer– puede propiciar los dolores de cabeza.
- Haga algún tipo de **ejercicio aeróbico,** como caminar, andar en bicicleta o nadar, durante 30 minutos, tres veces al día. Estos ejercicios son grandes liberadores del estrés.

Dolor de muelas

El dolor de muelas va desde palpitante hasta insoportable, pero un buen dentista asegurará que el dolor es pasajero. Si usted no consigue una cita de inmediato, vaya a la farmacia por un gel entumecedor del dolor que contenga lidocaina o benzocaína. Para el alivio de un dolor común, también puede tomar ibuprofeno, paracetamol o aspirina (pero no se la dé a menores de 16 años, sin la aprobación de un médico). Pruebe los siguientes tratamientos.

Elimine el dolor con especias

• Unte un poco de **aceite de clavo de olor** directamente en el diente adolorido. Este aceite tiene notables propiedades exterminadoras de bacterias —y también un efecto entumecedor, por lo cual se ha usado durante mucho tiempo como remedio para el dolor de muelas. En los años 1800, cuando la pasta de dientes era escasa y los dentistas usaban herramientas de tortura, todos los doctores cargaban un buen suministro de aceite de clavo de olor. Hoy se sabe que el extracto del brote de esta hierba contiene eugenol, que actúa como un anestésico. El aceite puede picar al principio, pero el feliz alivio llega.

• Puede obtener el mismo efecto adormecedor de los clavos de olor enteros. Ponga unos cuantos en la boca, deje que se humedezcan hasta que se suavicen, muérdalos un poco con los molares, para liberar su aceite, luego oprímalos contra la pieza adolorida hasta por media hora.

• Si no tiene clavos de olor, haga una pasta con **jengibre** y **pimienta de Cayena en polvo**. Vierta los ingredientes pulverizados en una taza y agregue una o dos gotas de agua para formar una pasta. Ponga algodón en la pasta hasta saturarlo, hágalo rollito y colóquelo en el diente adolorido. (Esta mezcla puede irritar las encías, así que tenga cuidado en poner el algodón únicamente sobre el diente).

Enjuagues de boca mitigantes del dolor

• Enjuáguese la boca con **tintura de mirra**. Los efectos astringentes pueden ayudar con la inflamación y la mirra ofrece además el beneficio de matar bacterias. Ponga a hervir a fuego

¿Qué ocurre?

Con frecuencia las caries causan dolor. Éstas se pueden formar por bacterias en la boca que prosperan en alimentos con azúcar y almidón que se adhieren a los dientes y encías. Estas bacterias producen ácidos que dañan los dientes y cuando el daño alcanza el nervio, empieza el sufrimiento. Pero también hay otras causas. Simplemente puede tener algo de alimento entre dos dientes, un empaste flojo o un diente roto; también están los abscesos (un foco de infección en la línea de la encía) o posiblemente tenga problemas en los senos nasales.

¿Llamaré **al dentista?**

Vaya al dentista tan pronto como pueda, aún cuando el problema parezca mejorar. Los remedios de este capítulo pueden proporcionar un alivio temporal, pero su dentista necesita identificar qué está causando el dolor. Probablemente tenga un problema que requiera tratamiento. Si lo deja, empeorará.

lento una cucharadita de mirra pulverizada en 200 ml de agua durante 30 minutos. Cuele y deje enfriar. Enjuague la boca con una cucharadita de la solución en ½ taza de agua, cinco o seis veces al día.

● **Té de menta** tiene un sabor agradable y algunos poderes anestésicos. Ponga una cucharadita de hojas secas de menta en una taza de agua hirviendo y deje reposar la infusión durante 20 minutos. Después de que el té se enfríe, cuélelo, haga buches pasándolos por toda la boca y luego tírelo o tráguelo. Repita cuantas veces sea necesario.

● Para ayudar a matar bacterias y aliviar la molestia, enjuague la boca con una solución de **peróxido de hidrógeno de 20 vols.**, diluido en agua a partes iguales. Esto puede proporcionar un alivio temporal si el dolor de dientes está acompañado por fiebre y un horrible sabor en la boca (signo de infección), pero como los demás remedios, es una medida provisional hasta que vaya al dentista y detecte la fuente de la infección y la trate. La solución de peróxido de hidrógeno nunca se debe tragar. Escúpala y después enjuague la boca varias veces con agua.

● Vierta una cucharadita de **sal** en un vaso con agua tibia y enjuague hasta por 30 segundos antes de escupir. El agua salada limpia el área alrededor del diente y extrae algo del fluido que causa la inflamación. Repita este tratamiento tan seguido como sea necesario.

Compresas para el alivio

● Ponga un **pequeño cubo de hielo** en una bolsa de plástico, envuélvala en un lienzo delgado y póngalo en el diente adolorido por unos 15 minutos para adormecer los nervios. De forma alternada, ponga una bolsa de hielo sobre el cachete, donde está ese diente.

● Una **bolsa de té**, tibia y húmeda, es un remedio tradicional para el dolor de muelas que vale la pena intentar. El té contiene taninos astringentes que pueden reducir la inflamación y dar un alivio temporal.

● Otro remedio tradicional aconseja empapar un pequeño pedazo de **papel de estraza** en **vinagre**, espolvorear **pimienta negra** por un lado y sostenerlo sobre la mejilla. La sensación de calor puede distraerlo del dolor.

Un suave cepillado

• Use una **pasta especial para dientes sensibles**. Si tiene problemas con encías retraídas, la pasta pudiera aliviar en mucho el dolor que probablemente experimenta con alimentos fríos o calientes. Cuando las encías se reducen, la dentina debajo del esmalte del diente queda expuesta y este material es particularmente sensible.

• Cambiar a un **cepillo de cerdas más suaves**, ayuda a resguardar el tejido de las encías y a prevenir más la reducción de éstas.

Cúbralo

• Si tiene un diente roto o ha perdido un empaste, puede aliviar el dolor cubriendo el área expuesta con una **goma de mascar** suavizada. Esto funciona como un empaste flojo, para mantenerlo en su lugar hasta que pueda ir al dentista. Para evitar cualquier molestia posterior, no mastique con ese diente hasta que lo haya arreglado.

• Si puede ir a la farmacia, compre un **material de empaste temporal**, que protegerá su diente y su boca de las orillas rasposas hasta que pueda ir al dentista.

Presione para un alivio

• Trate con una técnica de **acupresión** para detener rápido el dolor. Con su dedo pulgar, presione el punto en el dorso de la otra mano donde la base del pulgar y el índice se juntan. Aplique presión por dos minutos. Esto ayudará a disparar la liberación de endorfinas, las hormonas que dan bienestar al cerebro (*Alerta* no haga esto si está embarazada).

Mito...

Según la tradición, si da masaje en la mano con un cubo de hielo, puede ayudar a aliviar el dolor de muelas.

...y verdad

Cuando los nervios de los dedos mandan señales "frías" al cerebro, pueden anular las señales de dolor del diente. Sólo envuelva el cubo de hielo en un lienzo delgado y frótelo en el área de piel entre los dedos pulgar e índice.

Eczema

Los expertos coinciden: la mejor forma de enfrentar el eczema es mantener la piel bien engrasada. Lo que significa alejarse del agua lo más que se pueda: no lavar trastes, no lavarse las manos frecuentemente ni tomar largos baños. Proteja la piel con una crema de gran rendimiento. Evite los agravantes del eczema como los jabones ásperos y cualquier otro activador. Además, aunque parezca muy difícil, no se rasque.

¿Qué ocurre?

Existen varios tipos de eczemas. El atópico, el más común, generalmente ocurre en personas con un historial familiar de alergias o asma. Usualmente, los síntomas —piel roja e irritada— empiezan antes de los cinco años, luego reaparecen periódicamente durante la infancia y algunas veces en la adultez. Durante una erupción aguda, la piel puede marcarse con pequeñas ampollas. Con el tiempo, rascarse mucho causa parches de piel que se ven gruesos y escamosos. La piel dañada por eczema y rascada es propensa a infecciones bacterianas. Otro tipo de eczema, llamado dermatitis puede derivarse del contacto con una sustancia irritante como el detergente, jabón y cosméticos.

Alivio del sarpullido

- Para aliviar la comezón, empape un lienzo en **leche helada** y colóquelo sobre el área irritada. Repita varias veces al día.
- Agregue **avena coloidal** al baño. Las hojuelas molidas finamente quedan suspendidas en el agua y alivian la piel.
- Restrinja baños de regadera o de tina a menos de 10 minutos. El eczema tiende a empeorar cuando se seca la piel y al bañarse seguido, se eliminan los aceites protectores que mantienen la piel lubricada.
- Use **agua templada** al bañarse en lugar de muy caliente.
- Después del baño, use **crema humectante gruesa** para defender la piel contra los irritantes. Hasta la vaselina sirve. Evite las lociones con base de agua, las perfumadas y hasta las de bebé, ya que tienen un alto contenido de agua.

Pruebe estos alimentos y suplementos

- Coma más alimentos ricos en **ácidos grasos omega-3 nueces**, **aguacates**, **salmón** y **atún**, que ayudan a reducir la inflamación y las reacciones alérgicas.
- Otra fuente de **omega-3** es el aceite de **semillas de linaza**. Tome una cucharada diariamente; sus propiedades beneficiosas se pierden a altas temperaturas así que agréguela al aderezo de ensaladas, mézclela con yogur o con otros alimentos.
- Tome 250 mg de **vitamina E** todos los días para ayudar a contrarrestar la irritada y seca piel. Algunas buenas fuentes dietéticas de vitamina E incluyen el germen, aceites vegetales, nueces y semillas (*Alerta* no tome vitamina E si toma medicamentos anticoagulantes sin la aprobación de su doctor).
- Asegúrese de tomar suficiente vitamina A. La cantidad diaria

recomendada de esta vitamina es de 600 mcg para mujeres y 700 mcg para hombres. Sin embargo, como puede ser tóxico en dosis altas, es mucho mejor obtenerla de los alimentos. Las mejores fuentes incluyen hígado, aceite de hígado de pescado, zanahorias, verduras de hojas verdes, yema de huevo, margarina enriquecida, productos de leche y frutas amarillas.

Pruebe gotu

* La hierba **gotu kola**, usada externamente, puede ayudar a aliviar la piel irritada. Busque una crema o tintura. Si usa el extracto, dilúyalo primero (cinco partes de agua por una parte del extracto). De forma alternada, puede hacer una taza de té, mojar un lienzo en él y usarlo como compresa. Haga el té, con una o dos cucharadas de hierba seca en una taza con agua muy caliente durante 10 minutos, luego cuele.
* Como una alternativa de la gotu kola, busque una crema que contenga **manzanilla**, **regaliz** y **hamamelis**. Todas ellas reducen la inflamación de la piel.

Formas para dejar de rascarse

* Si el área irritada está en un lugar muy accesible, **cúbrala** para no rascarse.
* Algunas personas se rascan mientras duermen. Si usted (o su hijo) amanecen con la piel rascada, usen **guantes delgados y de algodón** (o hasta un par de calcetines ligeros) en la noche.
* **Córtese las uñas** para reducir el daño en la piel al rascarse.

El poder de la prevención

* A veces las alergias a alimentos producen eczema, particularmente en niños menores de dos años de edad. En ellos se produce por huevos, jugo de naranja, leche o nueces. Por lo general, los lácteos, trigo, huevos, levadura, frutas y jugos cítricos son los alimentos problemáticos en los adultos. Elimine estos alimentos de su dieta por un mes, luego incorpórelos uno a la vez durante tres días para ver si la piel reacciona. En niños, esta dieta de eliminación de alimento puede producir un cambio visible a corto plazo. Un cambio rápido es más raro en adultos, pero aún así puede notar alguna mejoría. Es importante hablar con su doctor antes de hacer dietas de eliminación para usted o su hijo.

¿Llamaré al doctor?

Si su eczema se ha esparcido o sigue ocurriendo a pesar de sus tratamientos, contacte a su doctor. Necesita ver a su médico lo más pronto posible si un punto irritado de la piel empieza a mostrar signos de infección, como úlceras con costra, pus, rayas rojas en la piel, dolor excesivo, inflamación o fiebre.

¡No lo haga!

• Trate de minimizar la exposición a **ácaros y a caspa de mascotas** (vea *Alergias*). Esto significa mantener la casa —en especial las recámaras de los niños— sin polvo, lo más posible. Las mejores estrategias incluyen usar colchones, fundas de almohadas contra alergias, evitar muebles y tapetes mullidos cuando se pueda, no dejar que las mascotas entren a las habitaciones y lavar la ropa de cama con agua caliente (60 °C o más).

• En el invierno ponga un **humidificador** en la recámara.

• Si tiene una **lavadora de trastes**, úsela lo más posible para evitar el contacto con detergentes y agua. Cuando lave a mano, **use guantes de hule forrados** o póngase unos normales sobre otros delgados de algodón. **Evite el contacto directo con el látex**, ya que puede causar reacciones alérgicas y empeorar el eczema.

• Mantenga al mínimo su uso de químicos para lavar la ropa. **Use detergentes sin fragancia ni colorante. Evite el blanqueador, suavizantes de ropa y sábanas aireadas en una secadora.**

• Cuando lave su ropa en la lavadora déle un **enjuague extra** para quitar todos los restos de detergente.

• La **dermatitis de contacto** la puede causar el níquel usado en los pendientes y otra joyería, al igual que el látex, cosméticos, perfumes y agentes de limpieza.

Embarazo, trastornos del

Conforme los meses pasan, el embarazo puede sentirse más como una carga que como un milagro en gestación. Las náuseas matutinas, sólo para empezar, son una de las molestias más frecuentes (vea las formas de superar las náuseas en *Náuseas matutinas*). Además si la embarazada sufre de acidez gástrica, estrías, dolor de espalda, pies hinchados y várices, puede empezar a dudar si esto fue una buena idea. A continuación encontrará algunas sugerencias reconfortantes.

Alivie la fatiga

• Tome una **siesta de media hora** todos los días. Cuando duerma, asegúrese de que los pies estén más elevados que la cabeza, esto ayuda a quitar la presión de sus piernas. No se sienta culpable sobre su necesidad de descanso: el embarazo es es un trabajo duro.

• Haga algo de **ejercicio** todos los días. Una actividad aeróbica, como caminar o nadar, le da más energía. Y si se ejercita regularmente la labor de parto será más fácil.

Desinflame esos pies hinchados

• Mejore la circulación de sus pies adoloridos con **baños de pies fríos y calientes.** El agua caliente lleva la sangre a los pies y la mueve hacia fuera. Llene dos grandes vasijas con agua —una con caliente y la otra con fría. Sumerja los pies en la de agua caliente por tres minutos, luego en la de fría por unos 30 segundos. Intercambie seis veces, terminando con el agua fría.

• Después de estos baños, **descanse por lo menos diez minutos** con los pies elevados.

Controle la acidez gástrica

• Cuando está embarazada, no sólo el crecimiento del bebé aumenta la presión del abdomen, sino que también el esfínter del esófago (la válvula entre el estómago y el esófago) se relaja por las hormonas del embarazo. Esto significa que es probable que los ácidos estomacales sean lanzados al esófago, que puede provocar una horrible sensación de ardor. Hay varias sugerencias que la ayudarán a reducir la molestia.

¿Qué ocurre?

Conforme crece el bebé dentro de su vientre, la futura madre puede empezar a sentirse muy incómoda. Cargar por todos lados el peso extra puede provocar dolor de espalda y fatiga. El útero se agranda e invade el estómago e intestinos, lo que tal vez cause acidez gástrica. Hay otras dos molestias: el estreñimiento y las hemorroides. Algunos efectos colaterales del embarazo son la retención de líquidos —por lo que se hinchan los pies— y el síndrome de túnel de Carpo (hormigueo, dedos entumidos y dolor de muñecas). Para colmo, se pueden desarrollar las venas varicosas, junto con las estrías en el estómago y senos. ¡Bravo por el embarazo!

¿Llamaré al doctor?

Afortunadamente, la mayoría de las dolencias del embarazo terminan cuando el bebé nace. Vea a su doctor si está perdiendo peso, no puede controlar la comida o los líquidos y se siente deshidratada o no orina. También necesita ver a su médico si tiene jaqueca persistente o visión doble, o si sospecha que su bebé se está moviendo con menos frecuencia o no se mueve.

• **No haga grandes comidas** y deje pasar preferentemente tres horas entre la cena y la hora de ir a la cama.

• Use ropa **suelta alrededor de la cintura**.

• **Evite** aumentar muchos kilos.

• **Trate de no inclinarse hacia delante**. Si necesita recoger algo (o a un pequeño), doble las rodillas y póngase en cuclillas.

• Coma **almendras**. Sus compuestos químicos ayudan a mantener los ácidos estomacales en su lugar, al estrechar el esfínter del esófago. Sin embargo, cuide las calorías, ya que cerca de 10 calorías de una almendra engordan. Para evitar subir demasiado peso, necesitará a cambio renunciar a un alimento alto en calorías.

• **Evite** los alimentos que relajen el esfínter del esófago, como el **café, jugos cítricos, alimentos fritos, pimienta, productos de tomate y alcohol**.

• Si todo esto fracasa, hable con su doctor para que le recete **antiácidos**, medicamentos que ayudan a neutralizar los ácidos del estómago. Algunos de ellos son seguros para tomarse durante el embarazo, pero la ingesta excesiva podría dañar al bebé.

Combata el dolor de espalda

• **Evite estar parada durante periodos largos**, particularmente en los últimos meses del embarazo. Conforme el bebé crece y las articulaciones en el área de la pelvis se suavizan, los dolores de espalda son comunes; estar de pie aumenta el dolor.

• Si debe permanecer parada por mucho tiempo, mantenga su peso **uniformemente balanceado** entre los pies. Si levanta una de sus caderas, pondrá una presión indirecta en la espina dorsal baja.

• Cuando esté en una silla, **siéntese derecha**. Presione la espalda baja contra el respaldo de la silla y repita esto varias veces todos los días, para ayudar a estirar los músculos que soportan su espalda.

• Si está trabajando en un escritorio, mantenga los pies un poco levantados en un **reposapiés** o un **pequeño taburete**.

Controle el síndrome de túnel de carpo

• Muchas mujeres embarazadas sufren hormigueo o entumecimiento en los dedos, esto se debe usualmente a que la retención de agua presiona los nervios de las muñecas. Para aliviar la molestia, debe **ejercitar los brazos y muñecas** por cinco minutos cada hora (vea los ejercicios de la página 343).

- Si siente las muñecas entumidas **no las doble** en un intento para aliviar la molestia, esto las empeoraría.

Minimice la posibilidad de estrías

- La piel tiene que estirarse para permitir que se expandan el abdomen y los senos. El estiramiento sucede en la capa de colágeno de la piel, que se encuentra bajo la superficie, así que gastar una fortuna en productos en el cuidado de la piel no ayuda. Algunas mujeres son más propensas a tenerlas. Si puede mantener su **peso bajo control** conservará las marcas al mínimo. Con el **tiempo se desvanecen** y con frecuencia se convierten en rayas o casi desaparecen.

Mantenga las várices a raya

- Use **medias de soporte** de maternidad. Las venas varicosas se forman porque usted está fabricando un volumen extra de sangre para alimentar al feto.
- Use **compresas frías** en las piernas. Mezcle seis gotas de cada uno de estos aceites esenciales: **ciprés, limón y bergamota** en una taza de hamamelis destilado. Enfríela en el refrigerador durante una hora. Suba los pies, empape un lienzo en un líquido y aplíquelo por 15 minutos. Esta combinación de aceites ayuda a contraer los vasos sanguíneos inflamados.

Combata el estreñimiento

- **Incremente la ingesta de fibra.** Alimentos altos en fibra: frijoles, salvado, además de panes y cereales de grano entero, semillas de lino molidas, vegetales de hojas verdes, brócoli y fruta fresca.

Enfermedad inflamatoria intestinal

Los doctores tienden a tratar la enfermedad inflamatoria intestinal (EII) con poderosos esteroides y otros medicamentos de prescripción, que en realidad pueden ser de mucha ayuda, en especial durante los ataques. Pero existen consejos que usted puede seguir para reducir la severidad de los síntomas, como escoger alimentos que sean amables con sus intestinos, tomar suplementos vitamínicos y hierbas tranquilizadoras, además de intentar reducir el estrés.

¿Qué ocurre?

El término enfermedad inflamatoria intestinal o EII, abarca dos más comunes: la colitis ulcerosa y la enfermedad de Crohn. La primera provoca úlceras en el recubrimiento del colon y recto. La segunda es más extensa —algunas veces, afecta intestinos, estómago, esófago y boca— y los tejidos pueden inflamarse mucho más. Los síntomas son similares en las dos: dolor abdominal, sangre y mucosidad en la materia fecal. Estos problemas pueden atacar y luego desaparecer, con remisiones que en ocasiones duran años.

Estimule la bacteria beneficiosa

● Estimule la población de la bacteria beneficiosa en sus intestinos. Puede hacer esto al tomar un suplemento de bacterias como un **probiótico**. En personas saludables, el colon es el hogar de bacterias "buenas" (como la *Lactobacillus acidophilus* y de *Bifidobacteria bifidum*) que impiden el sobrecrecimiento de la bacteria dañina. Pero cuando estas bacterias son eliminadas —frecuentemente, por antibióticos— el resultado es una sobrepoblación de la bacteria "mala" y de la levadura que puede provocar inflamación. Los probióticos ayudan a mantener un balance óptimo. Tome dos cápsulas tres veces al día con el estómago vacío o, si no desea tomar un suplemento, coma dos o tres porciones de bioyogur al día.

Abastezca a su cuerpo con cuidado

● Procure alimentos blandos —como **zanahorias cocidas, arroz blanco y manzana hervidas**. Si ya sufre de diarrea o de dolor abdominal, comer muchos alimentos condimentados lo empeorará.

● **Evite una dieta rica en grasas.** Los alimentos fritos y comidas grasosas pueden provocar contracciones en el intestino, que quizás agudicen la diarrea.

● **Coma menos fibra dietética** durante los ataques. Normalmente, los alimentos ricos en fibra, como el salvado, los granos enteros y el brócoli son buenos para su sistema digestivo. Pero durante un ataque de enfermedad inflamatoria intestinal aumenta el riesgo de dolorosas flatulencias. Una vez que se sienta mejor, regrese a su ingesta normal de fibra.

• Muchas personas que padecen la enfermedad de Crohn no pueden digerir la lactosa. Si se siente con flatulencias e inflamado, trate de **evitar la leche** y todos los lácteos por unos cuantos días. Si sus síntomas desaparecen pudo haber sido la intolerancia a la lactosa. Cambie a productos lácteos sin lactosa, tome pastillas que contengas lactasa (la enzima necesaria para digerir la leche) o evite todos los productos de leche.

• Tome un **suplemento de multivitaminas/mineral**. Esto ayudará a restaurar los nutrientes que pueden reducir la persistencia de diarrea.

Anote lo que come

• Lleve un diario de su alimentación. Registre todo lo que come durante el día (incluyendo los refrigerios), qué reacciones tiene y la severidad de su molestia. Al final del mes, revise su diario para saber qué tan bien puede tolerar la fibra dietética y los alimentos potencialmente problemáticos, como los lácteos. Así averiguará si necesita evitar algún alimento en particular.

Reduzca el estrés para una mejor digestión

• El estrés puede disparar los síntomas de EII. Así que practique **yoga, meditación, respiración profunda, visualización** o cualquier otra técnica de relajación, todos los días. Por ejemplo, puede sentarse en un lugar tranquilo por 20 minutos aproximadamente y visualizar una sanadora luz azul que lentamente pasa a lo largo del tracto digestivo, sosegando la inflamación. Imagine que esta luz viaja por usted, dejando atrás un tejido saludable.

Sanadores naturales

• Un remedio tradicional consistía en beber **jugo de col** contra la inflamación intestinal, ya que es rica en aminoácido **L–glutamine**. Pero si esto no le es apetecible, puede tomar pastillas de L–glutamine (500 mg al día). Esto ayuda a sanar las úlceras en el intestino.

• Debido a que combate la inflamación, un extracto de **regaliz** llamado RDG (regaliz deglicirrhizinado) puede ayudar a aliviar los síntomas de la enfermedad inflamatoria intestinal. Mastique dos obleas (380 mg) tres veces al día entre comidas,

¿Llamaré al doctor?

Si tiene EII contacte a su médico si experimenta un ataque de síntomas, en especial, diarrea con sangre o mucosidad o si arroja materia fecal negra. También será necesaria la atención médica si tiene el abdomen inflamado o dolor severo, o si el dolor abdominal coincide con una fiebre de 38°C o más.

Mito...

Se acostumbraba aconsejar a las personas con EII que comieran piel de cebolla.

...y verdad

La piel de cebolla contiene cuarcetín, un antihistamínico natural que ayuda a bloquear las reacciones parecidas a las alergias y a ciertos alimentos en quienes padecen EII. Cuando haga una sopa, puede agregar una cebolla completa en la cacerola; el cuarcetín sale de la piel. Retire la piel antes de comer la cebolla. Si no le gusta la cebolla, puede comprar suplementos de cuarcetín de venta directa en la farmacia. Siga las instrucciones de la etiqueta.

cada vez que se sienta inflamado. No intente con un regaliz confitado; la mayoría de los dulces que dicen contener esta hierba, no la tienen. Y a diferencia del RDG, el regaliz "verdadero" puede aumentar la presión sanguínea.

Ponga aceite en los intestinos problemáticos

● Los ácidos grasos omega-3 son esenciales para una buena digestión. Entre las mejores fuentes se encuentra el **aceite de semillas de lino** (1 cucharada al día, tomado solo o mezclado en el aderezo para ensaladas o en cereales) y aceite de pescado (tome dos cucharaditas para proporcionar 2 g de ácidos grasos omega-3 al día). Un estudio italiano encontró que el aceite de pescado reduce la frecuencia de ataques intestinales en personas con la enfermedad de Crohn. (*Alerta* no tome aceite de pescado si está tomando medicamentos anticoagulantes.)

Hora del té

● La **menta** y la **manzanilla** contienen compuestos antiespasmódicos que ayudan a frenar los retortijones y aliviar el malestar causado por las flatulencias. Para hacer un té, ponga una cucharadita de cualquiera de las hierbas secas en una taza de agua hirviendo y deje reposar la infusión por 10 minutos. Cuele y beba. Si es susceptible a la acidez gástrica, escoja manzanilla en lugar de menta.

● El **té de malvavisco** también calma, al cubrir las membranas mucosas en el tracto digestivo. Use de una a dos cucharaditas de hierba seca por taza de agua caliente. Deje reposar la infusión de 10 a 15 minutos, cuele y bébala.

Envenenamiento por alimentos

L os días de campo, las parrilladas y comer al aire libre es divertido. Pero después no siempre sigue esa diversión. Náuseas, vómito, diarrea y dolor de estómago son síntomas de envenenamiento por alimentos, una forma de gastroenteritis causada por comer o beber algo contaminado con microorganismos o por las sustancias tóxicas. Si está sufriendo, aquí encontrará formas para sentirse mejor. Y algunos consejos para asegurarse de que nunca vuelva a suceder.

Rehidrate el cuerpo

• Uno de los peligros potenciales de la diarrea y el vómito es la deshidratación. En particular, los niños y las personas que son débiles, mayores o que tienen un sistema inmunológico frágil, están en riesgo. **Beba muchos** líquidos, sobre todo agua. Si tiene vómito, tome pequeños sorbos y no todo el vaso de un trago.

• **Reemplace las sales y los azúcares** perdidos con la diarrea, en especial si no puede retener el alimento. Trate de tomar despacio esta bebida balanceada: exprima el jugo de dos naranjas, agregue ½ cucharadita de sal y dos cucharaditas de miel. Agregue 500 ml de agua. Intente beber un vaso cada media hora, en pequeños sorbos si es necesario, hasta que los síntomas mejoren.

• También puede comprar **sobres de rehidratación oral** de venta directa en las farmacias.

• **Experimente** con bebidas calientes mejor que las frías.

• Beba **tés herbales** como de manzanilla, tomillo, jengibre, menta o hinojo. Estas hierbas calmantes son leves antisépticos y ayudarán a aliviar los dolores de estómago.

Tranquilizantes externos

• Tome un baño tibio con aceites esenciales. Rocíe tres gotas de aceites de geranio y de jengibre y dos de aceite de menta en la tina. Sumérjase por unos 20 minutos, manteniendo hasta el tope el agua tibia.

• **Dé masaje a su estómago** con aceites tranquilizantes —o pídale a otra persona que se lo dé. Agregue los siguientes aceites: tres gotas de árbol del té y dos gotas de menta, geranio

¿Qué ocurre?

Cuando usted ha comido algo que le ha provocado un envenenamiento por alimentos, podría ser algo que comió hace diez días o unas cuantas horas, lo que dificulta identificar la fuente. Quizás fue un pedazo de pollo un poco crudo de la parrillada, una hamburguesa de un carrito en el estadio de futbol o la mayonesa en el sándwich. Usted se siente enfermo y con escalofríos, le duelen los músculos y todo lo que desea es acurrucarse en la cama y dormir hasta que la pesadilla pase. Los microorganismos han entrado en su cuerpo de una de estas dos formas —el alimento que los contenía no se cocinó bien o la persona que lo preparó es portadora y no se lavó las manos antes de manejar el alimento.

¿Llamaré al doctor?

y sándalo para cinco cucharadas de aceite vehicular, como el de almendras BP (que se vende en farmacias). Vierta la mezcla de aceites en un vaso y caliéntelo a baño María hasta que el aceite alcance la temperatura corporal. Úselo para dar masaje a su estómago con círculos suaves, firmes y en el sentido de las manecillas del reloj, mientras se sienta cómodo.

Encuentre los puntos de presión

- Hay un **punto de acupresión** que puede ayudar a aliviar la diarrea. Encuéntrelo a una distancia de ocho dedos abajo de la orilla inferior de la rótula, a un dedo hacia fuera desde el frente de la tibia. Presione el punto con el dedo pulgar por dos minutos en cada pierna.
- Para la **náusea** y **el vómito**, el punto se localiza en el brazo. Presione entre los tendones a una distancia de dos pulgares encima del pliegue de la muñeca interior. Ésta es el área donde deben colocarse las bandas de acupresión que se venden contra el mareo.

Jengibre, el trabajador milagroso

- El jengibre contrarresta la náusea y el vómito. Si lo soporta, trate de masticar un pedazo de raíz fresca de jengibre (¡caliente!) o bébalo en té o tabletas.

Sujételo

- Haga una bebida astringente. Mezcle una cucharada de arrurruz con un poco de agua para formar una pasta suave, luego agregue 500 ml de agua hirviendo y bata. Póngale miel o jugo de limón para saborizar. Al beber esto durante el día ayudará a solidificar la materia fecal.

De regreso a la normalidad

- **Empiece con arroz.** Una vez que se sienta mejor, necesita un alimento no irritante que lo ayude. Un sencillo arroz blanco hervido es lo que el doctor ordenaría. El agua en la que se ha hervido el arroz es un alimento fácil de digerir para los niños pequeñosque han estado enfermos del estómago. Una vez que pueda soportar un poco de arroz, introduzca otros alimentos blandos como un **caldo de pollo** desgrasado, yogur bajo en grasa, pan tostado sin mantequilla y puré de manzana.

- Los **alimentos para bebé** tienen un buen puré de manzana si se siente demasiado débil para hacerlo usted mismo.
- Al recuperarse, coma un poco de **yogur** todos los días así restaurará el balance de microorganismos en los intestinos.
- Agregue un **suplemento de vitaminas y minerales** diariamente para reemplazar nutrientes en su cuerpo.

El poder de la prevención

La limpieza es vital para prevenir en casa el envenenamiento por alimentos. Esto involucra la higiene personal y escoger, almacenar y usar los alimentos con cuidado.

- **Lávese las manos** con jabón y agua después de ir al baño y antes de preparar alimentos o comer. Tenga especial cuidado al tocar pollo crudo y lávese después y antes de tocar algo —en particular alimentos, como ensaladas, que no se van a cocer.
- Mantenga limpios, el refrigerador, congelador y la tabla de picar, y **lave con estropajo el abrelatas**.
- Use una tabla de picar exclusiva para las **carnes**.
- **Mantenga a las mascotas lejos** del alimento y fuera de las superficies de trabajo.
- Desinfecte las esponjas, estropajos y cepillos para lavar en una **solución** de **cloro diluido** dos veces a la semana, y todos los días use toallas desechables de cocina.
- **Descongele** los alimentos dentro del refrigerador no en la mesa de cocina, antes de cocinar, y **no los vuelva a congelar**. Descongele la carne en horno de micro hondas y cocínela tan pronto como esté lista.
- **Cocine por completo las carnes crudas** y recaliente el resto hasta que hierva.
- Almacene los **alimentos crudos** cubiertos en el fondo del refrigerados y mantenga las carnes cocinadas o crudas en diferentes anaqueles.
- Conserve todos los alimentos perecederos a 5 °C o menos.
- Enjuague cuidadosamente las frutas y vegetales antes de comerlos.
- Deseche los alimentos que hayan **pasado la fecha de caducidad**, que huelan mal o tengan hongos. Tenga especial cuidado con el pollo y los mariscos. No compre ni use latas abolladas o hinchadas, ni frascos cuya tapas parezcan hinchadas.

(Vea también *Diarrea* y *Náuseas*.)

¿Sabía qué?

Los huevos con grietas pueden albergar la bacteria de salmonela. No los use. Tírelos a la basura.

Espalda, dolor de

¡Ay, me duele la espalda! ¿Cuántos de nosotros desearíamos nunca tener que pronunciar esas palabras otra vez? El dolor debería pasar en un par de días, tomando ibuprofeno o naproxeno de sodio (recetado) para eliminar la inflamación y aliviar el dolor. También trate las soluciones de rápida acción descritas abajo para un alivio inmediato. Luego, lo más pronto posible, vuelva a moverse con suavidad. Cuando su espalda esté moderadamente mejor, haga ejercicios de estiramiento y fortalecimiento, que empiezan en la página 148 –todos los días sin fallar– y en cuatro o seis semanas, su espalda debería volver a la acción.

Hielo primero, calor después

● Como un paliativo del dolor, el **hielo** trabaja bien. Bloquea las señales de dolor y ayuda a reducir la inflamación. Varias veces al día coloque hielo envuelto en una toalla en el área adolorida, hasta 20 minutos. Durante los primeros días de tratamiento en casa, aplique hielo con la frecuencia necesaria.

● Después de unas 48 horas cambie a un **calor húmedo** para estimular el flujo sanguíneo y reducir los espasmos. Sumerja una toalla en agua muy caliente, exprímala y luego dóblela. Recuéstese sobre el estómago con almohadas bajo las caderas y tobillos. Coloque la toalla sobre el área adolorida, cubra la toalla con un plástico y luego ponga un cojín eléctrico –en el nivel medio– encima y déjelo durante 20 minutos.

Dé masaje para un poco de alivio

● Pida a su pareja o a un amigo cercano que **le dé un masaje** en el área adolorida. Si desea usar una crema o ungüento que se vende como "fricción de espalda", hágalo, pero con cuidado –estas cremas tópicas tienden a causar irritación en la piel después de unas cuantas aplicaciones. Para un masaje de espalda, rellene un calcetín grande con varias pelotas de tenis, amarre la orilla y pida a su pareja que lo ruede de arriba abajo de su espalda.

● Dé masaje con un linimento tradicional. Escoja uno que contenga mentol, dietilamina o salicilato de glicol. Todos son parecidos y tienen propiedades que mitigan el dolor. Las cremas, conocidas como contrairritantes, estimulan las terminaciones nerviosas en la piel, distrayéndolo del dolor más profundo. Cuando los use también se estará dando un masaje, y la presión en las manos combinada con la acción en la superficie proporciona un doble beneficio (*Alerta* no use un linimento si también está usando cojines eléctricos o compresas de calor que se aplican a la misma área).

Su doctor puede prescribir una crema que contenga **capsaicina,** la sustancia de los chiles, productora de calor. Aplicada en la piel, la capsaicina reduce un neuroquímico de las terminaciones nerviosas llamado sustancia P. Los investigadores han encontrado que es esencial para las sensaciones de transmisión de dolor al cerebro, así que cuando hay más de esta sustancia en circulación, el dolor disminuye. Puede ser que tenga que usar la crema varias semanas para un efecto completo. Suspenda su uso si aparece cualquier irritación en la piel.

Pruebe estos tranquilizadores herbales

Tome 500 mg de **bromelina** tres veces al día con el estómago vacío. Esta enzima, derivada de la piña, promueve la circulación, reduce la inflamación y ayuda a su cuerpo a reabsorber los productos derivados de la inflamación. Para un fuerte efecto terapéutico, consígala de por lo menos 2 000 UCL (unidades de coagulación de leche) por gramo. (*Alerta* la bromelina es un adelgazador de la sangre, y quien está tomando medicamentos anticoagulantes debe evitarla.)

Pruebe tomar una cápsula de 250 mg de valeriana cuatro veces al día. Algunos científicos dicen que los ingredientes activos de esta hierba interactúan con los receptores en el cerebro para causar un efecto sedante. Aunque por lo general los sedantes no se recomiendan, la valeriana es mucho más leve que cualquier producto farmacéutico. También puede hacerse en té, pero su olor es tan fuerte (huele como a calcetines de gimnasia muy usados) que las cápsulas son preferibles.

Perfeccione su postura

Busque la postura que ponga menos estrés en su espalda. Párese derecho con el peso balanceado en ambos pies. Incline la pelvis hacia delante, luego hacia atrás, exagerando el

¿Llamaré al doctor?

Antes de probar cualquier remedio o ejercicio casero, vea a un doctor para saber si usted tiene un tipo común de dolor de espalda baja o un problema médico que requiere el tratamiento de un especialista. Un buen fisioterapeuta o quiropráctico puede ayudar a detener el espasmo de espalda al aplicar tracción y una suave manipulación. También vea al doctor si el dolor es repentino y desciende hacia la pierna y la rodilla o pie, o si lo acompaña fiebre, retortijones gástricos, dolor en el pecho o dificultad para respirar. Frecuentemente, los doctores ven el dolor de espalda como una llamada de atención y recomiendan un programa de ejercicios para estabilizar y fortalecer la espina dorsal, que ayudará a prevenir problemas.

SÁNESE USTED MISMO

DOLOR DE ESPALDA

Los siguientes ejercicios del Dr. Kevin Stone, un cirujano ortopedista con base en San Francisco, California, han sido diseñados para mejorar la flexibilidad y fuerza de los músculos involucrados en el soporte de la espina dorsal —en el abdomen, a lo largo de la espalda y alrededor del tronco.

1 Recuéstese con las palmas de las manos sobre el tapete, directamente bajo los hombros, en una posición de "lagartija", con la parte baja del cuerpo completamente relajado.

2 Mantenga las caderas en su lugar y las piernas relajadas, lentamente levante la parte superior de su cuerpo hasta que pueda sentir el estiramiento en la espalda. Regrese a la posición inicial. Repita 10 veces.

1 Arrodíllese y ponga las manos en el piso con las rodillas abiertas al ancho de la cadera.

2 Tense los músculos del estómago, arquee la espalda, estirándose igual que un gato. Sostenga cinco segundos y luego suelte. Repita.

3 Ahora levante un poco la espina dorsal, sostenga cinco segundos, luego suelte. Repita.

4 Finalmente, siéntese sobre los talones y extienda los brazos al frente para un buen estiramiento.

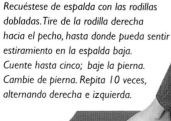

Recuéstese de espalda con las rodillas dobladas. Tire de la rodilla derecha hacia el pecho, hasta donde pueda sentir estiramiento en la espalda baja. Cuente hasta cinco; baje la pierna. Cambie de pierna. Repita 10 veces, alternando derecha e izquierda.

Recuéstese de espaldas con las rodillas dobladas, levante la pierna derecha y sostenga el muslo cerca de la corva con ambas manos, firmemente y despacio extienda esa pierna hacia arriba. Sentirá cómo estira la parte posterior del muslo. Sostenga y cuente hasta 15. Repita cinco veces con cada pierna.

1 Recuéstese de espalda con las rodillas dobladas y los brazos extendidos a los lados.

2 Con las rodillas dobladas, lentamente déjelas caer a la derecha, usando la mano derecha para jalar con suavidad la rodilla de encima hacia el tapete. Sostenga y cuente hasta cinco. Sentirá el estiramiento en la espalda y caderas. Regrese las rodillas a la posición inicial, luego hágalo hacia el otro lado. Repita 10 veces, alternando.

1 Recuéstese sobre el abdomen con una toalla enrollada bajo la frente. Sin mover el resto del cuerpo, contraiga los músculos de los glúteos como si estuviera presionando la pelvis hacia abajo al tapete. Lentamente cuente hasta cinco, luego relaje. Repita 10 veces.

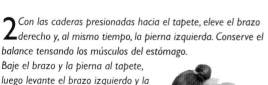

2 Con las caderas presionadas hacia el tapete, eleve el brazo derecho y, al mismo tiempo, la pierna izquierda. Conserve el balance tensando los músculos del estómago. Baje el brazo y la pierna al tapete, luego levante el brazo izquierdo y la pierna derecha. Alternando los levantamientos, repita 20 veces.

NOTA: Haga estos ejercicios sobre un tapete propio para ello. Como alternativa, use una alfombra o tapete mullidos. Trate de hacer el número recomendado de repeticiones, pero deténgase si siente una molestia inusual o dolor agudo.

Rápido alivio del doctor

Los doctores solían prescribir relajantes musculares para un alivio rápido, pero ya es raro que lo hagan. Hoy en día prefieren que la gente se canse y reanime el pobre tono muscular y la coordinación, que es justo lo opuesto a lo que usted necesita en realidad para mitigar el dolor de espalda. Si usted visita al doctor o va al hospital debido a un dolor intenso, es más probable que reciba un pequeño curso sobre el uso de los analgésicos o los desinflamantes, contra el espasmo muscular y el dolor.

Mito...

En el pasado, una cataplasma de mostaza era el remedio favorito para los dolores de espalda y articulaciones adoloridas.

...y verdad

Igual que la capsaicina y otros contra-irritantes, la mostaza da una cálida sensación de hormigueo que puede distraer del dolor más profundo. Para hacer una cataplasma, mezcle una parte de mostaza pulverizada con dos partes de harina, agregando agua hasta tener una pasta. Espárzala sobre un trapo viejo de cocina, dóblelo y aplíquelo como una compresa en la piel; la pasta de mostaza se filtrará; puede quemar si se deja demasiado tiempo, quítela si siente molestia en la piel. No la use más de tres veces al día (*Alerta* proteja la piel con vaselina cuando use esta cataplasma).

movimiento. Luego póngase en la posición que sienta más cómoda. Ahora "trabaje hacia arriba" su espalda, concentrándose en un área a la vez. Primero cerca de la cintura, luego el el pecho y finalmente el cuello y hombros. Trate de sentir cuál posición es la más cómoda y menos estresante. Esta es la que debe mantener cuando esté parado, caminando o al empezar o al terminar un ejercicio.

• **Cuando duerma** recuéstese de espalda o de lado (a no ser que tenga ciática). Si está más a gusto de espalda, coloque almohadas bajo las rodillas y la cabeza para liberar la presión de la espalda baja. Si prefiere dormir de lado, ponga una almohada entre las piernas. En caso de ciática, la posición recomendada es sobre el estómago.

• Si le gusta sentarse en la cama para leer o ver televisión, **compre un soporte grande de hule espuma** que mantenga la parte superior del cuerpo en una posición cómoda. Para agregar confort —y para mantener su cuello en la posición apropiada— use un soporte de cuello de hule espuma o inflable al estar sentado.

• Cuando se siente en una silla, en la oficina o casa, mantenga los pies planos sobre el piso, con las caderas un poco más altas que las rodillas. Use un **soporte lumbar** detrás de la espalda baja, es un cilindro de hule espuma del ancho de la silla, de unos 12 cm de diámetro. Puede improvisarlo con una toalla enrollada, pero la versión de hule espuma es más ligera, fácil de poner y usualmente tiene tiras para amarrarse a la parte de atrás de la silla.

• Permanezca fuera del automóvil, pero si debe manejar coloque un soporte de hule espuma detrás de la espalda baja.

• Si está acostumbrado a andar con una cartera en el **bolsillo trasero, sáquela** antes de sentarse. Aunque parezca un bulto

Ciática: cuando el dolor de espalda afecta las piernas

Las raíces del nervio ciático están cerca de la base de la espina. Pasan a través de un túnel en la pelvis llamado escotadura ciática, luego vienen juntos como vías separadas que se fusionan en una carretera —los dos nervios ciáticos más grandes descienden hacia las piernas. Cuando las raíces ciáticas se pellizcan por la presión de un disco herniado, por ejemplo, el dolor, hormigueo o entumecimiento pueden extenderse desde los glúteos hasta las piernas y pies.

Cerca de la mitad de la gente que sufre de ciática logra buenos resultados de la mayoría de los tratamientos recomendados para el dolor de espalda baja. Sin embargo, si usted tiene ciática y no obtiene alivio con estos métodos, infórmeselo a su doctor. Y llámele de inmediato si arrastra el pie, tropieza al caminar o si empieza a tener problemas para controlar vejiga e intestinos. Puede necesitar un tratamiento urgente en el hospital y probablemente cirugía.

pequeño, es lo suficientemente grande para inclinar su cadera, desviando su espina dorsal, aunque sea un poco fuera de su alineación.

Cuando esté parado en el fregadero lavando los trastes o esperando en la fila del camión, **ponga un pie más alto** que el otro. En la cocina, tenga una caja baja y firme o un par de libros viejos cerca del fregadero y suba un pie mientras está parado ahí. Cuando espere en la fila, use un escalón o borde. Piense en el tradicional riel de latón de los bares, que sirve para lo mismo. Alterne los pies y cambie de posición, esto da a los músculos de la espalda la periódica oportunidad de relajarse.

Salga de la cama como nuevo

Cada mañana **antes de levantarse**, recuéstese de espalda y lentamente estire los brazos sobre la cabeza. Con suavidad lleve las rodillas hacia el pecho, una a la vez. Para incorporarse, ruede a la orilla de la cama; póngase de lado, coloque las rodillas sobre la orilla y use un brazo para levantarse, mientras deja caer los pies al piso. Una vez que esté de pie, ponga las manos en los glúteos e inclínese hacia atrás muy lentamente para estirar la espina dorsal.

Esterilidad

Cuando la naturaleza funciona debidamente llega un bebé. Pero algunas veces no es así. Ahora los doctores saben que hombres y mujeres por igual pueden padecer esterilidad, es decir incapacidad de concebir un niño a lo largo de un año. Los remedios caseros propuestos abajo se dividen de acuerdo con el sexo. Pero sin importar en quien resida el problema (uno de ustedes o ambos), deben trabajar juntos para hallar una solución. Concebir un bebé es, después de todo, una labor de dos. Aquí sugerimos algunas técnicas para lograrlo.

¿Qué ocurre?

La esterilidad se define como la incapacidad de embarazarse luego de tener sexo sin protección durante un año. En las mujeres, la infertilidad obedece numerosas causas: enfermedades de transmisión sexual, endometriosis, miomas en el útero, menstruación irregular, déficit de óvulos sanos y problemas hormonales. Algunas mujeres son estériles debido a defectos ocultos en el útero o en las trompas de Falopio. Otras experimentan ovulaciones irregulares. En los hombres, una de las varias causas de la esterilidad es la baja cantidad de espermatozoides. Éstos pueden estar deformes o ser incapaces de nadar propiamente hasta el óvulo.

PARA MUJERES
Conoce cuándo tu óvulo está listo

• Revise su **flujo vaginal**. Se es más fértil cinco días antes y un día después de la ovulación. Cuando su flujo vaginal sea claro y ligero, está por ocurrir la ovulación (un flujo poco espeso facilita al esperma llegar hasta el óvulo). Periódicamente limpie la zona de su vagina con un pañuelo desechable: si la secreción es viscosa y parece clara de huevo, el ambiente es propicio para quedar encinta.

• Asegúrese de que en verdad está ovulando. Compre una **prueba de ovulación** en la farmacia. Algunas funcionan con una muestra de orina, como la prueba de embarazo; otras, con la saliva. Si después de tres meses la prueba no da un resultado positivo, entonces consulte a su médico.

Adelgace… o suba de peso

• Si quiere **perder peso**, su intención de embarazarse debe ser suficiente motivación. La grasa corporal produce estrógenos, y demasiados estrógenos pueden perjudicar la capacidad para concebir.

• **Ser demasiado delgada** es otra causa de esterilidad en la mujer. Cuando no hay suficiente grasa corporal es difícil ovular con normalidad, o el útero puede ser incapaz de aceptar el implante de un óvulo fecundado. Si le preocupa estar demasiado delgada para concebir, añada más calorías benéficas a su dieta: proteínas magras, alimentos integrales y grasas sanas como el aceite de oliva.

Tómeselo con calma

• Si le demanda demasiado a su cuerpo éste puede estar menos preparado para "aceptar" las exigencias de un embarazo. Especialmente **ejercitarse más de una hora al día** puede interferir con la ovulación; las atletas y bailarinas de ballet algunas veces experimentan este problema. Si acostumbra ejercitarse vigorosamente, disminuya un poco sus rutinas.

• No se presione de más en el trabajo. Las investigaciones demuestran cómo las mujeres que laboran con ritmo agitado en **empleos estresantes** pueden tener problemas para embarazarse. Plantéese metas razonables y deje los problemas del trabajo en el trabajo. Puede practicar **meditación** o **yoga** para mantener a raya el estrés.

Revise el botiquín

• Procure evitar los **antihistamínicos** y los **descongestionantes**. Estas medicinas están diseñadas para disminuir la cantidad de mucosa en tus senos nasales, pero también afectan la mucosa vaginal. Y precisamente necesita esa mucosa para permitir al espermatozoide unirse con el óvulo.

• **Tampoco tome ibuprofeno o aspirinas** cuando intente embarazarse. Estos antiinflamatorios pueden afectar la ovulación o evitar que un óvulo fecundado se instale en las paredes del útero. Mejor use paracetamol para aliviar el dolor.

PARA HOMBRES

Abastézcase de esperma

• **Diga no al sexo** unos días antes de que su pareja comience a ovular. Lo mejor es inseminarla con la mayor cantidad de esperma; mientras más tiempo haya pasado desde su última eyaculación, mayor será esa cantidad.

• **Use bóxers** en lugar de trusas. La ropa interior ajustada guarda el calor, que en exceso reduce la cantidad de espermatozoides producidos por los testículos. Lo mismo ocurre con los jeans ajustados. Así que, si tiene en mente ser papá, mejor afloje la ropa. Y también evite los baños calientes y el sauna.

Tome suplementos "para hacer bebés".

• Tome 30 mg de **cinc** al día. Este mineral eleva su nivel de testosterona, aumenta la producción de esperma y le da a ésta

¿Llamaré al doctor?

Si es una mujer mayor de 35 años, debería contarle al médico sus intenciones de concebir. Si tras seis meses no puede embarazarse, es hora de hacer todo lo posible para mejorar sus probabilidades. Si tiene menos de 35 e intenta quedar encinta, conviene esperar hasta un año antes de buscar ayuda médica. Un varón también debería consultar al doctor al mismo tiempo que su pareja para descartar problemas como baja cantidad de espermatozoides.

Puros **cuentos**

A varias mujeres les han dicho que las duchas vaginales ayudan a crear mejores condiciones para la fertilización del óvulo. En realidad, las duchas alteran el balance ácido-alcalino de la vagina, lo cual genera un ambiente poco propicio para el esperma.

un pequeño empujón extra. Pero como el cinc interfiere en su absorción de cobre, mejor ingiera 2 mg de este mineral al día mientras tome el cinc.

• Proteja su esperma con antioxidantes. Tome 1 000 mg de **vitamina C** diariamente y 250 mg de **vitamina E** (con la comida) dos veces al día. Las vitaminas C y E protegen al esperma bloqueando los radicales libres, moléculas prejudiciales de oxígeno que dañan las células del cuerpo. Si está ingiriendo algún anticoagulante u otro medicamento de efecto similar, mejor hable con su médico antes de tomar vitamina E.

• Tome **selenio**. Los estudios indican que quienes ingieren 100 mg al día durante tres meses, experimentan un incremento en la movilidad de los espermatozoides, aunque parece no aumentar el numéro de ellos.

• Pruebe **picnogenol**, un extracto de la corteza de un pino francés. Es un potente antioxidante capaz de mejorar la salud del esperma en hombres con problemas de esterilidad. Un estudio reciente descubrió cómo hombres infértiles que tomaron 200 mg diarios de picnogenol por tres meses, incrementaron la calidad y el funcionamiento de su esperma. El picnogenol se vende sin receta en tiendas naturistas y en Internet.

• Pruebe una dosis diaria de **aceite de linaza**. Existe evidencia de que este aceite, una muy buena fuente de ácidos grasos, puede ayudar a mantener un esperma saludable. Aunque no incremente su fertilidad, reducirá su colesterol y lo protegerá de enfermedades cardiacas. Tome al día una cucharada sopera con la comida. Puede mezclarlo con jugo, yogur, ensalada o con cualquier otro alimento.

PARA HOMBRES Y MUJERES
Viva sin humo

• Fumar no sólo **disminuye la fertilidad** en ambos sexos, también aumenta el **riesgo de aborto**. El número de óvulos sanos en los ovarios decrece con mayor rapidez en las fumadoras que en aquellas que no lo son. En los hombres baja el número de espermatozoides y daña buena parte de ellos.

Deje la botella y corte la cafeína

• **Evite el alcohol.** En los hombres el alcohol puede afectar la eyaculación. No hay evidencia de que un consumo moderado cause problemas en las mujeres; sin embargo, puede ser más fácil para su esposo dejar la botella si le da el ejemplo.

Evite el **café**, así como las bebidas y medicinas con cafeína, puede ayudar a incrementar la fertilidad en ambos sexos.

Coordinarse lo es todo

Cuando la ovulación es inminente, **tengan sexo** por lo menos una vez diariamente durante tres días.

Si no le ha seguido la pista a su ovulación (sea revisando el flujo vaginal o mediante una prueba de ovulación), **haga el amor** cualquier día entre el día ocho y el veinte después del inicio de tu periodo. El esperma puede sobrevivir unos tres días. Si hay actividad sexual con esa frecuencia, pueden aumentar las posibilidades de que el esperma esté listo y esperando la ovulación.

Estreñimiento

Seguramente su primera reacción frente a este problema será buscar un laxante. Pero probablemente no lo necesita. La mejor manera de volver a la regularidad es comer más fibra: entre 20 y 35 g diariamente. La fibra absorbe agua y vuelve los desechos más suaves y consistentes, lo cual acelera el paso de los productos de la digestión a través del organismo. Para lidiar con tanta fibra el cuerpo requiere también más líquidos. Y no olvide el ejercicio, el cual puede ayudar a mantener las cosas en movimiento. Haga estas tres cosas y todo comenzará a funcionar sin problemas otra vez.

¿Qué ocurre?

Al escuchar el llamado de la naturaleza, sus deseos de atender son desesperados. Pero su cuerpo no responde (o cuando lo hace, sus deposiciones son duras, secas y evacuan con dificultad o dolor). La razón más común por la que los intestinos se declaran en huelga es porque el cuerpo carece de fibra alimenticia o agua. Otra causa común es ignorar la necesidad (o está muy ocupado para satisfacerla en especial si sale rápido de casa por las mañanas) en lugar de levantarse 10 minutos más temprano. El estreñimiento también se debe a la falta de ejercicio, al uso excesivo de laxantes, y a condiciones de salud como hipotiroidismo, diabetes, depresión o síndrome del intestino irritable. Cierta prescripción o medicamentos sin receta también pueden ser los culpables.

Arréglelo con fibra

• Comience su día tomando cereal integral con mucha fibra. Algunas marcas contienen hasta 15 g de fibra no disuelta por ración. Esta es la fibra que añade volumen, impulsando al cuerpo a mover los desechos más rápido por el tracto digestivo. Una advertencia: si no está acostumbrado a comer tanta fibra, empiece con una pequeña ración (por ejemplo, mitad cereal integral y mitad de uno convencional, acompañados con leche sin nata o yogur con poca grasa), luego aumente la cantidad gradualmente. De otro modo, puede experimentar gases, inflamación y cólicos estomacales.

• Coma **frijoles, ciruelas pasa, peras, higos, avena y nueces**. Todo ello es fuente de fibra soluble, del tipo que se vuelve gel en los intestinos y ayuda a suavizar los desechos.

• Mezcle una o dos cucharaditas de semillas de **plantago** (también conocida como ispágula) molidas con una taza de agua caliente. Deje reposar dos horas, añada miel y limón al gusto y beba la infusión. El plantago añade volumen y es el ingrediente principal de muchos laxantes populares. Puede encontrar las semillas en la mayoría de las farmacias y en tiendas naturistas. También es posible utilizar semillas de linaza.

• **La linaza** posee grandes cantidades de fibra además de ácidos grasos omega-3, benéficos para el corazón y el sistema circulatorio. Tome una cucharada sopera de linaza (se consigue en tiendas naturistas) dos o tres veces al día. A muchos les gusta el sabor de esta semilla, parecido al de la nuez. Si no le agrada, puede revolverla con su cereal o combinarla con manzana asada o añadirla a la ensalada de fruta. O triture las semillas en un molino de especias o de café, guarde la linaza en el refrigerador y espolvoree media cucharadita en su jugo de naranja.

- Conforme aumenta su ingesta de fibra, asegúrese de tomar **mucha agua**, por lo menos ocho vasos de 250 ml al día. La fibra es extremadamente absorbente y, si no se bebe suficiente líquido, los deshechos pueden volverse pequeños, duros y difíciles de mover.

Tome una bebida caliente para aflojarse

- Tómese un café por la mañana. Si es un bebedor habitual de café, ya habrá descubierto que la **cafeína** de esta bebida puede aflojar el intestino, pues induce el movimiento intestinal al estimular el colon. Pero no tome demasiado: la cafeína también es diurética y eliminará fluidos de tu cuerpo.

- Si no le gusta el café, pruebe otra **bebida caliente** tras despertar. El té de hierbas o descafeinado, o una taza de agua caliente con un poco de jugo de limón o miel, también puede estimular el colon (el jugo de limón es un laxante natural).

- El **té de diente de león**, que posee un suave efecto laxante, también puede ayudar a que se recupere la regularidad del movimiento intestinal. Añada una cucharadita de raíz seca en la taza de agua hirviendo; tome una tres veces al día. La raíz seca del diente de león se vende en tiendas naturistas.

La fruta arrugada mantiene el movimiento

- La humilde **ciruela pasa** es uno de los más viejos remedios para el estreñimiento. Es rica en fibra (aproximadamente 1 g por ciruela). Asimismo, las ciruelas pasa contienen una sustancia llamada dihidroxifenil-isatin, la cual estimula las contracciones intestinales que provocan ganas de evacuar.

- Si no le gustan las ciruelas pasa entonces pruebe las **pasas**.

¿Llamaré al doctor?

Aunque fastidioso, generalmente el estreñimiento no es grave. Sin embargo, algunas veces puede anunciar problemas serios como cáncer de colon u obstrucción intestinal. Avísele a su doctor si le dura más de dos semanas, si evacua con sangre, si el estreñimiento está acompañado de fiebre, dolor abdominal intenso o pérdida de peso, o si el estreñimiento alterna con diarrea. Si comenzó un tratamiento, quizás eso lo lo esté provocando; consúltelo con el médico. Antihistamínicos, diuréticos, medicamentos para controlar la presión arterial, ciertos tranquilizantes, analgésicos con codeína o morfina, suplementos alimenticios de calcio, algunos antidepresivos y antiácidos con calcio o aluminio, todos ellos pueden causar estreñimiento.

Estreñimiento: ¿realidad o ilusión?

El mundo de la publicidad nos hace creer que evacuar diariamente es la cumbre de la salud perfecta. "Falso", dicen los médicos. Muchos de nosotros sufrimos el llamado "estreñimiento intuido", es decir, cuando nos creemos estreñidos pero nuestro cuerpo no. Las personas tenemos diferentes ritmos corporales; así, para alguien puede ser tan sano evacuar cada tres días, como para otro hacerlo tres veces al día.

Fuentes de fibra

Si se pregunta cómo incrementar la fibra en su dieta para mejorar el sistema digestivo, aquí le mostramos algunos alimentos que contienen fibra soluble e insoluble.

Alimento	Porción	Gramos de fibra	Alimento	Porción	Gramos de fibra
Cereal integral	1 tazón	15	Muesli	1 tazón(90g)	8
Bran Flakes	1 tazón	8	Trigo integral	2	4.5
Pan integral	2 rebanadas	5	Hummus	60 g	2
Frambuesas	15	6	Cacahuates	25 g	2
Lentejas cocidas	150 g	3	Ciruelas pasa secas	8	4
Zarzamoras	15	5	Albaricoques secos	8	10
Frijoles guisados	200 g	13	Dátiles	9	2
Higos secos	2	5	Manzana	1	2
Espagueti integral, cocido	150 g	6	Pera (con piel)	1	4
			Plátano	1	1.5
Frijoles colorados, en lata	100 g	7	Atole de avena	1 tazón	2
			Coles de Bruselas	10	3

Ellas también contienen mucha fibra y ácido tartárico, el cual tiene efecto laxante. En un estudio donde varias personas comieron una pequeña caja de pasas al día, los doctores descubrieron que aquéllas les tomaba la mitad del tiempo habitual pasar la comida digerida por el tracto digestivo.

Levántese y camine

• Haga **ejercicio** regularmente. Hay una buena razón para hacer una caminata por las mañanas (conocida como constituyente diario): cuando mueve su cuerpo también ayuda al alimento a moverse más rápido por el intestino. Propóngase realizar una caminata al día por lo menos.

Aplique presión

• Los practicantes de la **acupresión** dicen que esta técnica puede estimular la digestión y, por ende, el intestino. Aplique presión con su pulgar e índice sobre el pedazo de piel que une el pulgar y el índice de la otra mano. Haga esto durante dos minutos diarios mientras el problema persista. (*Alerta* no se debe usar esta técnica durante el embarazo.)

Últimos recursos

La hierba cáscara sagrada es tan efectiva que incluso se añade a varios laxantes. Se le conoce como "laxante estimulante" porque estimula el tracto intestinal. La hierba se comercializa bajo diferentes formas y, debido a su poder, interactúa con numerosas medicinas, por lo que debe emplearse bajo supervisión médica. En cualquier caso, no la tome durante más de diez días: puede hacer perder a su cuerpo demasiada agua, potasio y sal, y su uso regular causa dependencia. (*Alerta* no la utilice si sufre cualquier otro problema abdominal. Tome mucha agua durante el tratamiento. Los niños y las embarazadas deben evitar consumirla.)

Si otros remedios fallan, haga la prueba con la madre de todos los laxantes naturales: el **sen**. Comienza a trabajar unas ocho horas después, por lo cual mucha gente lo ingiere antes de dormir. Tome entre 20 y 40 gotas de la tintura por la noche, pero no lo considere un tratamiento a largo plazo. El uso repetido del sen puede provocar cólicos estomacales y diarrea. Como la cáscara sagrada, su empleo prolongado puede generar dependencia.

Una alternativa más suave es el supositorio de glicerina, disponible sin receta en las farmacias. Nuevamente, no abuse de este método o su estreñimiento puede terminar peor que como empezó.

Últimas indicaciones

Nunca ignore el llamado de la naturaleza. Si lo hace estará implorando un caso de estreñimiento.

Nunca intente forzar el movimiento intestinal. Puede provocarle hemorroides (almorranas) o fisuras anales. Éstas no sólo duelen, sino agravan el estreñimiento porque contraen la abertura del ano. Asimismo, forzarse en el baño repercute en su corazón: disminuye su ritmo cardiaco y aumenta la presión arterial, lo cual puede provocarle un ataque súbito al corazón.

Estrés

Su cuerpo está diseñado para lidiar, incluso para desenvolverse mejor, con breves y esporádicos periodos de estrés. Pero soportar demasiado estrés no es bueno para el cuerpo ni el alma. Por fortuna, aunque no seamos capaces de modificar una situación estresante, tenemos cierto control sobre el modo de enfrentarnos con ella. Si se está arrancando los cabellos, mordiendo las uñas hasta la raíz, o preocupándose hasta el límite, pruebe las siguientes técnicas para recuperar la salud mental.

¿Qué ocurre?

Su cuerpo está alerta para avisarle si algo no funciona bien y si necesita arreglarlo. El estrés puede empujar al sistema endocrino a disparar los niveles de ciertas hormonas capaces de debilitar las defensas, dañar el corazón y los vasos sanguíneos, e incrementar la posibilidad de "pescar" un resfriado y otras enfermedades. También puede afectarse la mente. El estrés vuelve a la gente irritable y violenta, además de causarle gran ansiedad y disminuir su capacidad de concentración. Asimismo, es posible sufrir insomnio, malestares estomacales crónicos, jaquecas y fatiga.

Hierbas y suplementos contra la ansiedad

• Desde que los antiguos griegos disfrutaban del **té de manzanilla,** éste ha sido alabado por sus propiedades curativas. Hoy, cuando cerca de un millón de tazas se consumen diariamente alrededor del mundo, los médicos naturistas recomiendan la manzanilla como un maravilloso remedio para el estrés. Tome una taza tres veces al día.

• También puede añadir manzanilla a la bañera, junto con otras hierbas calmantes como la **lavanda** y la **valeriana,** para preparar un baño relajante. Envuelva las hierbas en un trozo de estopilla y manténgalo bajo el grifo mientras se llena la tina.

• Consuma más **vitamina C.** En un estudio, personas bajo presión que ingirieron 1 000 mg de vitamina C al día mostraron menor incremento de la presión arterial y recuperaron sus niveles hormonales de estrés más rápido que quienes no lo hicieron.

• Acérquese al **ginseng,** una raíz apreciada por su capacidad para proteger al cuerpo del estrés. Se ha observado cómo balancea la generación de hormonas de estrés y fortalece los órganos que las producen (glándula pituitaria, hipotálamo y glándulas suprarrenales). Tome entre 100 y 250 mg dos veces al día, comenzando con la dosis más baja y aumentándola gradualmente. Los expertos recomiendan descansar una semana luego de dos o tres de tratamientos.

Enfoque su mente

• Está clínicamente comprobado que relajarse mediante la **meditación** puede hacerle un corto circuito al estrés. Siéntese cómodamente donde no sea molestado. Cierra los ojos. Luego escoje una palabra o frase en la cual enfocarse (por ejemplo, "Me siento bien"). Mientras se concentra en su respiración, repita la frase cuando exhale. Si otros pensamientos lo distraen, apártelos de su mente y vuelva a su palabra o frase. Continúe entre 10 y 20 minutos y practique una vez al día

• Las investigaciones han revelado que ciertos tipos de **música** pueden reducir el ritmo cardiaco, la presión arterial e incluso los niveles hormonales de estrés en la sangre. Tómese un descanso y escuche música suave.

• Practique el **ejercicio del viaje en el tiempo**. Cuando se sienta agobiado por algún problema, recuerde algo que hace un año producía tanta tensión como ahora. ¿Le parece tan importante hoy? Luego viaje un año en el futuro y desde allí mire su problema actual. Seguramente este salto hacia adelante ofrecerá una mejor perspectiva de la situación por la que atraviesa.

Practique la relajación progresiva

• Cuando se sienta muy tenso, pruebe una técnica conocida como **relajación progresiva**. Siéntese o acuéstese en un sitio cómodo y tranquilo. Cierre los ojos. Ahora doble los dedos de los pies tan fuerte como pueda durante 10 minutos. Luego reléjelos. Después sigua con los pies, piernas, estómago, brazos, cuello y cara. En otras palabras, progresivamente "trabaje" la tensión desde la punta de los pies hasta el extremo de la cabeza, para luego "dejarla ir".

El poder de la prevención

• Salga a caminar o haga **ejercicio** por lo menos 20 minutos al día, tres veces a la semana. El ejercicio dispara sustancias químicas positivas en el cerebro llamadas endorfinas, las cuales levantan su ánimo y le hacen sentir menor ansiedad.

• **Limite** su consumo de **alcohol, cafeína y azúcar**, y **deje el cigarro si fuma**. Estas sustancias pueden acelerar las respuestas naturales del cuerpo al peligro, generando síntomas de estrés como palpitaciones, temblores, manos sudorosas, ansiedad e irritabilidad.

• Aficiónese a un **pasatiempo relajante**. Practicar jardinería, tejer, armar rompecabezas, leer o cualquier otra distracción le ayudará a tomarse un respiro del estrés cotidiano.

¿Llamaré al doctor?

Busque al doctor si los síntomas relacionados con el estrés están afectando su calidad de vida. Entre los síntomas de cuidado destacan: ansiedad abrumadora, incapacidad de dormir o de mantenerse dormido, jaquecas graves o crónicas, dolores de espalda o cuello, comer de modo compulsivo, y la aparición de signos visibles como eczemas, síndrome de intestino irritable o migraña. Los periodos prolongados de estrés pueden aumentar el riesgo de sufrir hipertensión, ataque cardiaco, embolia y otras dolencias.

Fatiga

Sentirse rendido, como le ocurre a mucha gente, es deprimente, desmoralizador y frustrante. La mitad del tiempo lucha por mantenerse despierto. La vida pasa y no puede sostener el ritmo. Si la fuerza de voluntad no funciona, ¿entonces qué? A veces su mejor apuesta es por una renovación energética total: cambios en su estilo de comer, beber y ejercitarse. Algunos suplementos también sirven. Una solución más simple: dormir, dormir apaciblemente. Y no hace daño ir al médico, quizás prescriba una prueba de sangre para detectar hipotiroidismo, anemia, deficiencia de vitamina B_{12} y otros factores capaces de originar fatiga.

¿Qué ocurre?

La gente se lamenta tan seguido de sentirse agotada y exhausta que los doctores califican la fatiga como la primera queja de salud. Generalmente la fatiga es acompañada de falta de motivación y bajo deseo sexual. Una larga lista de enfermedades y hábitos pueden contribuir a la fatiga: falta de sueño, nutrición insuficiente, resfriados, obesidad, alergias, infecciones, anemia, abuso de alcohol, hipotiroidismo, dolencias del corazón, cáncer, diabetes y SIDA.

Remedios rápidos

• Para ponerse inmediatamente de pie, ponga dos gotas de **aceite de menta** en un pañuelo, acérquelo a la nariz y respire hondo. Si tiene más tiempo, pruebe mezclar en la tina dos gotas de este líquido con cuatro gotas de aceite de romero; obtendrá un baño vigorizador.

• Recuéstese boca arriba y, con la ayuda de almohadas, coloque sus pies más arriba que su cabeza. Mejor aún, repose sobre una tabla ajustable de ejercicios o sobre cualquier superficie que se incline. En la India, los yoguis combaten la fatiga con prácticas semejantes capaces de aumentar el **flujo de sangre al cerebro**, lo cual mejora nuestro nivel de alerta.

Alimentación de muchos octanos

• **Ingiera un buen desayuno**, además de varios bocadillos y refrigerios saludables a lo largo del día. Eso es mejor que hacer dos o tres comidas fuertes. Trate de limitar la porción de sus refrigerios a 300 calorías. Esto mantendrá estables sus niveles sanguíneos de azúcar y prevendrá la caída de sus reservas de energía.

• Reduzca los alimentos altos en **carbohidratos refinados**: azúcar y harina blanca. Estos bocadillos aumentan rápidamente los niveles sanguíneos de azúcar, para bajarlos al instante. El pan francés, el espagueti y el pastel no son sus mejores opciones. Terminará sintiéndose cansado y débil.

• Consuma más alimentos con alto contenido de fibra, y ricos en **carbohidratos complejos**, como los cereales integrales, el pan integral y las verduras. Esto lo ayudará a estabilizar el azúcar en la sangre.

• Disminuya su ingesta de **comida grasosa**. Para mejorar el funcionamiento de sus glándulas suprarrenales –que influyen en el modo como metaboliza los nutrientes–, no debe incluir más de 10 por ciento de grasa saturada en su dieta.

• Corte en rebanadas una **papa con cáscara** (previamente lavada) y déjela remojar en agua toda la noche. Por la mañana bébase el jugo, un tónico rebosante de potasio. Su cuerpo requiere este mineral para transmitir los impulsos nerviosos y mover los músculos, entre otras funciones vitales; de hecho, varios médicos naturistas sostienen que las personas con fatiga padecen deficiencia de potasio.

Abastezca sus reservas de energía

• El **ginseng** es una vieja cura para ese ánimo decaído. Busque suplementos con extractos de ginsenósidos (en el caso de los ginsengs tipo panax) o de eleuterococo (en el caso del ginseng siberiano). Tome de 100 a 250 mg de ginseng panax (o entre 300 y 400 mg del ginseng siberiano), una o dos veces al día. Este remedio natural estimula el sistema nervioso y protege al cuerpo de los estragos del estrés. (*Alerta* no consuma ginseng si sufre hipertensión.)

• Pruebe tomar 150 mg de **magnesio** (de preferencia citrato de magnesio) dos veces al día. Este mineral participa en cientos de reacciones químicas del cuerpo y juega un papel en la transformación de proteínas, grasas y carbohidratos en energía. Una deficiencia de este elemento puede causar fatiga en muchos.

• El **ginkgo** mejora el flujo de sangre al cerebro, así usted puede sentirse más alerta y menos fatigado. Tome 15 gotas de extracto de ginkgo por las mañanas.

• Busque suplementos con el aminoácido **carnitina**. Esta sustancia impulsa las actividades de las mitocondrias, componentes celulares que producen energía. Se halla en algunos alimentos, pero la mayoría de las personas no consumen la cantidad suficiente. Siga las instrucciones de la etiqueta.

• La **coenzima Q$_{10}$**, producida por el organismo, también ayuda a las mitocondrias a generar energía. Tome 50 mg dos

¿Llamaré
al doctor?

Si siente todo el tiempo cansancio, a pesar de haber tomado acciones para evitar la fatiga, haga una cita con su doctor. La fatiga puede ser síntoma de problemas de tiroides, depresión, diabetes, anemia y muchos otros problemas. Si además de sentirse exhausto sufre dolor súbito en el pecho, sofocos o dolores severos de cabeza, busque atención médica inmediata.

Mito...

Comer espinacas una vez al día es un indiscutible remedio para aliviar la fatiga; todos sabemos cómo ayudaban a Popeye.

...y verdad

Efectivamente. Las espinacas contienen potasio y muchas vitaminas B, todo lo cual es importante para el metabolismo energético.

veces al día, con el desayuno y la comida. Se absorbe mejor acompañada de alimentos. Comenzará a ver los resultados tras ocho semanas de tomarla. La coenzima Q_{10} también se halla en ciertos productos, incluyendo nueces y aceites.

Qué hay que beber

● Tome **agua** todo el día, al menos ocho vasos. No espere hasta tener sed, pues ese aviso no siempre es certero. Incluso una pequeña deshidratación puede hacerlo sentir agotado.

● **Evite al máximo las bebidas con cafeína**. El café y las bebidas de cola pueden darle un pequeño impulso energético, pero por lo general sobreviene después el desplome.

● **Limite su consumo de alcohol,** que deprime el sistema nervioso y también reduce el nivel sanguíneo de azúcar.

Mantenga su máquina en movimiento

● Trate de hacer 30 minutos de **ejercicio aeróbico** durante la mayor parte de la semana. El ejercicio no sólo lo ayuda a bajar de peso (cargar peso extra es agotador), sino también da un empujón de energía. Quienes se ejercitan regularmente también tienden a dormir mejor.

● Pruebe practicar **yoga** o **tai chi.** Estos ejercicios ancestrales brindan actividad física y vigorizadores métodos de relajación.

● Practique **ejercicio de bajo impacto** unos 10 minutos cuando se sienta fatigado. Usualmente las personas con agotamiento sufren de un descenso de difosfato de adenosina (ADP), un "mensajero" entre células involucrado en el metabolismo energético. En resumen, significa que no hay suficiente "chispa" en la máquina. La mayoría de las actividades sirven: cantar, respirar hondamente, caminar o estirarse.

Duerma bien para despertar mejor

● Siempre **levántese a la misma hora**, incluso el fin de semana. Así su cuerpo alcanzará una rutina regular de sueño.

● **Acuéstese más temprano** que lo usual si necesita sueño extra. Aunque se despierte a la misma hora por la mañana, es bueno tener una hora adicional para dormir.

● **Reduzca sus siestas.** Si duerme por más de media hora durante el día, su cuerpo va a querer más y al despertar puede ser que se sienta aturdido.

Fiebre

Si su frente arde de fiebre, puede tomar paracetamol o ibuprofeno para bajar la temperatura. Pero si su fiebre es de 38.5 °C o menos, no hay problema en dejarla correr; alcanzó esa temperatura por alguna razón: la fiebre incrementa los mecanismos de defensa del cuerpo. Si se siente incómodo y quiere actuar al respecto, pruebe las siguientes sugerencias. (Nunca le dé aspirina a un menor de 16 años para combatir la fiebre; al hacerlo puede desencadenar una enfermedad potencialmente fatal llamada "síndrome de Reye".)

Refrésquese

• Tome un **baño de agua tibia**. Con esta temperatura se sentirá fresco cuando tenga fiebre y le ayudará a bajar el calor corporal. No trate de disminuir la fiebre de golpe bañándose con agua helada; eso enviará al instante sangre a sus órganos internos, lo cual regularmente el cuerpo hace para protegerse contra el frío. Así, su interior se calentará en vez de refrescarse.

• Dése un **baño de esponja**. Pasarse una esponja tibia por las zonas más calientes, como las axilas y las ingles, puede reducir la temperatura mientras se evapora el agua.

• Cuando deje de bañarse, colóquese **trapos húmedos y fríos** en la nuca y la frente.

Sude

• Prepárese un **té de alcanfor (milenrama)**. Esta planta abre sus poros e impulsa la sudoración, ayudando a expulsar la fiebre. Mezcle una cuchara sopera de esta hierba en una taza con agua hirviendo, durante 10 minutos. Deje enfriar el té y cuélelo. Beba una o dos tazas hasta que empiece a sudar

• También las **flores de saúco** lo pueden ayudar a sudar. Además son buenas para problemas asociados con la gripe y los resfriados, como el flujo nasal. Para preparar el té, añada dos cucharaditas de la hierba a una taza de agua hirviendo y deje reposar unos 15 minutos. Cuela y beba tres veces al día mientras tenga fiebre

• Tome una taza caliente de **té de jengibre**, que también le sacará el sudor. Para prepararlo, deje reposar media cucharadita de jengibre picado en una taza de agua hirviendo. Cuele el contenido y bébaselo.

¿Qué ocurre?

Normalmente la fiebre indica que el cuerpo está luchando contra una infección. Mientras los glóbulos blancos batallan contra los invasores microscópicos, liberan químicos que elevan el calor corporal para crear un ambiente poco propicio para virus y bacterias. En adultos, una temperatura mayor a 38 °C es considerada como fiebre. En el caso de niños mayores y adultos, una fiebre menor de 38.5 °C no necesita ser tratada, salvo que el sudor, los temblores o ambos causen gran malestar. Pero si se trata de bebés y niños pequeños, cualquier tipo de fiebre debe atenderse.

¿Llamaré al doctor?

Consulte al doctor si su temperatura es de 39.5 °C o mayor, o si es de 38.5 °C y dura más de tres días. Llame al médico inmediatamente si la fiebre es acompañada de rigidez en el cuello, dolor de cabeza severo o sarpullido que no palidece al presionarlo con un vaso de cristal. También requieren atención profesional otros síntomas como somnolencia excesiva, sofocos, ardor al orinar, marcas rojas cerca de una herida o hipersensibilidad a la luz. Y acuda al consultorio si se presenta cualquier tipo fiebre en niños menores de seis meses.

Combata fuego con fuego

● Espolvoree **chile en polvo** sobre su comida cuando tenga fiebre. Uno de sus principales componentes es la capsaicina, el típico y sabroso ingrediente del chile. Así sudará y estimulará la circulación sanguínea.

Empape los calcetines

● Pruebe la cura de los **calcetines mojados**, un remedio poco conocido contra la fiebre. Primero meta los pies en agua caliente. Luego remoje un par de calcetines delgados en agua fría, exprímalos y póngaselos justo antes de dormir. Colóquese unas calcetas secas sobre las húmedas. Esto ayuda a disminuir la fiebre llevando sangre a los pies, lo cual acelera considerablemente la circulación. No intente aplicarse este remedio si su recámara es muy fría.

● Otro modo de llevar sangre a los pies es con **baños de mostaza**. En una olla donde quepan sus pies añada 2 cucharaditas de mostaza en polvo por cada litro de agua caliente; luego remójese los pies.

Enróllese en una sábana húmeda

● Un viejo remedio para la fiebre es **mojar una sábana en agua fría** y envolverse con ella. Los médicos de hoy advierten del peligro de bajar la temperatura corporal tan rápido, así que es mejor usar agua tibia en vez de helada. Ponte encima de la sábana una toalla grande o una manta; después recuéstese unos 15 minutos. Desenróllese cuando la sábana húmeda comience a calentarse.

Llénate de líquidos

● Es fácil deshidratarse cuando tenga fiebre. Tome entre ocho y 12 vasos de **agua** al día o lo suficiente para volver pálida tu orina. Las bebidas deportivas también sirven: reponen tanto los líquidos como los minerales perdidos por la deshidratación.

● El jugo de naranja y de otras frutas ricas en **vitamina C** son buenas opciones, pues esa vitamina ayuda al sistema inmunológico a combatir la infección.

● Las **uvas** frías le dan hidratación… y alivio.

Forúnculos

Sólo hay una recomendación si tiene un forúnculo o absceso: deshacerse de él lo más pronto posible. Y usted puede lograrlo, pero sin exprimirlo. En vez de eso, combine calor y humedad para reventarlo, además de usar técnicas seguras e higiénicas para vaciarlo y aliviar el dolor. Además, puede hacer la prueba con métodos para secar el forúnculo y así destruir a semejante intruso.

Déle calor al forúnculo

• El **calor húmedo** puede acabar con el forúnculo. Entre los diferentes remedios populares destaca una amplia variedad de productos que parecen funcionar al calentarlos, como pan, leche, col e incluso higos. Pero también sirve una simple tela. Moje un paño limpio o una toalla pequeña en agua tan caliente como la soporte sin quemarse. Exprímalo y aplíquelo al forúnculo durante 30 minutos varias veces al día.

• También puede remojar las compresas en infusión de **tomillo** o **manzanilla**. El tomillo contiene un antiséptico compuesto llamado timol que ayuda a prevenir infecciones. Y el té de manzanilla contiene camazuleno, un químico con propiedades antiinflamatorias.

• Asimismo, son buenas las compresas de tinturas de **caléndula** (maravilla) y de **corazoncillo** (hierba de San Juan), usadas en la homeopatía. Agregue una cucharadita de tintura en la taza de agua caliente y humedezca en ella un pedazo de gasa. Aplíquese la compresa varias veces al día para reducir el dolor y la inflamación.

• Una **bolsita de té**, húmeda y caliente, funciona muy bien como compresa. El té contiene taninos, sustancias astringentes con propiedades antibacteriales.

• Si le gustan los remedios populares y tiene a la mano una **col verde**, use una hoja cocida (de la parte externa) para eliminar el pus del forúnculo. Primero, hierva la hoja por un minuto. Déjela enfriar un poco y envuélvala en una gasa. Luego colóquela sobre el forúnculo y asegúrela con cinta adhesiva tipo microporo; déjala actuar durante una hora. Cada día use una hoja fresca y una gasa nueva.

¿Qué ocurre?

También llamado absceso o pústula, un forúnculo sigue siendo un forúnculo, aunque cambie de nombre. Una bacteria muy infecciosa (usualmente un estafilococo) se abre camino por el folículo del vello hasta llegar a la piel. El forúnculo se llena de pus, se hincha y forma una "cabecita" blanca o amarilla mientras el líquido asciende. Por lo general, los forúnculos brotan donde la ropa roza con la piel o donde partes húmedas del cuerpo están en contacto constante: en el cuello, bajo los brazos, cerca de los glúteos o en el interior de los muslos. Generalmente, el forúnculo se desarrolla en un par de semanas, y luego inicia la fase de sanación. Si puede reventarlo y ayudar al pus a salir, acelerará este proceso con higiene.

¿Llamaré al doctor?

Conviene buscar ayuda profesional para tratar los forúnculos del rostro, con el fin de evitar que la bacteria se introduzca en los senos nasales (y cause sinusitis), la sangre (septicemia) o incluso el cerebro (absceso cerebral). Y si los forúnculos le brotan con frecuencia, sin importar el tamaño, debe hacerse una revisión médica para descartar problemas como diabetes o deficiencias en el sistema inmunológico. También consulte al doctor si le salen en las axilas, ingles o (si está amamantando) en los senos. Un forúnculo requiere atención si mide más de 1 cm o si existen signos de infección: enrojecimiento intenso, enfriamientos, fiebre o hinchazones en el cuerpo.

• Si el forúnculo apareció en una zona difícil de alcanzar, simplemente tome un **baño caliente**. Mientras esté en la tina, mantenga el agua tan caliente como la soporte sin quemarse.

Vacíe el forúnculo

• Para vaciar un forúnculo cuando se haya reventado, **esterilice una aguja** poniéndola al fuego hasta que la punta enrojezca (emplee tenazas para no quemarse). Cuando se enfríe, pique con suavidad la delgada capa de piel sobre el forúnculo. (*Alerta* no lo intente si detecta cualquier señal de infección como enrojecimiento o marcas de inflamación alrededor del absceso.)

• Una vez reventado el forúnculo, coloque sobre él un **paño limpio y caliente**. Primero humedezca el paño en una solución de **agua salada** (disuelva una cucharadita de sal en una taza de agua caliente). Durante los siguientes tres días, mientras el forúnculo se vacía, sustituya la compresa frecuentemente.

• Cada vez que se quite el paño, limpie el forúnculo y la piel circundante con **jabón antibacterial líquido**. Luego, para evitar la infección, aplique allí mismo pasta de sulfato de magnesio, preparación popular hecha específicamente en contra de los forúnculos, o un antibacterial como la Betadina (yoduro de povidona al 10%). Está disponible en soluciones con agua o alcohol, en forma de aerosol seco o como ungüento.

Todo seco

• Algunas veces un forúnculo desaparece simplemente secándose. Para matar la bacteria causante del absceso (y para secarlo) aplique dos veces al día medicamento contra el acné que contenga **peróxido de benzoilo**.

• Otro modo de deshacerse de un forúnculo es aplicándole **aceite de árbol de té**. Este antiséptico natural mata los gérmenes y ayuda a la piel a curarse con rapidez.

El poder de la prevención

• Si ha sufrido con anterioridad problemas con los forúnculos, empiece a usar **limpiadores faciales con acción antibacterial**, como Clearasil, Asepxia o cualquier gel desinfectante a base de alcohol y agua.

• Las bacterias pueden quedar atrapadas en nuestro vello debido al calor y la presión. Evite usar pantalones ajustados, bandas para sudor o cualquier otra vestimenta que roce contra la piel y bloquee la transpiración. Mejor póngase prendas **holgadas y confortables**.

• **No comparta ropa** con quien padezca de forúnculos. La infección puede transmitirse por el simple contacto. Por ello, no use las sábanas o toallas de otros. Si alguien en casa tiene abscesos, sus vestimentas deben lavarse aparte y con agua caliente (por lo menos a 60 °C).

• La gente con sobrepeso presenta mayor riesgo de padecer de forúnculos, pues por lo general éstos aparecen donde la piel roza consigo misma. **Perder algunos kilos** ayuda bastante.

• En lugares donde la fricción de la piel genera forúnculos, **espolvoree talco** para reducir la humedad y el rozamiento. (*Alerta* las mujeres no deben usar talco en la zona genital. Este polvo ha sido vinculado con el cáncer de ovario.)

• La presión sobre la piel también puede generar forúnculos; por ello, usualmente brotan en la parte del cuerpo donde se sienta. Si pasa mucho tiempo en el auto, puede usar **respaldos de cuentas**, los cuales permiten al aire circular alrededor.

Fuegos y aftas

Esas pequeñas úlceras en la boca duelen más de lo esperado para algo tan pequeño. Tenga por seguro que en una o dos semanas el afta habrá sanado por completo y podrá comer una naranja, disfrutar de frituras saladas, tomar un café o besar a su pareja sin remordimientos. Mientras, aquí le ofrecemos algunos remedios para frenar el dolor y deshacerse de aftas y fuegos con mayor rapidez.

¿Qué ocurre?

Misterioso malestar médicamente conocido como *aphtous stomatitis*, las aftas generalmente aparecen en racimos en el interior de los labios o mejillas, alrededor de las encías o en la lengua. Son blancas o amarillentas, con un halo rojo y del tamaño de la cabeza de un alfiler (o incluso más grandes). Los expertos no conocen con seguridad las causas que las producen, pero se cree que parte del problema es un mal funcionamiento del sistema inmunológico. Una situación estresante o una herida bucal normalmente desencadenan la enfermedad. Las aftas recurrentes también pueden generarse por comer ciertos alimentos.

Selle el afta

- Un tipo de **extracto** o **regaliz** llamado **"deglicirrizinado"** o **DGL** detiene las aftas. Se vende como obleas masticables en algunas tiendas naturistas: mastique una oblea dos veces al día.
- La savia de la **zábila** –la omnipresente "planta de primeros auxilios"– puede dar suficiente alivio. Exprima un poco del jugo de una hoja de aloe vera. Seque la afta con algodón y luego úntese la savia. Repítalo las veces necesarias.
- Parta una cápsula de **vitamina E** y exprima el contenido en la úlcera varias veces al día.

Neutralice la úlcera

- Mastique una tableta de **Pepto Bismol** o **Melox** o colóquela en la afta y déjala disolverse. El punzante dolor de las úlceras bucales es causada por ácidos y enzimas digestivas que devoran el tejido del afta. La tableta neutralizará los ácidos y acelerará la curación. No exceda la dosis recomendada.
- Use un poco de **leche de magnesia** como enjuague bucal, o aplíquelo en el afta tres veces al día.
- Aplique durante cinco minutos sobre el afta una **bolsita de té** húmeda. El té es alcalino, lo cual neutralizará los ácidos que atacan el absceso.

Adormezca el dolor

- Aplíquese un **anestésico** tópico como **Anbesol** líquido o gel **Rinstead** (fabricados con benzocaína). No duran mucho, por lo que conviene untarlo varias veces al día.
- Pruebe **gel oral para bebé**, por el suave efecto calmante.
- Deje disolverse una **pastilla contra el dolor de garganta** (fabricada con fenol) en la boca. Esto aliviará el dolor.

Combata la bacteria

- Mezcle una cucharada sopera con 20 pedacitos de **peróxido de hidrógeno** en medio vaso de agua. Añada una cucharadita de **bicarbonato de sodio** y una de **sal**; revuelva hasta que se diluyan. Enjuáguese la boca con la solución y escúpala. El peróxido de hidrógeno es un poderoso desinfectante, muy útil, pues el afta es una herida susceptible de contaminarse (lo cual empeora el dolor). Y como el bicarbonato de sodio es alcalino, brinda alivio al neutralizar los ácidos.

- Para acelerar la curación, aplique sobre el afta tintura de **cúrcuma canadiense** tres veces al día, una hora antes de la comida. Esta hierba posee suaves propiedades antibacteriales.

- Vierta una sola gota de **aceite de árbol de té** en el afta.

- Prepare té de **caléndula**, mejor conocida como maravilla, que ha sido usada durante siglos para tratar cortaduras leves, piel agrietada o irritada y picaduras de insectos. Añada una o dos cucharaditas de pétalos secos en una taza de agua hirviendo. Deje reposar diez minutos, y deje enfriar. Haga gárgaras y enjuáguese con este té cuantas veces desee.

Tome medidas extras

- Muchos expertos creen que la lisina, un aminoácido, es indispensable para curar una deficiencia vinculada con las úlceras. Tome 1 000 mg de lisina tres veces al día con el estómago vacío.

- Se cree que la equinácea es capaz de reforzar el sistema inmunológico. Tome 200 mg tres veces al día en cuanto detecte el brote de un afta. (*Alerta* no tome equinácea si sufre de padecimientos autoinmunes como lupus, o enfermedades progresivas como esclerosis múltiple o tuberculosis.)

- La **vitamina C** con **flavonoides** ayuda a sanar la membrana mucosa de la boca. Los cítricos aportan dicha sustancia, pero estas frutas pueden generar aftas en ciertas personas. Así, mejor tome tres veces al día 250 mg de vitamina C y de flavonoides (mejoran la efectividad de la vitamina).

- El **cinc** ayuda a sanar más rápido las heridas bucales como las aftas. A los primeros signos, tome 25 mg de pastillas de cinc al día hasta que desaparezca la úlcera. (*Alerta* no exceda la dosis, puede intoxicarse.)

¿Llamaré al doctor?

Si el dolor es tan severo que incluso le impide beber agua, entonces consulte a su doctor. También acuda con él si presenta más de cuatro aftas o si duran más de dos semanas. Si le brotan con frecuencia, visite a su dentista.

El poder de la prevención

- **Evite alimentos causantes de aftas**: trigo integral, centeno, cebada, mariscos, piña, cítricos, higos, chocolate, jitomates, pimiento verde y fresas. Para descubrir si uno de ellos le genera aftas, primero elimine todos de su dieta. Luego introdúzcalos poco a poco y vea si alguno le provoca el problema.

- Tome **yogur vivo**, el cual contiene *Lactobacillus acidophilus*. Esta bacteria benigna le ayudará a combatir a las malignas de la boca. Tome de 3 a 4 cucharadas al día.

- Busque en la etiqueta de su pasta de dientes un ingrediente llamado "laurisulfato de sodio", o LSS. Este agente espumoso, presente en la mayoría de las marcas, puede generar aftas, y no es indispensable para la higiene bucal. Si con frecuencia sufre de úlceras, busque los **dentífricos sin LSS**.

- Pequeñas cortaduras y rasguños en la boca generan aftas. **Tenga cuidado al comer alimentos con bordes agudo**s. Cuando se lave los dientes, use un **cepillo suave** para no lastimar las encías.

- Consulte al dentista si tiene un problema dental que pudiera estar irritando el interior de su boca. En particular, una **dentadura deforme** puede causar inconvenientes.

- Con frecuencia las aftas se relacionan con deficiencia de **vitaminas B**. Tome diariamente un complejo de vitamina B. (*Alerta* si siente hormigueos en los dedos o pies, deje de tomar la vitamina.) Para añadir este componente en su dieta coma frijoles, germen de trigo y cereales fortificados.

- El estrés quizá genere aftas, pues hace que el sistema inmunológico ceda a las bacterias presentes en la boca. Si sufre de estrés, pruebe técnicas relajantes (**yoga** o **ejercicio aeróbico.**

Apague los fuegos

- Los fuegos aparecen en los labios, muy cerca de la humedad de la boca. Sus causas son similares a la de las aftas, por lo que puede aplicarles los mismos tratamientos. Sin embargo, observe si realmente se trata de un fuego o es acné o sarpullido (*vea* Acné, Herpes labial y Sarpullido).

Garganta, Dolor de

Analgésicos populares como ibuprofeno o paracetamol pueden remediar temporalmente el dolor de garganta. Ya que el suyo se deba a sus gritos en el estadio, a un resfriado en ciernes o al aire acondicionado de la oficina, el modo más rápido de calmarlo es con gárgaras, tés o con una capa de miel. He aquí algunas combinaciones efectivas.

Hacer gárgaras

• Para un alivio rápido, nada se compara con las **gárgaras de agua con sal**. La sal actúa como antiséptico y expulsa el agua de la membrana mucosa de la garganta, lo cual libera las flemas. Disuelva media cucharadita de sal en un vaso de agua caliente (tanto como pueda soportarlo), haga gárgaras y escupa.

• Puede añadir entre 10 y 20 gotas de **salsa Tabasco** en un vaso de agua. Esta salsa tiene propiedades antivirales.

• Alternativamente haga gárgaras con **bicarbonato de sodio**, mezclando media cucharadita en un vaso de agua caliente. Ello calmará la inflamación.

El poder curativo de la miel.

• La miel tiene propiedades antibacteriales que ayudan a la curación. También expulsa el agua del tejido inflamado. Añada dos o tres cucharaditas en una taza de agua caliente o té.

• El **limón caliente con miel** reduce el dolor. Combine el jugo de un limón con agua caliente y añada dos cucharaditas de miel. Puede mezclarle dos cucharadas soperas de brandy, whisky u oporto para obtener un suave aperitivo o un ponche anestésico.

Trátese con té

• El manrubio desinflama. También adelgaza el moco, lo cual facilita expulsarlo. Prepare un té: deje reposar durante 10 minutos dos cucharaditas de manrubio cortado en pedacitos en una taza de agua hirviendo. Cuele y beba.

¿Qué **ocurre?**

Una garganta inflamada arde, da comezón y puede generar dolor tan intenso que dificulte hablar o tragar. También puede enrojecerse y mostrar puntos amarillos o blancos. La causa es, por lo general, un virus o una bacteria. El dolor generado por un virus (como el del resfriado o la gripe) se desarrolla gradualmente, con poca fiebre o sin ella. Pero es usual que una infección bacteriana como la causada por el estreptococo brote de repente, acompañada de hinchazón de glándulas y fiebre. La irritación de la garganta originada por fumar, aire seco, flujo alejado de la nariz (es decir, cuando un moco se va hasta la garganta, en especial cuando duerme) o reacciones alérgicas también pueden generar inflamación.

HORA DEL TÉ

Si usted aún no se siente tan inglés como para tomar una taza de té cada tarde, quizá hoy sea un buen día para empezar. Cada vez hay más pruebas de que tomar una o dos tazas al día puede prevenir y controlar muchas enfermedades. Usted habrá oído sobre las excelentes propiedades del té verde producido del mismo arbusto (*Camellia sinesis*) que el té negro. Procesado al mínimo, el té verde refuerza las defensas, baja los niveles de colesterol, combate la pérdida de dientes e incluso previene el cáncer. Contiene EGCG, uno de los más poderosos antioxidantes. El té negro también ofrece beneficios para la salud (vea Té).

Tés e infusiones tienen grandes propiedades curativas. Son perfectos para quienes buscan los beneficios medicinales de las hierbas sin tomar cápsulas. La mayoría no provoca efectos secundarios (con todo, es mejor consultar al médico, en especial si está embarazada, toma medicamento o si los síntomas persisten). Por ejemplo, ¿sabía que el té preparado con hojas y flores de espino blanco o albar es considerado un tónico para el corazón? ¿O que el té de hojas de frambuesa ayuda a contener la diarrea? Tés como el de manzanilla incluso son buenos para acelerar la curación de heridas y bajar la inflamación con compresas.

Muchos tés son sabrosos. Es fácil preparar un té. Simplemente añada agua hirviendo a un poco de hierba comprada en el super-mercado o en tiendas naturistas. Las siguientes rectas emplean hierbas secas. Si las usa frescas necesitará tres veces más hierba.

Té antioxidante Moras o arándanos son ricos en antocianócidos, elementos que pro-tegen a la retina contra la degeneración de la mácula, lo cual causa ceguera. Y como son astringentes, el té también es bueno contra la diarrea. Puede fortalecer las venas (útil si tiene várices) y quizá bajar el nivel sanguíneo de azúcar en personas diabéticas.
Receta *remoje una cucharadita de arándano molido en agua caliente durante 15 minutos. Beba hasta cuatro tazas al día.*

Infusión "doma barrigas" Una mezcla de cardamomo con otras tres especias deriva en un remedio para cólicos estomacales y gases. Bébalo a los primeros signos de dolor o –aún mejor– unos 15 minutos antes de comer. Este té también ayuda en los males-tares de la pancita de los niños.
Receta *en un tazón mezcle ¼ de cucharadita de cardamomo, ½ cucharadita de semillas de hinojo molidas, ½ cucharadita de semillas de alcaravea molidas y media rebanada de raíz de jengibre fresco. Añada una taza de agua hirviendo. Deje reposar 10 minutos. Si gusta puede agregar una raja de canela.*

Ayuda contra los bochornos Si quiere calmar los síntomas de la menopausia sin recurrir a la terapia hormonal, pruebe la cimicífuga negra. El tomar té de esta hierba ayuda a mitigar los bochornos y otras manifestaciones de la menopausia pues baja los niveles de progesterona. Platique con su médico antes de tomar cimifuga negra.

Receta *hierva durante 30 minutos ½ cucharadita de raíz en polvo por cada taza de agua, luego cuele el líquido. Tome dos cucharadas soperas cada cierto número de horas a lo largo del día. La miel y el limón ayudan a diluir el sabor amargo.*

Bebida para antes de dormir Para remediar el insomnio ocasional no hay problema en tomar una pastilla para dormir. Pero, ¿para qué arriesgarse y volverse adicto al medicamento si es posible sustituirlo por este té natural de manzanilla y lavanda? Puedes beberlo varias veces al día o justo antes de acostarte.

Receta *combine dos partes de flores de manzanilla, dos de toronjil (melisa), una parte de flores de lavanda (alhucema), una parte de hojas de hierbabuena, una parte de pétalos de rosa y una pizca de nuez moscada. Para preparar una taza de té, agregue dos cucharaditas de la mezcla en una taza y llénela con agua hirviendo. Deje reposar cinco minutos, cuele y beba.*

Cazadores de resfriados y tos El té caliente es la opción natural cuando se trata de combatir resfriados y congestiones. El té de hisopo es particularmente bueno para la tos, el té de marrubio para la tos y la congestión, y el de malvavisco para el dolor de garganta.

Receta *agregue en una taza de agua hirviendo dos cucharaditas de hisopo en polvo o de marrubio seco. Añada miel si quiere disminuir el sabor amargo. Para preparar té de malvavisco, mezcle dos cucharaditas de raíz cortada en pedacitos en una taza de agua caliente, hiérvala durante 15 minutos y cuele.*

Calmante de náuseas El jengibre trabaja tan bien combatiendo los mareos que algunos oncólogos ahora lo recomiendan para contrarrestar las fuertes náuseas asociadas con la quimioterapia.

Remedio *deje reposar dos cucharaditas de jengibre en polvo o jengibre fresco rayado en una taza de agua caliente durante 10 minutos. El té es más efectivo previniendo las náuseas que deteniéndolas una vez presentes.*

La ortiga benéfica Una taza diaria del refrescante té de ortiga aporta múltiples beneficios. Para los hombres que padecen de flujo de orina débil y requieren ir al baño varias veces durante la noche —síntomas de una próstata alargada—, el té puede ayudar a disminuir el crecimiento del tejido prostático. Además de ser un poderoso diurético, la ortiga también ayuda a controlar la hipertensión y reducir la inflamación provocada por el síndrome premenstrual. Asimismo, el tomar regularmente este té previene la fiebre del heno.

Remedio *deje reposar dos cucharaditas de hojas secas en una taza de agua caliente durante 10 minutos. Tome una o dos tazas al día.*

¿Llamaré al doctor?

Usualmente usted mismo se puede encargar del dolor de garganta común, el cual debe desaparecer en un día o dos. Con todo, conviene ver al doctor si dura más de una semana o si está acompañado de fiebre de 38 °C o superior por más de tres días, o si también le duele el oído. Asimismo, consulte al médico si se le dificulta pasar la saliva o abrir la boca, si dura ronco tres semanas o más, o si arroja flemas con sangre

● El **olmo americano** (olmo rojo) contiene mucílago, el cual envuelve la garganta y suaviza la inflamación. Añada una cucharadita de la corteza interior en dos tazas de agua hirviendo, cuélelas y beba.

● La **raíz del malvavisco** *(Althea officinalis)* también contiene mucílago. Para hacer el té, mezcle dos cucharaditas de hierba seca en una taza de agua hirviendo; déje reposar 10 minutos, cuélela y beba entre tres y cinco tazas al día.

Suplementos auxiliares

● Tome 1 000 mg de **vitamina C** tres veces al día. Si el dolor de garganta lo provoca un resfriado, una gripe o un estreptococo, dicha vitamina fortalecerá el sistema inmunológico y combatirá la infección. Si le da diarrea, reduzca la dosis.

● Tome 200 mg de cápsulas de **equinácea** cuatro veces al día. Las propiedades antibacteriales y antivirales de esta planta pueden acelerar la curación. Asegúrese de que la equinácea que compre esté al 3.5 % de equinacosides.

● Como otra forma de combatir la infección, tome 600 mg de **ajo** en cápsula, cuatro veces al día. El ajo seco posee poderosas propiedades antibacteriales y antisépticas. Elija cápsulas con capa entérica —son más fáciles de digerir— y tómelas con los alimentos.

● Tome una pastilla de cinc cada tres o cuatro horas hasta que desaparezca el dolor, pero nunca más de cinco días. En un estudio, las personas que chuparon cada dos horas una pastilla con 13 mg de cinc se recuperaron del dolor de garganta (viral) entre tres y cuatro días antes que quienes no lo hicieron. Pero demasiado cinc puede dañar su sistema inmunológico, por lo cual no debe tomar las pastillas durante períodos largos. (La dosis máxima de cinc es de 25 mg al día.)

¿Puede ser reflujo?

Una de las causas menos frecuentes del dolor de garganta es el reflujo gástrico. Si los poderosos ácidos estomacales suben a la garganta mientras duerme, se despertará con la garganta adolorida. Para evitarlo, trate de alzar la cabecera de la cama con bloques de madera o un par de directorios telefónicos viejos. Con la cama colocada unos centímetros arriba de la horizontal, el reflujo fluirá hacia abajo durante la noche, lejos de su garganta y con rumbo al estómago.

El poder de la prevención

* Durante la época de resfriados y gripes, **lávese las manos con frecuencia** y esfuércese por alejarlas de ojos, nariz y boca.
* Encienda un **vaporizador** o humidificador en su recámara. Añadir humedad al aire evitará que el tejido de su garganta se mantenga demasiado seco.
* Si no tiene un humidificador, coloque una **vasija de agua** en su radiador o calentador todas las noches. No se verá muy elegante, pero funcionará tan bien como cualquier aparato.
* **Deje de fumar**. El humo del cigarro irrita en extremo el tejido de la garganta.
* **Respire por la nariz** y no por la boca. Es el modo natural para humedecer el aire de su aliento.
* Si su dolor de garganta vuelve una y otra vez, **compre un cepillo de dientes nuevo**. Las bacterias se quedan en las cerdas y, si se lastima las encías, pueden entrar en el cuerpo y volver a infectarlo.
* **Refuerce su sistema inmunológico** durante la época de resfriados y gripes con vitaminas, hierbas y buena nutrición. Los candidatos obvios son las **vitaminas C y E**, minerales como el **cinc** y el **magnesio**, y hierbas impulsoras de las defensas como la **cúrcuma canadiense** y el **astrágalo**. También complemente su dieta con **ajo, jengibre, hongos shiitake y hongos reishi**, que refuerzan el sistema inmunológico.

Mito...

De acuerdo con la costumbre, puede curarse del dolor de garganta tomando tres cucharadas de miel, jugo de limón y vinagre rojo o blanco, respectivamente, tres veces al día durante tres días.

...y verdad

Si bien no hay nada especial sobre los "tres" de esta receta, los ingredientes pueden desinflamar la garganta y ayudar a vencer la infección.

Gases y Flatulencias

Al hablar de gases o flatos la gente sonríe, pero cuando es usted el que eructa o expulsa aire ruidosa y aromáticamente el asunto no resulta tan gracioso. En vez de huir al cuarto de al lado para evitar la vergüenza, libérese del exceso de aire retirando de su dieta los alimentos generadores de gas (frijoles, refrescos embotellados y coles de Bruselas), mascando alcaravea y otras semillas para deshacerse del aire después de comer y tomando acciones para mejorar la digestión.

¿Qué ocurre?

Un eructo simplemente significa que experimenta un aumento de aire en el estómago y que su cuerpo se quiere deshacer de él. Ingerimos este aire cuando comemos, bebemos o sentimos un nudo en la garganta debido al estrés. Pero todo lo que entra en el tracto digestivo debe salir de él (por un extremo o por el otro). El adulto promedio expulsa aire al menos diez veces al día. Ello se debe al aire tragado más los gases producidos durante la digestión, como el oloroso dióxido de azufre. El estreñimiento puede provocar flatulencia excesiva, así como la intolerancia a la lactosa (o sea, cuando una persona no es capaz de digerir adecuadamente la leche y otros productos lácteos).

Desinfle su dieta

• Algunos alimentos son famosos por generar gas. Evítelos si le causan problemas. Destacan el **frijol**, la **col**, la **coliflor**, el **brócoli**, la **cebolla**, la **pasa**, la **col de Bruselas** y la **ciruela pasa**. También los huevos, pues el azufre de la yema contribuye a producir gas oloroso.

• Antes de cocer frijoles u otras leguminosas, **remójelos toda la noche**. Al día siguiente tire el agua y vuelva a llenar la olla para hervirlos. Es mejor cocer los frijoles en una olla exprés en vez de hacerlo en una olla normal.

• **Evite** los dulces y la goma de mascar sin azúcar con endulzantes como **sorbitol**, **xilitol** y **manitol**. A tu cuerpo le cuesta trabajo digerirlos y, cuando llegan al colon, las bacterias residentes allí se alimentan de ellos y se genera gas.

• **Reduzca la fructosa**, un tipo de azúcar hallado en la miel, la fruta y los jugos de fruta, difícil de digerir. La fructosa se queda en el colon, donde las bacterias se alimentan de ella y producen gases. No elimine la fruta de su dieta, pero sí reduzca la miel y los jugos.

• Si está añadiendo más **fibra** a sus comidas, hágalo gradualmente. La fibra es excelente para su salud, pero si consume demasiada de golpe puede incrementar el aire intestinal.

Atención a los productos lácteos

• Pruebe **dejar los productos lácteos** por unos días y observe si se siente diferente.

• Si es intolerante a la lactosa posee un bajo nivel intestinal de lactasa, la enzima necesaria para digerir la lactosa, que a su vez es un tipo de azúcar hallada en los alimentos comunes. Si no soporta la idea de dejar la leche, puede comprar lactosa en las farmacias y añadírsela. Así, mucha gente intolerante a la lactosa puede comer quesos fuertes y maduros como el suizo o el cheddar, el yogur o la mantequilla. Busque los productos con la etiqueta "deslactosado" o pruebe sustitutos de soya.

Digestivos orgánicos

● El **jengibre** se encuentra en distintas formas; pruebe cual de ellas le funciona mejor. Tome una cápsula de 100 mg, dos o tres veces al día, o 30 gotas de tintura antes de las comidas. O coma un pedazo de raíz de jengibre fresco, pero es picante. O prepare un **té para después de cenar**. Ralle una cucharadita de jengibre fresco, agregue a una taza de agua hirviendo y deje reposar cinco minutos. Cuele y bébalo cuando se enfríe. Ello estimulará la digestión para que la comida no se demore en los intestinos, lo cual provoca gases. El té de jengibre también se consigue en bolsitas.

● La **menta** ayuda a mejorar la digestión y a minimizar el gas. Se consigue en bolsitas, o puede añadir una o dos cucharaditas de hojas secas en una taza de agua hirviendo; deje reposar la infusión cinco minutos antes de colarla. Puede tomarlo tres o cuatro veces al día. (*Alerta* no uses menta si sufres de reflujo gástrico o de pirosis.)

● Las **semillas de hinojo**, de las cuales se obtiene una agradable esencia aromática, se han usado durante cientos de años para reducir los gases y mejorar la digestión (el hinojo se halla algunas veces en los platillos de comida de la India). Las semillas de **alcaravea**, **anís** o **apio** también poseen efectos semejantes. Masticar ½ cucharadita de semillas después de comer ayudará a prevenir los eructos y la expulsión de gases del tracto intestinal. Todas estas semillas se consiguen en la sección de especias del supermercado.

● El **té de manzanilla** es un tratamiento popular para el dolor estomacal. La manzanilla se vende en bolsitas de té tanto en supermercados como en tiendas naturistas.

● El **té de cardamomo** ayuda a digerir mejor la comida, por lo cual es menos probable que el alimento genere gas. Agregue una cucharadita de cardamomo en 250 ml de agua y hierva todo durante 10 minutos. Beba el té caliente con sus comidas.

¿Llamaré al doctor?

Eructar con frecuencia es más un feo hábito que el síntoma de una enfermedad. Pero consulte al doctor si no puede controlar sus eructos y eso le molesta, o si le duele el pecho, o si al expulsar aire experimenta síntomas desagradables como inflamación, pirosis, inexplicable pérdida de peso o cambios en los hábitos intestinales. También visite al médico si por primera vez sufre de eructos continuos sin haber cambiado su dieta. Si su persistente flatulencia lo avergüenza, o si es acompañada de diarrea e inflamación, también habla con el doctor. Quizás padezca de síndrome de intestino irritable o intolerancia a la lactosa, o tal vez se trata de la reacción a un medicamento. Algunos antibióticos, medicinas contra las úlceras o antidepresivos pueden causar flatulencias.

Llénese de bacterias buenas

• Diariamente coma dos o tres envases de **bioyogur** que contenga alguna de las bacterias benéficas *acidophilus* o *bifidus*. O tome dos cápsulas probióticas tres veces al día con el estómago vacío. Esto volverá a poblar de bacterias buenas el intestino delgado y mantendrá a raya las productoras de gas.

Enróllese o muévase

• Si tiene cólicos estomacales intensos, **busque un lugar apartado** donde se pueda recostar unos minutos. Póngase boca arriba y lleve sus rodillas hasta la barbilla. También puede arrodillarse en la cama con la cabeza abajo y el trasero en el aire. Cualquiera de estas posturas ayudará a que el gas escape por el ano, desvaneciendo las molestias.

• **Caminar** es lo primero que recomiendan los doctores a los pacientes recién operados para ayudar a sus intestinos a trabajar.

Otros sospechosos

No siempre lo que come es el causante de la acumulación de aire en el sistema digestivo.

• Las **dentaduras postizas mal ajustadas** pueden hacerlo masticar anormalmente y, por ende, tragar aire. Si usa dentadura postiza asegúrese de que esté **bien ajustada**.

• Como tapan la nariz, un resfriado o una alergia pueden hacerlo tragar aire. Un **descongestionante nasal** puede reducir los eructos además de aliviar los síntomas (pero no deben tomarse por largos periodos).

• En algunas personas los **suplementos de calcio** liberan dióxido de carbono en el estómago (los que contienen carbonato de calcio). Si ya lo toma escoja otra fórmula, como el citrato de calcio.

• Apretarse el **diafragma** puede hacerlo eructar. Es conveniente **aflojar la ropa**.

El remedio que no lo es

¿Traga aire adrede para provocar un eructo, esperando liberar el aire de sus tripas? No funciona. Lo único que conseguirá, con toda seguridad, es introducir más aire del que expele, iniciando un círculo vicioso de aspirar y eructar. A veces esto se vuelve un hábito inconsciente. Obsérvese para descubrir si le pasa. Si es así, póngale un alto.

Mantenga la tapa cerrada

Algunos alimentos pueden debilitar una importante válvula diseñada para mantener la comida y el aire en el estómago. La válvula, llamada esfínter, se sitúa entre el esófago (el tubo que conduce la comida desde la boca) y la parte superior del estómago. Entre los comestibles que debilitan dicha válvula destacan la menta, el chocolate, la carne grasosa, las comidas fritas y la cafeína. Evítelos y disminuirá la necesidad de eructar.

El poder de la prevención

- Para reducir el aire que va al estómago, **evite** usar **popotes**.
- **No mastique chicle**. Cuando lo hace automáticamente traga más aire.
- **Evite bebidas gaseosas**. ¿Alguna vez ha abierto un refresco luego de haberlo agitado? Una situación explosiva similar se generará en su estómago si consume líquidos burbujeantes.
- **El vino espumoso y la cerveza** poseen el mismo poder para recordarle su presencia. Si no quiere eructar, aléjese de ellos.
- Si devora la comida, introducirá aire que buscará emerger. **Coma despacio**. Si le cuesta trabajo, intente soltar el tenedor entre cada bocado.
- **Mastique bien la comida**. Cuando simplemente la deglute, traga más aire. Los bocados grandes tardan más en ser digeridos, lo cual los hace demorarse en el tracto digestivo; allí las bacterias aceleran el proceso de fermentación.
- Coma con la **boca cerrada** para evitar ingerir aire. Por la misma razón —o al menos por buenos modales— no hablee con la boca llena.
- Permita que las bebidas calientes se **enfríen** un poco. Sorber un café o té hirviendo lo hará tragar mucho aire.
- Olvídese del **cigarrillo para la digestión**. Cuando inhale aire a través de él tambié, ingiere otro tanto.

¡No lo haga!

Un viejo remedio para la pirosis y los eructos era beber una mezcla de bicarbonato de sodio con agua. Esto hace eructar. El bicarbonato interactúa con el ácido hidroclorhídrico del estómago y se produce dióxido de carbono, el gas de las bebidas gaseosas.

Gota

La agonía de la gota puede empezar muy rápido. El primer minuto está brincando con una sonrisa en el rostro y una canción en la cabeza. Al siguiente, es torturado por el dolor. Su primera reacción es buscar una aspirina… Mala idea. La aspirina entorpece la eliminación de ácido úrico, lo cual empeora las cosas. Una mejor opción es el ibuprofeno. Como la aspirina, es un analgésico antinflamatorio, pero no agrava la situación. Luego puede probar estos remedios caseros para reducir futuros dolores. Sin excusas, asegúrese de tomar mucha agua, pues así disolverá los cristales del ácido úrico.

¿Qué ocurre?

Cuando demasiado ácido úrico (producido en el hígado y expulsado en la orina) se acumula en el sistema, diminutos cristales de esta sustancia pueden incorporarse al líquido que protege las articulaciones. Quizá sienta como si hubiera vidrios rotos en esas zonas. Este doloroso malestar inflamatorio, conocido como gota, por lo general les ocurre a hombres mayores de 40 (a los cristales de ácido úrico les toma años acumularse). Aunque es más frecuente en el dedo gordo del pie, la gota también puede atacar la muñeca, la rodilla, el codo u otras articulaciones. Además de dolor, la gota es capaz de provocar hinchazón severa.

Levántese y refrésque

● Durante un ataque agudo, intente **mantenerse de pie** tanto como sea posible y levante la articulación afectada. Seguramente esto no será difícil. Cuando la gota ha empeorado considerablemente, la mayoría no puede soportar ni el peso de un papel sobre la articulación adolorida.

● Si puede aguantarla, aplique una **bolsa de hielo** durante unos 20 minutos. El frío calmará el dolor y reducirá la inflamación. Envuelva el hielo en una tela para proteger la piel. Use la bolsa tres veces a diario durante dos o tres días.

Pruebe la cura de cereza

● Las **cerezas** son remedios tradicionales contra la gota. Contienen componentes que ayudan a neutralizar el ácido úrico en la sangre. También son fuente de sustancias antiinflamatorias. Así, cuando sienta aproximarse un ataque de gota, coma de inmediato un racimo o dos de cerezas. Si no es temporada, cómprelas en lata. Los estudios recomiendan ingerir 20 cerezas para obtener los mismos efectos analgésicos de una aspirina. Frescas o secas funcionan igual.

● Si no le gustan las cerezas, las **fresas** y las **frambuesas** poseen un efecto semejante, pero debe comer mucho más.

Suplementos al rescate

● Dosis diarias de **aceite de pescado** o de **aceite de linaza** pueden disminuir la hinchazón de las articulaciones. Estos productos son importantes fuentes de un agente antiinflamatorio llamado "ácido eicosapentanoico" (AEP). La dosis diaria recomendada de aceite de linaza es de 1 a 3 g (1 g equivale a una cucharada sopera). Es mejor comprarlo en forma de aceite que en cápsulas, pues necesita más de una docena de éstas para igualar una cucharada del líquido. La cantidad diaria recomendada de aceite de pescado es de 600 mg, que sí puede tomarse en cápsulas. (*Alerta* esta dosis debe ser de aceite de pescado, no de aceite de hígado de pescado. Estas clases de suplementos contienen la cantidad correcta de agentes antiinflamatorios, pero aportarían demasiada vitamina A y D.)

• Otro modo de detener la inflamación es con píldoras de **bromalina**, una enzima hallada en la piña. Para lograr un efecto terapéutico, el producto debe tener 2 000 MCU (unidades de coagulación de la leche) por gramo. Revise la información de la etiqueta antes de comprar. La dosis usual para los ataques severos de gota es de 500 mg, tres veces al día, entre comidas.

• El apio fresco, o las tabletas de **extracto de semilla de apio**, parece eliminar el ácido úrico. La dosis recomendada es de dos a cuatro tabletas al día.

• Recomendada desde siempre por los naturistas como tratamiento para la inflamación de las articulaciones, la hoja de ortiga también ayuda a bajar los niveles de ácido úrico. Los expertos sugieren una toma de 300 a 600 mg al día de extracto de hierba deshidratada. No tome ortiga por más de tres meses seguidos. (*Alerta* evite las tinturas de ortiga, que contienen alcohol, lo cual agrava la gota.) Otro modo de usar la ortiga es vía tópica. Moje una tela limpia con té de hojas de ortiga y aplíquela en la articulación adolorida. Si recolecta usted mismo esta hierba común, use guantes, pantalones largos y mangas largas para protegerse de las irritantes hojas de la ortiga.

¿Llamaré al doctor?

Si por primera vez se le inflama una articulación, consulte a su médico. Quizás padezca de gota o de una infección en la articulación. El especialista seguramente usará una aguja fina para sacar algo de líquido de la zona afectada y examinarlo en el microscopio con el fin de confirmar la presencia de cristales de ácido úrico. Existen medicamentos para controlar la gota, pero antes de recibir la receta avísele a su médico si está tomando otros tratamientos o suplementos (algunos de ellos pueden aumentar el riesgo de ataques de gota).

Alimentos que evitar

Los alimentos con alto contenido proteínico, así como aquellos con sustancias llamadas "purinas", pueden elevar los niveles de ácido úrico en el cuerpo. Si tiene gota evite: embutidos (chorizos, salchichas, etc.), salsas de carne; vísceras (hígado, riñones y mollejas); mariscos (como los mejillones; anchoas, sardinas y arenques), comidas fritas; carbohidratos refinados (como harina blanca y harina de avena); alimentos con levadura, como la cerveza y los productos horneados; y ciertos productos vegetales, como los espárragos, las peras, los frijoles, las espinacas y la coliflor.

Sobreviva con agua, no con cerveza

• Tome mucha agua: por lo menos ocho vasos de 250 ml al día. Los fluidos ayudan a expulsar del sistema el exceso de ácido úrico. Por si fuera poco, el agua puede evitar las piedras en el hígado, las cuales afectan gravemente a la gente con gota.

• **Evite el alcohol.** Al parecer éste incrementa la producción de ácido úrico e inhibe su expulsión. La cerveza es esencialmente dañina, pues contiene más purinas (vea el recuadro anterior) que otras bebidas alcohólicas.

Revise sus medicamentos

• Si toma diuréticos –por ejemplo, para la hipertensión– consulte a su médico sobre otras **opciones**. Los diuréticos hacen eliminar muchos fluidos del cuerpo; como efecto secundario reducen la cantidad de ácido úrico en la orina. Y mientras menos ácido úrico salga, más se queda en el cuerpo, y la gota empeora.

• La gota también puede ser desencadenada por la **niacina** o **ácido nicotínico**, recetado algunas veces para el colesterol alto. Si su doctor le ha recetado niacina, pregúntele por otras opciones.

Lento y seguro

• Perder peso puede mantener a raya la gota, pero hacer una dieta drástica o ayunar pueden ser errores graves. Con las dietas las células liberan más ácido úrico. Si está muy gordo, **baje de peso poco a poco** y con cuidado: a lo mucho un kilo por semana.

Gripes y resfriados

Quizás sólo se trate de un resfriado, pero no conviene minimizarlo. Además, la gripe lo hace sentir realmente mal. Afortunadamente, si toma acciones rápidas puede mitigar algo del malestar. Las hierbas, la sopa de pollo, el cinc, incluso su secadora de pelo, forman parte de su arsenal. A los primeros signos de catarro aplique estos remedios, los cuales pueden despejar su cabeza, impulsar su sistema inmunológico y acelerar el proceso de la enfermedad. Por el contrario, los típicos medicamentos pueden secarle, provocarle somnolencia o insomnio, no mejorar su condición más rápido e incluso prolongar el padecimiento.

Córtelo de raíz

- A la primera sensación de resfriado, chupe una tableta de **gluconato** de cinc cada cierto número de horas. En un estudio, las personas que chuparon una tableta con 13 mg de cinc cada dos horas se libraron de los síntomas de tres a cuatro días antes que quienes no lo hicieron. No exceda los 150 mg diarios y no ingiera cinc durante más de una semana, pues el empleo prolongado de este mineral debilita las defensas. Evite las tabletas con ácido cítrico o con el endulzante sorbitol, pues éstos disminuyen la efectividad de la sustancia.
- Beba **té de flores de saúco**. Para hacer la infusión, añada de dos a cinco gramos de flores secas en una taza de agua hirviendo. Deje reposar entre 5 y 10 minutos y cuele el contenido. Como sólo brotan entre mayo y junio, es buena idea preparar su propio **licor de saúco** –o hacer vino con las bayas (las flores y las bayas del saúco son igualmente efectivas– y guárdelo en la alacena todo el año como deliciosa bebida o tratamiento para los resfriados.
- Inhale **vitamina C en polvo** (disponible en farmacias) a la primera señal de catarro. Aplicando la vitamina directamente en la mucosa nasal puede bloquear el camino del virus antes de que el resfriado se instale. Pero cuidado: pica un poquito.

Disuada al resfriado

- Tan pronto como advierta síntomas de resfriado o de gripe, comience a tomar 200 mg de **vitamina C** cinco veces al día

¿Qué ocurre?

Si sus síntomas brotan arriba del cuello —congestión, dolor de garganta, catarro, tos— seguramente está resfriado a causa de uno de los 200 tipos de virus lanzados al aire, o sobre algo que tocó, por las secreciones o estornudos de alguien. Si además de esos signos presenta fiebre de 38.5 °C o más, dolor de cabeza, dolores musculares, fatiga extrema, diarrea, náuseas o vómito, seguramente tiene gripe. Por lo general dura una semana o más y puede dejarlo débil y con pésimo humor durante varios días después.

¿Llamaré al doctor?

Los resfriados son terribles, pero por lo general desaparecen sólo con descanso y remedios caseros. Lo mismo pasa con las gripes menos severas; los casos más delicados requieren atención médica. Si usted no sabe si se trata de un resfriado o una gripe, déjese guiar por los síntomas. Acuda con el médico si tiene fiebre por más de tres días, o en cuanto su temperatura corporal supere los 39.5 °C. También visítelo si resuella, respira con dificultad, le duelen los pulmones, el pecho, la garganta o el oído, o si expulsa demasiadas flemas (en especial, si son verdes o presentan rastros de sangre). Especialmente en los niños, la fiebre puede provocar deshidratación rápida; por lo que es importante darles muchos líquidos y hablar con el doctor.

con los alimentos. Compre marcas **adicionadas con flavonoides**, los cuales incrementan la efectividad de la vitamina C hasta un 35 %. Si le da diarrea, disminuya la dosis.

• Tome una cápsula de 200 mg de **astrágalo** (tragacanto) dos veces al día. Esta hierba estimula el sistema inmunológico y, al parecer, es muy efectiva para combatir los resfriados y la gripe. Para evitar recaer continúe tomando dos cápsulas diarias una semana después de haber desaparecido los síntomas.

• La **cúrcuma canadiense** estimula el sistema inmunológico y contiene sustancias que pueden matar los virus. En cuanto se comience a sentir mal, tome 125 mg de extracto de cúrcuma (solo o en combinación con 200 mg de equinácea, la cual fortalece las defensas) cuatro veces a diario durante cinco días.

Llame a los caza-resfriados

• Cuando inicie el resfriado, tome de 20 a 30 gotas de tintura de **bayas de saúco** tres o cuatro veces a diario durante tres días. Las bayas de saúco se han usado por siglos para combatir los virus y una investigación reveló cómo la gente que la comía se recuperaba más rápido que quienes no lo hacían.

• Los médicos naturistas recomiendan el **oscillococcinum**, un remedio homeopático para controlar los síntomas del resfriado. Se consigue en Internet y en algunas farmacias naturistas. Tómelo entre las 12 y las 48 horas después de los primeros signos. Se vende en frasquitos: ingiera uno cada seis horas.

• Pruebe el **N-acetilcisteína (NAC)**, una forma del aminoácido cisteína. Ayuda a adelgazar y aflojar el moco y a reducir los síntomas del resfriado. Tome 600 mg tres veces al día.

Suavice el dolor de garganta

• Para el dolor de garganta, llene un vaso 250 ml con agua caliente, añada una cucharadita de **sal** y haga gárgaras.

• Las gárgaras tradicionales para el dolor de garganta –**jugo de limón** en un vaso de agua caliente– son ideales, pues crean un ambiente ácido hostil a virus y bacterias.

Caldo de pollo para el resfriado

• El **caldo de pollo**, el rey de los remedios naturales, ofrece más que alivio para el resfriado y la gripe. Los científicos modernos han confirmado que el caldo puede evitar que los glóbulos blancos (neutrófilos) se agrupen y provoquen inflamaciones, lo cual a su vez impulsa al cuerpo a producir copiosas cantidades de moco. La sopa también adelgaza el moco con mayor eficacia que agua caliente. El caldo de pollo casero es el mejor, en especial si lo prepara alguien que amas (vea Sopas curativas).

• Agregue **ajo** picado a la sopa de pollo. Los faraones egipcios usaban ajo para combatir la infección. Entre sus componentes activos destacan la alina y la alicina, que destruyen las bacterias. El ajo también estimula la generación de células matagérmenes, que forman parte del sistema inmunológico.

Moje su laringe... y todo lo demás

• Combatir la fiebre o el resfriado puede robarle líquidos. Beba tanta **agua** como pueda –ocho o más vasos de 250 ml– para mantener húmedas sus membranas mucosas y líbrese de los ojos secos y otros síntomas del resfriado. Los fluidos ambién ayudan a adelgazar el moco, facilitando su expulsión.

• Para aflojar el moco permanezca en una habitación húmeda, templada y ventilada. Para mantener la humedad del aire en su cuarto, coloque vasijas con agua cerca del radiador (en invierno) o compre un humidificador. Asimismo, puede dejar abierta la tapa de una tetera eléctrica y dejar el agua hervir, lo cual llenará la pieza de vapor.

Un remedio de humo

• Una dosis de **ajo** combatirá esos virus. Sostenga un diente de ajo en su boca y aspire los vapores hacia su garganta y pulmones. Si el sabor se hace más fuerte mientras se suaviza el diente, sólo másquelo y pásese los pedacitos con agua.

Puros **cuentos**

Estar en el frío no causa resfriados… al menos no en el laboratorio. En un estudio publicado por *The New England Journal of Medicine*, dos grupos de personas fueron expuestos a virus causantes del resfriado común. Un grupo fue expuesto a los gérmenes en un cuarto a 5 °C; el otro, en una acogedora pieza a 30 °C. ¿El resultado? En ambos grupos hubo casi la misma cantidad de enfermos.

Vacúnese

Considere vacunarse anualmente. Tanto los médicos como las autoridades de salud de muchos países desarrollados lo recomiendan, en especial a quienes padecen dolencias cardiacas o hepáticas; enfermedades de los pulmones (asma, bronquitis y enfisema); diabetes o trastornos inmunológicos. También se recomienda la vacunación anual a las personas mayores de 65 años. Una vez aplicada la vacuna, no empieza a funcionar hasta dos semanas después, y conviene estar protegido antes de la temporada de gripes.

¡No lo haga!

● Puede recibir dosis terapéuticas de **ajo en cápsulas**. Tome de 400 a 600 mg, cuatro veces al día, con los alimentos. Busque las píldoras estandarizadas a 4 000 mcg de alicina. Si el ajo le provoca indigestión, gases o diarrea, quizás las cápsulas con capa entérica ayuden a reducir los efectos secundarios.

Lance lejos ese virus

● Puede parar un resfriado con su… **secadora de pelo**. Por insólito que suene, inhalar aire calentado puede ayudar a matar al virus que trepa por la nariz. En una investigación, la gente que respiraba aire calentado mostró la mitad de síntomas de resfriado en comparación con quienes inhalaron aire a temperatura ambiente. Ajuste su secadora en tibio (no en caliente), manténgala con el brazo extendido y respire por la nariz, idealmente durante 20 minutos.

Libere la congestión

● Consiga **raíz de jengibre** fresco o **rábano**, rállelos y coma un poquito (o compre una jarabe de rábano y tome hasta media cucharada sopera). Para evitar la irritación del estómago, pruebe estos remedios después de comer.

● Tome una taza de **té de jengibre**. Prepárela con una bolsa de té o con ½ cucharadita de jengibre picado. El jengibre bloquea las sustancias que provocan la congestión de bronquios y nariz; además contiene componentes llamados "jingeroles", que inhiben la tos.

● Sazone su sopa con salsa picante o **chile en polvo**. Estos condimentos incrementan el poder descongestionante del caldo. De hecho, al agregárselos a cualquier alimento podremos respirar con mayor libertad.

● Use **calcetas mojadas** en la cama. Aunque no lo crea, esta húmeda táctica es un remedio naturista capaz de bajar la fiebre y descongestionar. Funciona llevando sangre a los pies, lo cual incrementa rápidamente la circulación (la sangre se estanca en las áreas congestionadas). Primero entibie sus pies con agua caliente. Luego empape un par de calcetas de algodón en agua fría, exprímalos y póngaselos antes de dormir. Sobre éstas colóquese un par de calcetines secos de lana. Las calcetas deben estar calientes y secas por la mañana, y seguramente amanecerá mucho mejor. Sólo pruebe este remedio en un cuarto razonablemente tibio: no es buena idea usar calcetas mojadas en una pieza demasiado fría.

- Déle a sus pies un **baño de mostaza.** Agregue una cucharada sopera de polvo de mostaza por litro de agua caliente en una vasija. La mostaza lleva sangre a tus pies, lo cual ayuda a aliviar la congestión.

- Un remedio tradicional para la congestión del pecho es la **cataplasma de mostaza.** Triture tres cucharaditas de semillas de mostaza (o use ⅓ de taza de mostaza en polvo), agrégueselas a una taza de harina normal o de avena, luego añada suficiente agua para hacer una pasta. Unte una capa de vaselina sobre el pecho para proteger la piel, y luego extienda la pasta. El aroma picante ayuda a desbloquear los senos nasales y el calor mejora la circulación sanguínea, facilitando la descongestión. No deje la cataplasma más de 15 minutos, pues entonces podría quemarse la piel.

¿Sabía qué?

Cuando se suene hágalo con cuidado. De otro modo creará una presión "en reversa" que puede devolver los virus y las bacterias a los senos nasales. Para evitarlo, suénese un orificio a la vez.

Limpie con vapor sus fosas nasales

- Vierta agua hirviendo en una olla amplia, inclínese sobre ella y extienda sobre su cabeza una sábana para armar una **tienda de vapor.** Inhale por la nariz y exhale por la boca de 5 a 10 minutos. No acerque demasiado el rostro o corre el riesgo de quemarse la piel o de inhalar vapores demasiado calientes. Coloque la olla sobre una mesa firme, nunca sobre la cama.

- Para hacer las inhalaciones más efectivas, añada al agua algunas gotas de **aceite de tomillo** o **aceite de eucalipto.** Mantenga los ojos cerrados mientras respira el vapor, pues puede irritarle los ojos al combinarse con el aceite aromático.

- Añada algunas gotas de **aceite de eucalipto** a un pañuelo. Cuando esté congestionado, huélalo.

Entibie la tortícolis

- El resfriado puede provocarle una punzante tortícolis. Para aliviar el dolor, **moje una toalla de mano,** exprímala, métala en una bolsa de plástico y **caliéntela en el microondas durante 60 segundos.** O sumerja la toalla en agua muy caliente y exprímala. Cuide que no esté muy caliente, luego enrolle la toalla alrededor de hombros y cuello y acuéstese (coloque debajo una toalla para no empapar la cama). Cubra la toalla húmeda con una seca para guardar el calor.

El poder de la prevención

• Durante la temporada de gripes y resfriados, tome 200 mg de **equinácea** hasta tres veces al día. Cada tres semanas altérnela con otras hierbas que refuercen el sistema inmunológico, como el **astrágalo**, la **cúrcuma canadiense** y el **palo de arco**.

• **Lávese las manos frecuentemente** con agua y jabón, en especial después de ir al baño o si trabaja con personas enfermas. En 1998, un prolongado estudio estadounidense ordenó a 40 000 reclutas navales lavarse las manos cinco veces al día. Los reclutas bajaron su nivel de enfermedades respiratorias en un asombroso 45 por ciento.

• No toque su rostro con las manos sucias. Lleve un **gel antibacterial** para usarlo cuando no tenga un lavabo cerca.

• **Evite saludar de mano** a quien esté resfriado.

• En invierno, use un **humidificador** para contrarrestar el efecto del aire acondicionado y mantener la humedad en el interior.

• Practique **técnicas de relajación** a lo largo del año, pero en especial durante la temporada de resfriados y gripes. Las investigaciones revelan que mientras más estrés padezca es mayor la posibilidad de enfermarse.

• **Descanse**. La mayoría se resfría o contrae gripe cuando está exhausta. Así que duerma bien. Los estudios demuestran cómo, aunque sólo haya perdido un poco de sueño, sus defensas bajan considerablemente. En un experimento, ciertas células encargadas de atacar a las infecciones virales disminuyeron 30% en personas que redujeron un poco su tiempo de sueño por la noche.

• **Aumente el círculo de amigos**. En un estudio con más de 200 hombres y mujeres, quienes mantenían más lazos sociales estrechos desarrollaron menor cantidad de resfriados. Los investigadores administraron a los sujetos gotas con rinovirus, el bicho causante de la mayoría de los resfriados, y descubrieron que quienes sólo tenían entre uno y tres amistades eran cuatro veces más susceptibles de enfermar en comparación con quienes tenían seis o más amigos.

Hemorragia nasal

Tienden a ocurrir en los momentos más inconvenientes, y el derrame repentino de sangre por la nariz puede ser bochornoso y preocupante, en especial porque una pequeña cantidad semeja litros cuando empapa pañuelo tras pañuelo. No se asuste. Por lo general puede detener una hemorragia nasal en cuestión de minutos. Aquí le mostramos algunos métodos efectivos para hacerlo.

Apriete y envuelva

● El remedio más simple para una nariz sangrante es la inmemorial **cura del apretón**. Siéntese derecho, con la cabeza un poco inclinada hacia atrás (para evitar que la sangre se vaya a la garganta). Primero, con suavidad deshágase de cualquier coágulo capaz de impedir que los vasos sanguíneos se sellen. Luego apriete el ala de la nariz y presione hacia. Mantenga esta posición durante 10 minutos. Si el sangrado no se detiene, apriete de nuevo otros 10 minutos. En la mayoría de los casos esto funciona.

● Si continúa sangrando intente **envolver la nariz** con un pedazo de gasa enrollada y apriete de 15 a 20 minutos. Si la hemorragia se detuvo, deje la gasa en su sitio por 2 horas. Si sigue fluyendo sangre, busque ayuda médica: quizás sea necesario un vendaje profesional o cauterizar.

● Un poco de **jugo de limón** o **aceite de lavanda** aplicados en la zona sangrante (si puede localizarla: por lo general es en el tabique de enfrente) logra ser útil.

● Aplique una **bolsa de hielo** o una compresa fría remojada en **olmo escocés** en el exterior de la nariz, al lado de la fosa sangrante. El frío contrae los vasos sanguíneos de la nariz para detener el flujo.

¿Botones y papel de estraza?

● Se dice que cortando un pequeño cuadrado de **papel de estraza**, espolvorearlo con sal y luego insertarlo entre la encía y el labio superior, justo bajo la nariz o poner allí una **moneda** o un pequeño **botón plano**, parará la hemorragia. Sin embargo, no hay pruebas científicas que avalen este remedio y menos aún de que funcione.

¿Qué ocurre?

La mayoría de las hemorragias nasales suceden sin motivo aparente en personas propensas a ellas. También pueden producirse por herirse o picarse la nariz. En los niños pequeños por lo general es el resultado de meterse en las fosas objetos extraños (como cuentas). Más allá de la causa, una hemorragia surge cuando los vasos sanguíneos se rompen dentro de una fosa nasal. Ello puede suceder cuando el sensible tejido interno de la nariz se irrita debido al aire acondicionado o al calor seco. Las personas con endurecimiento de arterias son vulnerables a las hemorragias, así como quienes toman ciertos medicamentos (por ejemplo, antiinflamatorios como la aspirina y el ibuprofeno o adelgazadores sanguíneos como la warfarina).

¿Llamaré al doctor?

Consulte al doctor si su nariz sangra frecuentemente sin razón aparente. Quienes sufran de hipertensión o arteriosclerosis deben ir con el médico si la hemorragia les dura más de 10 minutos. Busque atención inmediata si el sangrado es resultado de un golpe en la cabeza, en especial cuando la sangre luzca delgada y acuosa (esto indica la presencia de fluido cerebral). También acuda a la sala de emergencias si la hemorragia no para en 30 minutos y comienza a sentirse débil o se desmaya.

El poder de la prevención

• Si quiere evitar las hemorragias nasales, debe mantener húmedas sus membranas mucosas bebiendo **8 vasos grandes de agua** al día. Está bien hidratado cuando su orina es pálida, no oscura.

• En invierno, revierta la sequedad propagada por el aire acondicionado añadiendo humedad al ambiente: use un **humidificador** o seque la ropa mojada en los radiadores.

• Humedezca el interior de las fosas nasales con **vaselina**, o rocíelas libremente con **aerosol salino**; puede prepararlo mezclando una cucharadita de sal en 500 ml de agua hervida. Ambos métodos mantendrán la humedad de la nariz. La técnica es de mucha ayuda si va a viajar en avión, si se acaba de recuperar de un resfriado o de una infección, o si vive en un sitio muy seco.

• **Vigile su consumo de aspirina**. Este medicamento hace más lenta la coagulación de la sangre, lo cual no es bueno si sufre de hemorragias nasales. Pero no interrumpa su tratamiento con aspirinas si las recetó el médico por otras razones; mejor platique con él.

• Si padece de **alergias nasales**, acuda al médico pronto. Entre la constante irritación provocada por los alergénicos y el daño causado por sonarse la nariz, las membranas nasales sufren una verdadera tortura cuando experimenta una reacción alérgica.

• Si tiene problemas continuos con las hemorragias nasales, incluya en su dieta **muchos alimentos ricos en vitamina C**: naranjas, uvas, kiwis y muchos vegetales. También sirven los suplementos, como 1 000 mg al día de vitamina C. Ésta ayuda a fortalecer las paredes capilares, además de formar parte del colágeno, una sustancia que forma en las fosas un tejido húmedo y protector. Junto con la vitamina C, tome 500 mg al día de algún **suplemento con bioflavonoides** como extracto de semilla de uva, extracto de corteza de pino, picnogenol o proantocianinas. Los flavonoides son conocidos por sanar los vasos capilares.

Hemorroides

Aunque es un problema común, algunos se avergüenzan tanto de él que no buscan ayuda para aliviar el terrible ardor, escozor y sangrado provocados por las hemorroides. Las farmacias venden muchos productos útiles: cremas, parches, ungüentos y supositorios. Como regla de oro, los doctores recomiendan evitar las medicinas sin receta con ingredientes que terminen en "caína". Éstos contienen un anestésico capaz de brindar alivio inmediato pero, si se usan con regularidad, generan mayor irritación. Con todo, además de los químicos existen varios remedios caseros que puede probar.

El alivio del calor

● Llene la tina con **agua caliente** y luego sumérjase en ella. Debe sentarte con las rodillas alzadas, permitiendo la máxima exposición de la zona anal al agua. Entonces disminuirá el dolor. Lo que no va a sentir es cómo el agua caliente impulsa la sangre al área afectada, y eso, a su vez, ayuda a reducir la hinchazón de las venas.

● Pruebe añadir un puño de **sales de Epsom** para ayudar a contraer las hemorroides antes de meterse en la tina. Revuelva bien el agua para disolver las sales.

● En vez de llenar toda una bañera para sentir alivio, puede comprar un **baño de asiento**. Estos baños, diseñados sólo para sentarse, se consiguen en las tiendas de suministros médicos. O si tiene un bidé, simplemente sumerja el trasero en la taza.

● Para aliviar las hemorroides externas, aplique una **bolsita de té** húmeda y tibia. Puede hacerlo mientras está sentado en el retrete. El calor desinflama; además se beneficia de uno de los principales componentes del té: el tanino. Éste reduce el dolor y la hinchazón, y también impulsa la coagulación sanguínea (lo que ayuda a detener el sangrado).

Siéntese en hielo

● Llene una bolsa gruesa de plástico con **hielo**, envuélvala con una tela delgada y siéntese en ella. O use una bolsa de guisantes congelados (también envuelta con tela), la cual se amoldará con comodidad a sus formas. El frío rebaja los vasos inflamados, provocando gran alivio. Siéntese en el asiento congelado hasta

¿Qué ocurre?

Las hemorroides son venas inflamadas en o alrededor del ano que causan dolor, escozor y, ocasionalmente, sangrado. Las hemorroides internas, el tipo más común, se desarrollan dentro del ano. Quizás sangre, pero no experimenta dolor. En cambio, con las hemorroides externas sí hay algo de sangrado. Ambas clases pueden generar un bulto suave que sobresale del ano. Permanecer mucho tiempo sentado, el embarazo y el envejecimiento contribuyen a desarrollarlas. Si padece estreñimiento con frecuencia y se esfuerza demasiado al evacuar, puede fomentar las hemorroides o empeorarlas.

¿Llamaré al doctor?

Las hemorroides no necesitan atención médica inmediata. Si descubre sangre en sus deshechos —una señal indudable— primero pruebe algún tratamiento casero. Una inflamación o una infección intestinal también puede generar síntomas parecidos a los de las hemorroides. De tal modo, si advierte sangre muy negra o los desechos son negros, busque al doctor de inmediato, pues por lo general indica sangrado intestinal. También acuda al médico sin tardanza si presenta sangrado rectal importante, incontinencia fecal persistente o si el dolor aumenta de repente.

¿Sabía qué?

Hipócrates, el famoso médico griego que vivió hace más de 2 400 años, ya sabía que las hemorroides eran venas dilatadas en el ano. Pero recomendaba como remedio algo que era más una cruel tortura: quemarlas con un hierro caliente.

20 minutos. No hay límite de veces para hacerlo, pero al menos descansa 10 minutos entre cada "sentada". También ayuda **alternar frío y calor**, tomando un baño de asiento entre las aplicaciones de hielo.

Acaricie, no rasguñe

- Moje un copo de algodón en **olmo escocés** sin destilar y aplíquelo sobre las hemorroides. Es rico en vitaminas, lo cual ayuda a lo vasos sanguíneos a contraerse.
- Unte **vaselina**, presente también en varios medicamentos populares para las hemorroides, puede ayudar a desinflamar el área.
- La **vitamina** E en líquido y el **aceite de germen de trigo** son sustancias conocidas por su efectividad. Aplíquelos algunas veces al día con un copo de algodón.
- Si lo halla en tiendas naturistas, prueba un bálsamo que contenga **consuelda** o **caléndula** (maravilla). Ambos desinflaman y apresuran la curación.
- Por extraño que parezca, el cataplasma de **papa rallada** es astringente y desinflamante.

Túmbese en el sofá

- Un par de veces al día busque un sofá confortable, estírese en él y **coloque los pies en alto**. Lo que es bueno para los nervios crispados también lo es para las hemorroides. En esta postura le quitará peso de encima a su sobrecargada zona anal. Al mismo tiempo mejorará la circulación justo donde se necesita. Lo mejor es dedicar 30 minutos a esta "tarea". Si permanece mucho tiempo sentado o de pie asegúrase de cambiar constantemente de posición.

Acompáñese de granos

- Añada más forraje a su dieta. De acuerdo con las investigaciones recientes, una **dieta alta en fibra** puede reducir significativamente los síntomas de las hemorroides, incluidas el dolor y el sangrado. Entre los alimentos ricos en fibra destacan los panes y cereales integrales, las frutas frescas y los vegetales, el arroz integral y las nueces.
- Cuando obtenga más fibra, necesitará estar bien hidratado para evitar el estreñimiento. Asegúrese de **beber suficientes**

líquidos para que su orina tenga color amarillo claro, no oscuro.

Limite las sillas y las pesas

- Quien permanezca demasiado tiempo sentado también debe permanecer demasiado tiempo de pie. Si el escritorio lo cansa, haga cada hora una **caminata de cinco minutos**. Cada vez que se levanta, libera la presión rectal generada por las hemorroides.
- Levantar objetos pesados produce presión en la zona anal. Si hay que alzar un mueble u objeto pesado, busque ayuda.
- Cuando alce pesas en el gimnasio, evite las **sentadillas con peso**. Cada vez que desciende, para luego levantarse, conduce la presión directamente hacia el recto. También evite hacer ejercicios en los que deba permanecer sentado mucho tiempo, como la bicicleta y la bicicleta fija.

Política del trono

- La clave para evitar las hemorroides es no forzarse, así que vaya **al retrete cuando tenga que ir**. Al aguantarse hay la posibilidad de estreñirse. Y eso significa, por supuesto, esforzarse más cuando va al baño, lo que provoca las hemorroides.
- Después de liberar el intestino, límpiese con **papel de baño liso, blanco e inodoro**, humedecido con agua corriente. El papel aromatizado y de colores puede ser estéticamente atractivo, pero cualquier químico adicional puede irritar.
- Luego del papel use **toallitas faciales** cubiertas con **crema hidratante sin olor**.

Mito...

El Vic Vaporub es un remedio muy conocido contra las hemorroides.

...y verdad

No causa daño intentarlo, pero sólo debe aplicarse externamente (en el exterior del ano), pues el alcanfor, uno de los ingredientes, puede ser tóxico. Quienes proponen la cura aseguran que no arde, pero otros no creen lo mismo. Así, lo mejor será que no arriesgue su salud.

Herpes

A las primeras señales de herpes consulte a su doctor, quien seguramente le recetará un medicamento antiviral. Este tratamiento debe iniciarse lo más pronto posible. Al mismo tiempo, necesita aliviar el dolor y la sensación quemante. Puede tomar paracetamol o ibuprofeno mientras prueba los remedios sugeridos aquí. Sin embargo, si el dolor se vuelve insoportable, no se haga el héroe: acuda con el médico para recibir analgésicos más fuertes.

¿Qué ocurre?

El herpes brota cuando virus aletargados, causantes de la viruela, despiertan en las células nerviosas y se abren camino hasta la piel. El 20% de quienes padecieron viruela desarrollarán herpes, por lo general después de los 50 años. La infección causa una quemante erupción de ampollas (mayormente en el torso, rostro y cuello) a manera de banda o parche de granos. El escozor, hormigueo o dolor pueden ser tenues o severos. Más o menos en una semana se forman pequeñas ampollas acuosas, se secan y cicatrizan. Cualquier problema que baje las defensas, como una enfermedad o el estrés, puede despertar el virus. En promedio, la erupción dura entre dos y cuatro semanas, pero a veces el dolor (llamado "neuralgia posherpes") se demora meses.

Venza las ampollas y alivie el escozor

- Si cuida una planta de **zábila** en rl alféizar de su ventana, córtele una hoja y unte el gel sobre la piel. Este líquido lechoso puede aliviar las ampollas. O use un gel de aloe vera envasado (si puede, compre uno que sea 100 % aloe).
- Una pasta de **polvo para hornear** con agua secará las ampollas y aliviará el escozor. Agregue agua al polvo hasta que forme la pasta, luego úntela sobre el área afectada.
- La pasta hecha con **sales de Epsom** y agua también puede secar las ampollas y disminuir la inflamación. Aplíquela directamente sobre la zona enferma. Repita cuantas veces lo desee.
- Prepare un té de **toronjil** (melisa). Los estudios sugieren que esta hierba de la familia de la menta combate los virus del herpes. Para hacerlo, agregue dos cucharaditas de hierba seca en una taza de agua hirviendo. Deje enfriar el líquido y sumerja un algodón; aplíquelo sobre la parte afectada. Algunos naturistas recomiendan fortalecer la infusión con **aceite de rosas, menta o menta verde**.
- Busque en la alacena los ingredientes para otro remedio contra el herpes: **miel y vinagre**. Mézclelos hasta formar una pasta y úntela en sus heridas.

Mate el dolor

- Moje una franela en **agua fría**, exprímala y extiéndala en la zona afectada. Alternativamente, puede usar **leche fría** en lugar de agua. Para algunos la leche resulta un gran alivio.
- Si aún siente dolor después de que las ampollas sanaron, llene una bolsa con **hielo** y pásela suavemente sobre su piel. Nadie sabe por qué este tratamiento es efectivo, pero funciona.

● Para algunos, comer alimentos picantes alivia el dolor. En particular, la capsaicina –la sustancia picante de los chiles– quizás bloquee la transmisión del dolor a través de las células nerviosas.

Póngale freno a las erupciones

● Tome 1 000 mg de suplemento de **licina**, tres veces al día, durante la etapa aguda de las erupciones. Este aminoácido evita que los virus se reproduzcan y puede acelerar la curación.

● Tome dos cápsulas de extracto de **equinácea** (de 200 mg cada una) y dos de **cúrcuma canadiense** (de 125 mg cada una), tres veces al día, para fortalecer las defensas y ayudar a su cuerpo a combatir la infección.

● Pruebe la **uña de gato**, hierba usada desde antaño por los indígenas sudamericanos en su alimentación, ahora valorada como prometedor tratamiento para desórdenes virales (incluyendo el herpes). Busque las preparaciones con 3% de alcaloides y 15% de polifenoles, y etiquetadas *Uncaria tomentosa* o *U. guianensis* (muchos productos se ostentan como "uña de gato", pero no son auténticos). Tome 250 mg dos veces al día.

El poder de la prevención

● *No se puede contagiar de herpes* o contagiárselo a alguien más. Pero quien la padezca puede transmitirle a otro varicela si éste no ha tenido antes el virus. Mejor proteja a los suyos, lávase las manos y avísele a quienes lo rodean que tiene la enfermedad.

¿Llamaré al doctor?

Sí, y pronto. Debe consultar al doctor dentro de las primeras 72 horas si desarrolla los síntomas. Tome antivirales de inmediato puede ayudar a reducir la severidad y la duración del ataque, además de prevenir la neuralgia posherpes, el doloroso efecto secundario de esta enfermedad. También visite al doctor si no aguanta las molestias del ataque, o si el herpes ya desapareció pero el dolor no. Si aparece en su nariz, frente o cerca de los ojos, acuda con el especialista de inmediato, pues existe riesgo de daño ocular.

Dolor por los granos idos

Muchas personas que han sufrido de herpes sienten dolor intermitente en la zona afectada meses e incluso años después del ataque. Esto se llama "neuralgia postherpes" (NPH). Si usted lo padece, visite al doctor, quien puede recetarle medicamentos como gabapentina (Neurontin) o amantadina (Symmetrel/Lysovir) o Axsain, capsaicina en crema. También puede inyectarle un anestésico local para bloquear el dolor. Otro tratamiento disponible (aunque muy caro) es un parche adherible llamado Lidoderm, producido en Estados Unidos por la empresa Endo Pharmaceuticals. El parche contiene lidocaína, un anestésico local suministrado directamente a los nervios dañados bajo la piel, en vez de hacerlo por la sangre, reduciendo los dolores más rápido.

Herpes labial

El objetivo de toda víctima de herpes labial es asegurarse de que esas ampollas ocultas y abscesos desaparezcan lo antes posible. Una vez con el virus, usted necesita dirigir una campaña consistente para detener los brotes. En cuanto identifique el hormigueo intermitente o el ardor que anuncian la llegada de un absceso, puede condimentarlo con sus sistemas caseros de defensa.

¿Qué ocurre?

El herpes labial es causado por un virus simple tipo I. Los dolorosos y acuosos abscesos pueden aparecer en su labio, o puede desarrollar molestas úlceras en la boca y la garganta. Si ya tuvo un absceso, seguramente surgirá otro. Una sensación de hormigueo alrededor de la boca es el aviso del brote inminente de una úlcera, por lo general en uno o dos días. El absceso se hincha, se rompe, expulsa líquido, cicatriza y desaparece, todo ello a lo largo de siete a 10 días. Dolorosas úlceras en la lengua y en el interior de labios y mejillas pueden acompañar el primer brote. Entre las causas comunes de un nuevo absceso destacan la luz del sol, el estrés, la menstruación y la fatiga.

Primeros auxilios para el herpes labial

- Aplique **hielo** directamente en el absceso. De esta manera bajará la inflamación y aliviará el dolor. Si aplica este remedio al inicio de la contienda —a las primeras señales de hormigueo— puede tener un absceso más pequeño que el esperado.
- También puede usar **aspirina** para aliviar el dolor, con un beneficio adicional: los resultados de un estudio (publicado en la revista *Annals of Internal Medicine* de Estados Unidos) indican que tomar diariamente 150 mg de aspirina (dos tabletas de 75 mg) puede reducir a la mitad la duración de la infección.

Derroque al virus

- Algunos estudios señalan que el aminoácido **lisina** es útil como auxiliar para curar el herpes labial. Cuando sufra de un brote, tome 3 000 mg al día hasta desaparecer el absceso. Las investigaciones han revelado que puede prevenir la duplicación (copia) del virus del herpes.
- Los médicos naturistas por lo general recomiendan el **toronjil** (también llamado "melisa") para tratar el herpes simple tipo 1. Sus aceites esenciales contienen sustancias capaces de inhibir el virus. Investigadores alemanes descubrieron que quienes usaban con regularidad ungüentos de toronjil para tratar sus abscesos padecían menos brotes o ya no les ocurrían. El ungüento de toronjil se consigue en tiendas naturistas y también en Internet. Úselo las veces que sea necesario.
- Frote el absceso con un algodón remojado en tintura de **mirra,** hasta 10 veces al día. La mirra ataca directamente el virus causante del herpes. Puede hallarla en tiendas naturistas.
- Mezcle **aceite de árbol de té** con una medida equivalente

de **aceite de oliva** y aplíquelo al absceso dos o tres veces al día. Este aceite es un poderoso antiséptico. Hacia 1920 una investigación indicó que poseía 13 veces el poder antiséptico del ácido fénico, un germicida común entonces.

- Coma **yogur** con bacterias acidófilas vivas. Algunos estudios han demostrado que estas bacterias, contenidas en algunas marcas de yogur, detienen el crecimiento del virus.

- Compre una crema llamada **Aciclovir (Zovirax)**, y guárdela en el botiquín. Úsela **en cuanto sienta el hormigueo intermitente** de un absceso a punto de nacer. Diariamente aplique la crema cinco veces al día, durante cinco días. El medicamento detendrá la erupción en sus inicios, recortará la duración del herpes y reducirá el dolor.

Refuerce sus defensas

- Durante un brote, tome una cápsula de 300 mg de **equinácea** cuatro veces al día. Los estudios sugieren que la hierba puede reforzar la capacidad del sistema inmunológico para vencer a los virus.

- Tome diariamente 1 000 mg de **cuercetina** —un flavonoide o pigmento vegetal que refuerza las defensas— en dosis divididas. Una investigación publicada en la revista estadounidense *Journal of Medical Virology* explica cómo este suplemento puede acelerar la curación de las úlceras del herpes labial. Se vende en farmacias o tiendas naturistas.

No rompa el absceso

- Cuando cicatrice el absceso, cúbralo con un poco de **vaselina** para evitar que se rompa y sangre. Pero cuando lo haga tenga cuidado de no pasar el virus al contenido del frasco. En vez de usar el dedo, aplique la vaselina con un algodón.

El poder de la prevención

- Si padece herpes labial más de tres veces al año, puede tomar diariamente un suplemento de **lisina** por prevención. La dosis recomendada es de 500 mg al día.

- **Aléjese de** alimentos ricos en **arginina**, un aminoácido esencial necesario para el desarrollo del virus del herpes. Si desea tomar las precauciones máximas para evitar un brote, evite **el chocolate, las bebidas de cola, la cerveza, los chí-**

¿Llamaré **al doctor?**

Sí, cuando se trate de su primer brote, o si sus úlceras duran más de dos semanas o si surgen cuatro o más veces al año. Quizás le receten alguna forma de Aciclovir (Zovirax), un medicamento antiviral oral. El médico deberá saber si sufre de fiebre, glándulas inflamadas, presenta síntomas de resfriado, o le duele tanto que le impida comer o lavarse los dientes. Finalmente, si hay dolor ocular o hipersensibilidad a la luz, quizás el virus se ha extendido a los ojos. Visite al doctor de inmediato: su vista puede estar en riesgo.

¿Sabía **qué?**

La mayoría de nosotros portamos el virus del herpes labial incluso sin presentar síntomas. Aproximadamente 80% de los adultos en Gran Bretaña es portador del virus simple tipo I, causante del herpes labial.

Deshágase del herpes labial

Como el virus del herpes se transmite mediante la saliva, algunas medidas de higiene dental pueden ser vitales para no volverse a infectar después de un brote.

• Guarde su cepillo de dientes en un lugar seco, de preferencia en donde esté expuesto al sol y al aire circulante. Si eso implica mantenerlo fuera del baño, mejor. Un cepillo mojado en un baño húmedo es una invitación al crecimiento de bacterias.

• Compre un pequeño tubo de pasta de dientes, úselo durante el brote y, después, tírelo.

• Sustituya su cepillo de dientes tras el brote.

Mito...

Cuando no había otra cosa al alcance, la gente se frotaba con vinagre para curar el herpes labial.

...y verdad

El vinagre es ácido, y a los virus no les va bien en un ambiente ácido. Use un copo de algodón mojado en cualquier tipo de vinagre y aplíquelo al área afectada; repítalo varias veces al día en cuanto sienta el hormigueo intermitente. Tire los algodones después de usarlos.

charos, las nueces (y los cacahuates, almendras y avellanas), gelatina y cereales integrales.

Tome 15 mg de cinc diariamente. En el laboratorio, este nutriente ha bloqueado la reproducción del virus. También refuerza el sistema inmunológico y fortifica el tejido superficial de los labios y del interior de la boca (ello dificulta la implantación del virus).

Trate de **evitar todo lo que parezca desencadenar brotes**. ¿Su herpes labial aparece tras pasar tiempo bajo el sol o durante periodos de estrés? Una vez identificadas las posibles causas, evite situaciones capaces de producir abscesos.

Use **crema labial** con factor de protección solar de al menos 15. En un estudio con gente propensa al herpes labial, quienes no se protegieron los labios mostraron mayor probabilidad de tener abscesos después de largos periodos de exposición al sol.

Como las risas y los bostezos, el herpes labial es contagioso. **No bese a su pareja** si alguno de ustedes tiene herpes. Aunque para contagiarse es indispensable tener contacto directo con la saliva; si alguien en casa sufre de abscesos, **mantenga aparte sus sábanas**, toallas, vasos y cepillos dentales.

Cuando tenga herpes labial, **evite tocarse los ojos**. Puede transmitir la infección a los ojos.

Hipertensión

La mitad de las personas con hipertensión no lo saben. De aquellos que sí, siete de cada diez no la mantienen bajo control. Si usted ignora su situación, pida al médico una revisión. En caso de un diagnóstico positivo, siga las recomendaciones del doctor. Los pilares del tratamiento son el ejercicio y un cambio de dieta. Incluso si le recetaron medicamentos para disminuir la presión, dichos cambios de vida son esenciales.

Comience por la cocina

• Investigaciones en Estados Unidos demuestran que la llamada dieta DASH (siglas en inglés de Esfuerzos Alimenticios para Detener la Hipertensión) es muy efectiva para bajar la presión arterial. Esta es la clave de la dieta: **pobre en grasa saturada** y **colesterol, y rica en fruta, vegetales, granos integrales y alimentos bajos en grasa**. Una dieta basada en estos principios obtiene resultados positivos –reducción de la presión– en tan sólo dos semanas.

• **Reduzca su consumo de sal.** Comer demasiada sal causa retención de agua. El efecto se parece al de añadir más agua a un globo lleno: la presión crece. De acuerdo con un seguimiento del estudio sobre la DASH, el mayor descenso de presión sanguínea ocurrió en los practicantes que limitaron su ingesta de sodio a 1 500 mg diarios. Esto es menos de una cucharadita de sal al día.

• Aunque no use sal cuando guise o en la mesa, puede estar consumiendo gran cantidad de sal "escondida" en alimentos empacados y procesados, especialmente embutidos, botanas y sopas enlatadas. Así, antes de comprar **lea cuidadosamente las etiquetas** para verificar el contenido de sodio o sal. Busque sopas y galletas con bajo contenido de sodio, así como frijoles y productos conservados en salmuera.

• Intente **hornear su propio pan**. Si tiene un molde, le tomará menos de cinco minutos verter los ingredientes y, dos horas después, el pan estará listo. ¿Y para qué molestarse? Pues porque la mayoría del pan industrializado contiene altos niveles de sodio, y usted puedes controlar la cantidad exacta de sal y grasas. Además, el pan hecho en casa es delicioso y esparce un aroma exquisito.

¿Qué ocurre?

Padecer de hipertensión significa tener un corazón trabajando más de lo debido para bombear la sangre, lo cual fuerza las arterias. Eso es peligroso. Si ustede no reduce su presión arterial corre un alto riesgo de sufrir un ataque cardíaco o una apoplejía, o de provocar un desorden renal, entre otras enfermedades mortales. Se considera que existe hipertensión si la presión sistólica (el número más alto) es de 140 o mayor, o si la presión diastólica (el número más bajo) es de 90 o más. En caso de que su presión arterial comience a subir, el médico tomará medidas para controlarla.

¿Llamaré al doctor?

Si le han diagnosticado hipertensión, acuda con el doctor de inmediato si sufre de dolor de cabeza crónico, palpitaciones, sofocos, fatiga, hemorragia nasal, visión borrosa, enrojecimiento facial, micción frecuente o zumbido en los oídos. Estos síntomas indican que su presión arterial no está en los niveles correctos.

Otras recomendaciones nutritivas

• Aunque no siga una dieta especial, comprobará los beneficios de comer mucha **fruta fresca y verduras**, crudas o cocidas. El objetivo es comer cinco porciones de fruta y verduras al día… o más si es posible. La fruta y las verduras son fuentes muy importantes de potasio, magnesio y fibra, que mantendrán sanas las arterias.

• La **avena** es buena por dos razones: ayuda a bajar la presión arterial y los niveles de colesterol, como atestiguan algunos estudios. Su efecto benéfico se debe a una forma de fibra soluble llamada beta-glucano. Si comienza su día con un tazón de avena, su presión arterial probablemente descenderá.

• **Córtele al alcohol.** Los grandes bebedores tienden a tener hipertensión. Si bebe, limítese a un trago diario si es mujer, y a dos si es hombre. Un "trago" equivale a 250 ml de cerveza clara, a una pequeña copa de vino o a una medida estándar de licor.

Deshágase del exceso de equipaje

• Cargar equipaje extra obliga al corazón a palpitar más fuerte. Por eso la presión arterial sube junto con el peso. Si usted está gordo, **bajar por lo menos cinco kilos** puede derivar en una reducción importante de la presión arterial.

Tire los cigarrillos

• **Si fuma, deje de hacerlo cuanto antes.** Los componentes del tabaco contribuyen al endurecimiento de las arterias causando daño a los vasos sanguíneos. Y estos se contraen gracias a la nicotina, lo cual es malo para cualquiera, pero en especial para personas con hipertensión.

¿Debemos culpar al bullicio de la calle?

Todos sabemos que manejar en el tráfico es cansado y aumenta los niveles de estrés. Según una investigación alemana, basta el ruido del tráfico para elevar la presión arterial. El Instituto Robert Koch de Berlín estudió a 1 700 personas; quienes vivían en zonas con mucho tráfico presentaban el doble de casos de hipertensión, comparadas con las que habitaban calles tranquilas. El mayor índice lo tenían quienes dejaban la ventana abierta por la noche, a pesar del escándalo.

Estire la las piernas

• Haga **30 minutos de ejercicio fuerte** por lo menos tres veces a la semana (de preferencia cinco). Este consejo puede parecer absurdo pues la mayor parte de los ejercicios elevan temporalmente la presión. Pero practicar deporte con frecuencia, ayuda a mantener la sangre en un nivel seguro cuando se está reposando. Correr, andar en bicicleta, nadar y caminar vigorosamente son excelentes opciones.

Busque la paz

• Piense en **tener una mascota**. Sea paseando al perro, sentando en las piernas al gato o incluso contemplando un pez dorado, se ha demostrado que interactuar con los animales favorece considerables descensos de la presión arterial.

• **Aprenda a meditar**. No es una tontería *new age*. Las investigaciones demuestran que la meditación sí afecta la presión arterial, aparentemente baja los niveles hormonales de estrés en el cuerpo. Para empezar, concéntrese en una palabra simple o en cualquier frase. Cierre los ojos y relaje los músculos. Respire con lentitud y naturalidad, repitiendo su palabra o frase en cada exhalación. Mientras lo hace, asuma una actitud pasiva. No trate de evaluar si se está relajando o si "va bien": sólo concéntrese en su palabra y en su respiración. Haga esto una o dos veces al día, durante 10 o 20 minutos.

• Tener **aficiones** como tocar un instrumento, cuidar plantas o tejer algo puede ser tan benéfico como la meditación.

Fortalezca sus esfuerzos

• Tome **magnesio**. Este mineral ayuda a relajar el músculo que reviste los vasos sanguíneos, permitiendo su dilatación. El magnesio es especialmente efectivo para reducir la hipertensión vinculada con el embarazo, pero siempre consulte al médico antes de tomar cualquier suplemento si está encinta. Busque los productos con citrato o gluconato de magnesio, que son más amables con el estómago. Si consume este mineral, asegúrese de **tomar calcio** también, pero deje pasar al menos dos horas entre uno y otro para mejorar la absorción. La dosis diaria recomendada para disminuir la presión es de 400 mg de magnesio y 1 000 mg de calcio.

Medidores caseros de la presión arterial

Algunos se ponen tan nerviosos cuando el doctor les mide la presión que experimentan un aumento temporal de ella, conocida como "hipertensión de bata blanca". Usted puede obtener una idea más precisa de su presión arterial comprando un medidor personal para usarlo en casa. Consulta la lista de aparatos probados de forma independiente en la página web de la Asociación de Presión Arterial de Inglaterra: www.bpassoc.org.uk/information/bp_monitors.htm Con el promedio de sus mediciones conseguirá una idea verdadera sobre su presión arterial. Aún así debe acudir regularmente con el médico o la enfermera para revisársela.

• Tome diariamente entre 100 y 150 mg de extracto de **espino** (albar), estandarizado al 1.8% de vitexina. El espino es famoso por dilatar las arterias. Parece funcionar interfiriendo con la enzima convertidora de agiotensina (o ECA) que contrae los vasos sanguíneos. Ésta es enemiga de los inhibidores de ECA, o sea, los medicamentos prescritos para reducir la presión. Si ya está tomando medicina contra la hipertensión, consulte a su médico antes de ingerir esta hierba. El espino puede tardar varias semanas o incluso meses para acumularse en el cuerpo y actuar.

• El **ajo** también ayuda a reducir la presión arterial, aunque no se sabe por qué. Algunos expertos simplemente recomiendan comer un diente de ajo al día. Otros, tomar concentrado equivalente a 4 g de ajo fresco diariamente. Si opta por los suplementos, para mejores resultados escoja cápsulas con capa entérica.

• Tome **suplementos de aceite de pescado** para incrementar su ingesta de ácidos grasos omega-3. El omega-3 inhibe la producción natural de sustancias que contraen las arterias, como las prostaglandinas. Estas grasas "buenas" provienen de peces oleaginosos como la caballa y el salmón; un suplemento normal contiene 1 000 mg. Tomar dos dosis diarias fomenta la buena circulación y puede reducir la hipertensión. O tome una cucharada sopera de aceite de linaza al día, mezclada con jugo de fruta o en el aderezo de la ensalada.

Hipo

El hipo puede atacar en los momentos más inconvenientes: justo antes de besar a la novia en la boda o de ofrecer una presentación en el trabajo, por ejemplo. Cuando está en público, quizás deba recurrir a métodos muy sutiles para controlar el ataque. Algunas "curas" implican presionar con suavidad; otras, un vaso de agua. Y si no le tiene miedo al ridículo —o tiene donde esconderse— he aquí algunas extrañas contorsiones recomendadas por los sobrevivientes del hipo para detener las contracciones. Practique la que mejor le funcione.

Plan de emergencia en sitios públicos

• Apriete la palma de su mano con el pulgar de la otra; mientras más fuerte, mejor. También puede empujar la bola de su pulgar izquierdo entre el pulgar y el índice derechos. La incomodidad es un distractor del sistema nervioso que puede detener el hipo (y lo puede practicar debajo de la mesa sin ser sorprendido).

• **Respire hondo y retenga el aire**. Cuando se acumula dióxido de carbono en los pulmones, el diafragma se relaja. Si puede desaparecer unos minutos, por ejemplo, ir al baño, **meta los dedos en las orejas** entre 20 y 30 segundos. O apriete las partes suaves detrás de sus lóbulos, justo abajo de la base craneal. Esto envía una señal de relajamiento al diafragma a través del nervio vago.

• Cuando nadie lo vea, saque la lengua. Los cantantes y actores hacen este ejercicio para estimular la abertura entre las cuerdas vocales (la glotis). Podrá respirar con mayor comodidad, reprimiendo los espasmos causantes del hipo.

• Ahueque las manos sobre la nariz y la boca, pero siga respirando normal. El hipo se aliviará gracias a la dosis extra de dióxido de carbono.

Bebidas curativas

• **Sorba rápidamente**, nueve o diez veces seguidas, de un vaso. Cuando bebe algo, las contracciones rápidas del esófago anulan los espasmos del diafragma.

¿Qué ocurre?

Increíblemente, a pesar de lo común del hipo, nadie sabe con seguridad sus causas. Pero todos somos susceptibles de sufrirlo. Incluso los fetos en el vientre. Algo obliga al diafragma a contraerse, de repente y de forma involuntaria, lo que provoca un espasmo que se libera mediante el embarazoso ruido del hipo. Algunos alimentos pueden provocarlo , también el alcohol en exceso o tragar aire, como cuando sorbe una bebida gaseosa — o si algo lo excita.

¿Llamaré al doctor?

● Si puede **bloquear los oídos** cuando beba, mucho mejor. Métase los dedos en las orejas y beba con un popote. De ese modo presionará el nervio vago mientras recibe los beneficios de tragar uniformemente.

● Coloque una tira de papel de cocina sobre el vaso y luego beba a través de ella. Deberá usar con más fuerza el diafragma para tomar el agua, y los sorbos concentrados contrarrestan los movimientos musculares espasmódicos.

Remedios para sorprender su paladar

● Ponga una cucharadita de **azúcar o miel**, mojada en agua tibia, en la parte posterior de la lengua y tráguela.

● La sorpresa de algo ácido puede hacerle fruncir los labios y vencer el hipo. Corte una rebanada de limón y chúpela.

● Tome una cucharadita de **vinagre de manzana**. Es un reto, pero si puede lidiar con él, resulta una cura rápida.

Tómese un respiro

● A veces los ejercicios de **relajación** es la clave. Acuéstese boca abajo, con la cabeza ladeada y los brazos a los lados. Respire hondo, contenga el aire entre 10 y 15 segundos y exhale lentamente. Tras unas cuantas repeticiones, descanse unos minutos antes de levantarse.

● Si puede pedirle a alguien que lo auxilie, apoye la espalda en la pared y pídale que coloque con suavidad su puño en el área suave justo bajo el esternón. Suspire profundamente varias veces y, por el último, exhale totalmente. Entonces la persona que lo está ayudando debe **empujar con suavidad y firmeza** para permitir que usted expulse el aire de los pulmones.

● **Un beso largo y apasionado** también puede funcionar (y si no, pues no pasa nada). Asegúrese de escoger a la persona adecuada para hacerlo.

Remedios del menú infantil

● Disfrute una buena cucharada de **mantequilla de maní.** Mientras la masca y despega de lengua y dientes, se interrumpe el movimiento usual de tragar y respirar.

● Con una **bola de helado**, la cura se vuelve placer. El frío del helado, y lamerlo con uniformidad se vuelve una sabrosa distracción que ayuda a calmar el diafragma.

El poder de la prevención

● **Evite la cerveza** y las **bebidas gaseosas**, en especial si están frías. La baja temperatura combinada con las burbujas crea un irritante coctel que puede descontrolar su diafragma.

● **Coma lentamente**. Comer con rapidez le hace tragar más aire, y eso puede generar hipo y eructos.

● Algunos medicamentos como el **diazepam** (Valium) fomentan el hipo. Si sospecha que alguna medicina no le caerá bien, pídale al médico otra opción.

● Si un bebé tiene hipo, quizá se debe a que tragó demasiado aire mientras comía. Habrá que hacerlo eructar: apóyelo sobre su hombro y **déle golpecitos suaves en la espalda**. Eso puede expulsar el aire y detener el hipo. También verifique que el chupón de la mamila deje salir la cantidad adecuada de leche. Voltee una botella llena; debe caer una gota regular capaz de escurrir con lentitud e incluso de pararse. Si sale muy poco o demasiado líquido, eso puede causar hipo.

Impotencia

Como la mayoría de los hombres sabe, numerosos factores físicos y mentales influyen en la habilidad de lograr una erección. Una vez que se ha descartado un problema más serio, quizás desee afrontar la disfunción eréctil desde otros puntos de vista. Por ello, empiece a practicar más ejercicio y, al mismo tiempo, reflexione sobre los factores mentales que puedan estar afectándolo (incluyendo el aburrimiento o la ansiedad en la cama). También hay hierbas y suplementos reconocidos, capaces de convertirse en la clave para un mejor "despertar".

¿Qué ocurre?

La erección es el resultado final de una compleja cadena de eventos. El cerebro envía señales a los genitales, los vasos sanguíneos se dilatan y el pene crece. Mientras, se bloquean las venas que normalmente expulsan la sangre. Cuando un hombre no puede obtener o mantener una erección, sufre de la llamada impotencia o disfunción erectil (DE). Entre las causas comunes destacan la diabetes, el bloqueo de arterias y los problemas nerviosos. Otros factores son el alcoholismo, la depresión y la ansiedad; de hecho, cerca de 30% de los casos se debe a razones sicológicas. Algunas medicinas también son culpables, en especial aquellas empleadas para la hipertensión y la depresión.

Diagnostica tu problema

• Normalmente, los hombres sanos tienen varias erecciones durante la noche. Los doctores cuentan con varios métodos para medir esto, pero usted también puede. Antes de dormir, tome un **pañuelo desechable**, corte un pedazo y enróllelo un tanto apretado alrededor de su pene. Asegúrelo con cinta adhesiva. Si en la mañana el pañuelo está roto, seguramente usted tuvo una erección nocturna. Son buenas noticias: quizás no tenga un problema físico importante que resolver pero, en vez de eso, sí conflictos sicológicos con los cuales lidiar.

Atice el fuego con hierbas

• Tome **ginkgo biloba**. Puede mejorar la circulación en los vasos sanguíneos, incluyendo el pene. En un estudio, la hierba ayudó a los hombres a tener erecciones, incluso cuando una un medicamento inyectado no funcionó. Use suplementos con extracto de ginkgo biloba, o EGB, la forma concentrada de la hierba. Tome hasta 240 mg al día, en dos o tres dosis. Notará la diferencia en cuatro o seis semanas.

• Pruebe el **ginseng tipo panax**, también llamado coreano, asiático o chino. Se ha usado desde antaño como impulsor de la virilidad, pues mejora el flujo sanguíneo hacia el pene e incrementa la energía. Tome entre 100 y 250 mg dos veces al día. Empiece con la dosis más baja y auméntela gradualmente. (*Alerta* no lo use si tiene hipertensión, excepto bajo supervisión médica, si sus latidos son irregulares, o si está tomando antidepresivos MAOI como el Nardil.)

Vigorice sus esfuerzos

• Compre suplementos de **cinc** y tome entre 15 y 30 mg al día. Este mineral mejora la producción de varias hormonas incluyendo la masculina, testosterona. Tome el cinc una o dos horas después de comer.

• Tome **vitamina C**. Ayuda a los vasos sanguíneos a mantenerse flexibles, permitiéndoles dilatarse cuando se necesita más sangre. Consuma 500 mg dos veces al día. Reduzca la dosis si le da diarrea.

• Los ácidos grasos omega-3, provenientes de los **aceites de pescado** o del **aceite de linaza**, también mejoran la circulación. A largo plazo pueden reducir el colesterol y prevenir la contracción de los vasos sanguíneos. Tome diariamente dos cucharaditas de aceite de pescado o una cucharada sopera de aceite de linaza.

• Tome tres veces al día un suplemento con 1 000 mg de **aceite de prímula u onagra**. El aceite contiene ácidos grasos esenciales que promueven la buena salud de los vasos sanguíneos. Ingiéralo con las comidas para facilitar la absorción.

• El aminoácido **arginina** puede mejorar el flujo de sangre hacia el pene porque incrementa la producción de óxido nítrico en las paredes de los vasos sanguíneos haciendo más flexibles las arterias y ayudando a los vasos a dilatarse. La mejor forma es la L-arginina. Tome dos veces al día un par de cápsulas de 750 mg, entre las comidas.

Vigile su peso

• El ejercicio ayuda mucho a reducir el exceso de peso, estimula la circulación (incluso en los vasos que mantienen en funcionamiento el pene), incrementa la energía y reduce los niveles de estrés. Practique 30 minutos de ejercicios aeróbicos –caminar, trotar, nadar o jugar tenis– cuatros veces por semana.

Bájese de la silla

• **Si es ciclista, tenga cuidado**. Demasiado andar en bicicleta, o sobre un asiento incorrecto, puede dañar los delicados vasos y nervios de las áreas sobre las que se apoya. Asegúrese de usar un asiento acanalado en el centro. También verifique que sus rodillas se mantengan flexionadas mientras los pies llegan a la parte más baja de la rueda de los pedales; esto pone más peso en las

¿Llamaré al doctor?

Hable con su doctor si la incapacidad de tener una erección dura más de dos meses o es muy recurrente. Puede ser un buen candidato para el Viagra (o algo similar) y su doctor puede advertirle de los beneficios y los posibles efectos secundarios. Asimismo, si el médico revisa sus tratamientos puede detectar algún medicamento capaz de estarle provocando la disfunción eréctil. Y la revisión física puede descubrir si el problema de erección es síntoma de otra dolencia, como diabetes o desórdenes circulatorios.

piernas y no entre ellas. Póngase de pie por lo menos cada 10 minutos para dejar circular la sangre en el área genital; también nivele los pedales y levántese cuando pase sobre baches para reducir los golpes sobre su entrepierna.

Deje de fumar

Si consume cualquier tipo de tabaco, **déjelo ya**. La nicotina daña los vasos sanguíneos y, por ende, perjudica la circulación. Eso implica menos sangre para el pene.

Fumar mariguana también tiene un efecto perjudicial en el desempeño corporal, al igual que otras **drogas** como la cocaína y las anfetaminas.

Practique variantes novedosas en la cama

Si su problema de erección se debe más al estrés cotidiano y a las emociones que a un desorden físico, hay muchos modos de volver a la acción. Por ejemplo, disfrute el juego erótico **sin penetración**. Esto libera la presión, eliminando la ansiedad por el desempeño. Sólo métanse en la cama y abrácense, dense un masaje e imaginen cosas divertidas que hacer sin necesitar una erección.

Fomente la **variedad**. La misma rutina aburrida puede afectar su capacidad de erección. Prueben nuevas posiciones o hagan el amor en sitios distintos.

Haga el amor por la mañana. Seguramente tendrá más chispa, pues en ese momento del día tu nivel de testosterona está en la cúspide. Además no estará tan agotado y fastidiado como al final de una pesada jornada.

Platíquenlo

Si usted se guarda el problema, puede empeorarlo. Mejor **platíquelo** con su pareja. Ambos pueden rastrear las posibles causas de este problema; quizás un pequeño desacuerdo o pre-ocupaciones de dinero impidan su desempeño adecuado. No sólo conocerá el punto de vista de su pareja, también lo beneficiará saber que son dos personas las que buscan una solución.

Déjelo pasar. Preocuparse de más sobre ello sólo empeorará las cosas. **Enfóquese en otros aspectos de su vida** por un tiempo, como en sus aficiones o en los hijos.

Revise sus medicinas

Algunos medicamentos para la presión arterial pueden contribuir a la disfunción eréctil, principalmente los llamados **bloqueadores de calcio (nifedipina)** y los **bloqueadores beta (metopropol)**. Si los toma, hable con el doctor para que le recomiende medicinas que no generen los mismos efectos secundarios.

Medicamentos con digitalina como el **digoxin (Lanoxin)**, recetados para molestias cardiacas, también pueden generar problemas. Pero no deje de tomar la medicina ni disminuya la dosis sin antes consultar al médico.

Quienes consumen ciertos **antidepresivos** con frecuencia reportan problemas de erección. Como los efectos secundarios no son predecibles, quizás su doctor le permita probar otro tipo de medicamento para verificar si eso mejora las cosas.

Si contra las úlceras estomacales está tomando **cimetidina** y también experimenta dificultades de erección, coméntelo con su médico. Esta medicina puede ser la culpable.

Descanse y relájese lo suficiente

Trate de dormir por lo menos de **seis a ocho horas** durante la noche. La fatiga definitivamente frena su capacidad para tener una erección.

Baje sus niveles de estrés. La ansiedad y el enojo no conducen al estado mental necesario para el sexo. Peor aún, la ansiedad genera en el cuerpo un tipo de adrenalina que interfiere en el proceso fisiológico de la erección.

Si tiene problemas para tranquilizarse, pruebe algunos métodos de relajación como el **yoga** o la **meditación**. Puede ser tan sencillo como dedicar unos minutos al día a realizar respiraciones profundas, sólo concentrándose en inhalar y exhalar.

¿Todo está en su mente... o más abajo?

Saber si su disfunción erectil se origina en la mente o en el cuerpo lo ayudará a resolver el problema. El desorden es psicológico si aún tiene erecciones ocasionales: por ejemplo, al despertar por la mañana.

Pero muy probablemente será un trastorno físico de origen físico si el problema se desarrolló gradualmente y tuvo otros malestares en el área genital, como dificultad para orinar o entumecimiento del pene.

Incontinencia

Cualquier programa diseñado para combatir la incontinencia incluye ejercicios de pelvis llamados "Kegel". Deben su nombre a Arnold Kegel, el doctor que inventó la técnica. Estos ejercicios son un modo sencillo de fortalecer los músculos encargados de retener la orina. No son la panacea, pero pueden ayudar a hombres y mujeres a superar la incontinencia ligera. También deberá usted vigilar lo que bebe y cuándo lo hace, ser cuidadoso con sus medicinas… y prepararse para tener paciencia en el baño.

¿Qué ocurre?

Hay dos tipos de incontinencia urinaria. En la ligera, la orina se derrama al reír, estornudar, toser o levantar algo pesado. En la incontinencia grave, se sienten ganas de orinar pero no alcanza a llegar al baño. La incontinencia es más común en las mujeres, pues el dar a luz puede dañar las estructuras que retienen la orina, así como los nervios encargados de ordenarle al cuello de la vejiga que se contraiga. En los hombres, por lo general la incontinencia es provocada por una próstata alargada. También existen otras causas como medicinas que relajan la próstata, infecciones urinarias, mal de Parkinson y esclerosis múltiple.

Imite a un grillo

- Si de repente le dan ganas de ir, siéntese y talle su tobillo derecho sobre la espinilla izquierda (o viceversa). Mantenga una presión constante. Al tallar sus piernas, inhibe las contracciones de la vejiga al aplicar presión sobre un nervio (llamado "dermatoma L5") que afecta la urgencia de orinar.

Aprenda el ejercicio número uno.

- Practique **ejercicios Kegel** para fortalecer los músculos de la pelvis, que sostienen la vejiga. Para localizar estos músculos, detenga el chorro mientras orina; los músculos usados para esto son los que va a fortalecer. (Hágalo sólo una vez, pues es malo para la vejiga detener la orina constantemente.)
- Apriete los músculos durante uno o dos segundos y luego relájelos. Haga diez repeticiones, cinco veces al día. Como todo el ejercicio es interno e imperceptible, puede practicar los Kegels mientras **espera en la fila** del supermercado, atascado en el tráfico, bañándose, viendo televisión y así por el estilo.
- Mientras los músculos de la pelvis se fortalecen, intente mantener **cinco segundos** la contracción. Poco a poco aumente el tiempo hasta **15 segundos**.
- Si siente que está a punto de reír, toser, estornudar o algo capaz de presionar la vejiga, rápidamente haga un ejercicio Kegel para evitar un accidente.

Lecciones para beber

- Si le molesta la incontinencia frecuente, **reduzca las bebidas con cafeína** o evítelas en absoluto. La cafeína, un diurético, hace a su cuerpo producir más orina. También contrae los músculos de la vejiga, provocando accidentes. No tome más de 200 mg de cafeína al día. Eso es menos de dos tazas de café.

* **Evite el alcohol**. Como la cafeína, el alcohol incrementa la producción de orina en el cuerpo. No tome más de una cerveza, una copa de vino o un trago al día.

* **No deje de beber** líquidos con la intención de producir menos orina. Puede deshidratarse y aumentar el riesgo de contraer una infección de vejiga o piedras en los riñones. Los doctores recomiendan a todos beber a diario el equivalente a ocho vasos de agua de 250 ml.

Evite irritar la vejiga

* Suspenda **fresas, ruibarbo y espinacas** de su dieta y advierta si hay alguna diferencia. Estos alimentos son altos en componentes irritantes llamados "oxalatos".

* **Evite los colorantes** y **endulzantes artificiales**. Ellos también pueden irritar la vejiga.

Cree una rutina

* Si padece incontinencia, **orine cada tres horas**, lo necesite o no. Use un reloj digital y programe la alarma si necesita un recordatorio. Algunas personas duran mucho tiempo sin orinar y no se dan cuenta de que su vejiga está llena. Orinar con regularidad puede ayudarlo a prevenir este problema.

* Si no puede aguantar tres horas sin orinar entonces **vaya al inicio de cada hora**. Cada cierto número de días, intente esperar unos minutos más antes de ir al baño. Eventualmente podrá soportar las tres horas completas.

Tómese más tiempo allí.

* Una vez en el baño, no se apure en vaciar la vejiga. Si es mujer, siéntese hasta sentir que ya ha liberado toda la orina. Permanezca sentada un poco más. O párese y siéntese de nuevo. Si lo hace, la vejiga se contraerá, vaciando el líquido restante. Si es hombre, podrá deshacerse de toda esa orina si sólo se para un instante, se relaja y espera. Hay varones que prefieren sentarse en el retrete; permanecer un rato allí y asegurarse de dejar vacía la vejiga prevendrá futuros accidentes.

¿Llamaré al doctor?

Si hay sangre en su orina, o luce oscura, o hay dolor o escozor durante la micción, acuda al médico. Todo esto puede anunciar una infección bacterial, piedras en el riñón o un tumor en la vejiga. También debe consultar al doctor si la incontinencia le impide llevar una vida normal, o si sospecha que una medicina es el problema.

¿Sabía qué?

Algunos doctores ahora inyectan Botox para tratar la incontinencia urinaria. Esto ha empezado a ser reconocido por los médicos como un tratamiento exitoso. Funciona paralizando el músculo que controla el vaciado de la vejiga, impidiendo su operación involuntaria.

Sólo para mujeres

Si sufre de incontinencia ligera, coloque un **tampón extra-absorbente** en la vagina. El tampón presiona sobre la uretra, ayudando a mantenerla cerrada. Para facilitar la inserción, moje el tampón con un poco de agua. Asegúrese de removerlo antes de dormir. Sólo use el tampón cuando haga ejercicio si únicamente en esas ocasiones le sobreviene la incontinencia.

Otra opción es **entrenar la vagina,** mediante una pesa cónica que se inserta y mantiene en los genitales. Vienen las pesas en diferentes dimensiones (de cinco a 60 g). La idea es que los músculos de la vagina se contraigan para mantener el cono en su lugar; poco a poco se aumenta el peso mientras los músculos se fortalecen.

También puede comprar un aparato llamado **"ejercitador pélvico"**, descrito como "entrenador vaginal de resistencia" y supuestamente funciona mejor que los conos o los ejercicios Kegel. Se consigue en Internet.

Haga ejercicio

El sobrepeso añade presión a la vejiga. El ejercicio le ayudará a eliminar los kilos de más (por supuesto, controle lo que coma).

Nuestros bisabuelos aliviaban los dolores de estómago con algunos de estos remedios, y usted puede sentirse afortunado con ellos. No importa cuál de estos remedios escoja; sólo necesita tener cuidado y poner atención en los alimentos que ingiere —así como en la frecuencia y la cantidad. También evite ponerse ropa ajustada, que presiona el abdomen hacia arriba.

Larga tradición

El **jengibre** ha sido empleado para remediar alteraciones estomacales y náuseas. No se sabe cómo funciona, pero mejora la digestión y tiene propiedades antiespasmódicas, lo que lo hace un remedio útil para los retortijones. Se pueden tomar dos cápsulas de 250 mg después de los alimentos. O después de una comida, tome una taza de té caliente de jengibre. Para preparar el té, añada una cucharadita de raíz fresca de jengibre en una taza de agua hirviendo, deje reposar durante 10 minutos y cuele.

La **manzanilla** es un tratamiento para la indigestión. Esta flor se toma mejor como un té calmante. Ingiera cada día tres tazas de té de manzanilla antes de los alimentos.

Consiéntase con menta

El **aceite de menta** calma los retortijones y ayuda a aliviar la inflamación abdominal. Se toma mejor en cápsulas de liberación lenta. Tome una o dos cápsulas tres veces al día después de los alimentos. También puede toma cápsulas de aceite de menta, disponibles en tiendas de productos naturales. Tome una cápsula tres veces al día, con agua, antes de los alimentos. (*Alerta* Si se tiene acidez, la menta puede empeorar los problemas de reflujo de ácido. Evite los remedios contra la indigestión al mismo tiempo que toma el aceite de menta. Si le están administrando ciclosporina para la artritis reumatoide, verifique con el médico antes de tomar el aceite de menta.)

En lugar de cápsulas, puede tratar de completar los alimentos con una refrescante taza de té de menta. Coloque una cucharadita de hojas secas o una bolsita de té de menta en una taza con agua hirviendo, deje reposar 10 minutos y cuele.

¿Qué ocurre?

El término "indigestión" también se conoce como dispepsia. Comprende una amplia cantidad de síntomas oncómodos como resultado del alimento que no pasa a través del tracto digestivo de manera apropiada. Quienes la padecen pueden experimentar náuseas o acidez debido a que el ácido del estómago fluye de regreso hacia el esófago. O quizás el problema sea dolor abdominal o inflamación. Existen muchas causas para la indigestión, incluyendo el comer demasiado o muy rápido, ingerir alimentos que no son de su agrado y tener demasiado o poco ácido en el estómago.

¿Llamaré al doctor?

Si la indigestión dura más de dos semanas a pesar de sus mejores intentos, hable con su médico. Busque de inmediato la ayuda médica si tiene náuseas acompañadas de sudoración o dolor en el pecho. Otros signos de peligro incluyen dolor abdominal acompañado de heces negras o sanguinolentas. (Algunas veces, las heces negras son provocadas por los complementos de hierro o del Pepto-Bismol o por ingerir algunos alimentos, pero también pueden ser un signo de sangrado gastrointestinal.) Por último, llame a su médico si se presenta algún problema con la alimentación o no puede deglutir el alimento.

Recursos masticables

● Mastique una cucharadita de semillas de **hinojo** o **alcaravea** si tiene indigestión (después de comer mucho). Estas semillas contienen aceites que calman los espasmos intestinales, alivian las náuseas y ayudan a controlar la flatulencia.

● **Forma de preparar infusión de las semillas.** Ponga en infusión una cucharada de una mezcla hecha en partes iguales de semillas de alcaravea, hinojo y anís en 250 ml de agua hirviendo por tres minutos. Cuele y divida en dos porciones. Bébala como agua durante un día antes de los alimentos.

● Los antiguos griegos utilizaban el **regaliz** para aliviar los dolores de estómago, y en la investigación se ha encontrado que esta planta tiene muchos beneficios. La raíz se emplea para tratar varias dolencias, desde problemas menstruales hasta infecciones respiratorias. Otra forma, conocida como DGL (regaliz deglicirrizinado) tiene un efecto benéfico en el tracto digestivo, aliviando el malestar estomacal y la indigestión mediante el recubrimiento del revestimiento interior del esófago y el estómago. Aunque el DGL se encuentra disponible en cápsulas, es más efectivo cuando se toma como **oblea masticable,** ya que sólo actúa cuando se mezcla con la saliva. Mastique entre dos y cuatro obleas de 380 mg tres veces al día por cerca de 30 minutos antes de cada alimento. (*Alerta* No tome el regaliz puro, pues tiene glicirrizina –que es contrario al DGL– si tiene presión alta: puede elevar la presión sanguínea y también ser dañino si se combina con ciertos diuréticos prescritos para este padecimiento.)

La solución de agua de soda

● Disuelva una cucharada de **bicarbonato de sodio** en un vaso de agua y bébalo. Esta solución neutraliza el ácido del estómago y ayuda a aliviar las flatulencias. Algunas veces, el bicarbonato produce gas en el estómago, por lo que algunos expertos recomiendan añadir unas gotas de **jugo de limón** para disipar algo del gas. (*Alerta* No tome bicarbonato si se está con una dieta baja en sodio.)

Solución ácida

● Beba una cucharadita de **vinagre de sidra** diluido en medio vaso de agua, en especial después de una comida abundante o pesada. Esto le ayudará a digerir el alimento si usted no tiene suficiente ácido en el estómago. Si desea endulzar el sabor puede adicionar un poco de miel.

Pruebe esto

- Algunas personas afirman que beber un vaso de **agua caliente** alivia la indigestión.
- También la **limonada** o una **bebida de cola sin gas** calma el malestar estomacal. Si tienen gas, elimínelo agitando la bebida.

Tenga cuidado con jugos y productos lácteos

- Aunque se consideran saludable, los jugos en realidad pueden causar dolor abdominal y gases. Contienen fructosa —azúcar que pasa al colon sin digerir. Cuando las bacterias en el colon rompen el azúcar, es probable que usted tenga ya inflamación y gases. Si toma jugos, que no sean más de **150 ml** cada vez, y hágalo siempre con alimentos para que los digiera mejor.
- Si con los productos lácteos usted siente gases e inflamación, el problema puede ser intolerancia a la lactosa, por incapacidad para digerirla; es un azúcar que se encuentra en la leche. Para estar seguro, haga esta prueba: tome dos vasos de leche y vea si hay molestias. Si es así, elimine los productos lácteos de su dieta o busque **productos sin lactosa**. Si no puede renunciar a la leche, compre lactasa líquida y adiciónela a la leche.

Coma lentamente y termine temprano

- **Coma lenta** y deliberadamente. Cuando se deglute en grandes pedazos hacia el sistema digestivo, entra aire, lo que contribuye a la inflamación y a las flatulencias. Además, cuando se come muy rápido no se recubre completamente con saliva. Esto interfiere con el proceso digestivo.
- Ingiera el último alimento del día por lo menos **tres horas antes de ir a dormir**. Su sistema digestivo trabaja mejor cuando se encuentra levantado y en movimiento.

Mito...

Frotar suavemente el estómago puede ayudar a aliviar la indigestión.

...y verdad

Cuando usted se da masaje en la parte baja del abdomen, empuja el aire atrapado y los productos digestivos hacia su salida natural. Esto puede ayudar a disipar la flatulencia y el estreñimiento.

Infecciones micóticas

Cualquier infección micótica se disemina con facilidad. La mayoría de las mujeres sufren de picazón y malestar debido a una infección vaginal por levaduras al menos una vez en su vida, y ninguna es inmune a infecciones como tiña o pie de atleta. En la mayoría de los casos, las infecciones micóticas se curan fácilmente con cremas o aerosoles disponibles sin prescripción médica.

¿Qué ocurre?

Todos tenemos pequeñas cantidades de levaduras. La *Candida albicans*, habita en varias partes húmedas del cuerpo, por lo general sin causar problemas. Pero a veces algo estimula a las células de las levaduras para multiplicarse. Pueden ser los antibióticos, que matan a las bacterias buenas que mantienen a raya a las levaduras. La mayoría de las mujeres tendrán en algún momento una infección vaginal por levaduras, que pueden transmitir a su pareja sexual. En las mujeres, los síntomas son comezón, enrojecimiento y secreción blanquecina. En los hombres, que han sido infectados, el prepucio y el pene por lo general están enrojecidos e inflamados. Es recomendable evitar el contacto sexual hasta que la infección se cura.

Enfréntese a las aftas

Probablemente la infección micótica más común, las aftas o candidiasis, es causada por un organismo de levadura **Candida albicans**. Por lo general se presenta en la vagina, pero también puede aparecer en la boca y en los dobleces de la piel. En las parejas también puede transmitirse una infección por levaduras a la pareja durante el acto sexual. Si usted tiene una infección vaginal por levaduras, asegúrese de que su pareja no este infectado, lo que se presenta en hombre no circuncidados.

Para las infecciones vaginales, dése un lavado vaginal dos veces al día, durante dos días, con una mezcla de dos cucharadas de **vinagre** blanco en un litro de agua. Esta solución ácida crea un ambiente inhóspito para la levadura. Pero sólo debe hacer esto por dos días, y sólo si tiene una infección por levaduras. De otro modo, usted eliminará las bacterias buenas que mantienen bajo control a las infecciones.

Las infecciones de hombres y mujeres se pueden tratar con facilidad con cremas como Canesten. Aplicar yogur natural también puede aliviar el dolor.

Disuelva una taza de **sal de mar** en un baño caliente y remoje la zona. Esto lo puede hacer diario para aliviar la comezón y el dolor. El remojarse en sal de mar también acelera la curación. Enjuagarse con una solución de agua de sal también puede ser útil para tratar las aftas bucales.

Trate con ajo la infección

Ingiera diario algunos dientes de ajo, que se han empleado desde tiempos antiguos para combatir cualquier cosa, desde resfriados hasta infecciones intestinales. Su acción antimicótica lo hace útil contra de las infecciones por levaduras. Es mucho más efectivo si se comprime y se come fresco. Si usted no comulga con la idea de masticar un diente completo, macérelo y adicione un aderezo para ensalada o revuélvalo con una salsa para pasta.

Algunas personas recomendaron colocar en la vagina dientes de ajo envueltos en una gasa. Pero la mayoría de las mujeres preferirán usar una **crema antimicótica**.

Combata levaduras con bacterias

Cada día, ingiera una taza de **yogur** natural que contenga bacterias *Lactobacillus acidophilus*. Se ha observado que esto reduce el sobrecrecimiento de las levaduras en la vagina y en los intestinos. Sin embargo, si tiene una infección bacteriana el yogur puede empeorarla.

Otros combatientes micóticos

Prepare una solución de **canela**, ya que la investigación indica que tiene grandes propiedades antimicóticas. (De hecho, algunos investigadores alemanes concluyeron que impregnar papel de baño con canela podría suprimir por completo los hongos responsables de infecciones por levaduras. Adicione ocho rajas de canela a cuatro tazas de agua y hierva durante cinco minutos. Deje enfriar y reposar 45 minutos. Algunas personas herbolarias sugieren usar la solución ligeramente caliente como una ducha; otras, que se beba el té de canela para ayudar al control de las infecciones por levaduras.

Para ayudar al sistema inmunológico a combatir la infección, tome tres dosis de 200 mg de **equinácea,** tres veces al día. Hágalo diariamente hasta por dos semanas, después suspenda la toma por dos semanas.

Manténgala bajo control

Contrariamente a la creencia popular, una dieta alta en carbohidratos o **azúcar no aumenta el riesgo** de una infección por levaduras. Tampoco se obtiene un beneficio por ingerir una dieta sin levaduras. La levadura que se emplea en la fabricación de pan no es del mismo tipo de la responsable de la infección por levaduras.

¿Llamaré al doctor?

Si usted es una mujer que ya ha sido tratada para infecciones vaginales por levaduras, es muy probable que le sean familiares los síntomas y puede tratarlos por sí misma. De otra manera, siempre acuda al médico para descartar otros problemas, tales como una enfermedad trasmitida por vía sexual. También debe solicitar ayuda médica si tiene flujo anormal o sangrado, siente dolor al orinar, en el acto sexual o tiene síntomas que no se han eliminado después de cinco días de tratamiento.

● **Duerma sin ropa**. Debido a que las levaduras crecen en ambientes calientes y húmedos, la ventilación ayudará a evitar la infección. También, cuando usted pueda, no use ropa interior **durante el día**. O seleccione ropa interior de algodón.

● Por la misma razón, **evite ropa interior ajustada**.

● **No mantenga el traje de baño húmedo** después de nadar. Tome una ducha tan pronto como pueda y use ropa seca.

● Use el aire frío de un **secador de pelo** para mantener seca el área vaginal externa después del baño o de nadar.

● **No use jabón o agua caliente** para el aseo del área vaginal. Esto remueve las barreras naturales de la piel sana que ayudan a mantener controladas las levaduras.

● **No emplee tampones con aroma**, desodorantes ni lavados vaginales. Los agentes químicos alteran el ambiente delicado en la vagina y permite que vuelvan las levaduras.

● **Evite el talco con aroma**. A veces los polvos irritan la piel y la irritación la hacen más propensa a la infección por levaduras.

● Vaya al sanitario **después del acto sexual**. Las membranas mucosas de la vagina por lo normal son ligeramente ácidas, pero el semen es alcalino, haciéndolas apropiadas para las levaduras. El orinar ayudará a que el área sea menos apropiada para el desarrollo de las infecciones.

Deshágase de la tiña

La tiña es una infección micótica común de la piel.

● Al primer signo de infección, busque un **remedio antimicótico** que contenga ingredientes como miconazol o clotrimazol.

● Asegúrese de mantener el área afectada **limpia y seca**.

● Si la infección se inicia con exudación o ámpulas, aplique **compresas húmedas** frías o calientes. O remoje en agua con **sales de Epsom** disueltas, para ayudar a secar la erupción con exudado. Tenga cuidado de no romper las ámpulas y acuda al médico tan pronto como sea posible.

La cura con curry

● Cure la tiña con **cúrcuma**, el principal ingrediente del polvo de curry. Contiene curcumina, que ha ayudado a muchas personas con padecimientos inflamatorios, tales como artritis. No está claro por qué funciona tan bien en un problema micótico

¿Qué ocurre?

La tiña es una infección micótica de la piel que tiende a avanzar de manera insidiosa a lo largo de la ingle, el cráneo, los pies y la cara. Con frecuencia comienza como una zona rojiza redonda con picazón que se expande. Conforme lo hace, el área media sana, pero todo alrededor es un anillo rojizo en donde continua la infección para su diseminación. Si se encuentra sobre el cráneo, habrá piel descamada y pérdida de cabello en la zona. Esta condición es contagiosa, la tiña prospera en ambientes húmedos y cálidos y por lo general se disemina cuando las personas tocan un área infectada, tal como el piso de la regadera en la piel, pero en la medicina asiática esta especie se ha usado mucho para combatir la tiña. Revuelva en suficiente cantidad de agua una o dos cucharaditas de cúrcuma en polvo para hacer una pasta. Extiéndala sobre la superficie afectada y cúbrala con una gasa. Revuélvala después de 20 minutos. Se puede repetir tres o cuatro veces al día, pero suspenda el tratamiento si la cúrcuma le irrita la piel.

El poder de la prevención

• **No comparta zapatos ni use toallas** de otras personas, pues puede diseminarse así la infección.

• Si los miembros de la familia tienen tiña, asegúrese de que **ninguno comparta la ropa** o los **cepillos de cabello**.

• Lave con **agua caliente** la ropa, toallas, ropa interior y de cama que pudieron estar en contacto con el área infectada.

• Seque completamente los pies después de nadar o del baño y, cuando sea posible, use una **secadora de cabello**. El área entre los dedos de los pies es el lugar más común para que comiencen a crecer los hongos.

• En lugar de caminar sin zapatos en la alberca pública, **use sandalias** para evitar un contagio.

• Use un **polvo antimicótico** en los zapatos o en el área inguinal para absorber el exceso de humedad.

• Las mascotas pueden transportar la tiña, que puede ser transferida a los humanos. Si usted ve una zona sin cabello en su perro o gato, lleve el animal con el veterinario tan pronto como sea posible

(Vea también *Pie de Atleta* y *Comezón*.)

¿Llamaré al doctor?

Si los síntomas no mejoran después de algunas semanas de autotratamiento o si la tiña continúa diseminándose, hable con su médico. Si usted tiene tiña en el área inguinal, el médico prescribirá un polvo antimicótico. En caso de tiña en el cuero cabelludo, se le puede recetar un antimicótico oral. Si usted padece diabetes consulte a su médico tan pronto como sea posible. La tiña puede causar rompimiento de la piel y si la bacteria entra, usted podría terminar con una infección grave.

Insomnio

El insomnio puede ser una verdadera pesadilla. Estar, por ejemplo, escuchando el sonido del reloj toda la noche, resulta insoportable. El problema afecta a cerca del 15% de la población. Por tanto, ¿qué podemos hacer? Trate de contar ovejas; esto realmente puede funcionar. Aún mejor, intente algunas de las recomendaciones listadas más adelante. Un té relajante, aspirar aroma de aceite de lavanda, crear una rutina de sueño y algunas otras tácticas ayudarán a dormir más fácilmente y a levantarse menos cansado e irritable por la mañana.

¿Qué ocurre?

El insomnio puede tener tres formas: (1) moverse de un lado a otro; (2) usted logra dormir, pero se levanta repetidamente durante la noche, (3) despierta más temprano y no puede dormir de nuevo. Con cualquier forma de privación de sueño, usted se sentirá irritable al día siguiente. Las causas más comunes para un sueño pobre son el estrés emocional y la depresión. Otras razones incluyen el dolor o la enfermedad, medicamentos (tales como descongestionantes, diuréticos, antidepresivos, esteroides y betabloqueadores), hacer una comida pesada en la noche, beber cafeína o alcohol antes de la hora de dormir o simplemente tratar de dormir en una cama que no es la suya.

Bocadillos a la hora de dormir

Tome una rebanada de **pavo** o de **pollo**, o un **plátano** antes de ir a la cama. Estos alimentos contienen **triptófano**, un aminoácido que utiliza el organismo para elaborar **serotonina**, agente químico del cerebro que le ayuda a dormir. No coma más porque su estómago lleno puede mantenerlo despierto.

Los carbohidratos ayudan al triptófano a penetrar en el cerebro. Trate con un **vaso de leche** (que contiene triptofano) y una **galleta**, o leche caliente con una cucharada de **miel**. Un poco de **canela** podría adicionar sus propiedades sedantes.

Evite comidas pesadas en la noche. Usted necesita de tres a cuatro horas para digerir una comida pesada, por lo que si come mucho unas tres horas antes de dormir, no se sorprenda si escucha ruidos intestinales que lo mantendrán despierto.

Comer alimentos con especias y azúcar a la hora de cenar es mala idea. Las **especias pueden irritar el estómago**, y cuando se muevan de un lado a otro, usted hará lo mismo. Algunos alimentos con mucha azúcar, en especial chocolate, que contiene cafeína, pueden hacer que usted se sienta nervioso.

Invoque a las plantas en busca de ayuda

La **valeriana** puede ayudar a conciliar el sueño de manera rápida, sin el efecto de "resaca" de algunas píldoras para dormir. Se une a los mismos receptores en el cerebro que los tranquilizantes. La planta misma tiene mal aspecto: huele como a calcetín sudado, pero no lo notaremos al prepararla en un té. Tome de ½ a una cucharadita de tintura de valeriana o dos cápsulas de la raíz, una hora antes de ir a la cama.

Prepare una infusión de **flor de la pasión**. Coloque una

cucharadita de este té en una taza de agua hirviendo, deje la infusión entre cinco y 10 minutos, cuélela y tómela antes de dormir. La flor de la pasión se emplea como un sedante natural ligero.

O se pueden aunar fuerzas, tomando un complemento que incluya tanto **flor de la pasión** como **valeriana**. Los remedios naturales para el sueño con frecuencia también incluyen otros ingredientes, como **lúpulos**. Cualquiera que sea la combinación, es importante seguir las indicaciones del empaque.

Una grato aroma para dormir

La **lavanda** tiene bien ganada fama como tranquilizante ligero. Añada el aceite de lavanda en un vaporizador o atomizador para perfumar la recámara, coloque una bolsita perfumada bajo la almohada.

Ponga una gota de **aceite esencial de jazmín** en cada muñeca justo antes de ir a la cama. En un estudio, en Estados Unidos, se descubrió que las personas que pasan la noche en habitaciones perfumadas con jazmín duermen más plácidamente incluso que las personas que duermen en habitaciones con aroma de lavanda.

Trate con un **baño** aromático antes de la hora de dormir. Adicione cinco gotas de **aceite de lavanda** y tres de aceite de ilang-ilang al agua caliente y goce un agradable baño.

Adopte una rutina rígida

Despierte cada día a la misma hora, no importa qué tan poco sueño haya tenido la noche anterior. En los fines de semana, no se quede en la cama. Siga la misma rutina para que su organismo se acostumbre al mismo patrón toda la semana. Usted se dormirá mucho más rápidamente.

Cada mañana **salga a caminar**. No tiene que ser muy lejos, pero debe ser fuera de casa. La luz natural le indica a su cuerpo soñoliento que es tiempo de despertar. Con el reloj de su cuerpo armonizado con la luz del día, usted dormirá mejor en la noche.

Evite las siestas, no importa lo cansado que se sienta. Las personas que no padecen insomnio con frecuencia se benefician con una pequeña siesta por la tarde. Sin embargo, si usted toma una siesta, en la noche estará como un zombi con

¿Llamaré al doctor?

Si ha intentado estrategias de autoayuda y aún no puede tener noches de buen sueño, consulte a su médico. Esto es especialmente importante si la privación de sueño es dañino para sus relaciones, desempeño en el trabajo o peligroso, como rl riesgo de quedarse dormido al volante. Usted podría necesitar ser evaluado durante la noche en una clínica de sueño.

ojos abiertos. Si usted necesita tomar una siesta, limítela a media hora como máximo.

Trucos para la almohada

● Una vez que esté en la cama, imagine que sus pies se tornan muy pesados y entumecidos. Siéntalos hundirse en el colchón. Entonces haga lo mismo con las pantorrillas y trabaje igual de manera lenta con todo su cuerpo, permitiéndole que se vaya haciendo más pesado y relajado. La idea es **dejarse ir**, en fases graduales, desde la cabeza hasta el dedo gordo del pie.

● Si aún está despierto después de este ejercicio de relajación, **cuente ovejas**. Parecerá mentira, pero el punto principal es ocupar su cerebro con la repetición de una serie de números y no hay nada más repetitivo que esto.

● Si usted prefiere arrullarse, use los sonidos grabados en **cintas calmantes** y **relajantes,** como de agua que va fluyendo.

● Si usted simplemente no puede dormir, **no se quede en la cama sintiéndose preocupado**. Esto sólo hará que se duerma molesto. Levántese, deje la recámara y tome un libro, algún tejido, un rompecabezas o vea televisión. No lea o vea algo que le pueda estimular, o se sentirá absorto y su mente estará aún más despierta.

Prepare la habitación para el descanso

● Si usted está moviéndose y cambiando de posición para tratar de estar más cómodo, use una **almohada para soportar el cuello,** diseñada para quienes tienen dolor de cuello o tensión que impide dormir.

● Apague la calefacción o bájela a lo mínimo antes de ir a la cama. La mayoría de las personas duermen mejor cuando el ambiente es fresco y cómoda la cama.

● Si comparte la cama, considere comprar una más grande que no mantenga despierta a la otra persona. Algunos colchones están diseñados de tal manera que si se mueve su pareja usted no lo sienta. O considere dormir en camas separadas. (Si usted valora su relación, asegure que su pareja está totalmente de acuerdo con esta sugerencia y que usted la propone porque la ama y desea proteger su descanso. Si su pareja no está de acuerdo, lo mejor será que haga usted la prueba con otros remedios o busque ayuda médica.)

Verifique la etiqueta

• Sea cuidadoso al tomar algún medicamento para el dolor de cabeza antes de dormir. Algunos contienen **cafeína**, que es un estimulante. Lea primero la etiqueta.

• Revise las etiquetas de los descongestionantes y de los remedios para el resfriado. Además de cafeína, algunos contienen ingredientes como pseudoefedrina, que revolucionan el sistema nervioso y lo dejan incapaz de conciliar el sueño.

No, y no más

• **Evite el ejercicio** durante cuatro horas antes de la hora de dormir, pues también es un estimulante. De esta manera, haga ejercicio por la mañana o después del trabajo. Una excepción es el **yoga**. Un número de posiciones de yoga están diseñadas para calmar su cuerpo y lo prepara para el sueño.

• **Evite la cafeína**, en particular dentro de las cuatro horas antes de ir a la cama. Aunque las personas varían en sensibilidad a la cafeína, los efectos estimulantes pueden ser de larga duración.

• También **evite el alcohol** durante la noche. Una copa de whisky podría ayudarle a conciliar el sueño un poco más rápido de lo usual, pero los efectos pasan pronto y es muy probable que usted se mantenga despierto durante la noche.

• Si usted **fuma** durante las cuatro horas antes de ir a la cama, no busque más la **causa del insomnio**. La nicotina estimula el sistema nervioso central, interfiere con su capacidad de conciliar el sueño y lo mantiene despierto.

Labios partidos

El casi perfecto diseño de nuestros labios no impide que se agrieten al exponerlos al sol, viento y otros irritantes, pues no se tienen las glándulas lubricadoras para mantenerlos suaves y húmedos. No contienen mucha melanina, pigmento que nos permite broncearnos y ofrece una protección contra el sol. Nadie desea tener labios parchados y agrietados como piel de zapato viejo. Si usted quiere mantener sus labios besables, déles alguna protección.

¿Qué ocurre?

Sus labios están secos, irritados y agrietados. Pueden estar sensibles o con prurito. Los labios secos se deben, usualmente, al clima frío y seco del invierno, quemaduras de sol, reacciones alérgicas, tener fiebre o simplemente lamerse los labios con demasiada frecuencia.

Bríndele un bálsamo a sus labios

• Un ungüento completamente natural es la **cera de abeja**, que se vende en todas las farmacias. Siempre recubra sus labios con una crema o pomada antes de salir a enfrentar el clima.

• Algunas personas usan **manteca de cacao** para aliviar los labios partidos. (Éste también funciona en las manos partidas.) Aplíquela cinco veces al día, o con mayor frecuencia si sus labios están muy resecos.

• Un remedio casero a la mano es el **aceite de oliva** o la **manteca vegetal**, que pueden suavizar de manera efectiva y humedecer los labios partidos.

• Si usted tiene a la mano cápsulas de **vitamina E**, perfore una y aplique el aceite sobre los labios.

• La vaselina, es un remedio efectivo para los labios partidos.

Humecte desde el interior

• Si sus labios están continuamente partidos, beba por lo menos ocho vasos de **agua** de 250 ml al día. Esto no impide la resequedad, pero evitará que empeore.

El poder de la prevención

• Aplique una crema con **factor de protección solar (FPS) 15 minutos** antes de salir al sol. Los labios necesitan protección como el resto del cuerpo. (*Alerta* suspenda el bálsamo si sus labios se tornan rojos y pican. Hay personas tienen una reacción alérgica a las cremas con filtro solar.)

• Un **lápiz labial** cremoso y oscuro ayuda a proteger los labios del sol y los mantiene humectados.

Mande a volar las levaduras

Si usted tiene zonas blanquecinas en la boca y las comisuras están agrietadas o partidas, puede tener un afta oral, causado por sobrecrecimiento de levaduras. Con el fin de eliminarlas, use gel de miconazol. Si usted usa dentadura postiza y tiene esta molestia, asegúrese de asear por completo y con frecuencia la dentadura. Las levaduras pueden crecer en ella y diseminarse por contacto con los labios. También los bebés y niños que comienzan a caminar se pueden afectar. Además de lavar bien las mamilas, hiérvalas para acabar con los gérmenes. También lávese bien y con frecuencia las manos, los pechos y pezones para mandar a volar a los hongos de una vez por todas.

• Cuando el aire en espacios interiores es seco, prevenga los labios partidos mediante un **humidificador** de aire en su recámara mientras duerme.

• Intente comer más alimentos ricos en **vitaminas del complejo B**, como carne, pescado, granos completos, nueces y verduras verdes con hojas. En algunas personas, la carencia de estas vitaminas contribuye a los labios partidos.

• **Evite lamerse los labios.** La saliva puede proporcionar de de manera momentánea una capa húmeda, pero contiene unas enzimas digestivas que secan más los tejidos.

• No emplee los bálsamos que contienen **fenol** o **alcanfor**. Estos antisépticos pueden ser muy secantes.

• **No aplique a los niños bálsamos de sabores**, pues tienden a lamerse los labios, y eliminan el medicamento, lo que a la postre agrava lo partido.

¿Llamaré al doctor?

Si sus labios se mantienen partidos después de que los ha suavizado durante dos o tres semanas, consulte a su médico. También debe hacerlo si se agrietan con frecuencia; usted puede tener una infección por levaduras (afta oral). También puede causar labios secos una sensibilidad alérgica a los ingredientes en la pasta dental, lápiz o crema para labios. Si están persistentemente rojos, secos o escamosos, consulte a su médico.

Lactancia

Para muchas madres primerizas es un choque descubrir que la lactancia, que parece tan natural, no necesariamente es fácil. Quizá a usted le darán algunos consejos sus familiares, médicos y amigas, pero cada recién nacido da origen a una nueva experiencia en la lactancia. Muchos factores afectan la alimentación de su bebé, y la tranquilidad de usted. Cuando aparezca sensibilidad en los pezones o bloqueo de los conductos de leche, acuda a algunos viejos remedios.

¿Qué ocurre?

Pueden surgir diversos problemas durante la lactancia que dejan a la madre muy sensible, y al bebé irritable y triste. Los más comunes son la posición incorrecta del bebé y una lactancia incompleta. Otros muy frecuentes son las grietas o la sensibilidad de los pezones, el bloqueo de los conductos de leche del seno, ambos sumamente dolorosos o, por el contrario, que no se produce suficiente cantidad de leche. En especial en las primeras semanas, amamantar puede ser un proceso físicamente cansado, hasta que la madre y el bebé aprendan a "trabajar en equipo".

Baje la presión

- Si se siente incómodamente llena, antes de iniciar la alimentación, **extraiga un poco de leche con con un tiraleche**. También puede presionar de manera repetida con los dedos por arriba y por debajo de la areola (el área oscura alrededor del pezón). Esto elimina algo de la presión y permite que el bebé se acople al seno con facilidad.

- Si el seno está tan lleno que no sale la leche, **aplique una compresa caliente** durante unos minutos. Una franela húmeda funcionará bien o un pañal desechable, que mantiene un poco de agua y conserva el calor. Sólo humedezca el pañal en agua caliente y colóquelo sobre el seno cuando usted tome un baño.

- **Emplee un tiraleche** si el bebé se queda dormido mientras se le alimenta, o si termina la alimentación y usted aún se siente llena; bombear un poco de leche alivia la tensión, pero podría estimular una mayor producción de leche la próxima vez, no haga esto como una cosa de rutina o usted producirá más leche de la que el bebé requiere.

- **Aliméntelo con frecuencia** durante el día y la noche. De hecho, usted deberá amamantarlo entre ocho y 12 veces en un periodo de 24 horas. Esto mantendrá sus senos listos, sin que se llenen demasiado.

Acomódense usted y su bebé para el éxito

- **Emplee una almohadilla** para lactancia; tiene forma de herradura, diseñada para las madres que amamantan. Se coloca alrededor del diafragma, dando apropiado descanso al brazo mientras usted alimenta a su bebé.

- Asegúrese de que su bebé **no tenga mucho calor.** Si está demasiado cubierto mientras lo amamanta, es muy probable que comience a dormitar a la mitad de la sesión.

- Alimente a su bebé en **silencio** y con la **luz difusa.** Al estar relajados ambos se facilita el proceso.

- Cuando alimente a su bebé, asegúrese de que **el cuerpo esté hacia usted.** Sostenga las nalgas con una mano, apoyando la cabeza en el doblez del codo. Ayúdese con la otra mano para cargarlo por completo.

- La succión cesará cuando el bebé esté satisfecho. Si por alguna razón usted requiere separar al bebé del pezón, como para ir al baño o a abrir la puerta, inserte con suavidad el dedo meñique entre la comisura de la boca del bebé y la piel del pezón para **romper la succión.** Los bebés tienen un reflejo natural: se mantienen pegados si son interrumpidos de manera repetida mientras succionan. Si usted hace de manera gradual el rompimiento del sello entre el pezón y la boca del bebé antes de separar al bebé, se reducirá el jalón, lo que protege la sensibilidad del pezón.

Izquierdo, derecho, izquierdo

- Para asegurarse de que cada seno está haciendo su parte, comience a alimentar con el que finalizó en la sesión previa. Si usted está muy cansada y no recuerda con cuál seno finalizó, **coloque un alfiler de seguridad** en el lado del sostén con que usted necesita iniciar la próxima vez. Alternar el seno que ofrezca primero, permite a cada uno de ellos que se vacíe por completo.

Vuélvase más productiva

- Si usted siente que no está produciendo suficiente cantidad de leche, beba un vaso de **cerveza sin alcohol** al día. En ésta hay un derivado de levadura que aumenta los niveles de prolactina, hormona que influye en la producción de leche. Sólo cerciórese de que es cerveza sin alcohol y bébala 30 minutos antes de la alimentación del bebé.

- **Aplique presión** en el seno para estimular la salida de la leche. De acuerdo con los médicos acupunturistas, los mejores puntos de presión están directamente debajo del seno. Coloque las yemas de los dedos entre la tercera y la cuarta costilla en

¿Llamaré al doctor?

Si usted está preocupada porque su bebé no está obteniendo suficiente leche o si el bebé deja de alimentarse al menos una vez al día, póngase en contacto de inmediato con su médico. También hágalo si en el seno aparece un área roja y sensible, acompañada de fiebre y síntomas similares a la influenza. Éstos son indicios de una infección del seno conocida como mastitis, ocasionada por bacterias que se deslizaron al interior del seno a través de las grietas en el pezón. Esto se trata con antibióticos, y se recomienda beber suficiente cantidad de agua; manténgase en cama si puede y continúe amamantando a su bebé —aún con mayor frecuencia— mientras se cura la infección.

línea recta por debajo de la clavícula y en línea con sus pezones. Presione de manera continua alrededor de un minuto. Si este procedimiento le ayuda, usted lo puede repetir tan frecuentemente como desee.

- Beba **té de hinojo** por las mañanas. Los herbolarios lo recomiendan para ayudar en la producción de leche. Algunas investigaciones indican que el hinojo puede tener un efecto similar al de los estrógenos, que estimulan la producción de leche materna. O quizás a los bebés les gusta el sabor ligero del hinojo. Ponga una cucharadita de semillas en una taza de agua hirviendo, déjelas allí tres minutos y beba el té.

Coma algunos estimulantes sanos

- **Alimentos con ajo**. Aparentemente el ajo afecta el sabor de la leche materna en una forma que atrae a los bebés. En un estudio en Estados Unidos se demostró que los bebés toman más leche y se mantienen en el seno si sus madres comen algo de ajo algunas horas antes de amamantar. También es muy bueno para usted.

Sensibilidad en la punta del pezón

- Si un pezón está muy adolorido, primero **ofrezca el otro** a su bebé; esto ayudará a que se reponga y esté menos sensible en la siguiente sesión.
- Entre los periodos de alimentación, coloque una franela fría en cada seno para aliviar la sensibilidad.
- Si tiene los pezones agrietados o sensibles, déjelos secar de manera natural después de la alimentación. Acelere la curación con su **propia leche**: una vez que el pezón esté seco, exprima una gota y aplíquela en sus pezones. Otros remedios incluyen **aceite de vitamina E** –simplemente exprima una cápsula–, aceite de oliva, aceite de almendras dulces o lanolina (limpie todo el aceite antes de la siguiente sesión).

Mantenga limpios los conductos de leche

- Para un conducto de leche bloqueado (que puede reconocerse como una protuberancia roja y sensible en el seno), enjabone el área afectada mientras se baña y después tállela de manera amplia con un **cepillo de cerdas suaves,** para estimular el flujo de leche y ayudar a quitar el bloqueo. Sin embargo, evite emplear jabón en los pezones, ya que puede resecarlos.

- **Vacíe los senos** tanto como pueda, en cada alimentación. Ofrezca primero el seno utilizado al final de la anterior.
- Trate de dar un **masaje suave en el área grumosa** hacia su pezón durante la alimentación.
- Aumente el flujo sanguíneo hacia el área mediante la colocación de una franela caliente sobre el seno, después dé un masaje suave.
- Compruebe que su sostén se **ajuste de manera apropiada**. Las tiendas especializadas en maternidad y en los departamentos de lencería de los grandes almacenes tienen consejeros que le pueden ayudar a seleccionar el sostén apropiado. De manera ideal, seleccione uno de algodón con bandas anchas. La apertura para la alimentación no debe ser muy pequeña, pues el tejido puede presionar hacia el seno y causar un bloqueo.

¿Sabía qué?

Por mucho tiempo se ha creído que los senos de las madres podrían estar llenos de leche si alimentaban a su bebé con mucha frecuencia. En la actualidad se sabe que la alimentación frecuente los mantiene más productivos, mejor drenados y su bebé estará feliz también.

Lactancia asesorada a través de Internet

Cuando surgen los problemas, usted desea respuestas instantáneas. Algunas organizaciones tienen líneas de ayuda de 24 horas y sitios de ayuda en la red.

- Se recomienda ampliamente La Liga de la Leche (www.laligadelaleche.org). Ofrece apoyo de madres para madres, estímulo, información y educación. También está dirigida a promover una mejor comprensión de la lactancias como elemento importante en el desarrollo sano del bebé y de la madre.

- El DIF (www.dif.gob.mx) también ofrece ayuda especializada y gratuita y para las mujeres recién paridas que están amamantando.

- Lactancia (www.lactanciahoy.com) es un sitio enfocado a los padres, con consejos amigables acerca de todos los aspectos de la lactancia, desde sus inicios hasta el destete.

Laringitis

Si usted tiene laringitis, la mejor curación es emplear una semana en la biblioteca (o en un monasterio trapense). En pocas palabras: mantenerse en silencio. Esto significa no susurrar. (Parece extraño, pero un susurro estira las cuerdas vocales tanto como un grito.) Dejar descansar las cuerdas vocales ayudará a protegerlas de problemas más serios, como sangrados o formación de nódulos, pólipos y quistes. Y si mantiene la voz en reposo, trate uno o más de estos remedios.

¿Qué ocurre?

Si su garganta está adolorida y no puede emitir algún sonido, usted tiene laringitis, inflamación de la laringe (la caja de la voz). Es la parte de la tráquea donde residen las cuerdas vocales. Por lo común, éstas se abren y cierran cuando usted habla. Cuando se hinchan vibran de manera diferente, lo que causa la ronquera. Junto con el sobreuso de la voz, la laringitis puede ser causada por los resfriados y otras infecciones virales, el fumar, las alergias o una infección de los senos, la exposición a irritantes como el polvo o humos, y otras afecciones como bronquitis y acidez.

No aclare la garganta

● **Resista la urgencia de la tos** o aclarar la garganta. Ambas pueden dañar sus cuerdas vocales. Trate de calmar la sensación con algunos sorbos de agua o simplemente deglutiendo saliva.

Cúbrase la garganta

● Beba por lo menos ocho vasos de **agua tibia** (no caliente) al día. Los líquidos mantienen húmeda la laringe, lo que es indispensable para la curación de la laringitis.

● Otros líquidos calientes, tales como **consomé de pollo**, también pueden ayudar a mitigar el malestar.

● Los herbolarios recomiendan para la laringitis beber tés hechos con **manrubio** y **gordolobo**. El manrubio es una planta con hojas y vellosidades, de la familia de la menta; se ha usado por mucho tiempo para elaborar dulces para la tos. El gordolobo contiene mucílago gelatinoso, que suaviza los tejidos irritados. Para preparar alguno de estos tés, ponga de una a dos cucharaditas de la hierba seca en una taza de agua hirviendo, deje reposar 10 minutos, cuélela y beba de una a tres tazas al día. Ambas hierbas están disponibles en las tiendas naturistas.

● Un remedio antiguo para la laringitis es beber una mezcla de dos cucharaditas de **jugo de cebolla** con una cucharadita de **miel**. Tómelo cada tres horas. Si no tiene el jugo, puede obtenerlo exprimiendo media cebolla.

● Mezcle una cucharada de **miel**, algo de **jugo de limón** y una pizca de **pimienta,** y beba a tragos la mezcla. Repítalo tan frecuente como sea necesario.

Humedezca su caja de voz

Inhale **el vapor de** un recipiente de agua caliente durante cinco minutos, de dos a cuatro veces al día. Para atrapar el vapor cubra la cabeza con una toalla, formando una pequeña tienda alrededor del tazón y respire profundamente. El vapor ayudará a restaurar la humedad perdida en la garganta y acelerará la curación. Cersiórese de colocar el tazón, sobre una superficie firme, y no se acerque demasiado al agua caliente o estará en riesgo de una quemada.

Para una inhalación más curativa, añada al agua caliente de cuatro a seis gotas de algún aceite antiséptico y desinflamatorio, como **lavanda**, **madera de sándalo** o **manzanilla**.

Haga **compresas calientes** con un té gordolobo, salvia y tomillo. Aplique las compresas en su garganta, después coloque una toalla seca alrededor del cuello para mantenerla caliente.

El poder de la prevención

Respire a través de la nariz. Sus fosas nasales están humidificados de manera natural. Por otra parte, respirar por la boca expone la caja de la voz al aire seco y frío.

Use un **humidificador** o coloque un recipiente con agua caliente en la recámara. Las cuerdas vocales están alineadas con la mucosa que es necesario mantener húmedas para poder repeler los irritantes.

Cuando viaje en avión, mastique **chicle**. El aire de la cabina es excesivamente seco y sus cuerdas vocales lo padecen. Si mantiene su boca cerrada y aumenta la producción de saliva, ayuda a prevenir su deshidratación.

Otro truco cuando usted vuela es mantener una **prenda húmeda o un pañuelo sobre la nariz** y boca, de manera periódica, para humedecer el aire que inhala.

Verifique con su médico si alguno de los medicamentos que usted toma pudiera estar causando su ronquera. Ciertos **medicamentos**, incluyendo los prescritos para la **tensión sanguínea** y para la **tiroides**, así como los **antihistamínicos**, pueden resecar mucho la garganta.

Si usted fuma, abandone el hábito. Es causa principal de la resequedad de la garganta. Y evite sitios donde se fume, como bares, clubes y restaurantes.

¿Llamaré al doctor?

Por lo general la laringitis no es grave y usted tendrá su voz de regreso en algunos días. Pero si aún se encuentra ronco después de cuatro o cinco días, comuníquese con su médico. La ronquera persistente debe ser evaluada, en especial si usted fuma. También acuda con su médico si está tosiendo con sangre o tiene jadeos. Y acuda de inmediato con su médico si su laringitis está acompañada de dolor tan fuerte que tiene problemas para deglutir. La parte superior de la laringe puede estar demasiado hinchada y podría bloquear la respiración.

Lunares y verrugas

Usted no tiene que tocar un sapo para tener verrugas, y tampoco tiene que acudir al médico para eliminarlas, aunque existen ciertos casos en que sí. Los lunares y las verrugas pueden congelarse con nitrógeno líquido o quemarse con láser o aguja eléctrica. En las farmacias se venden buen número de tratamientos, incluyendo un aerosol de nitrógeno líquido, emplastos y líquidos que contienen ácido salicílico. (Todos los tratamientos para verrugas pueden ser abrasivos, por lo que es necesario seguir las indicaciones del fabricante.) Pero estos remedios son sólo algunos.

¿Qué ocurre?

Si usted tiene una verruga, esto significa que un virus del papiloma humano (VPH) ha invadido un corte delgado de la piel. El VPH realmente es un término que comprende para muchas cepas de un virus que puede mostrarse en todo el cuerpo. Algunas verrugas brotan solitarias; otras en racimos. Por lo general, una verruga aparece como un crecimiento de la piel con superficie rugosa. Las verrugas plantares (crecen sobre las plantas de los pies) son tan dolorosas que dificultan caminar. Las verrugas genitales son muy contagiosas y pueden aumentar el riesgo de cáncer cervical.

Irrite las verrugas para extinguirlas

● Cubra la verruga con una pequeña tira de cinta adhesiva. De acuerdo con un estudio reciente, la cinta funciona mejor en contra de las verrugas que la crioterapia (aplicación de nitrógeno líquido para congelarlas). Cubra solamente la verruga. Déjela durante seis días. Cuando retire la cinta, remoje el área por algunos minutos, después use una piedra pómez para retirar la piel delgada y seca. Deje la verruga sin cubrir durante la noche y aplique un nuevo parche en la mañana. Repita el procedimiento hasta que se elimine la verruga. Al parecer la cinta produce una pequeña y ligera irritación de la piel y estimula su sistema inmunológico para combatir el virus de una vez por todas.

● Aplique directamente ajo recién machacado sobre la verruga y cubra con un vendaje. El efecto cáustico del ajo causará que la verruga se infle y se caiga en menos de una semana. Aplíquele cada día un ajo nuevo, evitando el contacto con la piel sana que la rodea. (Puede proteger ésta con **vaselina**.) Para un efecto adicional, algunos herbolarios sugieren comer ajo natural o tomar dos cápsulas de ajo al día para mantener al sistema inmunológico combatiendo al virus.

● Aplique una compresa o una bolita de algodón remojada en **vinagre** sobre la verruga y tápela con un parche elástico por lo menos de una a dos horas al día.

• Consiga una flor de diente de león en un jardín o terreno baldío, troce el tallo y exprima algo de su líquido lechoso sobre la verruga. Haga esto cada día. La savia es ligeramente irritante, por lo que estimula su sistema inmunológico para combatir de la verruga. No emplee diente de león que haya sido tratados con un herbicida.

Aproximaciones ácidas

• Mezcle algunas tabletas de **vitamina C**, con suficiente agua, forme una pasta y espárzala sobre la verruga. Cubra la pasta con un tira adhesiva. Las tabletas son muy ácidas y pueden ayudar a eliminar la verruga, y también combatir al propio virus.

• Si usted puede obtener un trozo de corteza de un **árbol de abedul**, humedézcalo con agua y extiéndalo sobre la verruga con la cara interna de la corteza hacia su piel. La corteza contiene salicilatos, ingredientes de muchos tratamientos famacéuticos para las verrugas.

Remedios en la cocina

• Coloque un pedazo de la **cáscara de plátano**, la parte interna hacia abajo, sobre una verruga todas las noches antes de que vaya a la cama. La cáscara contiene un agente químico que disuelve lentamente la verruga.

• Haga lo mismo con una pieza de la **cáscara de limón**. Parece que posee un aceite que elimina las verrugas.

• La **papaya** contiene una enzima que digiere el tejido muerto. Haga pequeños cortes sobre la superficie de una papaya sin colectar, recoja la savia que se desliza hacia abajo y déjela coagular. Mezcle la savia con agua y después aplíquela en la mañana y en la noche.

• Un remedio popular es frotar una rodaja fresca y jugosa de papa sobre la verruga. (En una tradición se menciona que este remedio no funcionará a menos de que después entierre la papa usada, pero en otros se sugiere que no es necesario enterrarla.) No está comprobada la eficacia de esta cura.

• Machaque una hoja fresca de albahaca, aplíquela a la verruga y cúbrala con una cinta adhesiva a prueba de agua. La albahaca contiene compuestos que matan los virus. Repítalo diariamente hasta por una semana.

¿Llamaré al doctor?

Si usted tiene una lesión cutánea y no está seguro de si es o no una verruga, acuda con su médico, para desechar un cáncer de piel y para asegurarse de no aplicar un remedio para las verrugas en un callo en las manos, callosidad o lunares. Si usted o su pareja tienen verrugas genitales, usen condones y es conveniente realizarse de manera regular un frotis cervical.

Remedios de frotamiento

● Algunas veces al día, aplique una tintura de **sello dorado** (una variedad de las ranunsuláceas), planta que contiene compuestos que combaten las bacterias y los virus.

● Se dice que el aceite de **vitamina E** funciona contra las verrugas. Una vez al día, perfore una cápsula y frote el contenido sobre la verruga. Se dice que el **aceite de hígado de bacalao** tiene el mismo efecto.

● Si usted tiene una planta de **zábila**, desprenda una hoja, macérela y exprima algunas gotas sobre la verruga. Repítalo cada día. Algunas personas reportan éxito con este remedio, quizás debido al ácido málico y al gel de aloe vera.

Una cura de agua a sus pies

● Las verrugas son sensibles al calor y pueden desaparecer en algunas semanas si usted remoja los pies en **agua caliente** durante 15 minutos al día, de acuerdo con el remedio publicado en una revista médica en los años de 1960, pero desde entonces olvidado. Para fortalecer el remedio, ponga una parte de **vinagre** en cuatro tazas de agua caliente.

El poder de la prevención

● **Use sandalias** alrededor de la piscina y en los vestidores. Los virus de las verrugas tienden a prosperar en ambientes cálidos y húmedos.

● Asegúrese de **secar la verruga** de manera cuidadosa después del baño o de la ducha y no comparta la toalla, ya que esto reduce la oportunidad de que el virus se disemine. Cuando las verrugas están húmedas, parece que son más contagiosas.

● **No rasque,** pique ni perfore las verrugas. Usted puede transportar los virus cuando se rasca otras áreas de la piel.

Mal aliento

Suponga que usted realiza una "prueba de aliento" mientras se dirige a una reunión importante y usted no la pasa. No se preocupe, lo siguiente puede ayudar con rapidez a minimizar la halitosis. Si sus encías producen un desagradable aroma causado por bacterias, adopte algunos hábitos diarios para inhibirlas. Los enjuagues especiales, una buena crema dental, el cepillado regular y el empleo de hilo dental pueden cambiar el mal aliento por uno agradable.

¿Qué ocurre?

Tome medidas de urgencia

• Una boca seca es un paraíso para las bacterias que causan el mal aliento. Por tanto, encuentre una llave de **agua** y enjuáguese la boca. El agua desaloja a las bacterias y hace que su aliento sea un poco más aceptable.

• Al final de sus comidas de negocios o una cena romántica, mastique una ramita del **perejil** que usted deja en el plato. El perejil es rico en clorofila, un desodorizante del aliento bien conocido por sus propiedades para combatir los gérmenes.

• Si usted puede tener a la mano una **naranja**, pélela y cómala. El ácido cítrico que contiene estimulará las glándulas salivales y con ello el flujo de saliva refrescante del aliento.

• Si no hay una naranja, **coma lo que esté disponible**, excepto los conocidos contaminantes del aliento como el ajo, las cebollas o un queso oloroso. Comer estimula la secreción de saliva, lo que ayuda a remover de la superficie de la lengua el material causante del nada placentero aroma.

• **Raspe vigorosamente la lengua** en contra de los dientes. La lengua puede estar recubierta con bacterias que fermentan las proteínas, produciendo gases que huelen mal. Raspar la lengua puede remover esas bacterias y evitar el mal aliento.

• Si usted tiene una cuchara de plástico o de metal a la mano, puede usarla como **raspador en la lengua**. Para raspar de manera segura, coloque el borde de la cuchara en la parte posterior de la lengua y arrástrela hacia al frente. Repita de cuatro a cinco veces. También raspe los lados de la lengua con el mismo movimiento. Pero no empuje la cuchara muy adentro

Las personas voltean la cara cuando habla con ellas. O alguien le ha dicho de manera franca que usted tiene mal aliento. La más obvia e inmediata causa es haber comido un platillo aderezado con chorizo, cebollas, ajo o quesos fuertes. Pero hay una gran variedad de causas posibles: quizás es usted fumador, o podría ser de los que no se cepillan los dientes ni usan el hilo dental con suficiente frecuencia. Las encías enfermas son otra causa común del mal aliento. Si usted tiene dientes con abscesos o una infección en los senos, su aliento —no placentero casi con certeza— es un efecto secundario. Otras causas incluyen ciertos medicamentos prescritos, una resequedad crónica de la boca o también muchas tazas de café.

¿Llamaré al doctor?

de la boca, puede activar el reflejo de sentir náuseas y causarse usted mismo el vómito.

Ataque el especiero

• El **clavo** es rico en eugenol, un antibacteriano potente. Coloque uno en la boca y trócelo con los dientes. Su aromático aceite quema ligeramente, por lo que debe mantener en moviento el clavo. Siga masticándolo hasta que la esencia quede en la boca; después escúpalo. No use aceite de clavo ni polvo de clavo: son demasiado fuertes y pueden causarle quemaduras.

• Mastique semillas de **hinojo, eneldo, cardamomo o anís**. El anís, puede matar las bacterias que crecen sobre la lengua. Los otros materiales ayudan a enmascarar el olor de la halitosis.

• Chupe una tira de **canela**. Al igual que los clavos, la canela es efectiva como un antiséptico para la boca.

Seleccione sus refrescantes

• La mayoría de los productos etiquetados para tener aliento refrescante son pocas veces efectivos a largo plazo. Pero parece que el enjuague de **dióxido de cloro** puede combatir los compuestos de azufre que son los responsables del mal aliento.

• Use una crema dental que contenga **aceite de té de árbol**, un desinfectante natural. Si usted no puede encontrarlo en la farmacia, búsquelo en las tiendas de productos naturistas .

El poder de la prevención

• Use un **irrigador oral**, que es un artefacto de mano que impulsa a presión un pequeño chorro de agua dentro de la boca, para sacar las bacterias malas. También puede penetrar hasta donde un cepillo o el hilo dental no pueden llegar.

Cómo descubrir el mal aliento

¿Qué tan malo es su aliento? Para responder, realice una "prueba de olor" con el hilo dental después de pasarlo suavemente entre los dientes (asegúrese de seleccionar un hilo que no tenga cera ni sabor). Otra opción consiste en frotar un pedazo de tela a lo largo de la lengua y olerlo. Si usted está preocupado por el mal aliento, hable con su dentista. Él lo aconsejará acerca de la higiene oral y verificará si la causa del mal olor es una enfermedad en las encías o sólo una higiene deficiente.

Lleve consigo un **cepillo de dientes** y úselo después de cada alimento. El cepillado evita el desarrollo de la placa, la delgada película que recubre los dientes y las encías. No siempre es necesario cepillarse de inmediato después de un alimento: si usted ha consumido algo potencialmente corrosivo como refresco de cola o cítricos, puede dañar mucho el esmalte dental. En este caso, es mejor cepillarse una hora después.

Siempre tenga **goma de mascar** en el bolsillo o en el bolso de mano. Masticarla, en especial después de los alimentos, estimulará el flujo de saliva y eliminará los restos de alimento.

Para mantener su cepillo de dientes libre de bacterias, guárdelo, con la cabeza del cepillo hacia abajo. en un vaso de plástico con tapa y con **peróxido de hidrógeno**. Enjuague por completo el cepillo antes de usarlo.

Si usted usa **dentadura postiza**, es posible que esté absorbiendo malos olores de la boca. Siempre remójela durante toda la noche en una **solución antiséptica**, a menos que su dentista le aconseje otra cosa.

No pase mucho tiempo sin comer. Cuando usted no come durante largos periodos, su boca puede volverse muy seca. Esto proporciona un terreno fértil para el crecimiento de las bacterias.

Algunas cosas pueden acidificar su aliento aun cuando no existan bacterias dañinas. Esto incluye a los cigarros, el alcohol, las cebollas, los ajos y en especial los quesos fuertes como el Camembert, el Roquefort y otros quesos azules. Use el sentido común –**sólo diga no.**

Consulte a su médico para saber si la medicación provoca mal aliento. Algunos medicamentos resecan la boca, los antihistamínicos, descongestionantes, píldoras para dietas y también medicamentos para la depresión, artritis reumatoide e hipertensión.

¡No lo haga!

Es común la mala concepción de que los enjuagues bucales sabor menta o las mentas para el aliento harán que su aliento sea fresco. Sin embargo, la mayoría de los enjuagues bucales contienen alcohol que reseca la saliva. Cuando usted los usa, lo que hace es que su aliento empeore después. Y los edulcorantes de menta encubren el mal aliento; de hecho alimentan con azúcar a las bacterias que producen el mal aliento.

GARGARISMOS VERSÁTILES

Hacer gárgaras no sólo es útil para refrescar el aliento con un té de clavo (prepárelo con una o dos cucharaditas de clavo en polvo en una taza de agua). Las gárgaras también pueden eliminar gérmenes, calman una garganta irritada –además de detener la acidez.

Como muchas otras técnicas curativas en el hogar, hacer gárgaras es una tradición muy antigua. Quienes practican el sistema de curación antigua hindú conocido en la India como Ayurveda creen que un enjuague bucal con aceites vegetales mejora el sueño y aumenta el poder de la mente, blanquea los dientes y rejuvenece las encías. Ahora, los doctores creen que las gárgaras eliminan los gérmenes y que los lavados de la boca ayudan a prevenir enfermedades cardiovasculares. Parece que los gérmenes que causan malestar en las encías (gingivitis) penetran al torrente sanguíneo y estimulan la formación de coágulos que causan ataques cardiacos y apoplejía.

Las gárgaras ayudan a limpiar la mucosa y eliminar los restos celulares que irritan la boca y la garganta. Los ingredientes que usted añade al agua actúan sobre los tejidos inflamados, ayudando a calmar las áreas irritadas por la resequedad o por la contaminación –o por una tarde de gritos en el estadio de futbol.

El hacer gárgaras no necesariamente lleva mucho tiempo ni es complicado. Lo que usted necesita está a la mano.

Calme su garganta adolorida

Para una garganta adolorida, es difícil realizar gárgaras de **jugo de limón** con agua. El jugo astringente contrae el tejido al deglutir y crea un ambiente ácido para virus y bacterias. Mezcle una cucharadita de jugo de limón en una taza de agua caliente. Así, también puede servir **sal en agua**. Disuelva ¼ cucharadita de sal en una taza de agua caliente y añada una cucharada de 20 volúmenes de peróxido de hidrógeno para matar los gérmenes.

Hay muchos gargarismos útiles para la garganta adolorida. Intente éste: vierta en ½ taza de agua caliente una cucharadita de jengibre en polvo; agregue el jugo de medio **limón** y una cucharadita de **miel**. El jengibre tiene propiedades antiinflamatorias, y la miel recubre la garganta y es un antibacteriano ligero. Otras gárgaras con miel: coloque 10 g de **hojas de zarzamora** en 100 ml de agua. Hierva 15 minutos. Cuele, endulce con miel y úselo para lavado de la boca o para gárgaras dos veces al día. Las hojas de zarzamora contienen tanino, que es tanto antiséptico como antimicótico. Hacer gárgaras con sello dorado, que es una planta que mata gérmenes, virus y bacterias, ya que calma el tejido inflamado de la garganta. Mezcle 1½ cucharaditas de tintura de sello dorado en 250 ml de agua.

El hacer un gargarismo y enjuagarse con este líquido rico en clorofila puede ayudar a aliviar el dolor de garganta. Es necesario mantenerlo en la boca por cinco minutos más o menos, se dice que el jugo ayuda a revitalizar las encías débiles y a deteniene el dolor de dientes.

Desinfecte para destruir

Aun cuando la boca esté muy sana, es residencia de millones de bacterias, las cuales producen desechos que dan origen a olores nada placenteros y estimulan el crecimiento de la placa dental, la delgada capa que pudre los dientes e irrita las encías.

Si el cepillado y el hilo dental no mantienen las bacterias orales bajo control, pregunte a su dentista acerca de realizar gargarismos diarios con una solución 50% de **agua y 20 volúmenes de peróxido de hidrógeno.** Para una solución de mayor potencia contra los gérmenes, intente con un enjuague bucal con clorhexidina. El peróxido de hidrógeno y la clorhexidina se venden de manera libre en las farmacias.

Venza al virus de la influenza

La próxima vez que usted sienta que se está agripando, intente hacer gárgaras con una mezcla de salsa Tabasco en agua. La salsa picante hace que sude en una forma rápida y abre las vías aéreas bloqueadas. Si usted no tolera lo picante, intente con equinácea, es una planta que mata los virus. Añada dos cucharaditas de tintura de equinácea a una taza de agua y haga gárgaras tres veces al día.

Esto puede aliviar el dolor de garganta y le proporcionará a su sistema inmunológico el refuerzo que necesita para combatir la infección.

Repose si tiene laringitis

No existe mejor remedio que darle un descanso a su voz y aumentar la cantidad de líquidos que bebe. Pero puede acelerar el proceso de curación con gárgaras de **mirra** (una cucharadita de tintura en una taza de agua). La mirra es altamente astringente, es una superplanta en el combate de la inflamación. También es antiséptica. Hága gárgaras seis veces al día –puede se un poco de esfuerzo, pero funciona muy bien.

Gárgaras básicas

- Prepare una mezcla para cada uso. Es mejor gastar un poco y desecharla que dejarla en el vaso, ya que se puede contaminar con bacterias.
- Emplee agua caliente tanto como pueda tolerarla. Las preparaciones frías no son efectivas.
- No degluta el material. Escúpalo.

Manchas en la piel por la edad

Las "manchas por la edad" o "manchas del hígado", son áreas planas con pigmento café que con frecuencia se presentan en el dorso de las manos. La mejor forma de prevenirlas –y también para protegerse de cáncer de piel– es usar bloqueadores de sol en abundancia. Si es demasiado tarde para ello, y usted ya tiene manchas, busque una crema para disminuirlas o aplique un agente blanqueador natural simple. Tenga en mente que puede tardar algunos meses para ver una mejoría. Y de hoy en adelante, no salga de casa sin una apropiada protección solar.

¿Qué ocurre?

A pesar de su nombre, estas manchas de color café que pueden aparecer en la cara o en el dorso de las manos no son causadas por la edad. Son simplemente áreas con exceso de pigmento, consecuencia de años de exposición a la luz solar. Debido a que tarda décadas en aparecer el daño solar, la mayoría de las personas no notan las marcas hasta la última parte de su vida, pero las que tienen una excesiva exposición al sol pueden desarrollarlas hacia los 20 y 30 años. Algunos medicamentos pueden hacer a usted más vulnerable al daño solar y favorecer las manchas relacionadas con la edad. Éstos incluyen los diuréticos, tetraciclinas y medicamentos para la diabetes y para la hipertensión.

Aclárelas

- Una crema para aclarar las manchas llamada **Decolorante** contiene un 2% de solución del agente blanqueador hidroquinona. Las manchas más oscuras pueden requerir una solución más potente, pero usted necesitará una prescripción de su dermatólogo. Antes de que usted emplee el Decolorante, lea cuidadosamente las instrucciones del fabricante.
- Aplique el jugo de un **limón** en las manchas por lo menos dos veces al día. El jugo de limón es ligeramente ácido y puede ser lo suficientemente fuerte para eliminar la capa externa de la piel y remover o aclarar las manchas por la edad.
- Mezcle **miel** y **yogur** para crear un blanqueador natural. Mezcle una cucharadita de yogur natural y una cucharadita de miel. Aplíquelo y permita que seque; después de 30 minutos, enjuague. Repítalo una vez al día.
- Cubra las manchas con **gel de zábila**, y de ser posible tomándola directamente de las hojas de la planta. Corte la hoja y exprímala para extraer el gel, que contiene agentes químicos que eliminan las células muertas y estimulan el crecimiento de las nuevas y sanas. Aplique el gel una o dos veces al día.
- Un remedio tradicional contra las manchas por la edad es quitarlas con el suero de la leche. Este contiene ácido láctico, que realiza una exfoliación suave de la piel expuesta al sol y de las áreas pigmentadas.

Disemínelas

- Puede ocultar las manchas por la edad con un **disimulador cosmético** –se vende en almacenes de departamentos y farmacias. Algunos de ellos también están enriquecidos con aceites para humectar su piel. Pregunte al vendedor para que le ayude a encontrar el matiz apropiado para su piel –por lo general ligeramente más claro que su propio tono de piel– que le muestre cómo aplicarlo.

El poder de la prevención

- **Evite el sol** tanto como le sea posible durante las horas pico –de 10 am a 4 pm en el verano o en climas calientes, y de las 10 am a las 2 pm para el resto del año.
- Cada día, 30 minutos antes de que usted salga, aplique un **bloqueador de sol** en la cara y en el dorso de las manos. Asegúrese de que el factor de protección solar (FPS) sea al menos del número 15. Los bloqueadores más efectivos para resguardarlo en contra de las manchas de la edad contienen óxido de zinc o dióxido de titanio. Si usted sale por cualquier periodo, vuelva a aplicar cada dos horas.
- **Use un sombrero** de ala ancha de por lo menos 10 cm. Esto mantendrá al sol fuera de su cara y cuello para detener las manchas por la edad y evitar que se desarrollen en esas áreas. Seleccione un sombrero revestido de algodón -los sombreros de palma no proporcionan mucha protección.
- Después que usted ha salido bajo el sol, aplíquese aceite de vitamina E. La **vitamina E** es un antioxidante y puede ayudarle a prevenir las manchas por la edad mediante la neutralización de las moléculas de radicales libres que dañan la piel.

¿Llamaré al doctor?

Las manchas de la edad, que por lo general aparecen un poco oscuras, pecas lisas, no son dañinas. Sin embargo, si en una mancha comienza sentir comezón, picazón, cambio de tamaño, color o sangra, acuda al médico. Algunos cánceres de la piel, como el melanoma, pueden ser similares a las manchas de la edad. Si los remedios caseros no tienen efecto sobre sus manchas de la edad, su médico general puede recomendarle a un dermatólogo quién puede eliminarlas mediante el tratamiento con láser, o aplicando nitrógeno líquido. Es poco probable que este tratamiento esté disponible en el sistema de salud.

Mareo

La mayoría de nosotros hemos sido poco afortunados al experimentar náuseas o vómito cuando viajamos por aire, mar y tierra. Y aunque el malestar en el viaje se puede prevenir, es difícil de curar cuando se presenta. Por tanto, si usted está pasando por esos trances, tome las acciones para prevenir el mareo. Con frecuencia, el mareo empeora si está ansioso –por ello practique yoga y otras técnicas de relajación.

¿Qué ocurre?

El mareo es un "desajuste" entre la información proveniente de los ojos y oídos (así como de otros receptores del balance). Por ello, el mareo empeora cuando usted está leyendo: sus ojos le dicen que el mundo está quieto en tanto que el oído interno y los receptores de las articulaciones saben que se está moviendo. Esto puede causar náuseas y vómito y, en casos graves, sudoración y dolor de cabeza. Esto es especialmente común en los niños, cuyos mecanismos de balance son más sensibles que los de los adultos. El enfocarse en el paisaje podrá ayudar debido a que los ojos y los oídos están recibiendo información similar. Por lo general, el padecimiento se disipa con rapidez al final de la jornada.

Seleccione una silla confortable

- Si usted es un pasajero **adulto** que viaja en auto, **siéntese en el asiento delantero**, o mejor aún, usted conduzca. Parece ser que el mareo nunca afecta al conductor del auto. (Sin embargo, los niños siempre deben sentarse en el asiento trasero. Es mucho más seguro.)
- Si usted está volando, solicite al equipo del aeropuerto que lo coloque en un **asiento sobre el ala y junto a una ventana** en donde el movimiento es menor. Explique sus razones –la percepción de tener una bolsa para el mareo puede proporcionarle la cooperación que usted necesita.
- En una embarcación, siéntese **a la mitad de la embarcación**, en donde el efecto de cualquier oleaje es menor.
- **En un tren**, no se siente mirando hacia atrás.

Respire aire fresco

- Quien ha sentido el malestar en un auto sabe que se siente alivio al abrir la ventanilla. **Permita que entre el aire fresco.** Si se encuentra en una embarcación, diríjase hacia la cubierta –sin importar el tiempo, para poder escapar del interior mal ventilado. Y en un avión, use la ventilación.

Ayude a su oído interno bloqueado

- Si usted está en un auto **mire al frente** del camino; o lejos, hacia el horizonte, si usted se encuentra en el mar.
- Mantenga la **cabeza fija** para limitar la estimulación visual.
- **No lea** o intente cualquier actividad que involucre el enfocarse cerca de los objetos. Puede que no sea una buena idea que el conductor le solicite que busque en un mapa.

No hable acerca del mareo

- Si sus hijos son propensos al mareo, no aumente su ansiedad hablando acerca de ello antes o durante la jornada. Si usted lo hace, probablemente les provocará el vómito.
- No lea o intente alguna actividad que involucre el enfocarse de manera muy cercana a los objetos.

No viaje con el estómago lleno

- **Evite las comidas pesadas** antes de viajar: un estómago lleno hace que empeore la condición.
- Manténgase lejos de los alimentos fritos y grasosos. Esto hace que empeore la náusea, probablemente debido a que su digestión tiene que trabajar más duro con esos alimentos.

Evite los olores desagradables

- La náusea debida al mareo puede empeorar debido a **ciertos olores**. Si se encuentra en un trasbordador o a punto de subirse a un avión, manténgase lejos de las personas que están fumando (en muchas líneas aéreas está prohibido fumar, de esta manera no surgirá el problema a la hora de abordar). Y si viaja por mar en un crucero, busque un sitio lejos de cualquier salida de olores –y de sus olores relacionados con su preparación– o, mejor aún manténgase en la cubierta.

Jengibre para su alivio

- Dos horas antes de su viaje y cada cuatro horas después de que se inicie, **tome jengibre**. Éste presenta su efecto de inmediato y no tiene efectos secundarios, como somnolencia o visión borrosa. Tome de 100 a 200 mg del extracto en forma de cápsula; o mastique jengibre fresco; o beba un té de jengibre o algunas gotas de tintura de jengibre en agua caliente. También puede comer bocadillos de nuez de jengibre u otras galletas de jengibre.

Complementos de viaje

- Un buen tónico general para calmar los nervios y de esta manera facilitar el mareo es el **magnesio**. Una hora antes del viaje, tome 500 mg con los alimentos.
- La **vitamina B$_6$** alivia las náuseas. La dosis es de 100 mg una hora antes de viajar y otros 100 mg dos horas después.

¿Llamaré al doctor?

El mareo no es placentero pero no es una enfermedad. Sin embargo, puede enmascarar otra condición. Si el mareo está acompañado de fiebre o un dolor de cabeza severo o se siente débil o confundido, deberá acudir con su médico. También necesita atención médica si los síntomas no disminuyen en un periodo de 24 horas. Obtenga ayuda de inmediato si tiene dolor abdominal o en el pecho.

Las pulseras realmente pueden ayudar

● Intente usando **pulseras de acupresión** especialmente diseñadas para las personas que sienten malestar en los automóviles, en el mar o en los aviones. Están disponibles en las farmacias, y para la náusea aplican una presión constante en los puntos de acupresión.

● Si no puede encontrar las pulseras, **use sus dedos para aplicar la presión**. Gire el brazo hacia el anverso con el antebrazo hacia arriba. Localice el punto de presión con dos dedos por arriba de la cresta en el frente de su muñeca, en la parte central entre los tendones. Presione este punto con el pulgar mientras usted cuenta lentamente hasta 10. Repita de tres a cinco veces, o hasta que pase la náusea.

Acuda a la farmacia

● Si alguno ha fallado en los viajes anteriores y usted desea sentiste confiado de que no va a sucumbir al malestar, entonces compre un **medicamento de venta libre** como Kwells o Sea Legs. Estas medicinas se deben tomar antes de su viaje o de otra manera no funcionará. Lea las instrucciones en la etiqueta para ver cuántas horas antes debe tomar las tabletas.

● Existen pocas cosas tan desagradables como limpiar el vómito del asiento trasero, pero hay algunos buenos **remedios para el mareo de los niños**. El medicamento más efectivo para prevenir el mareo es la hioscina, el ingrediente activo en JoyRides (para niños mayores de tres años). En ocasiones es útil un antihistamínico sedante: intente con elixir Phemergan (para niños mayores de dos años) que tiene un buen sabor, de acuerdo con una muestra muy pequeños (nuestros hijos). Los niños muy pequeños, menores de 2 años, tienden a no padecer de mareo. Si esto sucede, solicite consejo a su médico.

Memoria, problemas de la

Si usted no recuerda el título del último libro que leyó o se rasca la cabeza y quisiera saber si ya tomó las píldoras de esta mañana, no es necesariamente un signo de que algo está mal; puede ser frustrante, eso sí. Los remedios que refuerzan la memoria y para hacerlos uno mismo pueden ayudar a conformar su memoria y la mantienen en buen estado para los años venideros.

Adquiera esencias

● Compre una botellita de aceite de romero o de albahaca. Las pruebas para las ondas cerebrales muestran que la inhalación de estas esencias aumenta la producción de las ondas cerebrales beta, lo que indica un aumento del estado de vigilia. Lo que usted necesita es colocar un poco del aceite en cabello, muñecas o la ropa —en cualquier parte que las pueda oler. O aplíquelo con un aromatizador en donde usted se encuentre.

Cuente con el café

● Si toma **bebidas descafeinadas**, obtendrá un refuerzo a en su capacidad de concentración. Y puede tener beneficios a la larga. En la facultad de Medicina en Lisboa, Portugal, los investigadores encontraron que las personas mayores que bebieron de tres a cuatro tazas de café al día, fueron menos propensa a la pérdida de memoria que quienes bebieron una taza o menos.

Déle oxígeno

● Tome 120 mg de **Ginkgo biloba** al día. Parece que la planta mejora el flujo sanguíneo del cerebro, lo que ayuda a las células cerebrales para obtener el oxígeno que necesitan. En Alemania, en donde la Comisión E del gobierno reporta acerca de la eficacia de las medicina herbolaria, un extracto estandarizado de ginkgo se prescribe para mejorar la pérdida de memoria, así como para una enfermedad vascular cerebral. Si está sano, es probable que no vea efecto benéfico alguno. Pero si se le ha disminuido el flujo sanguíneo cerebral, puede ayudarle.

● Otra forma para aumentar el flujo sanguíneo cerebral es **mantenerse en movimiento**. Hay pruebas de que el ejercicio

¿Qué ocurre?

Puede ser desconcertante la falta de memoria desigual, cuando usted no puede recordar en dónde puso sus llaves o los lentes, o usted olvida los nombres. El envejecimiento es la principal causante. Conforme nos volvemos más viejos, existen cambios en la forma en que el cerebro almacena la información, haciendo más difícil recordar los hechos. Los problemas físicos, incluyendo los trastornos en la tiroides, pueden afectar la memoria, así como los medicamentos, incluyendo aquellos para la hipertensión y la ansiedad. La enfermedad de Alzheimer también causa problemas de memoria, pero los síntomas son mucho más graves que los más normales, como los lapsos de memoria.

¿Llamaré al doctor?

Es casi imposible para cualquiera determinar la gravedad de sus problemas de memoria. Hága una cita con su médico si siente que su memoria ha empeorado de manera significativa en los últimos seis meses. Consulte a su médico tan pronto como usted pueda si tiene problemas para recordar cómo hacer las cosas que ha hecho durante mucho tiempo o no puede recordar cómo llegar a un lugar que le es familiar. Deberá mencionarle a su médico si ha tenido problemas para cumplir con actividades que involucran las instrucciones paso a paso, tal como seguir una receta.

puede aumentar el número de células nerviosas en el cerebro. Cualquier tipo de ejercicio regular, pero en especial el ejercicio aeróbico como el caminar y la bicicleta, lo logrará.

Mantenga su azúcar bajo control

En las investigaciones se ha descubierto una relación entre intolerancia a la glucosa y la pérdida de la memoria debido a la edad. Los alimentos que en el sistema digestivo se vuelven glucosa (azúcar en la sangre) son el combustible que mueve a los órganos, incluyendo al cerebro. Pero la mayoría de las personas que ya pasaron la juventud tienen pobre tolerancia a la glucosa, lo que significa que no pueden procesar la glucosa fuera del torrente sanguíneo y hacia dentro las células. De acuerdo con las investigaciones, la intolerancia a la glucosa no diabética, aun la ligera, reduce la memoria a corto plazo en la mediana edad y después. ¿Qué se puede hacer? **Tome alimentos en cantidades razonablemente regulares**, enfatizando en **granos completos** que son ricos en fibra y **verduras,** más que en los carbohidratos "blancos" tales como la pasta blanca, pan blanco, papas y arroz blanco. Enfóquese en las grasas buenas —presentes en los **aceites vegetales, nueces semillas, aguacate y pescado**, que ayudan a mantener constantes los niveles de azúcar en la sangre sin coagularse en las arterias

Póngase los tenis. El **ejercicio regular** es otra forma para prevenir los problemas de azúcar en sangre.

Embellezca su dieta

El 85% del cerebro es **agua**. Por lo que si no bebe 8 vasos grandes al día, adquiera este hábito. La deshidratación conduce a la fatiga, lo que puede tomar su tributo en su memoria.

Tome suficientes **vitamina del complejo B** en la dieta. Incluyendo las vitaminas B_6, B_{12}, niacina y tiamina. Estos nutrientes ayudan a elaborar y reparar el tejido cerebral, y algunas de ellas ayudan a su cuerpo a convertir el alimento en energía mental. Plátanos, garbanzos y pavo son ricos en vitamina B_6; los granos completos y la carne son buenas fuentes de todas las vitaminas del complejo B. Las nueces y las semillas, el germen de trigo y los cereales enriquecidos también son buenas fuentes.

Mientras usted esté ingiriendo más de las cosas buenas, **se**

Gimnasia mental

Haga estos ejercicios para retar a su cerebro y perfeccionar el arte de recordar:

REFUERZO DE MEMORIA I

Si desea crear algunos circuitos del cerebro, use la mano "errónea" para realizar tareas varias veces al día. Por ejemplo, cepíllese los dientes con la mano izquierda si es diestro. El cerebro "sabe" cuándo se está usando la otra mano. Esta confusión estimula nuevos circuitos en el cerebro, ya que lucha para adiestrarse en la nueva tarea.

REFUERZO DE MEMORIA 2

Sin usted está tratando de recordar algo, asócielo con algo nemotécnico —una frase, fórmula o rima que le ayudará a recordar. Por ejemplo, muchas personas pueden recordar los colores del arco iris —rojo, naranja, amarillo, verde, azul, índigo y violeta— si forman una frase con la letra inicial de los colores, como "Recoger las Naranjas Antes de Ver A su Ídolo Vencido". Usted puede usar el mismo truco para memorizar listados. Si usted necesita acudir a la biblioteca, oficina de correos y al farmacéutico, haga una frase como "Buscar Ojos Coquetos con Facilidad". O usted puede tener una lista de compras que incluye jamón, manzanas, toallas de papel, huevos, leche y queso. ¿Qué le parece: Jorge Manda Tejas Hacia La Quebrada"? O usted podría escribir una lista…

REFUERZO DE MEMORIA 3

Otra forma de recordar lo que les ordena tendrá que hacer una breve historia —la más fantástica, la mejor— acerca de ello. Suponga que su lista incluye el banco, la biblioteca, el carnicero y detenerse con su amigo Roberto para devolverr el libro que le prestó. La historia podría ser como sigue: El corpulento Roberto asaltó el banco a punta de pistola y después corrió a esconderse en la biblioteca tras los anaqueles.

corta el volver a los alimentos altos en grasas saturadas. Quiza sepa que taponan las arterias que surten de sangre al corazón. Pero los alimentos ricos en grasa, también impiden que se surta sangre al cerebro, lo que reduce el suministro de oxígeno. También son dañinas las grasas saturadas como los **ácidos grasos trans** presentes en la margarina suave y en muchos alimentos cocinados y empacados.

● Coma **pescado** tres veces por semana. El aceite de pescado, como salmón, macarela, arenque y atún fresco (no enlatado) contiene ácidos grasos omega-3. Estas grasas "adelgazan" la sangre y previenen el taponamiento de las arterias.

El sonido saca el problema

● **Escuche música** variada con frecuencia. Se ha encontrado que escuchar música puede mejorar la capacidad de concentración y ayuda a recordar qué es lo que se escuchó.

Rete a su mente

- Toque un **instrumento musical.** Si toca el piano, desarrollará habilidades mientras afina los tonos; su cerebro se enfocará.
- Manténgase mentalmente activo. En un estudio realizado con monjas se encontró que aquellas con una mayor educación y habilidad en las lenguas fueron menos propensas al Alzheimer. Resuelva **crucigramas, aprenda una segunda lengua o juegue dominó o ajedrez.** Todo esto ayuda a que su cerebro esté en buena forma.

Ponga en su lugar el estrés

- Encuentre formas para reducir el estrés. Las personas tensas tienen altos niveles de hormonas del estrés en su cuerpo. Con el tiempo, estas hormonas afectan al hipocampo, la parte del cerebro que controla la memoria. Sólo haga algo que sea simple y divertido, desde balancearse en una hamaca hasta pintar con los dedos con sus hijos o sus nietos.

Alimento favorito de elefantes

- **Gota kola** es una planta que aman los elefantes, y se ha empleado por cientos de años para aumentar la perspicacia. Existe algo de investigación que apoya el uso de la planta para reforzar la memoria. Tomar dos cápsulas de 300 mg dos veces al día con los alimentos.

Menopausia

Algunas mujeres atraviesan por la menopausia con algunos síntomas. Para el resto de nosotras, existen muchas opciones que ayudan a enfrentarse con las molestas aflicciones, tales como cambios de humor, bochornos y sudoración nocturna. La terapia de reemplazo hormonal es una solución; pero las terapias naturales también pueden ser de utilidad. Recuerde que la menopausia no es una enfermedad, y no dura para siempre. Mientras tanto, intente alguna de estas aproximaciones para aliviarlas.

Diga "sí" a la soya

• Coma cada día 200 mg de **tofu**, rico en fitoestrógenos –compuestos con cualidades de estrógenos ligeros- que facilitan los síntomas de la menopausia.

• Un complemento de 50 mg de **isoflavonas**, tomado diariamente, puede satisfacer la mayoría de lo que usted necesita si no quiere comer tofu diario. Busque maracas que contengan genisteína y daidzeína.

• Las **semillas de linaza** son otra fuente de fitoestrógenos. Muela algunas en un molino para especias o para café y adicione una a dos cucharadas al cereal o al yogur.

Elimine el sudor nocturno

• Para ayudar a controlar los bochornos y la sudoración nocturna, tome 1 ml de *Cimifuga racemosa* en forma de tintura de dos a cuatro veces al día. Para hacerlo más agradable al sabor, adicione la tintura a medio vaso de jugo o de agua. En la investigación se ha demostrado que la planta ayuda a controlar los bochornos mediante disminución de los niveles sanguíneos de la hormona luteinizante, que dilata los vasos y envía calor a la piel. Para una máxima efectividad, tome la *Cimifuga racemosa* durante seis semanas, después tome cuatro semanas de descanso antes volver a tomarla.

• Para eliminar el sudor nocturno, tome de tres a 15 gotas de **tintura de Salvia** tres veces al día en media taza de agua. El nombre *Salvia*, proviene del latín *salvere* (para sanar) y el extracto de las hojas de salvia se ha usado para tratar más de 60 trastornos de salud. La planta tiene cualidades astringentes que pueden ayudar a secar la sudoración anormal durante el día.

¿Qué ocurre?

De manera oficial una mujer ha pasado a la menopausia cuando no ha tenido menstruación durante un año. Pero en los años precedentes a la menopausia, llamados perimenopausia, sus ovarios están produciendo menos estrógenos y progesterona que son hormonas sexuales femeninas, mientras que la ovulación (liberación mensual de óvulos) también comienza a ser menos frecuente. Esta fluctuación hormonal puede resultar en una variedad de síntomas incómodos, incluyendo bochornos y sudoración nocturna, resequedad vaginal, cambios de humor, problemas de sueño y periodos de ligereza o muy pesados.

¿Llamaré al doctor?

La menopausia no es una enfermedad, es un acontecimiento. Y algunas mujeres no tienen estos síntomas. Pero la mayoría los tiene y el malestar puede ir desde una serie de molestias ligeras hasta perturbadoras. Si está experimentando cambios en su ciclo –tales como periodos irregulares o flujo no usual– consulte a su médico para asegurarse de que los cambios están relacionados con la menopausia. Si usted tiene malestar al orinar, consulte a su médico para verificar si hay infecciones en la vejiga, lo que ocurre con frecuencia entre las mujeres que tienen resequedad vaginal. También le debe mencionar si ha perdido un periodo o ha desarrollado sangrado vaginal entre los periodos, o si no se está sintiendo usted misma debido a sus síntomas.

- Algunas mujeres encuentran que el tomar **vitamina E** puede ayudar a aliviar los bochornos y la sudoración nocturna, así como a reducir los cambios de humor y la resequedad vaginal. Se recomienda una dosis de 250 mg dos veces al día. Sin embargo, deber consultar con su médico antes de tomar vitamina E de manera regular. Es especialmente importante si tiene diabetes, se golpea con facilidad o tiene hipertensión.
- Para ayudar a mantenerse fresca, use ropa ligera hecha de **fibras naturales**. Y tener consigo un pequeño **ventilador** de baterías para refrescarse de los bochornos.
- Algunas mujeres previenen los bochornos durante todo el día si toman **baño tibio** durante 20 minutos por la mañana.

Ejercítese

- Aumente la cantidad de **ejercicio aeróbico** en por lo menos 20 minutos al día. Además, le ayuda perder el perder peso, ya que el ejercicio tiene otros efectos positivos para las mujeres que están pasando por la menopausia. En estudios se ha demostrado que la actividad diaria vigorosa disminuye los bochornos y la sudoración nocturna, ayuda a mejorar el humor y el sueño y mejora el balance de los niveles hormonales. Las actividades en las que se soporta el peso, tal como caminar, correr y entrenamiento de resistencia, también ayudan a mantener sus huesos fuertes.

Manténgase calmada

- Las mujeres han usado **el chasteberry o árbol casto** (*Vitex agnus castus*) durante casi 2 000 años. Se elabora con las bayas de esta planta, el remedio ayuda a restaurar los niveles de progesterona, los cuales disminuyen de manera significativa

Un hígado perseverante

Si usted toma hormonas sintéticas, puede tener síntomas relacionados con el exceso de hormonas –tal como senos sensibles, inflamación y dolores de cabeza. Pero algunos se pueden aliviar con leche de cardo, una planta que ayuda al hígado a eliminar algunos productos derivados de las hormonas sintéticas. La leche de cardo también ayuda a regenerar las células hepáticas. Tome 20 mg tres veces al día entre las comidas. Después de seis a ocho semanas disminuya la cantidad a 280 mg al día en dosis divididas.

durante la menopausia. El chasteberry puede ser particularmente útil para combatir el sangrado abundante que experimentan algunas mujeres durante la perimenopausia. También puede ayudar con otros síntomas, incluyendo los bochornos y la depresión. Tome dos cápsulas de 250 mg en la mañana y en la tarde con agua; o tome 30 gotas de tintura (1:3 en alcohol 25%) en un poco de agua fría. Sea paciente: usted puede no notar algún efecto por cerca de 3 meses.

Planifique sus alimentos

• Si usted tiene bochornos, **evite el alcohol, café y alimentos con especias y las bebidas calientes**. La mayoría de estos alimentos son estimulantes.

• Para ayudar a prevenir la pérdida ósea –osteoporosis– asegúrese de que está tomando suficientes **proteínas**. No consuma mucho pollo, pescado o carne para cumplir con sus requerimientos diarios de proteínas. La cantidad que debe consumir debe ser igual al tamaño de su palma de la mano.

• Tome un complemento diario de 600 mg de **calcio**, 300 mg de **magnesio** y 10 mcg de **vitamina D**. Los productos lácteos bajos en grasa son buena fuente de calcio; por ejemplo, una taza de leche batida, proporciona 300 mg de calcio.

Busque lubricantes

• La resequedad vaginal –el resultado de la disminución de los niveles de estrógenos– es suficiente para eliminar el sexo de cualquiera. Eso duele. Intente con un **lubricante a base de agua**, como gelatina K-Y. Evite los lubricantes a base de base aceite como la gelatina de petróleo (vaselina). las investigaciones indican que los humectantes a base de aceite no funcionan tan bien y si se usan por largos periodos y pueden aumentar la irritación.

¡No lo haga!

Algunas mujeres vuelven a las cremas con progesterona o a supositorios para reducir los síntomas de la menopausia. Pero algunos médicos e investigadores están de acuerdo en que el uso excesivo de la progesterona podría aumentar el riesgo de cáncer de mama. Consulte a su médico antes de usar la crema.

Mordeduras y picaduras

Si usted está cerca del casquete polar, no de debe preocupar por los mosquitos, abejas, avispas o aguamalas. Para el resto de nosotros, los enfrentamientos con estos predadores irritantes son inevitables. El repelente de insectos es un disuasivo eficaz contra muchos insectos aéreos. Sin embargo, parece ser que otros son temerarios y su mordedura es peor que su zumbido. Aquí se muestra cómo recuperarse de un asalto y proteger la piel de un ataque futuro.

¿Qué ocurre?

Algunos de los insectos lo morderán debido a que están hambrientos y lo ven a usted como alimento. Los mosquitos, chinches y pulgas caen en esta categoría. Otros los pican debido a que sin importar que sean una amenaza para usted. En estos se incluye a las avispas y las abejas. Los mosquitos le inyectan un poco de saliva que deja una pequeña roncha con comezón, en tanto que las abejas y las avispas penetran la piel con un veneno que le hace quejarse y alejarse.

MORDEDURAS Y PICADURAS

Saque su tarjeta de crédito

• Si a usted lo pica una abeja, **remueva el aguijón** tan pronto como sea posible usando el borde de una tarjeta de crédito, un cuchillo o la uña. Tanto como mantenga el insecto su aguijón en usted, se mantiene un saquito con veneno bombeando el contenido. No emplee pinzas ni pellizque el aguijón con los dedos, ya que exprimirá más veneno hacia usted.

Cuide el sitio de la picadura

• Tan pronto como sienta la picadura, humedezca el área con **vinagre** o una solución de **bicarbonato de sodio** en agua durante algunos minutos (una cucharadita de bicarbonato de sodio en un vaso de agua). Asegúrese de emplear el correcto: el aguijón de las abejas es ácido por lo que es necesario un neutralizador alcalino (recuerde: bicarbonato contra la abeja), en tanto que los aguijones de las avispas son alcalinos, por lo que necesita vinagre para neutralizarlo. Sumerja una bola de algodón en el líquido y tape el sitio de la picadura. Esto ayudará a aliviar el enrojecimiento y la hinchazón.

• Trate con rapidez el área con una enzima basada en **ablandador de carne**. Este contiene enzimas que rompen el veneno, reduciendo lo adolorido y la inflamación. Tome algunas cucharaditas del polvo ablandador de carnes y adiciona suficiente agua para formar una pasta, disemínela en el área y déjela por una hora.

• Aplique una pasta de **ácido acetilsalicílico** para aliviar la comezón. Triture una o dos tabletas de aspirina en una tabla para picar. Adicione sólo la cantidad necesaria formar una pasta, después extienda la pastaen la picadura. Los ingredientes en la tableta de ácido acetilsalicílico neutralizan el veneno. (*Alerta* No use lo anterior si usted es alérgico al ácido acetil-salicílico o en un menor de 16 años.)

* Aplique una **compresa de hielo** para entumecer el área y desinflamar de manera lenta. Si usted pone una franela entre el la compresa y la piel, puede dejarla hasta por 20 minutos.

* La **papaya** contiene enzimas que neutralizan el veneno del insecto. Si de casualidad tiene papaya en su bolsa de almuerzo o en su tazón de fruta, simplemente coloque una rebanada sobre la picadura durante una hora.

* Frote una rebanada de **cebolla** o un **ajo prensado**. Ambos contienen enzimas que parece ser que rompen los compuestos que provocan la inflamación.

* El **azúcar** también funciona. Sólo tome unas gotas de agua con el dedo, déjelas caer sobre azúcar y colóquela sobre el sitio de la picadura.

* Para ayudar a reducir la hinchazón, trate con **bromelaina**, una enzima que digiere la carne derivada de la piña. Tome tres dosis de 500 mg en un solo día. Suspenda el tomarlo tan pronto como desaparezca la hinchazón.

* El **aceite del árbol de té** también ayuda a reducir la hin-chazón. Aplique una gota varias veces al día.

* Para detener la picazón, deje caer una gota o dos de **aceite de lavanda**. Espere cerca de 15 minutos para permitir que el aceite haga su efecto. Si el área comienza a dar comezón otra vez, aplique más –pero sólo una o dos gotas cada vez. O frote con **crema de caléndula** varias veces al día.

MORDEDURAS DE INSECTOS

En lugar de rascarse ...

* Frote un **cubo de hielo** sobre el sitio. Esto ayuda a dismi-nuir la inflamación que causa la comezón.

* Los aceites esenciales pueden ayudar a detener la comezón por la picadura de mosquito. Trate con el **aceite de eucalipto, aceite de clavo o aceite de menta**. Coloque una pequeña cantidad sobre un algodón y aplíquela en el sitio.

¿Llamaré al doctor?

Si alguien ha sido picado por una abeja o una avispa y después tiene problemas para respirar, se siente desvanecer o tiene hinchazón en boca y garganta, un pulso rápido y hormigueo, llame de inmediato a la línea de urgencias o lleve a la víctima al hospital o al médico más cercano. Estos son signos de una reacción alérgica potencialmente fatal llamada anafilaxia. Quien recibe múltiples mordeduras o picaduras, necesita atención médica. Esto puede ser dañino aun para alguien que no es alérgico. Si usted desarrolla una erupción rojiza circular creciente o el área aparece ulcerada o infectada, debe acudir al médico.

La **menta** tiene un efecto enfriador y también puede aumentar la circulación en el sitio de la mordedura, acelerando el proceso de curación. Si tiene, use el aceite esencial, o verifique los ingredientes de su crema dental. Si contiene aceite de menta, aplique una gota.

Los desodorantes contienen ingredientes que reducen la irritación de la piel. Si un insecto lo muerde o lo pica, aplique desodorante, sea en aerosol o de bolita, pues quizá le funcione bien.

Busque un gel o un atomizador para aliviar la comezón, que contenga **mentol**, un suavizador clásico para la piel. Manténgalo en refrigeración para que esté listo para cuando lo necesite. Enfriar proporcionará un alivio extra para la comezón.

Compre una **crema contra la comezón**. Existen varias preparaciones de venta libre. Lacane en crema contiene un anestésico local; Anthisan y UASP-Eze también contienen antihistamínicos. Y Eurax-HC contiene hidrocortisona (un esteroide) más crotamitón, un ingrediente en contra de la comezón, en específico para las mordidas de insectos.

El poder de la prevención

Use un repelente de insectos que contengan **DEET**, es el repelente más efectivo para uso en la piel. Los adultos pueden usar con seguridad cualquier producto de DEET (seguir las indicaciones en el empaque). No use ninguna crema que contenga más de 10 por ciento de DEET en los niños y no permita que los niños manejen los repelentes de insectos.

Haga a su ropa poco incitante. El permethrin es una versión sintética de un compuesto repelente de insectos que se encuentra en el crisantemo. Puede comprarlo en atomizador en las tiendas especializadas y en Internet. Seleccione las ropas que son más probables que use durante las épocas de mayor exposición a los insectos, rocíelas ligeramente para humedecerlas, voltéelas y rocíe de nuevo. Después cuélguelas para que se sequen. El repelente perdura por varias lavadas. Las **ropas de cama** se deben tratar con permethrin cada mes.

Hay en el mercado una variedad de repelentes de insectos de origen natural, no tóxicos, elaborados de una mezcla de **aceites de eucalipto**. Todos estos repelentes de insectos son seguros para su empleo en los niños y para la piel sensible. Así como son seguros para la piel, también son menos dañinos para los plásticos y las ropas.

La **citronela** (limoncillo), es un aceite aromático de limón que proviene de una variedad de pastos, se encuentra en las velas repelentes a los insectos, así como en aspersores. Siga las instrucciones.

Algunos días previos a que salga de campamento o a las caminatas en territorio de insectos, inicie a comer **ajos**. Coma un diente o dos cada dos días. El olor del ajo es fuerte y repele a muchos insectos.

Si prefiere oler a algo dulce en lugar de ajo, trate con el gel de baño **Skin-So-Soft** de Avón o un aceite para baño –a los insectos no les gusta.

Si usted no desea atraer a las **abejas**, no se asemeje a las flores: evite los productos con esencias (especialmente florales) y no use ropas con colores brillantes.

Acerca de las mordeduras de insectos

Las mascotas son responsables de algunas visitas al hospital –en especial niños atacados por perros. Las de gato, menos comunes, son cuatro veces más propensas a infecciones.

Si un animal lo muerde, limpie el área afectada, pues el hocico de los animales están llenos de gérmenes. Puede limpiar una mordedura pequeña con abundante agua y jabón (los antisépticos pueden dañar el tejido de la piel y retrasar la curación); una mordedura grande la debe atender un médico.

Después de una mordida, usted puede necesitar un refuerzo contra tétanos, pero no es necesario si usted ya ha tenido cinco inyecciones en contra de tétanos durante su vida. La mayoría de las personas nacidas después de 1961 –inicio de las inmunizaciones de rutina– están consideradas en esta categoría. Si usted nació antes de 1961, o tiene duda acerca de su inmunidad, aplíquese un refuerzo tan pronto como pueda.

Moretones

Existen pasos que usted puede dar para reducir el dolor de un moretón y propiciar más rápido su desvanecimiento. Reduzca el flujo sanguíneo del área aplicando hielo y compresiones. Después, aplique compresas calientes para aumentar la circulación y ayudar a eliminar la sangre estancada.

¿Qué ocurre?

Usted tuvo un moretón, una protuberancia o se hizo un chichón y que fue lo suficientemente fuerte para dañar pequeños vasos sanguíneos por debajo de la piel. La sangre se libera de estos vasos sanguíneos, llamados capilares, y drena hacia el tejido que lo rodea. Por un rato usted ve los colores tradicionales de negro y azul, que son de la mayoría de los moretones. Conforme se congrega la sangre y gradualmente se rompe, los colores son los de una paleta completa de matices, desde el púrpura al verde y amarillo. Por lo normal, los moretones se desvanecen entre 10 y 14 días sin tratamiento.

Acelere el proceso de desvanecimiento

• Tan pronto como sea posible, aplique hielo. Al enfriar los vasos sanguíneos alrededor del área amoratada saldrá menos sangre hacia los tejidos. Las compresas de hielo flexibles llenas de gel están diseñadas para las lesiones y por lo general los atletas mantienen un par de ellas en el refrigerador. Puede usar también una franela con hielo: colóquela sobre el moretón por 10 minutos, y espere 20 minutos antes de que se vuelva a aplicar para que no se sobre enfríe la piel subyacente.

• Si tiene un moretón en un brazo o una pierna, **envuélvalo con vendaje elástico** alrededor de la parte golpeada. Mediante la compresión de los tejidos subyacentes, el vendaje ayuda a prevenir que goteen los vasos sanguíneos.

• **Reduzca el flujo sanguíneo** del moretón para minimizarlo. Si usted se hace un moretón en una pierna, por ejemplo, tome un descanso, siéntese en un sofá o en una silla con brazos, y la pierna en alto sobre una almohada. Si el moretón lo tiene en el brazo, descánselo en alto cuando esté sentado.

Aplique un poco de calor

• Después de enfriar el moretón por 24 horas, comience a aplicar calor para dar mayor circulación en el área y eliminar la sangre congestionada. Use un **cojín eléctrico** por 20 minutos varias veces al día. Asegúrese de seguir las instrucciones del cojín eléctrico para evitar quemaduras, y se debe colocar el cojín de tal manera que quede sobre —no por debajo— de la extremidad lesionada.

• De manera alternativa, usted puede aplicar **compresas calientes** tanto por encima como por debajo. O use un paquete que se calienta en el horno de microondas, que está disponible en las tiendas de suministros médicos o en Internet.

● Una compresa caliente **consuelda (sínfito)** también alivia. La consuelda contiene compuestos que reducen la hinchazón y estimulan la generación de células. Prepare una solución herbal caliente mediante medio litro de agua hirviendo con 30 g de hojas secas de consuelda. Deje la infusión por 10 minutos, después cuele. Esto es sólo de uso externo –no lo beba. Humedezca una gasa o una franela en la solución y aplíquela sobre el moretón durante una hora. (*Alerta* No lo use sobre raspaduras o heridas.)

● El **vinagre** mezclado con agua caliente ayudará en el proceso de curación. El vinagre aumenta el flujo de sangre cerca de la superficie de la piel, y esto puede ayudar a disipar la sangre que se ha congestionado en el área del moretón. **El hamamelis también funcionará.**

Aquí está el frotamiento

● El **árnica** es una planta que ha sido ampliamente recomendada para los moretones. Contiene un compuesto que reduce la inflamación y la tumefacción. Aplique diariamente el ungüento o el gel de árnica en el moretón.

● Tome un manojo de hojas frescas de **perejil**, exprímalas y disemine sobre el moretón. Cubra el área sin apretar con un vendaje elástico. Algunos expertos mencionan que el perejil disminuye la inflamación, reduce el dolor y puede hacer que el moretón se desvanezca de manera más rápida.

● Frote con suavidad el aceite de la **hierba de San Juan** sobre el moretón. Con frecuencia, la hierba de San Juan se toma como infusión para la depresión ligera, pero el aceite se ha usado para las heridas. Es rica en taninos, que son astringentes que ayudan a contraer el tejido y controlan el sangrado de los capilares. Para un mejor efecto, inicie este tratamiento poco después de que aparezca el moretón, y repítalo tres veces al día.

¿Llamaré al doctor?

Si el moretón aparece de manera sospechosa – es decir, en lugares que usted no se ha lesionado – consulte a su médico. Algunas veces los moretones son una señal de alerta de condiciones más graves. Consulte a su médico si aparece el moretón en una articulación y esto conduce a hinchazón, si un moretón no se cura después de una semana, si está acompañado de dolor severo o fiebre, o si usted tiene un moretón en un lado de la cabeza sobre el oído (esta área se fractura con facilidad).

Hágalo con una bolsa flexible de hielo

Si le gustan los deportes activos ayuda el tener un paquete manual de hielo. Para preparar uno por adelantado, llene una bolsa de plástico reusable con 2 tazas de agua y $^1/_3$ taza de alcohol quirúrgico. Ciérrela y colóquela en un recipiente en el congelador.

Durante toda la noche se forma un bloque de hielo que tomará la forma de cualquier parte del cuerpo que se encuentre dañada en el curso de las actividades diarias. Mantenga el lado del cerrado hacia arriba para minimizar el riesgo de goteo.

Seleccione con cuidado el analgésico

No tome ácido acetilsalicílico cuando sólo tenga un moretón –esto puede empeorar las cosas. El ácido acetilsalicílico adelgaza la sangre, lo que significa que se puede congestionar con mayor facilidad bajo la piel e intensificar el efecto característico de negro azulado. Lo mismo se aplica al ibuprofeno. En su lugar tomar paracetamol para el alivio del dolor por un golpe. Si piensa que se golpea fácilmente, tome de manera regular ácido acetilsalicílico (reduce, por ejemplo, el riesgo de formación de coágulos). Siempre consulte a su médico. Y no suspenda el ácido acetil-salicílico si está prescrito por el médico.

Deglútalo, por favor

• La **bromelaína**, una enzima encontrada en la piña, "digiere" las proteínas involucradas en la causa de la inflamación y la inducción del dolor. Tome 500 mg de bromelaína diariamente entre los alimentos hasta que se haya curado el moretón.

• Intente con una **versión homeopática de árnica**. Tan pronto como se golpee, inicie tomando una dosis cada cuatro horas. Tome cuatro dosis el primer día, después reduzca la dosis a dos o tres píldoras al día conforme se cura el moretón.

El poder de la prevención

• Si a usted le aparecen moretones con demasiada facilidad, puede tener una deficiencia de **vitamina C,** que fortalece las paredes de los capilares para que sea menos probable que gotee sangre y formen un moretón. Obtenga vitamina C adicional comiendo más pimientos y frutas cítricas o tome comple-mentos de hasta 1 000 mg al día en dosis divididas.

• Aumente el consumo de **flavonoides** comiendo **zanahorias, duraznos y frutas cítricas**. Éstos ayudan a que la vitamina C trabaje de manera eficiente en el cuerpo. El extracto de semi-llas de uvas es también rico en flavonoides. Tome hasta 100 mg al día.

• Las personas susceptibles a los moretones pueden presentar deficiencia de vitamina K, que se obtiene de la col, el brócoli, la col de Bruselas y las verduras verdes de hoja grande, así como de los complementos multivitamínicos que usted debe tomar con los alimentos para aumentar la absorción.

Náuseas

Cuando sienta usted que se le mueve el piso y algo dentro del estómago le dice que desea salir, no oponga resistencia y vomite. Los médicos están de acuerdo en ello. Si el dejar salir el vómito le resulta imposible, provóquelo. Y si sólo se trata de un caso de estómago débil, aquí le ofrecemos algunos remedios que lo calmarán y le harán sentirse en tierra firme y no en medio de un mar embravecido.

Tés para estómago débil

• Uno de los mejores remedios es el jengibre, usado para las náuseas y los mareos. Tome una taza de infusión de jengibre. Usted puede comprar bolsa de **té de jengibre** o, preparar usted un té muy fuerte, quite la piel de una pieza de la raíz fresca, corte la parte amarilla de la raíz hasta llenar una cucharadita. Ponga el rallado en un recipiente, añada una taza de agua hirviendo, cubra con un plato y deje reposar 10 minutos.

• El segundo al jengibre es la **menta**, que tiene un efecto de calmante sobre le recubrimiento del estómago. Existen muchas marcas de tés de menta, se venden en bolsas de té suelto y usted puede beber una taza si se siente con náusea.

Beba algo dulce

• El azúcar concentrado es probable que calme un estómago trémulo. Una recomendación es el **jarabe de cola** (es un concentrado empleado como base para las bebidas caseras efervescentes de cola), que se puede encontrar en algunas farmacias. O intentar con una cucharada de jarabe de oro o de miel.

• Prepare un **jarabe casero contra la náusea**. Coloque la mitad de una taza de azúcar blanca con una cuarta parte de taza de agua en una cacerola, baje el calor a la mitad y agite hasta que tenga un jarabe claro. Después se enfría el jarabe a temperatura ambiente, tome una o dos cucharadas de acuerdo con lo necesario.

• Abra una botella de cola y agítela hasta que esté sin burbujas. Beba a temperatura ambiente. Algunas personas usan un Jarritos de limón sin burbujas o un sidral a temperatura ambiente.

¿Qué ocurre?

La náusea ocurre cuando el centro de la náusea el vómito en el tallo cerebral se encuentra activado. Puede ser ocasionado por mareo, malestar matutino que acompaña al embarazo y de influenza gástrica. Algunas veces es una reacción natural a algo que usted ha comido – algo malo en el cuerpo que se quiere sacar. El la concusión, un ataque cardiaco, algunos tipos de cáncer y de quimioterapia también pueden desencadenar la náusea. También la prescripción de ciertos medicamentos.

APLICANDO PRESIÓN

Puedes detener un dolor de muelas con tan solo apretar la unión del pulgar y el índice. También puedes quedarte dormido más pronto aplicando presión en el centro de tu frente, entre las cejas, con tus índices? Pues los practicantes de la acupresión han usado estas técnicas durante casi 5 000 años. Esta terapia es como una versión "libre de agujas" de la acupuntura.

La acupresión sólo requiere aplicar un poco de presión con la punta de los dedos. Cuando lo hace sobre ciertos puntos del cuerpo equilibra o desbloquea el ki, forma sutil de energía que, a través de múltiples canales, cruza nuestro cuerpo. Al menos esa es la explicación dada por los difusores de la medicina tradicional china.

Los médicos occidentales aún no saben con exactitud como funciona la acupresión, aunque estudios recientes indican que dichos canales energéticos sí existen y que la presión de los dedos libera analgésicos naturales llamados endorfinas. Estos componentes disminuyen la tensión muscular y mejoran la circulación sanguínea mientras generan una maravillosa sensación de bienestar.

Mas la acupresión no sustituye los cuidados médicos ni garantiza alivio inmediato. Aquí hay algunos ejemplos de lo que puede hacer por usted.

Combatir las náuseas

Cuando tenga el estómago revuelto busca alivio… y rápido. Desafortunadamente, las medicinas no siempre funcionan y le pueden provocar somnolencia. Así, la próxima vez que sienta los primeros síntomas de mareo, presione con firmeza el interior de la muñeca (entre ambos tendones) unos dos pulgares arriba de la línea anterior de la muñeca. Mantenga la presión hasta sentirse mejor. Si va a hacer un viaje largo en auto puede llevar un paquete de bandas de acupresión, a la venta en farmacias. Estas bandas elásticas tienen una pequeña burbuja que automáticamente presiona sobre la zona "antináusea" de las muñecas.

La acupresión es tan efectiva para eliminar las náuseas que algunos cirujanos la usan para aliviar las causadas por la anestesia. En un estudio reciente con 80 mujeres recién operadas, 40 recibieron acupresión mientras a otras 40 se les aplicó un placebo (presión fuera de zonas de acupresión). Sólo 16 del grupo de acupresión siguió sintiendo náuseas, en contraste con las 28 del grupo de placebos.

Alivie el dolor de espalda

¿Qué hizo o tomó la última vez que le molestó la espalda? Quizás, como la mayoría, tomó algunos analgésicos y se tumbó en la cama. Pero los analgésicos pueden tener efectos secundarios, y los doctores saben hoy que acostarse es muy malo para el dolor de espalda.

La acupresión les ha aliviado el dolor a varias personas. Todo lo que necesita hacer es presionar las arrugas de la piel, por las corvas, mientras está boca arriba, con las rodillas dobladas y los pies planos sobre el suelo. Después, levante los pies y balancee suavemente las piernas hacia delante y hacia atrás durante uno o dos minutos.

Mitigue las lesiones por agotamiento

Si pasa mucho tiempo escribiendo, trabajando en el teclado, seguramente sentirá dolor u hormigueo en muñecas, manos y codos. La acupresión no será la panacea para estas molestias, pero puede disminuir el dolor un poco y, mejor aún, prevenirlo.

• **Dolor de codo**: doble el brazo hasta que la palma se encuentre con la barbilla; luego presione el codo durante uno o dos minutos.

• **Dolor de mano**: apriete entre el pulgar y el índice en el dorso de la mano.

• **Dolor de muñeca** presione el centro de la línea detrás de la muñeca.

Venza los síntomas del resfriado

La acupresión ayuda a combatir los resfriados de dos maneras. Estimula el sistema inmunológico, incrementando su capacidad para combatir los virus, y ayuda a aliviar la congestión.

Alcance sus hombros (uno a la vez) para presionar los puntos suaves en la espalda alta. Busque el punto entre la espina y el extremo del omóplato, que estimula las defensas contra la infección.

Para descongestionar la nariz presione la comisura interna de cada ojo y las alas de la nariz. Esta técnica de cuatro puntos también ayuda a sanar la irritación de los ojos.

Reduzca las jaquecas

Si tiene una jaqueca, tiende a frotar alrededor de los ojos. En efecto, es uno de los puntos de acupresión para disminuir las jaquecas por estrés y la migraña.

Presione a un centímetro las cejas, directamente sobre las pupilas, no con mucha fuerza. Apriete bajo el pómulo, a la altura de las pupilas y, en los huecos del extremo inferior de los pómulos, hacia arriba.

Apretando los puntos

¿Cuánto apretar durante la acupresión? Lo suficiente para provocar un ligero dolor, pero hasta ahí.

Los practicantes experimentados ubican la sensación entre la presión fuerte y el dolor franco. Si se lastima con facilidad, ha tenido lesiones ortopédicas, está tomando medicinas para adelgazar la sangre, sufre de osteoporosis o está embarazada, consulte a su médico.

Reponga los líquidos

Si las náuseas lo hacen vomitar, puede perder muchos minerales y fluidos. Para recuperarse —y evitar la deshidratación— debe reponer los elementos perdidos. Un modo consiste en preparar una bebida rehidratante disolviendo ocho cucharaditas de azúcar y una cucharadita de sal en un litro de agua. Al principio tome pequeños sorbos y beba más conforme el estómago se vaya estabilizando. También funciona el Lucozade (pero no tome Lucozade común, pues carece de los electrolitos suficientes).

¿Llamaré al doctor?

Si se ha sentido mareado durante varios días, consulte al médico. Y asegúrese de llamarlo si vomita con frecuencia, si el vómito tiene sangre, si no ha podido retener alimentos y líquidos durante 24 horas, o si se cayó o golpeó la cabeza. Los ataques cardiacos algunas veces van acompañados de náuseas, así que busque ayuda inmediata si además de tener náuseas le duele el pecho.

Quédese quieto

• Cuando tenga náuseas **manténgase en reposo**. Al moverse, altera el mecanismo de equilibrio del oído medio, lo cual puede empeorar las náuseas y hacerlo vomitar. Mientras esté acostado, coloque una tela fría en la frente y concéntrese en la respiración para no pensar demasiado en el estómago.

Presione el punto "antináusea"

• Ponga a prueba este remedio: coloque el pulgar derecho en la parte interior del antebrazo izquierdo, a cinco centímetros de la línea de la muñeca. **Apriete con firmeza** durante un minuto, luego acerque un poco el dedo a la muñeca y presione otro minuto. Repítalo en el otro antebrazo.

Cálmelas con carbohidratos

• Si tiene hambre (a pesar de las náuseas) y cree poder controlarse, **coma un pan tostado** o algunas galletas, **alimentos altos en carbohidratos**. Conforme el estómago se calme, añada un poco de proteínas ligeras, como pechuga de pollo cocida. Pero no consuma alimentos grasosos hasta sentirse mucho mejor.

Vea también *Náuseas matutinas* y *Mareo por movimiento*.

Náuseas matutinas

Es probable que reciba con felicidad la noticia de que una nueva vida está gestándose en su interior, pero su cuerpo parece no estar de acuerdo. Considerando las náuseas que siente, tiene todo el derecho de proferir algunas palabras impublicables y alzarle la voz a su pareja por cualquier motivo, pero también tiene derecho a encontrar alivio. Cuando sienta que su estómago está como en una montaña rusa,, siga nuestros consejos. Y si está embarazada, consulte primero al médico antes de tomar cualquier remedio que aquí aparezca.

Atienda su barriguita

- Nada mejor para las náuseas que una taza de **té de jengibre**. Para preparar esta infusión, ponga una bolsa de té de jengibre o agregue ½ cucharadita de ralladura de raíz de jengibre a una taza de agua y hierva por cinco minutos, cuele y beba.
- Las infusiones de manzanilla, bálsamo, de limón y **menta** también tienen fama por sus efectos para reducir las náuseas.
- Prepárese una taza de **té de hoja de frambuesa**. Esta hierba sirve para aliviar las náuseas matutinas, y muchas mujeres la toman en dosis cada vez más altas ya avanzado el embarazo para facilitar el parto, debido a que actúa como tónico uterino. Ponga dos cucharaditas de la hierba seca en una taza de agua caliente. No beba más de una taza al día en los primeros tres meses de embarazo (evite las tabletas de hoja de frambuesa). Algunos aconsejan no beber esta infusión al principio del embarazo, y deben evitarla las mujeres con riesgo de aborto o parto prematuro, pero no hay pruebas científicas de efectos dañinos, pese a su extendido uso en todo el mundo durante siglos. Sin embargo, para no equivocarse, consulte a su partera o a su médico.
- Mastique semillas de **anís o de hinojo**, que mejoran un estómago descompuesto.

Siéntase mejor con vitamina B_6

- En los estudios, las mujeres que tomaron 25 mg. de vitamina B_6, tres veces al día (un total de 75 mg diarios), durante tres días, redujeron las náuseas y el vómito asociado con el

¿Qué ocurre?

A nadie sorprende que una mujer embarazada tenga ataques diarios de náusea, pero eso no significa que pueda explicarse. Los médicos creen que la náusea matutina —que no necesariamente ocurre en la mañana— puede deberse a elevados niveles de estrógeno, a una ligera deshidratación (no se ingiere agua suficiente para mantener el cuerpo hidratado por dentro), o al bajo nivel de azúcar característico al inicio del embarazo. La tensión, los viajes, algunos alimentos, las vitaminas y ciertos olores agravan el problema.

¿Llamaré al doctor?

Pese a lo mal que usted se sienta, las náuseas matutinas son causa de preocupación sólo si no puede controlarlas con alimentos o líquidos y comienza a bajar de peso. Visite al médico si la náusea o el vómito continúan después del cuarto mes y los remedios caseros no funcionan. Llámelo de inmediato: si vomita sangre o una sustancia que parece asientos de café; si baja más de un kilo o si el vómito es prolongado y severo, lo que puede causar deshidratación y desnutrición

embarazo. Pero tenga claro que el límite de seguridad de la vitamina B_6 es de 10 mg. al día, y siempre y cuando se tome junto con otras vitaminas; **si usted está embarazada, no tome B_6, sin antes hablar con su médico.**

La cuestión de las muñecas

- Pruebe usar las **muñequeras de acupresión** diseñadas para personas que se marean en el barco. Se consiguen en las farmacias, y aplican presión constante en puntos específicos para las náuseas.

- Si no consigue las muñequeras, **aplique presión con los dedos.** Vuelva el brazo, con el antebrazo hacia arriba; localice el punto que está a dos pulgares del pliegue de su muñeca, es un centro muerto entre los ligamentos. Oprima este punto con el pulgar y cuente lentamente hasta 10. Repita el procedimiento de tres a cinco veces, o hasta que ceda la náusea.

Ahogue la náusea

- El **agua** es la mejor medicina. Así de asombroso como parece, las mujeres que beben un vaso de agua cada hora, padecen menos las náuseas matutinas. También, beba un vaso de agua cada vez que se levante en la noche para ir al baño. Esto le dará la certeza de que comenzará su día sintiéndose lo mejor posible.

Pruebe la cura cítrica

- Huela **una rebanada de limón.** Algunas embarazadas informan que, por razones desconocidas, les ayuda con las náuseas matutinas.

- También podría intentar beber agua de limón u otra **bebida de cítricos que sea natural.**

¿Son buena señal las náuseas matutinas?

Existe la creencia de que si usted sufre de náuseas matutinas en el embarazo, tiene menos probabilidades de abortar. ¿Es verdad? Sí. Esas náuseas se asocian con menor número de abortos y con menores riesgos de parto prematuro, bajo peso del bebé y muerte perinatal; también toman parte en el desarrollo de una placenta sana. Así que aunque se sienta terrible, piense positivamente y anímese. Este malestar es señal de que su embarazo va por buen camino… *y pasará*

- Haga una ralladura de **toronja, naranja o mandarina** (la parte coloreada de la cáscara) y agréguela a su té, pero asegúrese de eliminar las sustancias cerosas de la fruta.

No se quede con el estómago vacío

- En la mañana evitará la náusea si come algo antes de levantarse de la cama. Tenga a la mano unas **galletas cremosas** e ingiera algunas en cuanto se despierte.
- Coma **varias veces** al día. Es más fácil tolerar cantidades frugales de alimento que una comida completa. De hecho, podría comer un refrigerio cada una o dos horas, pero en porciones moderadas. Un poco de uvas, una manzana, unas cuantas nueces o una o dos rebanadas de queso son buenas opciones.
- **Ingiera sus vitaminas prenatales con los alimentos** para que se asienten en el estómago, incluso hasta con una galleta de trigo.
- **Evite la comida frita o grasosa** porque provoca o intensifica la náusea. No se sabe por qué, pero quizá es porque los alimentos grasos se digieren con más lentitud.

No se exponga a olores desagradables

- Las náuseas matutinas son provocadas mayormente por el olor: las mujeres con anosmia (incapacidad para oler) rara vez las padecen. Si usted es propensa a la náusea matutina, trate de permanecer en **habitaciones bien ventiladas** que no acumulen olores de cocina ni de humo de cigarrillo. No se sorprenda si se anima a pedirle a sus familiares que se cepillen bien los dientes, un mal aliento puede provocar náusea. Esta sensibilidad normalmente acaba como a la semana 12 o 14... de modo no estará quisquillosa para siempre.

Ojos, fatiga de los

Sus ojos son la ventana de su alma, pero si trabajaron demasiado son el umbral al malestar, dolores de cabeza y visión borrosa. Desafortunadamente, la fatiga de los ojos es también demasiado común cuando la gente pasa incontables horas ante el brillo de una pantalla de computadora o de televisión. Hay varios métodos para aminorar el problema: dé a sus ojos el mayor descanso posible, y haga algunos ajustes a su computadora y a sus hábitos de trabajo para que la vida sea más fácil para sus ojos.

¿Qué ocurre?

Si sostiene una pesa en una mano extendida, los músculos se cansan pronto. Igual sucede con los ojos cuando se les exige demasiado. Si los músculos oculares que enfocan su vista no tienen oportunidad de relajarse, pronto sentirá la tensión. Incluso puede que tenga problemas para enfocar. Si entrecierra los ojos con la luz solar, el dolor de ojos se presentará casi de inmediato.

Descánselos, parpadee, ciérrelos

● Siempre que esté trabajando en algo que requiera de mucha concentración, **haga una pausa** cada 20 minutos. Fije la vista en un objeto alejado —una fotografía en el muro opuesto o una vista por la ventana— al menos durante 30 segundos. Al dejar que los ojos cambien de enfoque, les da un descanso.

● **Trate de parpadear con frecuencia** —sobre todo cuando esté poniendo mucha atención al televisor o a la computadora. El parpadeo humedece la superficie de los globos oculares y relaja los músculos de los ojos.

● Si tiene una tarea que requiere fijar la vista por mucho tiempo, **cierre los ojos a intervalos regulares**. Cerrar los párpados unos segundos, le hará sentir alivio de inmediato.

Alivio tibio y fresco

● Otra forma de **relajar los músculos de sus ojos**: frote las palmas de las manos hasta que se entibien; colóquelas sobre los ojos cerrados durante unos segundos.

● Humedezca una franela o una toalla de mano en **agua fría**, exprímala y colóquela sobre los ojos durante cinco minutos para aliviar la tensión.

● Enfríese los ojos con rebanadas de **pepino**. Recuéstese y ponga una rebanada en cada ojo cerrado. Déjelas de dos a tres minutos, o reemplace el primer par con otro más frío.

Humedezca con lágrimas

● Para la vista fatigada debida a la resequedad de los ojos, use **lágrimas artificiales**, que se consiguen en las farmacias.

¿Anteojos para su cuello?

Si usa usted anteojos bifocales, sufrirá dolor de cuello si trabaja en computadora. Eso se debe a que con los bifocales, la graduación para "leer" está en la parte inferior de los lentes, de modo que es necesario inclinar la cabeza atrás para mirar la pantalla. Pida al optometrista que le recete otro par de anteojos que le permitan ver con claridad desde una distancia de 50 cm para que lea lo que está en el monitor sin inclinar la cabeza.

Ajuste su monitor

* Suba al máximo el **contraste del monitor**. Descubrirá que las letras e imágenes son más nítidas.
* Ajuste la altura de su silla de modo que su vista quede un poco hacia abajo. Incline la pantalla para que se adapte a su ángulo de visión.
* Asegúrese de que sus ojos estén al menos a 50 cm de la pantalla de la computadora.
* Ajuste la pantalla o cierre las cortinas cercanas a su lugar de trabajo para que no tenga el **resplandor ni el reflejo de la ventana** sobre la pantalla.
* **Limpie con regularidad** el polvo sobre la pantalla para mejorar la claridad.
* Si es usted un poco miope, intente leer o ver la pantalla **sin lentes para ver de cerca**. Así, sus ojos estarán más cómodos.
* Seleccione un **tamaño de letra** más grande para que sus ojos no se esfuercen al enfocar, o use la opción de **acercamiento** para agrandar la imagen.

Use lentes oscuros

* Cuando el sol brilla mucho, aún en invierno, **use lentes oscuros**. Reducirán la fatiga ocular provocada por forzar la vista. Los mejores lentes oscuros son de color amarillo, ámbar, anaranjado o café. La luz en la sección azul del espectro es lo que nos hace entrecerrar los ojos, y estos lentes la bloquean.

Déle luz a su vida

* Cuando esté leyendo, procure tener una luz adecuada para no forzar la vista. Lo mejor es una lámpara flexible dirigida de manera que la luz caiga sobre la página. En general, un foco de pocos vatios de este tipo de lámparas es más eficaz que uno

¿Llamaré al doctor?

Si sus ojos se cansan a menudo y los remedios caseros no dan resultado, si su vista es cada vez más deficiente o es muy sensible a la luz, consulte a un oftalmólogo. También, si de pronto se marea o ve doble y no mejora al cerrar los ojos, consulte de inmediato a su médico.

grande de una lámpara de mesa. El área que ilumina un foco de 40 a 60 vatios da mucha iluminación.

● No lea bajo una sola lámpara en una habitación oscura; **procure que haya otras luces encendidas.** Si hay mucho contraste entre la luz bajo la cual esté leyendo y el resto de la habitación, sus pupilas tendrán que abrirse y cerrarse constantemente para adaptarse a la diferencia.

● **Evite leer o trabajar bajo luces fluorescentes.** Titilan y provocan fatiga ocular. La luz incandescente de los focos comunes es lo mejor —o la luz del día— para trabajar.

Anteojos baratos

● Después de los 40 años de edad, muchas personas tienen dificultades para enfocar la vista en objetos cercanos, como ensartar una aguja o leer las instrucciones de preparación de los alimentos empacados, condición llamada presbiopía. Si todavía ve bien de lejos y sus ojos enfocan bien, compre un par de **anteojos de lectura** baratos.

Ojos, irritación de los

El enrojecimiento, la comezón y la sensibilidad a la luz ocurren cuando sus ojos están resecos. Una diminuta mota de polvo no mayor a un punto al final de esta oración puede sentirse como una roca puntiaguda si se aloja debajo de un párpado. Y si sus ojos están resecos por el viento o le lloran por el cloro, es difícil enfocar lo que sea. Afortunadamente, es posible sortear este problema en un parpadeo.

¡Fuera polvo!

• Si tiene una partícula dentro de un ojo, tire suavemente de las pestañas superiores para levantar el párpado. Gire el globo ocular. Si no produce suficientes lágrimas para sacar la partícula, use un **colirio esterilizado o lágrimas artificiales**.

• Algunas personas más audaces **voltean el párpado superior**. A veces eso basta para expulsar la partícula. Si no da resultado, pruebe con un colirio simple. O lávese las manos, junte agua en los cuencos de las manos e introduzca el ojo cerrado; ábralo dentro del agua para que salga la partícula.

Pierda el contacto con sus lentes de contacto

• Si usa lentes de contacto y se le metió algo al ojo, **quítese los lentes** y límpielos con la técnica acostumbrada. Examínelos de cerca para asegurarse que la partícula no quedó adherida.

Calme la comezón de los ojos

• Empape una franela en **agua fría** y colóquela sobre los ojos cerrados tanto tiempo como sea necesario. Esto es particularmente eficaz si tiene los ojos rojos o siente comezón por alguna alergia. Lo frío constriñe los vasos sanguíneos, y lo mojado de la tela mantiene húmedos los ojos.

• Remoje **bolsas de té** en agua fría y colóquelas sobre los ojos durante 15 minutos. Cualquier clase de té servirá: lo que funciona es la humedad, no lo que está en la bolsa de té.

Humedezca sus ojos

• Compre un humidificador y enciéndalo en la habitación donde pase más tiempo, la sala durante el día o la recámara durante la noche.

¿Qué ocurre?

El mundo puede ser un lugar polvoriento y arenoso, y cuando una mota aterriza en su ojo, resulta muy incómodo. Por lo general, las lágrimas vienen al rescate, limpiando la superficie de los ojos, nutriendo sus células y contrarrestando los efectos del aire seco. Sin lágrimas, sus ojos se irritan y enrojecen. Conforme avanzamos en edad, producimos menos lágrimas, una de las razones por las que los ancianos tienen más irritaciones en los ojos. Las alergias causan enrojecimiento, comezón, al igual que la exposición al aire seco y al humo del cigarrillo.

¿Llamaré al doctor?

¡No lo haga!

• Para ojos resecos e irritados, use **lágrimas artificiales**. Vienen en diferentes densidades: las más viscosas duran más pero hacen borrosa la visión temporalmente; las menos viscosas necesitan aplicarse con más frecuencia.

El poder de la prevención

• **Duerma más**. La falta de sueño reseca los ojos y los pone rojos porque los vasos sanguíneos están inflamados.

• Coma un **plátano** todos los días; esto le ayuda a evitar la resequedad. Los plátanos tienen mucho potasio, que ayuda a balancear el sodio y a liberar fluidos de sus células.

• Agregue una cucharada de **aceite de semilla de linaza** al jugo o cereal. Es una buena fuente de ácidos grasos Omega-3, que son esenciales para mantener los ojos bien lubricados. Las lágrimas contienen no sólo agua, sino grasa y mucosidad. Para tener una película lagrimal saludable, necesita usted comer muchos ácidos grasosos Omega-3, que también contienen las nueces y determinados peces, como el atún o el salmón.

• Si sus ojos se resecan con frecuencia, revise las **medicinas** que ingiere. Los culpables comunes son los antihistamínicos, los antidepresivos, los medicamentos para la presión sanguínea y los tranquilizantes.

• **Use gafas protectoras** cuando realice tareas que esparzan los residuos que lleva el aire, como barrer un patio o sacudir.

• Use gafas para nadar siempre que nade en una piscina con agua clorada.

• Si está al aire libre, use **lentes oscuros** para proteger sus ojos de las radiaciones ultravioletas del sol; estos lentes también evitan la resequedad en días de mucho viento.

• El maquillaje para ojos es una causa común de irritación, elija marcas hipoalergénicas. Si usa una **crema** o ungüento en los párpados, asegúrese de que no le irriten los ojos.

• Aléjese del **humo del tabaco**. Si usted fuma, es probable que sienta mejor sus ojos y renuncie a seguir fumando.

Olor corporal

Para combatir el olor corporal, solucione el problema de raíz. Si los antitranspirantes (que bloquean las glándulas sudoríparas) y desodorantes (que neutralizan o enmascaran el olor) no dan resultado o si usted prefiere un remedio natural, hay miles de formas para tener una esencia agradable. La batalla contra el olor corporal comienza en la ducha y continúa durante todo el día.

Escoja un jabón eficaz

● Elija un buen jabón **desodorante** o jabones antibacterianos para las manos. Estos jabones dejan ingredientes sobre su piel que siguen matando bacterias incluso después de haberse bañado. Si el jabón no le irrita la piel, úselo diario. Algunas personas opinan que estos jabones causan resequedad, y en este caso debe restringirse su uso a las axilas y a las ingles.

● Si el jabón desodorante no funciona, eche toda la caballería. Las **soluciones quirúrgicas antibacterianas** se consiguen sin receta en casi todas las farmacias. Son tan eficientes que se usan para limpiar a los pacientes antes de una cirugía. Pero estos productos resecan la piel, por lo que conviene usarlos sólo en la regadera, para que se enjuague rápidamente, y sólo en las zonas de más olor como las axilas y las ingles.

Más allá del desodorante

● Con una tela de algodón, límpiese las axilas con **vinagre** varias veces al día para reducir el número de bacterias que causan el olor. No lo use inmediatamente después de afeitarse porque arderá mucho. Lo mismo puede decirse del hamamelis.

● Aplíquese hamamelis directamente sobre la piel o con tanta frecuencia como lo desee con una torunda de algodón. El líquido refrescante y aromático sirve tanto para secar como para desodorizar.

● Aplique **bicarbonato de sodio** o **maicena** sobre cualquier zona de su cuerpo con problemas. Ambos polvos absorben la humedad, y el bicarbonato además mata la bacteria que produce el olor.

● **Rasúrese con regularidad las axilas**. El vello aumenta el olor corporal porque atrapa el sudor y las bacterias.

¿Qué ocurre?

La Naturaleza nos proveyó de fuertes olores para atraer al sexo opuesto. Pero los olores corporales no lo llevarán muy lejos hoy en día. El problema comienza con algunos tipos de sudor. Las glándulas sudoríparas producen un sudor neutral, que enfría el cuerpo conforme se evapora. Las glándulas que están concentradas en las axilas y las ingles segregan una sustancia que devoran las bacterias, provocando olores fuertes. La tensión, la ovulación, la excitación sexual y el enojo influyen para que estas glándulas trabajen a marchas forzadas. Algunas enfermedades hacen que el organismo produzca olores particulares, al igual que algunos medicamentos, como los antidepresivos, la venlafaxina y el bupropión, un medicamento que se usa contra el tabaquismo.

¿Llamaré al doctor?

• **Cámbiese de camisa** todos los días, y quizá dos veces al día cuando hace mucho calor.

El jardín ayuda

Cualquiera de los siguientes líquidos puede usarse en las axilas, pero no alrededor de los genitales.

• Aplique **aceite de árbol del té** en las zonas problemáticas, en tanto no le irrite la piel. Este aceite, de un árbol australiano, mata las bacterias y tiene un olor agradable.

• Los aceites esenciales de lavanda, pino y menta combaten las bacterias y huelen bien. Algunas personas tienen una reacción cutánea a determinados aceites, de modo que haga la prueba antes de usar alguno.

• La **salvia**, la fragante hierba de cocina, combate las bacterias y reduce la transpiración. Compre tintura o aceite de salvia diluido en las tiendas naturistas, o bien prepare té de salvia con hojas frescas o secas y guárdelo en una botella dentro del refrigerador. Después de usar la salvia, lávese las manos antes de tocarse la cara.

• Los cítricos como el **limón** cambian el pH de la piel, haciéndolo más ácido. Todas las bacterias, incluyendo las que causan el olor, no logran sobrevivir en un medio muy ácido. Solamente frote un poco de limón y seque con palmaditas.

Coma verde, huela a limpio

• Coma muchas **espinacas, acelgas y coles**. Estos y otros vegetales de hoja verde son ricos en clorofila, que tiene un poderoso efecto desodorizante en su cuerpo.

• O compre tabletas que contengan **clorofila.** Hay muchas marcas, hechas de plantas como el alga marina, pasto de cebada y algas azul verde. Tome las dosis recomendadas en la etiqueta.

• Mastique unas ramitas de perejil, reconocido por sus propiedades contra los olores. O prepare un té de perejil, metiendo una cuchara con **perejil** fresco en una taza de agua caliente durante 5 minutos; déjelo enfriar antes de beberlo.

• El **té de lima** estimula la secreción de desechos del cuerpo, que pueden hacer que el sudor sea más dulce. Conocido como té de tila, se hace del capullo del árbol de lima y tiene un aroma delicado.

Olor de pies

Si los demás se tapan la nariz cuando usted se quita usted los zapatos, o si su perro está enamorado de sus tenis, hay muchas soluciones que van más allá del bicarbonato de sodio para detener la sudoración, quitar los olores y evitar que sus pies apesten a… patas. En particular, mucha gente jura que se cambia de calcetines dos veces al día y que usa antitranspirante en los pies.

Trate a sus pies como a sus axilas
- No debe ser sorpresa que el mismo **antitranspirante** que usa para sus axilas también reduzca la sudoración en los pies (que, por ende, serán menos olorosos). Simplemente póngase el aerosol antes de ponerse los zapatos y los calcetines.
- Lávese los pies todos los días en agua caliente con un **jabón desodorante** o **antibacteriano**.

Súbale al calor
- Después de un baño o un duchazo, séquese los pies con un **secador de pelo** a la temperatura más baja. Éste es un consejo especialmente bueno si usted es propenso al pie de atleta o a tener hongos en las uñas, pues previene infecciones y reduce la humedad.

Remójelos y aromatícelos
- Intente un baño de pies con **té negro**. Introduzca dos bolsas de té en medio litro de agua durante 15 minutos. Saque las bolsas y diluya el té con dos litros de agua, luego remoje sus pies durante 30 minutos; repita el procedimiento todos los días. El ácido tánico de un té negro fuerte mata las bacterias y cierra los poros para que sus pies suden menos.
- Dése un remojo que combata el olor de los pies, agregando una taza de **vinagre** a un recipiente con agua caliente. Para aumentar su eficacia, agregue unas gotas de **aceite de tomillo**. El aceite contiene un potente antiséptico que mata las bacterias que provocan el olor. Remoje sus pies de 15 a 20 minutos al día durante una semana. (*Alerta* No recurra a este remedio si tiene alguna inflamación o herida en la piel)

¿Qué ocurre?

Sus pies son el hábitat natural de millones de bacterias que actúan sobre su sudor y derraman células de la piel. Los productos derivados que generan estas bacterias son los que causan ese olor pestilente en los pies. Cuando usted encierra sus pies en un par de zapatos, y comienzan a sudar, las bacterias tienen más alimento que devorar. El olor de pies también puede ser causado por infecciones fungosas mal atendidas, como el pie de atleta. Las personas con diabetes o enfermedades del corazón, así como los ancianos, suelen ser propensos a infecciones en los pies y al mal olor por una circulación sanguínea deficiente.

¿Llamaré al doctor?

Consulte a su médico si padece un pie de atleta que no se compone con un tratamiento casero, si suda excesivamente aun con los zapatos tenis, o si muestra señales de una infección por hongos en las uñas. Quizá tiene una infección que requiere de un antibiótico o de una medicación contra los hongos.

● Si no consigue el aceite de tomillo, puede comprar fácilmente un producto que lo contenga: el desinfectante bucal, Listerine. Pruebe agregando un chorro en su baño de pies (de nuevo, no lo use sobre piel agrietada).

Frote fragancia

● El **aceite de lavanda** no sólo huele bien, también ayuda a matar bacterias. Frote unas cuantas gotas en los pies y dése masaje antes de irse a dormir; y póngase calcetines. Antes de intentar este remedio, cerciórese de que el aceite no le irrite la piel, probando con una gota en una zona pequeña.

Remojón en sales de Epsom

● Mezcle dos cucharadas de **sales de Epsom** en cuatro litros de agua caliente en un cubo. Remójese los pies durante 15 minutos, dos veces al día. Las sales astringentes lo ayudarán a reducir la sudoración y a matar las bacterias.

Pruebe con un tratamiento para el acné

● Aplique un gel de **peróxido de benzoil** (se consigue en las farmacias como tratamiento para el acné) en la planta de los pies a fin de combatir las bacterias. Es posible que sea eficaz, pues actúa igual sobre las que causan el acné.

El poder del polvo

● Cubra sus pies con **talco para pies** antes de ponerse los calcetines. Absorberá el olor que causa el sudor.

● Otros dos buenos "talcos" son el **bicarbonato de sodio**, que neutraliza el olor, y el ácido bórico, que absorbe la humedad.

Vista bien para oler mejor

● **Cambie de calcetines** al menos una vez al día, y de ser posible dos o tres veces.

● Alterne al menos con **dos pares de zapatos**. Después que haya desgastado un par, apártelo y ventílelo 24 horas como mínimo.

● Use zapatos tenis deportivos con malla en los costados o sandalias abiertas que permitan a sus pies "respirar". Sus pies respirarán mejor si usa **calcetines de algodón** en vez de los de tela sintética.

La mejor cura, desde luego, es dejar de usar zapatos, así que arrumbe esas viejas y olorosas chanclas y **ande descalzo** por la casa, siempre que le sea posible.

Dé tratamiento a sus zapatos tenis también

Revise las instrucciones de limpieza de sus zapatos tenis. Si son lavables, métalos a la **lavadora** al menos una vez al mes.

Zapatos con olor dulce

Guarde sus zapatos en un lugar **iluminado y ventilado**, no en el cerrado y oscuro guardarropa donde crecen y se reproducen las bacterias.

Cada vez que se quite los zapatos, insérteles una bolsita de **astillas de cedro**. Estas bolsitas las venden empacadas en sacos de algodón, y están hechas para que se adapten a los zapatos (se consiguen en un centro de reparación de zapatos o en Internet). Absorben la humedad, neutralizan los incómodos olores y mantienen los zapatos secos y cómodos.

Las plantillas fabricadas con saquillos de malla rellenos de ceolita (disponible enInternet) son útiles. La ceolita es un mineral volcánico que atrae los olores y la humedad y los retiene. Exponga el saquillo reusable al sol durante seis horas para descargar los olores.

Aparentemente, también la **arena para gatos** (limpia) funciona.Vierta un poco en un viejo par de calcetines y métalos en los zapatos cuando se los quite. Después de todo, para eso está diseñada la arena: para neutralizar los olores y absorber la humedad…

Compre **plantillas** absorbentes de olores que contienen carbón activado y adáptelas a sus zapatos. Cámbielas cada tres o seis meses.

Si sus zapatos tienen plantillas removibles, **póngalas a orear** cada que se quite los zapatos.Y métalas a la lavadora de vez en cuando.

¿Sabía que?

Los seres humanos tenemos más de 250 000 glándulas sudoríparas en los pies, que bombean casi una taza de sudor todos los días.

Orzuelos

Quizá el mayor reto cuando tiene un orzuelo en un párpado es resistir la tentación de frotarlo. Es una reacción natural, pero por más que se frote no conseguirá eliminar esa sensación de que tiene algo dentro del ojo, y la bacteria que infectó el folículo puede infectar otros. Mejor recurra al calor húmedo para que el orzuelo madure. Y siga los siguientes consejos para mantener limpios los párpados y evitar irritaciones futuras.

¿Qué ocurre?

Los orzuelos son protuberancias rojas, inflamadas y dolorosas sobre el párpado que parecen barros. Salen cuando un folículo de las pestañas se obstruye por el polvo o la grasa, y se infecta con una bacteria. (Si una glándula del párpado se obstruye, puede ser una inflamación tumoral y no un orzuelo.) El ojo le llorará o sentirá que tiene algo adentro. Normalmente, un orzuelo se agranda con pus en algunos días, luego madura y sana. Puede desaparecer completamente una vez que termina la infección, o dejar un pequeño quiste que requiera de tratamiento médico.

Aplique calor al párpado

• Aplique **compresas calientes** al ojo afectado de 10 a 15 minutos cuatro veces al día, durante dos o tres días. La compresa se hace con una franela suave y limpia, una gasa o incluso una bolsa de té. Remójela en agua caliente, cierre el ojo, y sostenga la compresa sobre el párpado. Una vez que el ojo se acostumbre al calor, humedezca la compresa un par de veces con agua más caliente. El calor ayudará a que el orzuelo madure con más rapidez. Deseche la compresa usada, o si es una franela, lávela con agua muy caliente antes de usarla de nuevo. De lo contrario, podría reinfectar el ojo con la bacteria.

• Para agregar más poder desinfectante a la compresa, remójela en té de flores de **caléndula**. Ponga dos cucharaditas de flores secas en un recipiente, agregue dos tazas de agua caliente, y haga una infusión durante 20 minutos.

• Otra forma de ponerle calor a un ojo adolorido es **cocer un huevo**, después de sacarlo del agua, envuélvalo en un tela limpia. Mantenga el huevo oprimido sobre el párpado. Se mantiene caliente más tiempo que la compresa.

• Las **papas** calientes también funcionan. Ponga una papa en el microondas, pártala a la mitad, y póngase una tela sobre el ojo y encima la papa. Se mantiene caliente más tiempo, de modo que puede recostarse y relajarse.

Acabe con las bacterias

• Para estimular su sistema inmunológico y combatir la bacteria que provoca la infección, ingiera 200 mg. de **equinácea** tres o cuatro veces al día, hasta que el orzuelo desaparezca.

• Coma un diente de **ajo** fresco al día. Quizá no sea su sabor

¿Cuándo un orzuelo no es un orzuelo?

Una inflamación tumoral –una glándula sebácea agrandada y obstruida en el párpado– parece un orzuelo en los primeros días, pero crece mucho y dura más. Puede estar seguro de que no es un orzuelo porque rebasa el borde del párpado, y tiende a verse como una protuberancia dura, indolora y redonda. La mayoría de las inflamaciones tumorales desaparece con varias compresas calientes que derriten la grasa endurecida y le permiten drenarse por los poros del párpado. Pero si dura varias semanas, consulte al médico para que le recete una crema esteroide o antibiótica.

favorito, pero tiene propiedades antibacterianas. Es más eficaz si se come crudo, de modo que puede rallarlo sobre una ensalada o mezclarlo con un aderezo.

El poder de la prevención

• Si usted es proclive a los orzuelos, convendría que se lave los párpados una vez al día para que los folículos estén limpios. Una forma sencilla es enjuagar suavemente sus párpados con una mezcla de una parte de **champú para bebé** por 10 partes de **agua caliente**. Use una torunda de algodón limpio para cada párpado y deséchela después de una pasada.

• Cada dos días, aplique **compresas calientes** sobre los párpados para evitar que las glándulas sebáceas se obstruyan.

• Ingiera una cucharada diaria de **aceite de semilla de linaza**, o dos cápsulas. Esto le ayudará a evitar que se obstruyan los folículos. Si quiere sacar más provecho del aceite de semilla de linaza puro, agréguelo a las ensaladas o úntelo a un pan, pero no lo cocine. El calor elimina sus benéficos nutrientes.

• Para evitar contagios, si tiene un orzuelo, lávese las manos y **no se toque los ojos.** Por la misma razón, **no comparta las toallas** con otros miembros de la familia. Cambie con frecuencia su toalla y fundas de la almohada.

• Cerciórese de ingerir suficiente vitamina A. Si padece de orzuelos, es indicio de una deficiencia de vitamina A. Coma alimentos como yemas de huevo, mantequilla, menudencias y vegetales amarillos, anaranjados, rojos o verde oscuro. Todos contienen mucho beta-caroteno, que el organismo transforma en vitamina A. También puede ingerir algún complemento multivitamínico.

¿Llamaré al doctor?

Aunque los orzuelos son dolorosos y molestos, son inofensivos. Consulte a su médico sólo si el orzuelo empieza a sangrar, crece demasiado o no comienza a sanar en un par de días. Es probable que tenga usted una infección seria en el párpado.

Palpitaciones

El corazón late cerca de 36 millones de veces al año, por lo que es desconcertante que ocasionalmente pierda el ritmo. Cuando esto ocurre, hay palpitaciones. Por fortuna, existen maneras de controlar esas palpitaciones. Y, todavía mejor, puede evitarlas, en primer lugar, mediante técnicas reductoras de la tensión, consultando a su médico para que revise los medicamentos que está ingiriendo y agregando determinados alimentos y complementos que se sabe benefician al corazón.

¿Qué ocurre?

Los impulsos eléctricos estables hacen que el corazón lata con tal regularidad que usted ni lo nota. Pero si el sistema sufre una falla imprevista, puede tener palpitaciones —una sensación de latidos o bombeo en el pecho— porque su corazón late demasiado aprisa o se "salta un latido". Las palpitaciones a veces son indicio de un problema serio del corazón, pero en la mayoría de los casos se debe a fatiga, preocupación, enfermedad o estrés. Aunque pueden causarle ansiedad, por lo general no requieren de atención médica.

Calme los latidos

- Tan pronto como note un latido irregular, siéntese y ponga los pies en alto. Respire despacio, dejando que el abdomen se expanda con cada inhalación. Si se concentra en **respirar lentamente**, su ritmo cardiaco volverá a la normalidad.

- Si continúan los latidos, haga la **maniobra Valsalva**: tápese la nariz, cierre la boca y trate de exhalar. Como no se puede –porque la nariz y la boca están cerradas– sentirá una tensión como si fuera a vomitar. El leve aumento de presión sanguínea que ocurre como resultado debe ayudar a restablecer el ritmo cardiaco. La técnica Valsalva recibe su nombre por un anatomista italiano del siglo XVIII, Antonio Maria Valsalva.

- **Tosa fuerte.** Al igual que la maniobra Valsalva, toser aumenta la presión dentro de su pecho. Algunas veces es todo lo que necesita para que su corazón recupere su ritmo normal. O infle un globo, que tiene un efecto similar. De hecho, los cantantes profesionales recomiendan inflar un **globo** para tranquilizar un ritmo cardiaco acelerado y los nervios alterados por el miedo escénico.

Obtenga alivio con agua fría

- Ingiera unos cuantos tragos de **agua fría**. Nadie sabe exactamente por qué ayuda, pero muchas personas obtienen resultados instantáneos. Una teoría es que el agua tragada hace que el esófago oprima al corazón, y que ese "suave codazo" restaure el ritmo.

- Opcionalmente, **échese agua fría** en la cara. El impacto puede ser suficiente para lograr el efecto deseado.

Coma y beba con moderación

- Coma mucho pescado. El **salmón, la macarela y las sardinas** son pescados que contienen niveles particularmente altos de ácidos grasos Omega-3 benéficos para el corazón.
- **Evite comer demasiado** en una sola sesión. Forzar a su organismo a digerir grandes cantidades de alimento desvía sangre del corazón al aparato digestivo. Esto puede producir palpitaciones.
- **Deje de ingerir alcohol, café y de fumar.** Ciertas personas, reaccionan al café, al té o a bebidas de cola con palpitaciones. El exceso de alcohol o de cigarrillos (y también la terapia contra la nicotina) son causas comunes; incluso el chocolate puede ser el culpable.

Reduzca el estrés y duerma suficiente

- Si está experimentando palpitaciones, es muy probable que la culpa la tenga el estrés. En realidad, las palpitaciones son el modo del organismo para decirle que su nivel de estrés ha excedido el límite de seguridad. La **meditación** ayuda a regresar a la normalidad los niveles de estrés. Trate de aislarse durante 30 minutos al día para relajarse y dejar que su mente se serene.
- Tranquilice su mente con aromaterapia. Rocíe unas gotas de **aceite de lavanda** en un pañuelo e inhale esa maravillosa esencia. O frótese dos gotas de **aceite de naranja amarga** en el pecho o bien, agregue un poco al agua de la tina.
- Duerma al menos **siete horas** cada noche. Estar cansado es otro disparador de ritmos cardiacos anómalos.

Haga ejercicios de calentamiento y muévase

- Haga **ejercicio aeróbico** al menos 30 minutos tres o cuatro veces a la semana. Caminar, correr y jugar tenis son excelentes opciones. Sólo cerciórese de no concentrarse en mejorar sus tiempos o ganarle a su oponente, eso aumentará el estrés. Ejercite a un ritmo que le permita seguir conversando.
- **Haga calentamiento** durante 10 minutos antes de cada ejercicio y asegúrese de estirarse durante 10 minutos después.

¿Llamaré al doctor?

A menos que tenga un historial de enfermedades del corazón, en general no hay motivo para ver al médico si tiene usted palpitaciones, excepto que ocurran más de una vez a la semana, se hagan más frecuentes o vayan acompañadas de una sensación de volatilidad en la cabeza o mareo. Debe consultar al médico si le dan demasiadas palpitaciones y tiene otras señales de exceso de actividad tiroidea como baja de peso, fatiga o insomnio. Si siente opresión en el pecho acompañada de náusea y sudoración, acuda a un médico de inmediato.

Mito...

Muchas personas aseguran que haber dejado de comer dulces les ayudó a evitar las palpitaciones.

...y verdad

Cualquier alimento que provoque fluctuaciones repentinas en el nivel de azúcar en la sangre coadyuva a provocar palpitaciones. Si es usted adicto a los dulces, trate de no ingerirlos. Descubrirá que las palpitaciones disminuyen o cesan.

Regule el ritmo

● Muchas personas con ritmos cardiacos irregulares tienen bajos niveles de magnesio. Trate de comer más alimentos ricos en **magnesio**, como granos enteros, frijoles y legumbres, verduras de hojas verde oscuro y mariscos. Si quiere probar con complementos de magnesio, ingiera 300 mg al día. (*Alerta* no tome magnesio si tiene alguna enfermedad del riñón.)

● **Tome coenzima Q$_{10}$.** Esta sustancia natural viene en pastillas, y le ayuda a mantener el ritmo cardiaco regular. Ingiera 50 mg. al día con los alimentos. Quizá transcurra un par de meses antes de que comience a notar los beneficios.

● Si no come mucho pescado, tome de 3 g. al día de **aceite de pescado**, que tiene altos niveles de ácidos grasos Omega-3.

● La **taurina** aminoácida ayuda a controlar los impulsos eléctricos irregulares del corazón. Tome 2 g al día. La taurina se consigue en tiendas naturistas o en farmacias.

Revise sus medicamentos

● Muchos medicamentos con receta o sin ella provocan palpitaciones, de modo que **lea las instrucciones de la etiqueta**, que quizá indican, por ejemplo: "no ingiera este producto si padece del corazón o de alta presión", o contengan alguna advertencia especial del efecto de la droga sobre el ritmo cardiaco. Ponga mucha atención a los medicamentos para la gripe o alergias que contienen descongestionantes. Un ingrediente que contiene a menudo es la pseudoefedrina.

● Algunos **broncodilatadores** para el asma aumentan el riesgo de las palpitaciones. Igual sucede con los **antihistamínicos**. Si ha ingerido estos medicamentos, consulte a su médico.

● **Evite** cualquier remedio o complemento dietético que contenga el ingrediente **efedra. Lo**s productos que contienen efedra se usan para promocionar la reducción de peso y elevan los niveles de energía. Sin embargo, la efedra puede elevar peligrosamente el riesgo de alterar el ritmo cardiaco o las palpitaciones, algunas veces con consecuencias graves. Los complementos para bajar de peso que contienen efedra deberían estar prohibidos.

Pechos sensibles

Así como la luna tiene fases, la molestia de los pechos sufre altibajos. Aquí hay algunas sugerencias para disminuir esa molestia creada por sus hormonas. Las vitaminas, las hierbas y los aceites sirven para vigilar la retención de los fluidos y engatusar a sus hormonas a fin de que tengan un equilibrio amigable en los pechos (más progesterona, menos estrógeno). Y unos cuantos cambios en la dieta alivian algunos de esos problemas.

Jabón suavizante
• Cuando esté en la ducha, enjabone sus pechos y **masajéelos** suavemente desde el centro del pecho hacia las axilas. Esto mejora la circulación de la sangre y el drenado del fluido linfático, el fluido que transporta sustancias para combatir infecciones en todo su organismo.

Un descanso frío
• Envuelva una bolsa de **cubos de hielo** o chícharos congelados en una toalla y póngala sobre cada pecho durante 10 minutos. El tratamiento del paquete frío reduce la inflamación y adormece el dolor.

Considere la posibilidad de tomar complementos
• El **diente de león** es un diurético natural. Tómelo en cápsulas o en un té de raíz de diente de león en polvo, que se consigue en bolsitas en las tiendas naturistas o en la red. Hierva una bolsa de té en una taza de agua durante 10 minutos y beba dos tazas al día, una hora después de los comidas.
• Pruebe el **aceite de prímula nocturna**, un tradicional remedio de hierbas para los síntomas premenstruales. Contiene un ácido graso esencial denominado gama-linoléico que ayuda a equilibrar las hormonas femeninas y reduce la sensibilidad cíclica de los pechos. Tome 1 000 mg. del aceite en cápsulas suaves tres veces al día durante los últimos diez días del ciclo menstrual. Tómelo con las comidas para aumentar la absorción.
• **Las vitaminas E y B_6** también sirven para prevenir el dolor de pechos. La dosis eficaz es de 500 mg. de vitamina E al día, junto con 50 mg. de B_6. Como no es posible alcanzar estas

¿Qué ocurre?

El útero atraviesa por un ciclo de cambios cada mes, al igual que los pechos. Modificar los niveles hormonales, sobre todo de estrógenos y progesterona, provoca el crecimiento del tejido y la retención de fluidos en los pechos mientras las glándulas mamarias se preparan para un embarazo potencial. Esto causa dolor y la formación de bolas. La sensibilidad cíclica de los pechos se llamaba antes enfermedad de pechos fibrocísticos, pero ahora se reconoce que es sólo un efecto colateral de la menstruación; casi la mitad de las mujeres de menos de 50 años la experimenta. La sensibilidad de los pechos tiende a ser más notoria justo antes de la menstruación.

¿Llamaré al doctor?

dosis sólo con los alimentos, aumente su ingestión de estas útiles vitaminas comiendo germen de trigo, aceites vegetales, semillas y granos enteros para lograr más vitamina E, y aguacate, pescado, pollo, carnes magras, plátanos y espinacas para la B_6.

Luzca diferente

- Cuando tenga mucha sensibilidad en los pechos, considere la opción de usar un **sostén de soporte** en vez del que tiene alambres. Es probable que también convenga usarlo al dormir para reducir el trajín nocturno. Cuando pruebe un nuevo sostén, cerciórese de que las copas se ajusten a los pechos sin lastimarlos. Una vez que compre sostenes más cómodos, deshágase de los viejos que no brindan el soporte necesario.

Busque soluciones alimentarias

- Coma más **frijol de soya** y otros alimentos a base de soya. Los estudios poblacionales han demostrado que en las tradicionales culturas asiáticas, donde la gente consume mucha soya, las mujeres tienen menos problemas relacionados con los estrógenos, como el dolor de pechos y los síntomas de la menopausia. La soya contiene compuestos hormonales llamados fitoestrógenos que influyen en las fluctuaciones hormonales relacionadas con la menstruación y la menopausia. Pruebe los sustitutos de carne de soya o añada tofu a sus alimentos. La leche de soya es otra fuente excelente; pruébela con cereales o licuados de leche para el desayuno.
- Consuma mucha **fibra**, como fruta, vegetales, frijoles y legumbres –distintas variedades de frijol y lentejas, por ejemplo–, y granos enteros. Un estudio estadounidense descubrió que las mujeres con una dieta alta en fibra excretan más estrógenos.
- Propóngase ingerir menos del 30 por ciento de calorías de **grasa**. Las mujeres de culturas donde la norma son las dietas bajas en grasa, en general, tienen menor incidencia de dolor de pechos.
- Modere la ingestión de a**ceites hidrogenizados** que se encuentran en la margarina, las galletas, los pasteles y los alimentos "chatarra". Cuando ingiere estos aceites, su organismo pierde cierta capacidad de convertir los ácidos grasos de su

dieta (esenciales para su salud) en ácido gama-linoléico, eslabón necesario en la reacción en cadena que impide que el tejido de los pechos duela.

• Reduzca el consumo de **metylxantina**, ¿metyl qué...?, se preguntará. La metylxantina es el nombre poco conocido de un grupo de estimulantes que incluyen la cafeína, y la teobromina –que están en el café y el chocolate, respectivamente. Está presente en muchos otros alimentos y bebidas comunes, como las bebidas de cola, el té, el vino, la cerveza, los plátanos, el queso, la mantequilla de maní, los hongos y los pepinillos. La mayoría de las mujeres que sufre de hinchazones dolorosas de manera cíclica, mejorará si raciona de inmediato, o elimina, los alimentos que contengan este componente.

• No abuse de la sal y vigile su **ingestión de sodio** desde las sopas enlatadas hasta otros productos procesados y empacados. El sodio aumenta la retención de agua, lo que hace que los pechos se inflamen. Sea especialmente cuidadosa con el consumo de sal, sobre todo dos semanas antes de su menstruación.

Otras maneras de mejorar la armonía hormonal

• Para que sus hormonas estén mejor equilibradas en los pechos, pruebe una **crema de progesterona** natural. Aunque se recomienda básicamente para síntomas premenstruales y de la menopausia, puede servirle. Frótela sobre su piel todos los días, siguiendo las instrucciones de la etiqueta.

• Si toma pastillas anticonceptivas o tiene una terapia de reemplazo hormonal, consulte con su médico acerca de **modificar su receta**. El ajuste a una dosis un poco menor, puede beneficiarla.

• Haga **ejercicio** vigorosamente durante 30 minutos al menos tres veces a la semana, sobre todo durante la semana previa a su menstruación. El ejercicio disminuye las hormonas del estrés en su organismo. Y esto es sustancial porque esas hormonas contribuyen al dolor de pechos. El ejercicio también sirve para reducir los fluidos corporales al tiempo que aumenta los niveles de sustancias químicas del cerebro que favorecen la sensación de bienestar.

• Dedíquese un tiempo a usted y practique la **meditación**, los ejercicios **respiratorios** u otros tipos de **técnicas de relajación** que reducen las hormonas del estrés.

Pie de atleta

Esta irritante infección por hongos no es sólo de los atletas. Puede contraerla cualquiera que camine sobre pisos húmedos en vestidores, baños o una piscina. Una vez que se manifiesta, tiene usted que ser duro con ella. Entre más cuide y seque sus pies, mejor. Use estos remedios para mitigar la comezón y combatir a los hongos que la provocan. Y siga nuestros consejos preventivos para que no reincida.

¿Qué ocurre?

El pie de atleta lo provoca un hongo llamado *tinea pedis*. Este furtivo intruso, que se aloja en las uñas, piel y pelo, irrita, estría, quema y produce comezón en la piel. Cuando invade el área entre los dedos, el síntoma clásico es la comezón. Algunos hongos se alojan entre los dedos, pero también salen en las plantas y a los costados de los pies, e incluso se propagan a las uñas de los pies. Los casos severos de pie de atleta van acompañados de ampollas supurantes. Los pisos mojados son terreno fértil para la tiña, aunque le encantan los lugares húmedos y calientes. De modo que los pies, a menudo confinados a zapatos y calcetines sudorosos, son un medio ideal para los hongos.

Atienda la infección rápido y de manera decidida

• Cuando vaya a la farmacia a comprar un remedio sin receta, busque cremas y ungüentos que contengan **miconazol** o **clotrimazol**. Aplíquese una pequeña porción en el área afectada dos o tres veces al día. Y no se equivoque: no suspenda la aplicación de la crema cuando los síntomas cedan. Para erradicar el hongo de manera permanente, úsela al menos dos semanas después de que el problema parezca haber cedido.

• En las alacenas de la cocina hay algunas curas. El simple **bicarbonato de sodio** alivia la comezón y el ardor entre los dedos o en el pie. Agregue suficiente agua a una cucharada de bicarbonato para hacer una pasta. Frótela sobre el pie, luego enjuague y seque muy bien. Al final, espolvoree **maicena**.

• Para un baño suavizante de pies, añada dos cucharaditas de **sal** por cada 500 ml. de agua caliente. Remoje sus pies de cinco a 10 minutos. Repita este procedimiento a intervalos frecuentes hasta que sus pies sanen del todo.

• El **té** contiene ácido tánico, un astringente natural que funciona de maravilla para secar los pies sudorosos. Introduzca cinco bolsas de té en un litro de agua caliente por 5 minutos. Deje enfriar hasta que esté tibio, luego remoje sus pies en este líquido durante 30 minutos.

• Las siguientes son sugerencias para aplicaciones tópicas, algunas son raras, pero otras no tanto porque todas provienen de personas que sufren de pie de atleta que han probado estos remedios y juran que dan resultado: **alcohol quirúrgico, vinagre de manzana, polvo de ajo, aerosol para el pelo** y **miel** pura. Recurra a una de estas sugerencias, tres o cuatro veces al día.

No permita que los hongos se propaguen

El hongo de la tiña que provoca el pie de atleta causa una comezón incómoda en la ingle. De modo que cuando padezca pie de atleta, cuide de no infectarse la ingle. Lávese bien las manos después de tocarse los pies. Y no se quite la ropa interior sobre los pies descalzos, primero póngase los calcetines. Si usa mallas, póngase calcetines, quítese las bragas, quítese los calcetines y luego póngase sus mallas.

• Otro consejo para acelerar la curación es **andar descalzo** siempre que pueda (pero no sobre pisos mojados porque se arriesga a contagiar la infección).

• Lave sus calcetines en **agua muy caliente**, o en el microondas para matar los hongos y evitar su recurrencia.

Combata los hongos con alimentos

• El **yogur** natural contiene bacterias vivas de *acidophilus* que es un remedio instantáneo para el pie de atleta. Estos amigables microorganismos mantienen a raya a los hongos. Simplemente ponga un poco de yogur en las áreas infectadas, deje secar y enjuague. (No use yogur de sabores.)

• Añada unas gotas de **aceite de mostaza** o un poco de mostaza en polvo en el baño de pies. La mostaza ayudará a matar los hongos. Remoje sus pies media hora.

Busque alivio en las hierbas

• El aceite de árbol del té australiano es un potente antiséptico. Altera el medio de la piel, impidiendo que la tiña realice su horrible labor. Para un tratamiento sanador, mezcle **aceite de árbol del té** con la misma cantidad de **aceite de oliva** y frote la mezcla en la zona afectada dos veces al día. El aceite de oliva ayuda a suavizar la piel endurecida por el pie de atleta de modo que se absorbe mejor el aceite de árbol del té.

• Alternativamente, mezcle aceite de **árbol del té** con **gel de zábila**, otro suavizante de la piel. Mezcle tres partes de aceite por una de gel y frote este ungüento en la zona infectada dos veces al día. Aplique este tratamiento de seis a ocho semanas para que dé resultado.

• La lavanda, hierba de aroma celestial, también tiene propiedades fungicidas. Prepare un aceite para masaje con tres gotas

¿Llamaré al doctor?

Para lograr resultados, recurra a tratamientos caseros al menos durante tres semanas. Pero, si los síntomas son severos, consulte a su médico o a un podólogo. Una infección micótica desatendida cuartea la piel, lo que se convierte en el medio para que las bacterias se introduzcan. También debe consultar al médico lo más pronto posible si observa señales de infección más seria como un enrojecimiento severo o mucha sensibilidad al tacto. Otras señales de aviso son la inflamación del pie o la pierna, acompañada de fiebre, o de rayas rojas en la zona infectada.

Mito...

Algunas personas afirman que han usado su propia saliva para curar el pie de atleta.

...y verdad

Las investigaciones en animales indican que la saliva parece tener propiedades antibacterianas y fungicidas. Por ejemplo, cuando a las ratas les retiran las glándulas salivales, sus heridas sanan con más lentitud, y la saliva del perro mata las bacterias que provocan infecciones en los cachorros recién nacidos. La saliva humana contiene sustancias llamadas histantinas, que han demostrado tener una actividad fungicida.

de aceite de lavanda en una cucharadita de cualquier aceite vegetal. Frote sobre la piel infectada todos los días.

• La **caléndula** ha sido valorada por siglos como un tratamiento común para heridas y problemas de la piel. Se dice que este remedio tiene poderes fungicidas y antiinflamatorios. Frote el ungüento de caléndula, que se consigue en tiendas naturistas y farmacias, sobre las áreas afectadas, sobre todo entre los dedos.

El poder de la prevención

• Después del baño o la ducha, **seque sus pies** perfectamente. También puede hacerlo con aire tibio de una secadora de pelo, sobre todo entre los dedos.

• Use calcetines de algodón. Las fibras naturales absorben mejor la humedad. Si le sudan mucho los pies, cambie de calcetines dos o tres veces al día para que sus pies estén libres de sudor. Y, como ya se dijo, cerciórese de lavarlos en **agua muy caliente** para matar las esporas de hongos tiñosos. Una graduación de 60° de la lavadora es adecuada.

• Use zapatos de tela o cuero que **permiten respirar a sus pies**. Evite los de hule o plástico que conservan la humedad y provocan sudor.

• No use los mismos zapatos dos días seguidos. Los zapatos requieren al menos un día para secarse. Si le sudan mucho los pies, **cambie de zapatos** dos veces al día.

• Espolvoree en el interior de sus zapatos **polvo o aerosol fungicida**. Para matar las esporas de hongos, rocíe algún **desinfectante** en una tela y limpie los zapatos por dentro después de quitárselos.

• **Use sandalias** en sitios donde los demás van descalzos, como en los gimnasios, clubes deportivos, vestidores y alrededor de las piscinas.

• Si las uñas de los pies están gruesas, amarillas, se desmoronan o están quebradizas, probablemente tenga usted una infección de hongos en las uñas, que pueden conducir al pie de atleta. **Deshágase de los hongos de las uñas**, con algún medicamento sin receta o visite al pedicuro, y reducirá las posibilidades de contraer pie de atleta.

Piel grasosa

Véale el lado bueno: la piel grasosa tiende a envejecer mejor y a desarrollar menos arrugas que la piel seca o normal. Pero requiere de más atención, pues necesita mantener limpios esos poros superproductivos. La clave es una mano firme pero amable. Si intenta quitarse las células muertas de la piel, el polvo y el exceso de grasa tallándose fuerte, se provocará irritación. Irónicamente, si se frota mucho la piel producirá más grasa.

Mantenga limpia su piel

• Lave su cara con **agua caliente** que disuelve la grasa con más eficacia que el agua fría.

• Escoja el **limpiador adecuado.** Ya sea que prefiera jabón en barra o un limpiador líquido, evite los productos cremosos. Los jabones en barra son bastante eficaces, aunque también puede usar limpiadores formulados específicamente para piel grasosa, que suelen ser más caros.

• Si padece **acné** periódicamente, escoja un jabón especial para manchas. Estos productos previenen el crecimiento de las bacterias que causan el acné.

• Use líquidos limpiadores que contengan ácidos **alfa-hidróxidos**, como el ácido cítrico, el láctico o el glicólico. Estos ácidos tienen distintas funciones: eliminan las células muertas de la piel, reducen la grasa de los poros y en general combaten las infecciones.

Prepare su propio tonificador

• Después de lavarse la cara, remoje una torunda de algodón en **hamamelis** y pásela sobre la cara; úsela dos veces al día durante dos o tres semanas. Después de la tercera semana, aplíquelo una vez al día. El hamamelis (o avellana de bruja) contiene taninos, que tienen un efecto astringente, lo que hace que los poros se cierren mientras se secan.

• Hierbas como la **milenrama, la salvia y la menta** tienen propiedades astringentes. Para preparar un tonificador casero que mejore la apariencia y tacto de una piel grasosa, ponga una cucharada de una de estas hierbas en una taza, luego llénela

¿Qué ocurre?

Si tiene usted piel grasosa, sus glándulas sebáceas están produciendo un exceso de sebo, esa sustancia grasosa que protege la piel. Cuando hay demasiado sebo, la piel se ve aceitosa, y el exceso de sebo puede contribuir al acné. La herencia es un factor importante, por ejemplo, las personas de pelo negro tienden a producir más grasa que las de pelo rubio. Pero hay otros factores que intervienen, como el estrés y los cambios en la actividad hormonal. Las mujeres embarazadas y quienes ingieren anticonceptivos tienen más probabilidad de padecer problemas de piel grasosa.

¿Llamaré al doctor?

Un cutis grasoso es exasperante, pero un médico no puede ayudar gran cosa a menos que la grasa se deba a la ingestión de una nueva pastilla anticonceptiva, en cuyo caso es mejor cambiar de marca. Si la grasa coincide con brotes severos de acné, su médico puede recetarle una crema común o un antibiótico (véase Acné).

con agua caliente, y déjela en reposo durante 30 minutos. Cuele el líquido antes de aplicárselo en el rostro; lo que sobre puede guardarse. Se mantendrá fresco durante tres días a temperatura ambiente, o cinco días en el refrigerador.

• El **hisopo o yerba sagrada**, un miembro de la familia de la menta, también es un buen limpiador natural. En la medicina popular, hace mucho que se considera bueno para el cutis. Añada una cucharada de hisopo en 250 ml. de agua; hierva a fuego bajo durante 10 minutos y déjelo enfriar. Después de limpiarse la piel, aplíquelo con una torunda de algodón.

• Una combinación de **agua de lavanda** con **aceite esencial de neroli** (extraído de la flor del naranjo) actúa como un limpiador de rico aroma. Vierta un poco de agua de lavanda en un rociador de mano y agregue una gota de aceite de neroli. Rocíe la mezcla en su piel varias veces al día.

Dése un masaje facial

• Un polvo de grano fino ayuda a absorber la grasa y a eliminar las células muertas de la piel que obstruyen los poros. Muela y cierna dos cucharaditas de **hojuelas de avena secas**, luego humedezca con **hamamelis** para formar una pasta. Con la punta de los dedos, dése un masaje suave, luego enjuague con agua caliente.

• Varias veces a la semana, aplíquese un masaje facial con **suero de leche** después de lavarse. Los cultivos activos del suero contienen ácidos que ayudan a eliminar el polvo y cierran los poros. Déjelo unos minutos y enjuague.

Use una mascarilla que elimine la grasa

• Las **mascarillas de barro** reducen la grasa, tonifican la piel y eliminan las impurezas. Se consiguen en casi todas las farmacias. O puede prepararse la suya con barro facial (se consigue en las tiendas naturistas y en Internet) y hamamelis. No use barro para ollas porque no surtirá el mismo efecto. Añada una cucharada de **hamamelis** a una cucharadita de barro facial y bátalo hasta que esté suave. Si desea, añada dos gotas de aceite de ciprés y dos de aceite de limón para la fragancia y para controlar las glándulas sebáceas hiperactivas. Aplique la mascarilla, pero sin tocar los ojos, siéntese y relájese. No se quite el barro durante 10 minutos o hasta que se seque, luego enjuáguese.

• Se dice que las mascarillas de clara de huevo afirman la piel y eliminan la grasa. Mezcle una cucharadita de **miel** con una **clara de huevo** y bata bien; luego agregue suficiente harina para hacer una pasta. Aplique la mascarilla sobre el rostro, evitando tocar los ojos. Déjela secar 10 minutos, luego enjuague con agua caliente.

• Algunas mujeres indonesias usan **mango** para elaborar una mascarilla que seca y tonifica la piel. Para prepararla, machaque un mango hasta que se suavice la pulpa, póngalo en la piel y dése un masaje, dejándolo secarse durante unos minutos, luego enjuague. Se dice que desbloquea los poros.

• El **jugo de limón** es otro ingrediente para una mascarilla que elimina la grasa, junto con hierbas astringentes y manzana como base. Pele una **manzana** y póngala en un recipiente, recubriéndola con agua; luego déjela a fuego bajo hasta que se suavice. Macháquela, luego añada una cucharadita de jugo de limón y 1 cucharadita de una de las siguientes: **salvia, lavanda o menta**. Aplique esta mezcla sobre la cara, durante 5 minutos, luego enjuague con agua caliente.

Destierre lo brilloso

• A lo largo del día, espolvoree su cara con **polvo facial suelto**, que absorberá el exceso de grasa. No use polvo comprimido porque contiene aceite y puede resaltar las manchas o empeorar el acné.

• En la sección de productos para el cuidado de la piel de la farmacia, adquiera **pañuelos de alcohol** para piel grasosa. A menudo vienen en tubos de bolsillo, o en sobres sellados de papel aluminio. Tenga uno siempre a mano. El alcohol penetra en la grasa y opaca temporalmente el brillo del rostro.

El poder de la prevención

• Tome una cucharada de **aceite de semilla de linaza** al día. Aunque suene raro agregar aceite a su dieta hay una buena razón para ello. El aceite de la semilla de linaza contiene altas cantidades de ácidos grasos esenciales, que han demostrado su acción en muchos problemas de la piel, incluyendo la piel grasosa. Las consigue en las tiendas naturistas. Guárdela en el refrigerador porque el aceite se deteriora expuesto a la luz.

Piel reseca

La capa externa de su piel funciona como una máquina autoaceitadora, pero algunas veces la producción de grasa no satisface la demanda. El problema ocurre cuando se baña demasiado, usa un jabón que reseca la piel o vive en una casa donde el aire es muy seco y caliente. ¿Cuál es el mejor refrescante para una piel reseca? Casi todos los humectantes (que en realidad no *agregan* humedad a la piel sino que bloquean la humedad que ya existe) servirán. O pruebe alguno de los siguientes remedios caseros.

¿Qué ocurre?

Cuando todo está bien con su piel, sus glándulas están produciendo constantemente una grasa llamada sebo que la mantiene húmeda y adaptable. Pero, durante el invierno, el aire seco (afuera y adentro) influye para que le salgan escamas a su piel, sienta comezón, se reseque y endurezca. Las manos y el rostro son los que sufren más porque están más expuestos. Y las manos producen la menor cantidad de secreción sebácea protectora.

Exfoliante para tener una piel más suave

• Déle a su piel un **baño de leche**. El ácido láctico de la leche elimina las células muertas de la piel y también aumenta la capacidad de la piel para retener la humedad. Remoje una tela en leche fría; póngala sobre cualquier parte de la piel que esté especialmente irritada o seca. Déjela durante cinco minutos y cuando la enjuague, hágalo con suavidad, de modo que parte del ácido láctico quede sobre la piel.

• Para atenuar las manchas de la piel, llene una tina de baño con agua caliente y añada dos tazas de **sales de Epsom**, y dése un remojo de unos minutos. Mientras la piel está mojada, frótela con puñados de las sales para exfoliarla. Le sorprenderá lo bien que sentirá la piel. Si tiene alguna **alga seca** agregue unas tiras a su tina para realzar el efecto atenuador.

• Aplique **gel de zábila** para que su piel seca sane con más rapidez. Contiene ácidos que eliminan las células muertas. Para obtener un gel fresco, corte una hoja de zábila en su base y ábrala con un cuchillo; raspe el gel con una cuchara.

• Use humectantes que tenga ácidos **alfa-hidróxidos** o lociones con **urea, que** eliminan células muertas y suavizan la piel.

Agregue más humedad

• Haga puré un **aguacate maduro** y ponga la pulpa en su rostro como mascarilla humectante. El aceite actúa como emoliente; también contiene la benéfica vitamina E.

• Use uno de estos productos para retener la humedad de la piel: **lanolina, aceite mineral, vaselina, aceite de cacahuate**. Aplíquelos con moderación para evitar la sensación de grasa.

Cambie de jabón

- Si usa un jabón **desodorante, suspéndalo**. Esos jabones resecan la piel, y contienen perfumes irritantes.
- Use un **jabón cremoso** que contenga aceite o grasa adicionada al final del proceso de fabricación. Dejan una película aceitosa benéfica sobre la piel.
- Pruebe con **limpiadores suaves**. Los jabones más suaves tienen un pH (una medida de acidez) más cercano al de su piel y eliminan la suciedad sin afectar los aceites naturales.
- Los **jabones líquidos** también tienden a ser más amables con su piel. Escoja alguno en cuya etiqueta diga "humectante" y tenga uno junto al fregadero de la cocina y otro en el baño.

Duchazos breves; baños rápidos

- Nunca se dé un baño o duchazo de más de 15 minutos. Si se remoja mucho, los aceites protectores de la piel se van con el agua. Y use **agua tibia**, no caliente. El agua caliente tiende a eliminar la grasa del cuerpo.
- Use **jabón en pocas zonas**, es decir, sólo en las axilas, la ingle y los pies, y el resto del cuerpo sólo con agua simple.
- Báñese en las **noches**, de modo que su piel reemplace los aceites protectores mientras usted duerme.

Humedezca su ambiente doméstico

- En invierno, procure que la **humedad** de su casa sea cómoda. Acerque un recipiente con agua a los radiadores, deje abierta la puerta del baño cuando se duche, ponga un humidificador junto a su cama y mantenga cerrada la puerta durante las noches.
- Si tiene chimenea, úselas con moderación. El calor generado por estas fuentes provoca mucha resequedad.

¿Llamaré al doctor?

Si su piel está tan reseca que después de dos semanas de técnicas de autoayuda, sigue sintiéndose intensamente incómodo, consulte al médico. Busque su ayuda, si tiene un sarpullido severo o si la piel muestra señales de infección, como enrojecimiento, grietas o exudaciones. En raros casos, la piel reseca es indicio de un problema de salud subyacente como el hipotiroidismo o la diabetes.

REMEDIOS DEL MAR

Si busca un respiro del estrés, pocas cosas caen tan bien como un día relajado: cielo azul, arena tibia y olas del mar son una manera de desvanecer la tensión. Pero… ¿sabía que el mar es un bálsamo tanto para el cuerpo como para la mente? Las plantas y los animales marinos son fuente de diversos medicamentos y están en investigación muchos más provenientes del mar, como un protector solar muy poderoso de una medusa y un remedio contra la osteoporosis derivada del coral.

Aceite de pescado para su salud

Una dieta rica en pescados como las sardinas y el atún evita la coagulación de la sangre, que provoca ataques cardiacos. Lo demostraron así pruebas clínicas a raíz de que los investigadores observaron una baja incidencia de enfermedades coronarias entre los groenlandeses, que comen mucho pescado.

Ahora parece que los mismos ácidos grasos del Omega-3 del pescado que protegen contra la coagulación también son eficaces contra de diversos problemas de salud, como la depresión y las inflamaciones, como la psoriasis, la artritis reumatoide y la enfermedad de Crohn, así como el lupus y el eczema. Incluso pueden aminorar los cólicos menstruales. Si le disgusta el sabor del pescado, tome cápsulas de aceite de pescado.

Alimentos de algas marinas

Las algas marinas son más que un fantástico envoltorio para sushi. El nori, el alga marina, la lechuga de mar, el alga marina roja y otras —existen más de 2 500 variedades— son espléndidas fuentes de proteínas y fibra de la dieta alimentaria. Contienen hasta 20 veces más de las vitaminas y minerales de los vegetales que crecen en la tierra.

A diferencia de las plantas terrestres, las algas contienen vitamina B_{12}. Esto es sustancial porque a medida que más gente reduce su consumo de carne y productos lácteos —las fuentes usuales de B_{12} en la dieta— más deficiencia tiene de esa vitamina. Esto ocasiona fatiga, depresión y hormigueo.

El alga marina también es fuente de ácido algínico, que ayuda al organismo a eliminar los metales pesados tóxicos como el plomo. Además, contiene compuestos que ayudan a prevenir el cáncer.

El nori, por ejemplo, es rico en el antioxidante beta-caroteno que, como todos los antioxidantes, neutraliza las moléculas dañinas conocidas como radicales libres antes de que dañen el ADN que acabará por provocar tumores malignos. Las algas son tan populares en la cocina asiática como las tortillas en México, lo que permite explicar por qué las tasas de cáncer en Asia son tan bajas.

Ayude a una tiroides hipoactiva

Al igual que con el cáncer, la obesidad es mucho más rara en Japón que en la mayoría de los países occidentales. Una teoría sugiere que la abundancia de algas ricas en iodina de la comida japonesa sirve para mejorar el metabolismo. Los procesos metabólicos están gobernados en parte por las hormonas tiroideas, y el hipotiroidismo puede deberse a una deficiencia de iodina. En ese caso, ingiera más iodina y mejorará la producción de hormonas tiroideas y, a la par, su metabolismo. Las señales de una glándula tiroidea hipoactiva incluyen fatiga, letargo y piel reseca. La mayoría de los mexicanos obtiene mucha iodina de la sal yodatada, pero si su médico le aconseja consumir más iodina —por ejemplo, para ayudar a la tiroides hipoactiva—, agregue algas a su dieta.

Sal marina para una piel sana

Durante miles de años, la gente se ha bañado en las aguas supersaladas del Mar Muerto para curar sus dolencias. Aunque esas aguas no hacen milagros, no hay duda de que bañarse en agua salada es una espléndida forma de humectar la piel reseca. Incluso algunos casos graves de psoriasis pueden aliviarse con baños en agua con sal. Bien sean los minerales de la sal marina o la sal en sí misma, no hay duda de que la sal es un exfoliador natural eficaz.

Cuando el problema es sólo piel reseca, a menudo la solución es frotarse con sal. Haga una pasta con una taza de sal marina y glicerina (se vende en las farmacias) para que la sal se aglutine. Después de la ducha, mientras su piel esté mojada, frote esta

Algas como saborizantes

Las algas marinas se venden frescas o secas; las variedades secas necesitan rehidratarse, remojándolas en agua antes de ingerirlas.

Alga marina roja Sus hojas rojas son populares en Irlanda donde a menudo la combinan con puré de papas con mantequilla y luego las fríen.

Alga marina Sus hojas, largas y café oscuro, con forma de manos se pican y se agregan a las sopas, o secas se vierten sobre los alimentos.

Lechuga de mar Cultivada en la costa oeste de Swansea, el "pan de hoja de lechuga" en puré se recubre de hojuelas de avena y se fríe hasta que quede crocante, listo para el desayuno.

Nori Esta alga marina japonesa se vende en hojas (como de papel) y se usa para envolver el arroz o el sushi. O puede cortarse en tiras y usarla como adorno saborizante en la sopa.

Wakame Otra variedad japonesa, el wakame (o alaria) se usa para dar sabor a las sopas, pero también se corta en tiras para los asados, verduras fritas o ensaladas.

El alga marina está llena de sal. Si necesita limitar su ingestión de sodio —por ejemplo, por presión alta—, remoje las hojas antes de agregarlas a las recetas.

mezcla sobre su cuerpo con las manos o con una esponja vegetal. Cuando se enjuague la sal y se seque, se sorprenderá de la suavidad de su piel.

Humectante casero

Para preparar su propio humectante de la piel, derrita una cucharada de cera de abeja blanca y dos cucharadas de lanolina en baño maría. Agregue tres cucharadas de aceite de oliva, una de gel de zábila y dos de agua de rosas (se vende en las farmacias). Deje enfriar.

¿Sabía qué?

Tener la casa llena de plantas ayuda a prevenir la piel reseca. Las plantas añaden humedad al aire de dos maneras: mediante la fotosíntesis (sus hojas producen agua) y la evaporación de la tierra bien regada.

Coma, beba y viva más húmectado

● Cerciórese de beber al menos ocho vasos de 250 ml de **agua** todos los días. Los **tés de hierbas** y los jugos también cuentan, pero no las bebidas cafeinadas como el té negro, el café y las de cola que contienen cafeína, o cualquier otra bebida con alcohol. Todas tienen efecto diurético, lo que significa que eliminará fluidos corporales porque tendrá que orinar con más frecuencia.

● Al menos dos veces a la semana, coma algo de pescado aceitoso como **macarela, sardinas, arenque o salmón.** Todos son ricos en **ácidos grasos Omega-3**, que ayudan a mantener sanas las membranas celulares de la piel. Otras buenas fuentes de estos ácidos grasos son las **nueces, los aguacates y las semillas de linaza.** Mezcle dos cucharadas de aceite de semilla de linaza en su aderezo para ensalada o en su avena matutina. (Si agrega cereal caliente, el cereal debe estar cocido. Las semillas de aceite de linaza pierden cualidades si las cuece.)

Llénese de vitaminas y minerales

● Determinadas vitaminas, en particular las del complejo B y C, junto con otros minerales ayudan a mantener una piel sana. Tome diario un complemento vitamínico de complejo B que contenga **tiamina, riboflavina y ácido pantoténico**; o **levadura de cerveza.**

● Busque un **complemento** mineral multivitamínico que ofrezca una gama de nutrientes para la piel en una sola tableta.

Pies doloridos

Algunas veces el dolor de pies tiene un motivo evidente, como una infección de hongos (pie de atleta), callos o una uña enterrada. Pero si la incomodidad que siente proviene sólo de cansancio o de zapatos inadecuados, su mejor amigo es el agua, fría o caliente, con o sin hierbas, o un masaje vigorizante. Si nadie quiere darle un masaje de pies, siga leyendo, pues le damos algunos consejos para dar un tratamiento a sus pies.

Consienta a sus pies con agua y aceites

• Para dar un tratamiento refrescante y estimulante a sus pies, llene un recipiente con **agua fría** y otro con agua **caliente** y siéntese cómodamente en una silla, y meta los pies en el agua fría. Después de cinco minutos, cambie al agua caliente. Repita el procedimiento. Este "hidromasaje" dilata y constriñe los vasos sanguíneos, acelerando la circulación.

• Para mimar sus pies con aceites esenciales –ritual que data de tiempos bíblicos–, llene un recipiente con agua caliente y añada dos gotas de **aceite de menta**, junto con cuatro gotas de **aceite de eucalipto y romero**. Remoje los pies durante 10 minutos.

• Si no tiene en casa aceites esenciales, prepare un té de menta fuerte y agréguelo al agua.

• Dése un baño de pies en agua caliente mezclada con 15 g de **tintura de árnica**. El dolor cesa casi de inmediato, cuando mejora la circulación sanguínea.

Masaje mágico

• En las tiendas naturistas venden un **rodillo** especialmente diseñado para dar masaje a las plantas de los pies. O simplemente ruede sus pies sobre una **pelota de tenis, de golf o un rodillo de amasar** durante varios minutos.

• Para preparar un aceite de **masaje estimulante** que disminuya su dolor de pies, combine tres gotas de aceite de clavo, que se cree sirve para estimular la circulación, y tres cucharadas de aceite de ajonjolí. Mezcle bien los ingredientes y dése masaje en los pies. Otra receta similar es la de tres gotas de aceite de lavanda, una gota de aceite de manzanilla y una gota de aceite de geranio mezcladas en dos cucharaditas de aceite de oliva.

¿Qué ocurre?

Usted pasa el 80% del tiempo que está despierto sobre sus pies. En promedio, un adulto da de 8 a 10 mil pasos. Así que no sorprende que, de vez en cuando, sus pies le duelan. Virtualmente cualquier cosa puede causar dolor de pies, incluyendo unos zapatos inadecuados, enfermedades como la artritis y la diabetes, y la mala circulación.

¿Llamaré al doctor?

Ayuda a los caídos
● Las hormas, o **plantillas ortopédicas**, alivian el dolor de pies causado por el pie plano o por el arco caído. Se hacen a la medida para introducirlas en los zapatos; un podólogo puede medirle los pies para que sean las adecuadas.

Ponga a trabajar a sus pies
● Riegue algunos lápices en el piso y levántelos con los pies. Este pequeño ejercicio le ayuda a eliminar el dolor de pies.
● Enrolle una **liga** gruesa en todos los dedos de un pie; extienda los dedos y manténgalos así durante cinco segundos. Repita este procedimiento diez veces.

Sane sus talones
● El dolor de los talones, sobre todo en las mañanas, puede ser indicio de fasciitis en las plantas, una inflamación del tejido que conecta el hueso del talón a la base de los dedos. Para obtener alivio, **estire el tendón de Aquiles**. Póngase de pie a un metro de distancia de una pared, coloque las manos sobre ella y mueva la pierna derecha hacia delante, con la rodilla doblada. Mantenga la pierna izquierda recta, con el talón sobre el piso. Debe sentir un suave estirón en el talón y el arco del pie. Sostenga durante 10 segundos, cambie de pie y repita el procedimiento.
● Aplique **hielo** sobre el talón inflamado durante 20 minutos, tres veces al día.
● Compre una **talonera** en la farmacia. Se ajusta dentro del zapato, acojinando el talón y protegiéndolo del golpeteo.

El poder de la prevención
● Siempre que tenga que estar de pie en un lugar durante mucho tiempo, por ejemplo, cuando atiende un puesto en una fiesta escolar, **póngase sobre un tapete de hule**.
● Use **zapatos deportivos** siempre que sea posible, aun cuando no vaya a correr. Tienen un acojinado excelente y soporte para el arco. Si no quiere usar estos zapatos, al menos use unos con plantillas gruesas.
● **Compre sus zapatos nuevos en la tarde**, cuando sus pies están expandidos al máximo. Si usa plantillas, llévelas consigo, de modo que sus zapatos nuevos se adapten bien a ellas.

Piojos

Un anuncio a la entrada de la escuela previene a los padres de que "algunos niños en el salón de su hijo tienen piojos. Por favor, tenga cuidado". Una vez que alguien tiene piojos, debe eliminar los huevecillos que se adhieren a la raíz del pelo, cerca del cuero cabelludo. Puede optar por un tratamiento químico o a algo más sencillo, pero más eficaz: un remedio casero. Trate el cuero cabelludo afectado y revise a toda su familia.

Sea un recolector de liendres

- Peinar a su hijo con el **pelo mojado** es la manera más eficaz de combatir a los piojos que los químicos. Es también el único tratamiento que ha probado su eficacia. Para facilitar el peinado, humedezca el pelo con un acondicionador.
- Aunque lleva más tiempo, peinar para buscar piojos es una tarea meticulosa, y cada cuatro días durante dos semanas, por lo menos, **hasta que ya no haya piojos en tres peinadas consecutivas**. Los peines metálicos para piojos se consiguen en las farmacias. Si su hijo está infestado, póngale un video para que se quede quieto durante el proceso. Las liendres tienen un color blanco amarillento, son ovaladas y se adhieren a la raíz en ángulo. Parecen como si fuera caspa, pero no se caen como la caspa. Si ve las liendres, idealmente el peine las quitará, límpielo sobre un papel blanco después de cada pasada.
- Si el pelo de su hijo **es muy rizado o se enreda fácilmente**, es mejor recubrirlo con un acondicionador, luego cepillar los nudos antes de usar el peine para liendres. Enjuague el peine en un recipiente con agua caliente después de cada pasada para que verifique si atrapó alguna, e impida que los insectos vuelvan al pelo.

El enfoque natural

- Si es cauteloso con los pesticidas sintéticos, puede sofocar a las liendres durante la noche. Primero déle un lave el pelo con champú, luego unte el cuero cabelludo con **mayonesa** y cubra con una gorra de baño. A la mañana siguiente, las liendres estarán muertas. Desafortunadamente, no puede acabar algunos huevos de piojo, y tendrá que quitarlos con el peine.

¿Qué ocurre?

La comezón en la cabeza está enloqueciendo a su hijo, o a usted. El problema es que la comezón no siempre es un síntoma previo: los piojos pueden haber estado ahí tres meses antes de causar la comezón. De sólo uno a dos milimetros de longitud, estos insectos sin alas viven cerca del cuero cabelludo, poniendo sus huevecillos (liendres) y alimentándose de sangre. Cuando un niño tiene piojos, todo mundo se entera de inmediato. La manera de contagiarse es juntar las cabezas tanto entre los niños como con los demás miembros de la familia. Los piojos rara vez se contagian por otros medios (peines, sombreros listones), porque nunca abandonan el cuerpo (salvo por otro huésped viviente). De hecho, mueren rápidamente sin el calor de un huésped que los alimente.

¿Llamaré al doctor?

Los remedios de este capítulo normalmente se encargarán de un caso común de piojos en la cabeza. Pero necesitará la ayuda del médico si su propio tratamiento no resulta, o si la piel del cuero cabelludo se agrieta o inflama.

¿Sabía qué?

Antes de que hubiera en el mercado champús eficaces contra los piojos de la cabeza, se decía que la mejor manera de matarlos era enjuagar el pelo con solvente o parafina. Estos métodos eran probablemente eficaces cuando no se disponía de otro remedio, pero no intente nunca este peligroso tratamiento. Hay riesgo de producir lesión en algunas partes del cuerpo con fuego y también un daño potencial al pulmón de un niño que inhale estos químicos volátiles.

• La **vaselina** asfixia a las liendres errantes. Aplique una gruesa capa de esta jalea al cuero cabelludo, cubra con una gorra de baño. Déjela durante la noche; a la mañana siguiente use aceite para bebé para retirar la vaselina, y los piojos junto con ella. Repita el procedimiento varias noches seguidas. (*Alerta* quizá tenga que usar mucho champú para quitar toda la vaselina.)

• Los aceites esenciales pueden matar los piojos y suavizar la comezón. Hay muchas "recetas": una combinación eficaz es la de 20 gotas de **aceite de árbol del té**, 10 gotas de **aceite de romero** y 15 gotas de **limón** (o de **tomillo**) y **aceite de lavanda**, todo mezclado en cuatro cucharadas de a**ceite vegetal**. Unte la mezcla en el pelo seco, cubra con una gorra de baño y luego envuelva con una toalla. Después de una hora, retire la envoltura, aplique bastante champú y enjuague.

• Después de cualquiera de estos tratamientos, **enjuague** con una solución de cantidades iguales de **vinagre blanco** y **agua**. Esto ayudará a eliminar los huevos y los residuos del aceite.

Un porrazo químico

• Quizá decida recurrir a la "cura" química, pero no gaste su dinero en **champús**. Los médicos no consideran que sean eficaces. Las **lociones y líquidos** funcionan mejor pero necesitan dejarse durante 12 horas, incluso la que afirma en la etiqueta que con ¡dos horas es suficiente! (*Alerta* muchas lociones son inflamables, puede ocurrir un accidente si un niño tratado con una loción se acerca a *cualquier fuente* de fuego, incluyendo las perillas del gas, las fogatas e incluso los cigarrillos.)

• Los tratamientos químicos de los piojos deben aplicarse **sólo si encontró piojos vivos** (no sólo liendres) al peinar, de modo que nadie quede expuesto innecesariamente a los nocivos químicos de la loción y reduzca al mínimo la resistencia creada por los piojos. Si recurre a un tratamiento químico, debe volver a aplicarse después de siete días (o lo que indique la etiqueta).

• Dos o tres días después, realice una **peinada de detección**, los huevos de piojo se pueden incubar después del tratamiento.

• Desafortunadamente, la población de piojos en la cabeza resiste ahora a muchos insecticidas. Si **la primera marca que usó no funcionó**, necesitará otra clase de insecticida; consulte al farmacéutico, quien quizá conozca también los patrones de resistencia.

Problemas de encías

Si se inflaman las encías y necesita un alivio instantáneo, acuda al farmacéutico y compre un tubo de gel con benzocaína anestésica tópica. O pruebe a hacer gárgaras o a darse un masaje en las encías como se indica aquí. Pero su batalla real es contra la placa. Ésta se controla con visitas regulares al dentista y con un cepillado diligente (use un cepillo de cerda suave y ponga mucha atención a la base de las encías) e hilo dental, y estará en posibilidad de olvidarse de todos sus problemas con las encías.

Adormezca esas encías

- Para aliviar el dolor de encías y reducir la inflamación, enjuáguese durante 30 segundos con **agua salada** (una cucharadita en un vaso de agua caliente).
- Otra opción es enjuagar la boca con **peróxido de hidrógeno** diluido en una cantidad igual de agua tibia. Al igual que la sal, el peróxido de hidrógeno adormece el dolor y le ayuda a matar las bacterias.
- Ponga una **bolsa de té** en la zona dolorosa. El té contiene ácido tánico, un poderoso astringente que contrae los tejidos inflamados y ayuda a contener el sangrado. Piense que es como un astringente para sus encías.
- Aplique un **cubo de hielo** (envuelto en una tela) a su mejilla cerca de la zona adolorida. El hielo ayuda a reducir la inflamación y lo frío actúa como anestésico.
- Frote las encías con una pasta hecha de bicarbonato y agua. El bicarbonato mata los gérmenes y ayuda a neutralizar los ácidos que segregan, aunque en grandes cantidades dañan el tejido suave de las encías.

Fricción para el alivio

- ¿Qué hace cuando los músculos están doloridos? Les da **masaje.** Y sus encías se benefician también con un masaje. Sólo comprímalas con el pulgar y el índice y dé apretones suaves. Eso ayuda a acelerar la circulación hasta el tejido irritado, lo que sana más rápido las encías.
- Para aumentar el efecto sedante de un masaje en las encías, intente hacer lo que recomiendan los practicantes de la medicina ayurvédica: dése un masaje con **aceite de coco.**

¿Qué ocurre?

¿Tiene inflamadas las encías? ¿Sangran cuando se cepilla? Probablemente tenga gingivitis, un tipo de inflamación causada por la placa, esa película pegajosa de las partículas de los alimentos y bacterias que se acumulan en los dientes. La placa irrita las encías. Si no se elimina al cepillarse y con el hilo dental, se convierte en depósitos de mineral endurecido que son incluso más irritantes (y sólo los dentistas pueden eliminarlos). Si se desatiende, la gingivitis acaba por provocar una inflamación total de las encías y éstas se separan de los dientes. Las cavidades llenas de gérmenes producen abscesos y mal aliento crónico, e incluso aflojan los dientes.

¿Llamaré al doctor?

Si tiene problemas con sus dientes aunque los limpie y examine un profesionista dos veces al año, una irritación leve en las encías no requiere de atención médica. Considere la irritación como una alerta que es preciso atender con el cepillado y el hilo dental. Haga una cita con el dentista si observa cambios en la apariencia de las encías o si comienzan a sangrar. Para dolores intensos, acuda de inmediato al dentista, sobre todo si le subió la temperatura y se le inflamaron las glándulas del cuello. Podría tener un absceso que necesita tratamiento inmediato.

• Otra técnica de masaje es con un **estimulador dental** de madera suave, que se consigue en las farmacias. Insértelo entre dos dientes e incline la punta en ángulo de 45° con respecto a la encía, gírelo con suavidad durante unos segundos y luego siga con el siguiente par de dientes.

• Compre un líquido de irrigación oral y con agua a presión limpie y dé masaje a los dientes y encías en las partes donde no llega el cepillo. Los **cepillos eléctricos** también son adecuados. La pequeña cabeza giratoria puede llegar a esas zonas inaccesibles al fondo de la boca.

• Un sanador de heridas comprobado desde hace tiempo es la **caléndula** que reduce la inflamación de las encías irritadas. Simplemente frote la tintura directamente sobre las encías.

Enjuague y haga gárgaras

• Se cree que enjuagarse con **té de manzanilla** es muy eficaz contra la gingivitis. Simplemente vierta una taza de agua caliente sobre tres cucharaditas de la hierba, impregne durante 10 minutos, luego cuele y enfríe. Prepare una buena cantidad y consérvela en el refrigerador.

• Los enjuagues bucales sin receta también ayudan a sanar las encías. Elija una marca que contenga **cloruro de cetilpyridium** o **bromuro de domifen**. Estos ingredientes han demostrado tener un efecto significativo para reducir la placa.

Problemas de quijada

Los problemas de quijada más comunes son el rechinar dental nocturno y un doloroso malestar llamado desorden de la articulación tempomandibular (ATM). El rechinar (también conocido como bruxismo) ocurre al dormir, en especial tras un día estresante. Por lo general provoca dolor de cabeza o facial al día siguiente. Si duele masticar o bostezar –o incluso decir "tempomandibular"–, ya conoce las molestias del ATM. Analgésicos comunes pueden ayudar, pero no atacan la raíz del problema. Para ello debe visitar al dentista. Mientras, aquí le presentamos algunos consejos útiles.

SI RECHINA LOS DIENTES...
Relájese antes de dormir

• **Evite pensamientos, actividades o videos estresantes** antes de ir a la cama. Aunque no se dé cuenta, lo peor que puede hacer antes de dormir es pensar en pagar impuestos, ver películas como *Duro de matar* o discutir con sus suegros. Aborde las finanzas, disfrute programas violentos o ventile asuntos sensibles por la tarde. Si lo abruman los problemas, apunte sus pendientes. Luego tome un **baño prolongado y tibio** antes de acostarse.

• Mientras esté en el baño –o cuando estés acostado– cubra su quijada con una tela mojada en agua caliente. El calor extra relajará sus mandíbulas.

• Practique la **relajación muscular progresiva** antes de dormir, para que la tensión no haga rechinar su quijada. Acostado, tense y después relaje los músculos del pie. Luego siga con los músculos de la pantorrilla, con los del muslo y sucesivamente hasta llegar a la parte superior del cuerpo, relajando y tensando los músculos. Cuando haya llegado al cuello y la quijada, se sentirá tan "flojo" como muñeca de trapo.

• **Evite comer una hora antes de dormir**. Digerir alimentos mientras duerme posiblemente lo hará rechinar los dientes.

Cuidado con lo que bebe

• **Consuma el mínimo de alcohol** (mejor aún, deje de beber), en especial por la tarde. Aunque los expertos desconocen la causa exacta, quienes beben en exceso por la noche son más propensos a rechinar los dientes al dormir.

¿Qué ocurre?

Puede responder a situaciones estresantes durante el día rechinando o apretando los dientes por la noche, sin siquiera darse cuenta. Los dientes están diseñados para tocarse brevemente al masticar y tragar. No están hechos para la fricción del rechinar continuo. Las causas frecuentes son la tensión y el enojo. El rechinar nocturno puede causar lesiones dentales y dolores de cabeza, además de molestias en la articulación tempomandibular (ATM).

¿Llamaré al doctor?

Si con frecuencia se despierta con dolor en la mandíbula, cuello, hombro o cabeza, hable con su médico o dentista. Esto es importante si su compañero de cama dice que rechina los dientes por la noche. Debe consultar al dentista de inmediato si el rechinar le ha roto un diente.

SI TIENE DOLOR DE ATM...
Pruebe enfriar y calentar

• Cuando sienta dolor ocasional pero intenso en las articulaciones de sus quijadas, aplique un par de **paquetes fríos**. El frío adormece los nervios, y detiene el envío de mensajes dolorosos al cerebro. Envuelva dos paquetes suaves con tela delgada y colóquelos a cada lado del rostro por unos 10 minutos (pero no más de 20, pues podría congelarse ligeramente). Repita cada dos horas, las veces necesarias.

• Si siente un dolor sordo y estable, en vez de uno agudo, mejor use calor, que aumenta la circulación sanguínea en la zona y relaja los músculos mandibulares. Moje un par de compresas en agua caliente y póngaselas en la cara unos 20 minutos. (Enjuágueselas en agua caliente cada dos minutos para mantener su temperatura.)

Masaje en la mandíbula

• **Masajee** la zona de las mandíbulas para aliviar la tensión muscular y mejorar la circulación en el área. Varias veces al día abra la boca y frote los músculos cerca de las orejas y de las articulaciones tempomandibulares. Coloque sus dedos donde duela y haga círculos, presionando un poco, hasta relajar el músculo. Cierre la boca y repita el masaje.

• Métase en la boca el **índice** limpio hasta sentir los músculos doloridos. Apriete firmemente, masajee un lado, luego el otro, acercándose a las articulaciones tanto como pueda.

• Finalmente, **masajee** los músculos laterales del cuello. Éstos no controlan de manera directa la quijada, pero al masajearlos reduce la tensión (lo cual disminuye el dolor en las mandíbulas).

No se incline hacia adelante

• Si permanece sentado todo el día, es importante **mantenerse** derecho en vez de inclinarse hacia adelante. Debe apoyar bien la espalda. Asegúrese de que su barbilla no sobresalga frente a su cuerpo. Al reclinarse hacia adelante, tense el cuello y la espalda, lo cual genera dolor en la quijada.

• Use un **sujetapapeles** cuando teclee algo, para evitar estirar el cuello o inclinarse hacia adelante para leer el texto.

• Si pasa mucho tiempo en el teléfono mientras ocupa las manos en otras actividades, compre unos audífonos. Sostener el auricular entre el hombro y la mejilla tensa demasiado el cuello y la quijada.

• **Duerma boca arriba o de lado**. Si lo hace boca abajo, con la cabeza volteada, la falta de alineación causa tensión en el cuello, la cual se transfiere a la quijada.

• Si pasa mucho tiempo en el escritorio, salga un rato para meditar. Enfóquese en los músculos faciales y del cuello, permitiéndoles relajarse y aflojarse.

• Haga entre 20 y 30 minutos de **ejercicio aeróbico** al menos tres o cuatro veces a la semana. El ejercicio no sólo reduce el estrés: ayuda al cuerpo a generar endorfinas, que son analgésicos naturales.

• Si suele cargar bolsa o portafolio con un solo hombro, **aligere la carga**. El peso rompe la alineación de la espina dorsal y el cuello, lo que contribuye indirectamente al dolor de quijada. Si es inevitable llevar a cuestas mucho peso, compre una mochila y use ambas correas, o cambie la bolsa de hombro mientras camina.

La trampa del bostezo

• Si ve a alguien bostezar, resista la tentación de unírsele. En dichas circunstancias es muy difícil reprimir el bostezo, pero debe hacerlo, pues un **enorme y amplio bostezo genera dolor**. Si no puede evitarlo, trate de sofocarlo abriendo la boca lo menos posible.

CONSEJOS PARA AMBOS PROBLEMAS

Rechinar los dientes también causa dolor de quijada; así, resolver un problema puede solucionar dos.

Comer y beber

• **No masque chicle**. No sólo sus mandíbulas adquieren el hábito de mascarlo, sino cada vez que lo hace tensa los músculos de la quijada y agota sus articulaciones tempomandibulares.

• **Evite los alimentos demasiado crujientes o duros**, como manzanas, zanahorias, costillas de cerdo y barras. Libere a sus quijadas del exceso de trabajo, en especial cuando el dolor y los chasquidos son severos. Prefiera las sopas, pastas y otros platillos fáciles de comer.

¿Qué ocurre?

Un par de bisagras –articulaciones tempomandibulares– unen su quijada con el cráneo. Estas estructuras están rodeadas de músculos y ligamentos. Durante el dolor de la articulación tempomandibular (ATM), los músculos alrededor de las articulaciones se inflaman y tensan. El malestar de ATM se caracteriza por dolor en las articulaciones, chasquidos al usar la boca, dolores de cabeza, cuello y hombros. Entre las causas comunes destacan el estrés emocional, masticar alimentos duros, apretar las quijadas o rechinar los dientes. Con menos frecuencia, la gente sufre de dolor de ATM debido a la artritis o a un golpe en la quijada.

¿Sabía qué?

La articulación tempomandibular es llamada así debido a que conecta la mandíbula al hueso temporal a un costado de la cabeza.

¿Llamaré al doctor?

Si le duelen las quijadas tras dos semanas de tratamientos caseros, consulte al médico. Y si el dolor le impide abrir la boca o lavarse los dientes, necesita atención inmediata. Para el dolor intenso de ATM los doctores prescriben relajantes musculares o, si está inflamado, inyecciones de cortisona en las articulaciones. Su dentista puede diseñarle un protector bucal para usarlo por la noche, así evitará apretar o rechinar los dientes, posibles causas del dolor de ATM.

¿Sabia qué?

Cuando rechina los dientes, aplica una presión de 550 kg sobre las coronas y raíces. Eso equivale al peso de un caballo. Esta presión recurrente puede romper o aflojar sus dientes.

● **No coma bocados grandes**. Corte la comida en trozos pequeños para no forzar la quijada.

● **Evite bebidas con cafeína**. Como la cafeína es un estimulante, tomar café, te o refrescos de cola puede hacerle rechinar los dientes. La cafeína y los problemas de ATM no se llevan bien, pues dicha sustancia puede aumentar la tensión muscular. Prefiera las bebidas descafeinadas.

● **No se muerda las uñas ni mastique el lápiz**. Cuando use sus quijadas en el día, quizás el patrón se repita mientras duerme. Mejor busque una mejor manera de sacar su energía nerviosa, como entretenerse con pelotas antiestrés o desdoblar un clip.

Protéjase

● Un **protector bucal** –usado por boxeadores y jugadores de futbol americano– puede ayudarlo si rechina los dientes. Varios tipos de protectores se venden en tiendas deportivas, pero los dentistas remarcan que no ajustan del todo bien y se caen mientras dormimos. Mejor pídale al dentista uno fabricado a la medida. Úselo al acostarse: el material plástico absorberá la presión y protegerá sus dientes.

Provechoso poder mineral

● Tome **calcio y magnesio** –con una dosis– diariamente. Estos minerales relajan los músculos de la mandíbula, en especial por la noche. Tome 500 mg de calcio junto con 250 mg de magnesio al día. Si los consigue en polvo, mejor; pues las tabletas de calcio/magnesio no se disuelven con facilidad. Cuando lo use en polvo, disuelva los suplementos en un líquido ácido como jugo de naranja o toronja.

Déle un descanso a su quijada

● Durante el día, esfuércese por **mantener su quijada relajada y sus dientes separados**. Repose su lengua entre los dientes superiores e inferiores: si comienza a morderse, se dará cuenta. Los doctores advierten que quienes rompen el hábito de rechinar los dientes durante el día seguramente lo dejarán de hacer por la noche.

Problemas menstruales

Muchas mujeres experimentan un poco de incomodidad justo antes y en los dos primeros días de su periodo menstrual (quizás cólicos ligeros y dolor de cabeza). Pero para otras, los síntomas premenstruales son tan severos que interrumpen su vida cotidiana: cambios de carácter, irritabilidad, depresión y ansiedad, además de inflamación, dolor de seno y aumento de peso. Puede aliviar rápidamente los cólicos y dolores de cabeza tomando ibuprofeno o paracetamol. Pero también puede controlar los síntomas del Síndrome Premenstrual (SPM) y prevenir, o al menos aligerar, las molestias del mes siguiente con estas sugerencias.

Acciones contra los cólicos

Cuando sienta los cólicos venir, salga a caminar, correr, nadar, o súbase a una bicicleta fija. Cualquier tipo de **ejercicio** inhibe la producción de prostaglandina e impulsa la liberación de endorfinas analgésicas. Además, el ejercicio puede disminuir la inflamación.

Tome un **baño caliente**. El calor relaja los músculos anudados en el útero. O acuéstese con una botella o bolsa caliente sobre su abdomen.

Pruebe un remedio homeopático. Para los cólicos severos, los expertos recomiendan **mag phos** (fosfato de magnesio). Tome cinco chochitos de 6 c o 12 c cada hora, hasta cinco dosis. Si los cólicos no disminuyen, ingiere la misma dosis de **pulsatilla** o **nux vómica**. La pulsatilla se recomienda cuando el dolor la hace llorar; la nuez vómica, cuando además de cólicos sufre estreñimiento e irritabilidad extrema.

Suavice los cólicos con té

Durante el día, tome tres tazas de **té de hojas de frambuesa**. Las hojas contienen fragrina, sustancia que equilibra el útero y alivia la inflamación. También puede reducir el sangrado excesivo.

La **bola de nieve** (*Viburnum opulus*) puede detener el dolor. Compre la raíz seca y prepare el té agregando una cucharadita de raíz en una taza de agua, o consiga la tintura y siga las instrucciones de la etiqueta.

¿Qué ocurre?

Cólicos, inflamación, dolor de espalda, náuseas, dolor de cabeza y fatiga: cualquiera de estos problemas menstruales pueden deberse a fluctuaciones hormonales en el ciclo menstrual. Algunas se relacionan con las prostaglandinas, sustancias hormonales que contraen los músculos del útero, provocando los cólicos. Unos diez días antes de su periodo también decae la producción de la hormona progesterona, lo cual obliga a su cuerpo a retener sal y agua. Y el desequilibrio entre progesterona y la hormona estrógeno genera síntomas emocionales como depresión, ansiedad e irritabilidad.

¿Llamaré al doctor?

• El viejo **té de manzanilla** posee propiedades antiespasmódicas para relajar su útero. Use de dos a cuatro cucharaditas de la hierba por taza de agua caliente, o compre bolsitas de té. La hierbabuena también es antiespasmódica.

• El **jengibre** es un remedio probado. Se cree que trabaja inhibiendo la producción de prostaglandinas. Para preparar el té, ralle una cucharadita de raíz fresca de jengibre, añada una taza de agua hirviendo, deje reposar por 10 minutos y cuele. Esta infusión de suave sabor amargo le será de gran ayuda ante el embate de los cólicos.

Venza la inflamación

• Para lidiar con la inflamación, **reduzca la sal** de su dieta y tome vitamina B_6 durante su periodo. Durante la semana previa al sangrado, consuma el mínimo de sal y evite los alimentos altos en sodio, como las carnes procesadas, sopas enlatadas y botanas saladas. Mientras, tome hasta 50 mg de vitamina B_6 al día. Ésta tiene un suave efecto diurético. Aunque el límite máximo seguro de B_6 es de 10 mg al día, para el SPM se recomiendan entre 25 y 50 mg. Si siente que le hormiguean los dedos de pies y manos, deje de tomar la vitamina.

• **Coma alimentos diuréticos**. Algunos alimentos funcionan como diuréticos naturales, y entre ellos los espárragos, hojas de diente de león (comidas en ensaladas), apio, ajo, berros y perejil, además de frescos son de gran ayuda al organismo.

Controle el flujo

• Tome diariamente 1 000 mg de **vitamina C** y 1 000 mg de **bioflavonoides** en dosis divididas: 500 mg de cada uno por la mañana, y 500 mg por la tarde. Ambos suplementos fortalecen las paredes de los vasos sanguíneos para reducir el sangrado excesivo. Los bioflavonoides se hayan en la piel de las uvas, zarzamoras, arándano y frutas cítricas, en especial en la pulpa y la corteza blanca.

• El **sauzgatillo** también ayuda a regular el ciclo menstrual equilibrando las hormonas sexuales. (En los hombres puede reducir la libido, por lo cual antes lo consumían los monjes.) Pruébelo para reducir el flujo intenso. Tome dos cápsulas de 250 mg por la mañana y por la tarde; o 30 gotas de tinturas (1:3 en 25% de alcohol) en un poco de agua fría.

El poder de la prevención

• Diariamente tome 1 000 mg de **citrato de calcio** con la comida, en dosis divididas. El calcio es un tónico natural y un relajante muscular. Reduzca la intensidad del cólico menstrual. (Evite los suplementos de calcio derivados de la dolomita de conchas o de harina de huesos: pueden contener altos niveles de plomo.

• Quien toma calcio también debería tomar **magnesio**, con una dosis de 1:2. Si toma 1 000 mg de calcio al día, también ingiera 500 mg de magnesio. Éste previene cólicos menstruales, pero sus citratos y óxidos también son laxantes. Tome gluconato de magnesio si no le preocupa la regularidad.

• Los ácidos grasos esenciales disminuyen la producción de prostaglandinas, las cuales provocan los cólicos. Toma 1 000 mg de aceite de **prímula** tres veces al día o una cucharada de **aceite de linaza** diariamente (úselo en vez de otros aceites para ensalada).

• Durante las últimas dos semanas de su ciclo, tome 40 mg de extracto de **cimifuga negra** (prescrita para los síntomas de la menopausia) de tres a cuatro veces al día. Esta hierba es antiespasmódica, es decir, relaja el útero y reduce los cólicos. Algunos investigadores no recomiendan tomar esta hierba por más de seis meses, pues se ha asociado a la intoxicación de hígado (aunque no está probada la completa responsabilidad de la cimifuga negra). Si esto le preocupa, hable con su médico naturista.

(Vea también *Síndrome premenstrual SPM*.)

Problemas de próstata

Durante la madurez algunos hombres experimentan problemas urinarios, como necesidad de orinar con mayor frecuencia y dolor al hacerlo. Primero, conviene revisar el botiquín en busca de medicinas populares, como antihistamínicos y descongestionantes, que pueden empeorar el problema. Luego piense en modificar su dieta y, quizás, en tomar suplementos. Varios de estos remedios, usados solos o combinados, pueden volver más soportable el problema. Pero debe consultar al médico para obtener un diagnóstico adecuado antes de intentar tratar por su cuenta una dolencia seria como un alargamiento de próstata.

¿Qué ocurre?

Tras los 40, muchos hombres notan que su tubería no funciona tan bien como antes. Es difícil orinar, el chorro es débil y termina goteando. Y la fastidiosa naturaleza nos llama durante la noche e interrumpe nuestro sueño. A menudo la causa es la hiperplasia prostática benigna (HPB), un crecimiento no canceroso de la próstata. La glándula prostática, que produce el fluido seminal, es como un collar alrededor de la uretra (tubo que corre, desde la vejiga, a través del pene). Así, cuando se inflama bloquea el flujo. Más de la mitad de los hombres mayores de 50 sufren algo de inflamación.

Renombrados remedios herbales

• Tome 160 mg de serenoa en cápsulas dos veces al día. Busque el extracto con 85 o 90% de ácidos grasos y esterol. Este suplemento, que contiente extractos de las bayas de la serenoa, parece bloquear la acción de la hormona responsable de estimular el crecimiento de la glándula prostática. También disminuye la inflamación.

• El **pigeum**, suplemento derivado de la corteza de un árbol perenne de África, es la medicina más usada en Francia para tratar el alargamiento de próstata. El pigeum posee un efecto antiinflamatorio, reduce el agrandamiento y ayuda en los casos de micción excesiva nocturna. Si desea probar esta hierba debe consultar un médico naturista certificado, quien le recomendará la dosis correcta.

• Busque suplementos con extracto de raíz de **ortiga seca** y tome 250 mg dos veces al día. La raíz de ortiga ayuda a hundir la próstata y, cuando se toma con serenoa o pigeum, parece que funciona mejor.

Modifique su dieta

• Coma muchos **jitomates** o productos derivados, si es posible a diario. Investigadores estadounidenses han descubierto que quienes comen diez o más porciones de jitomatea la semana reducen en más del 45% el riesgo de cáncer de próstata. El jitomate es rico en licopeno, pigmento carotinoide. Los carotinoides son antioxidantes naturales (e implacables con la enfermedad). El licopeno reduce la inflamación y el agrandamiento de la glándula prostática. La sandía y el albaricoque también son ricos en él. Incluso puede tomar suplementos de licopeno. La dosis recomendada es de 10 a 20 mg diarios.

• Un buen remedio al agrandamiento de próstata es comer a diario **semillas de calabaza crudas;** son una buena fuente de cinc, un nutriente básico para la salud prostática.

• Dos veces al día, mezcle en su comida una cucharada sopera de **aceite de linaza**, rica fuente de ácidos grasos Omega-3. Éstos y otros ácidos grasos esenciales reducen la inflamación (y el agrandamiento) de la glándula prostática, limitando la concentración de la hormona prostaglandina.

Piense antes de beber

• Reduzca los fluidos al atardecer para evitar levantarse a medianoche. Su cuerpo necesita muchos líquidos, pero **bébalos antes de la cena**, no después.

• Si ya tiene problemas para orinar, **limite** la cantidad de sus bebidas con cafeína, como el **té**, los productos de **cola** y el **café**. La cafeína tiende a contraer la salida de su vejiga, creando una barricada que interfiere con el flujo de orina. También es diurética, lo cual no necesita si ya se está levantando a orinar durante la noche.

• También evite los licores, pues irritan el recubrimiento de la próstata. Cerveza y vino están bien, pero no en exceso. De hecho, los expertos han descubierto que el **consumo moderado de alcohol** –dos o tres cervezas o copas de vino al día– puede reducir el riesgo de HPB y reducir sus síntomas.

Mantenga su próstata en acción y vacía

• **Eyacule con regularidad**, sea haciendo el amor... o por su cuenta. La glándula prostática produce el semen, líquido rico en nutrientes donde nadan los espermatozoides, y la eyaculación libera la presión interna de fluidos. También contrae los músculos alrededor de la próstata, lo que es bueno para la circulación sanguínea y evita la inflamación de la glándula.

Relájese en el baño

• **Siéntese en agua tibia.** El calor aumenta la circulación en la glándula prostática y baja la inflamación y el agrandamiento. Si puede, tome baños diarios de 20 a 45 minutos en tina.

¿Llamaré al doctor?

Si le cuesta trabajo orinar, tiene flujo débil de orina, la sensación de no poder vaciar la vejiga por completo y constantes ganas de ir al baño durante la noche, debe revisarse. Su doctor podrá decirle si tiene HPB y descartar otros problemas, como cáncer de próstata. Si sus síntomas son más severos –no puede orinar durante más de ocho horas, aunque se esfuerce–, se trata de obstrucción urinaria. Necesita atención hospitalaria inmediata para evitar un colapso renal.

Mito...

Algunos hombres sugieren pararse y caminar en círculo lo más posible para lidiar con un problema de próstata.

...y verdad

Cuando se sienta presiona su próstata. De hecho, quienes permanecen sentados por largos períodos mientras trabajan –como los choferes– o quienes ven televisión más de 40 horas a la semana, son más susceptibles a la HPB que quienes se mueven. Basta con caminar dos horas a la semana para hacer la diferencia. Si tiene un trabajo de escritorio, de vez en cuando párese y camine.

Déjelo fluir

• Orine **cuando lo necesite**. Algunos creen que es mejor practicar el control de la vejiga y evitan visitar el baño. Pero cuando la vejiga se llena demasiado, la orina entra en la próstata y la irrita.

• En el baño **orine lo más posible**, reléjese unos minutos y vuélvalo a intentar. Los doctores lo llaman "vaciamiento doble". Es un buen modo de asegurarse de haber vaciado la vejiga por completo.

• **Pruebe sentarse en el retrete** para orinar en vez de pararse. Puede ser muy efectivo combinar esta nueva posición y una situación más relajada.

• **Tómese su tiempo**. No es concurso, nadie lo está juzgando, nadie le toma el tiempo. Lea algo, reflexione, respire hondamente diez veces seguidas. Conviene relajarse conscientemente pues la tensión y la ansiedad liberan hormonas de estrés capaces de tensar los músculos de la vejiga. Si se presiona demasiado para "lograrlo", eso basta para estropearlo. No necesita convertir un problema físico en uno psicológico.

Psoriasis

Hay días buenos y malos, y si sufre de psoriasis conoce bien la diferencia. En los días buenos, casi no necesita prestar atención a lo que hace su piel. En los malos, esas manchas rojas e irritantes suplican su cuidado. Aquí hay consejos para hacer mejores los días buenos y más llevaderos los malos.

Pase tiempo al aire libre

• La **luz solar** es un excelente remedio para la psoriasis. Al día pase entre 15 y 30 minutos al aire libre y verá resultados en menos de 6 semanas. Las investigaciones demuestran que la luz solar disminuye la actividad de las células T de la piel. Éstas son células especializadas que producen citoquinas, sustancias que inician el ciclo inflamatorio. Cuando las células T se exponen al sol, se suprime su actividad rompiendo el ciclo.

• Protéjase de las quemaduras usando **protector solar**, con FPS de al menos 15, en las zonas sanas de la piel.

Soluciones de baño

• Tome un rico y largo baño caliente... luego añada **aceite vegetal**. La razón es que, mientras el baño suaviza las manchas escamosas y reduce la comezón, también puede secar la piel y empeorar la molestia. Así, sumérjase unos 10 minutos, mojando toda su piel. Luego, unos cinco minutos antes de salir, añada al agua unas cucharaditas de aceite vegetal para conservar la humedad de la piel. Pero tenga cuidado al salir, pues el aceite puede volver resbaloso el piso de la tina.

• Para reducir la comezón, pruebe un baño frío y añada **vinagre** al agua. El vinagre ayuda a muchos con la psoriasis, aunque los doctores no saben con seguridad por qué. Lo cierto es que el ácido acético del vinagre mata las bacterias... y una teoría sugiere que la psoriasis empeora con las bacterias.

• La **harina de avena** fina es otro buen ingrediente para aliviar la comezón. Puede usar harina especialmente hecha para el baño tipo Aveeno (disponible en farmacias). O licue harina de avena ordinaria hasta obtener un polvo fino; luego espolvoréelo en el agua.

¿Qué ocurre?

Su piel está creciendo con gran velocidad. Normalmente, las nuevas células de piel necesitan 28 días para moverse desde lo profundo hasta la epidermis, donde reemplazan a las células muertas que se desprenden. Pero si sufre de psoriasis, el ciclo se reduce a cuatro días. Las células se apilan, provocando erupciones rojas, con "baches" y cubiertas de escamas blancas. Por lo general aparecen en rodillas, codos y cuero cabelludo. Se desconoce la causa, pero al parecer la psoriasis es más recurrente en unas familias que en otras. La gente con psoriasis sufre de brotes —cuando las erupciones empeoran—, seguidos de períodos donde la situación es mucho menos severa.

¿Llamaré al doctor?

Póngase otra capa

• En cuanto salga del baño, mientras la piel está empapada, úntese una crema hidratante para preservar su humedad natural. Añada una capa extra sobre las erupciones. Esto previene el agrietamiento. Pero evite los humectantes delgados, pues se secan con rapidez; mejor use cremas más consistentes.

• Pruebe cremas con **manzanilla**. Esta planta es famosa por reducir la inflamación y aliviar la piel escamosa. Pídala en su tienda naturista.

• Frote algunas gotas de **aceite de árbol de té** sobre las erupciones varias veces al día. Este remedio australiano es bueno para aliviar la comezón y suavizar las manchas de psoriasis, en especial si la dolencia es leve. Pero, como algunos son alérgicos a dicho aceite, pruébelo antes en una erupción pequeña. También recuerde que la piel untada con aceite de árbol de té puede volverse muy sensible al sol.

• Para suavizar la piel y remover las escamas, también puede usar **vaselina**. Aplíquela las veces necesarias.

Añada aceite desde adentro

• Mezcle una cucharada sopera de **aceite de linaza** con cereal, yogur u otro alimento diariamente. No es para aderezarlo, sino para su psoriasis. Este aceite es rico en ácidos grasos Omega-3, que bloquean en su cuerpo un químico llamado ácido araquidónico, causante de la inflamación.

• Los pescados aceitosos también son ricos en Omega-3. Si le gusta el **salmón**, cómalo al menos una vez a la semana. Otros pescados ricos en Omega-3 son las **sardinas** y la **caballa**.

• También puede obtener estos ácidos grasos monoinsaturados tomando 1 000 mg de **aceite de pescado** tres veces al día, tras las comidas. En grandes cantidades puede adelgazar la sangre; mejor consulte primero a su doctor si está tomando medicamentos para adelgazarla, como aspirina.

• Si tiene una planta de **aloe vera** en su ventana, corte una hoja y aplique el gel varias veces al día sobre las erupciones. El aloe posee componentes antiinflamatorios, y el gel contiene lactato de magnesio, que alivia la comezón.

No se rasque

• **Aleje sus manos** de los puntos rojos. Hasta la más mínima lesión puede empeorar los síntomas. Si se pellizca y rasca las erupciones, lastimará su piel, lo cual puede generar brotes más extensos.

• Use siempre rasuradora eléctrica en vez de rastrillo si tiene psoriasis en piernas, cara u otras áreas donde se rasure. Un rastrillo filoso hiere su piel (sin importar el cuidado que ponga), lo cual aumenta el riesgo de nuevos brotes. La rasuradora es más amable.

Cuidados para el cuero cabelludo

• Si tiene psoriasis en el cuero cabelludo, es hora de comprar un champú especial. Necesita un producto con **alquitrán de hulla**. Al principio úselo a diario, luego dos veces por semana –alternando con champú convencional– mientras los síntomas disminuyen. Cuando lo aplique, déjelo reposar 10 minutos antes de enjuagarlo.

• Haga una lista de champús benéficiosos para su cuero cabelludo. Cuando se acabe uno, escoja otro y rótelos. En cuanto el cuero cabelludo se acostumbre a uno, el champú se vuelve menos efectivo. Se han obtenidos buenos resultados al **cambiar regularmente los champús**.

• Considere **cortarse el pelo**. Le será más fácil cuidar su cuero cabelludo.

Relájese

• Haga **ejercicio** regularmente. Es excelente para reducir el estrés, el cual facilita los brotes de psoriasis. Si puede camine 30 minutos al día, se sorprenderá de cómo tan poco ejercicio puede distraerle de sus preocupaciones.

• Practique un ejercicio para relajar la mente, como **meditación** o **respiraciones profundas**, unos minutos al día.

¿Sabía qué?

Por razones no del todo claras, el frío empeora la psoriasis. Por supuesto es imposible modificar el clima, pero puede mantener a raya los brotes si se viste adecuadamente y cubre bien su piel cuando esté en el frío.

¡No lo haga!

La luz solar es útil para tratar la psoriasis, pero aléjese de las camas de bronceado. La luz artificial no cubre el mismo espectro que la luz solar.

Quemaduras

L os primeros auxilios son suficientes para la mayoría de las quemaduras y escaldaduras menores. Lo primero es sumergir el área quemada en agua fría durante unos 20 minutos. Esto enfría la piel, detiene la quemazón y alivia el dolor. Luego mantenga la zona limpia, aplique compresas curativas y fortalezca la capacidad autocurativa de su cuerpo aplicando los siguientes remedios.

¿Qué ocurre?

Una quemadura es el daño en la piel provocado por calor húmedo o seco, químicos o electricidad. La mayor parte ocurre en casa, por agua hirviendo o aceite, grasa o alimentos calientes. Las quemaduras más simples se llaman "de primer grado". Pueden mostrar enrojecimiento e hinchazón. Es posible tratarlas uno mismo si no cubren un área mayor del tamaño de la mano. El fuego, el vapor y los químicos causan lesiones más graves. Las moderadas (de segundo grado) duelen, se enrojecen, inflaman y ampollan. Las graves (de tercer grado) no duelen al principio, debido al daño en los nervios; la piel luce carbonizada o negra, blanca o roja. No hay ampollas pero sí una gran inflamación. Las quemaduras graves necesitan tratamiento médico urgente.

Primero lo primero

- **Actúe rápido**. Puede atender quemaduras superficiales de la piel, según su tamaño; aun las quemaduras de primer grado necesitan cuidado médico si cubren un área grande (mayor al tamaño de la mano). Las quemaduras profundas y las causadas por electricidad requieren atención médica de emergencia.
- Lo más pronto posible coloque la quemadura bajo el **chorro de agua fría,** por lo menos 20 minutos. Si no tiene agua, use otro líquido frío, no irritante, como **leche** o **té helado**.
- Quítese **joyas o ropas** que puedan oprimir el área si se inflama.
- Cubra la quemadura con un vendaje temporal y poco apretado de **cinta adhesiva** o **bolsa de plástico**. Se puede colocar encima una prenda húmeda para refrescar tras los 20 minutos de agua fría.
- No intente **reventar las ampollas**. Son protectores naturales.
- **Olvídese de la quemadura al menos por 24 horas** para que pueda curarse a sí misma. Si brota una ampolla, limpie el área y aplique un ungüento antiséptico antes de colocarle una cubierta floja.

Use curaciones naturales

Ya que su quemadura se haya tomado de dos a tres días para curarse, pruebe los siguientes remedios.

- Exprima o raspe un poco de **gel de aloe vera** de una hoja fresca y aplíquelo sobre la quemadura. El refrescante gel reduce el dolor, humedece la piel y aleja de la lesión las bacterias y el aire. Si no tiene una planta, aplique una crema de aloe vera dos o tres veces al día.

Las flores de **manzanilla** se han usado desde antaño para las quemaduras. Para ayudar a la quemadura a sanar más rápido aplique crema de manzanilla (de tiendas naturistas) o haga una **compresa** mojando una tela de algodón en una infusión concentrada de manzanilla.

Otra cura sencilla es el **ungüento de caléndula**, hecho con flores de maravilla del jardín. Aplíquelo las veces necesarias.

Puede hacer una compresa calmante mojando una tela en **olmo escocés** destilado y diluido o en **té frío de caléndula**, **pamplina** o **flores de saúco**. Aplique la compresa tres o cuatro veces al día.

Las flores amarillas del **hipérico** contienen hipericina, sustancia conocida por su capacidad para curar heridas y quemaduras. Es la sustancia activa del **ungüento de hipérico**, que puede aplicarse a la quemadura tres veces al día. Las hojas secas se usan para hacer compresas calmantes. Agregue una cucharadita de hierba seca a una taza de agua hirviendo, deje reposar cinco minutos y cuele. Moje una tela en el té frío y aplíquela sobre la quemadura dos veces al día.

Alimentos reconfortantes

Úntese miel. Investigadores indios descubrieron que la miel era más efectiva en las quemaduras que la sulfadiacina de plata (el ingrediente activo de las cremas convencionales contra las quemaduras). El estudio descubrió cómo las quemaduras cubiertas con miel sanaban más rápido y con menos dolor y cicatrices.

Moje una tela con **leche entera**, helada, y aplíquela a la quemadura durante 10 minutos cada vez.

Remedios homeopáticos

Aplique **urtica** o **hypercal** –disponibles como ungüentos o tinturas– sobre quemaduras sin ampollas.

Para las quemaduras con ampollas, tome **cantharis** oral cada hora.

Cúrese de dentro hacia afuera

La equinácea, que refuerza el sistema inmunológico, ayuda a la piel a repararse sola y a combatir la infección. Tome 15 gotas de tintura (1:5 en 45% de alcohol) en agua tres veces al día.

¿Llamaré al doctor?

Si alguien sufre una quemadura severa (incluso por químicos o electricidad), requiere atención médica urgente. De inmediato marque el número de emergencias o lleve a la persona a la sala de urgencias del hospital más cercano. Una quemadura leve necesita tratamiento médico si cubre un área amplia o duele mucho. Busque ayuda profesional si se quemó la cara o las manos, o si el tamaño de la quemadura es mayor al de la mano de la persona afectada (así, el área será menor en un bebé que en un adulto). También acuda al doctor si la víctima presenta fiebre, escalofríos, vómito o glándulas inflamadas; o si la quemadura huele mal o secreta pus.

Niños en peligro

Los niños que aún no van a la escuela corren mayor peligro de quemaduras. Los fuegos domésticos son las amenazas más obvias. Si tiene chimenea, no ponga sobre la repisa cosas que puedan tentar a su hijo a escalar para alcanzarlas. Si enciende el fuego, *procure* colocar una pantalla cuando haya niños en la casa. Busque una protección para menores y empótrela en la pared para proteger a sus hijos.

En las cocinas también hay peligros. Si es posible, aleje a sus hijos de la cocina cuando la use. Mantenga las ollas lejos del borde de la estufa; voltee las asas de las sartenes hacia adentro –si puede, siempre use las hornillas de atrás– y nunca vierta agua en aceite hirviendo, como en una freidora, pues puede causar una explosión. Mejor cubra la sartén con una toalla húmeda para reducir el calor.

Las parrilladas causan quemaduras serias: de improviso pueden generar llamaradas cuando líquidos inflamables gotean sobre el carbón. Los niños pequeños son más susceptibles de ser lastimados que los niños mayores y los adultos. La mayoría de las escaldaduras son causadas por el derrame de bebidas calientes: una taza de té o café es lo suficientemente caliente para escaldar a un niño tras 15 minutos de prepararlas. Mantenga las bebidas calientes lejos de los menores y use portavasos en vez de manteles que un niño pueda jalar. Incluso el baño es amenazador, en especial cuando su hijo sabe abrir las llaves. Siempre abra primero la llave del agua fría, y ajuste el agua caliente no más allá de 54°C, para reducir la posibilidad de escaldadura. A un niño sólo le toma tres segundos quemarse.

¿Sabía qué?

Los antiguos egipcios usaban puerros para curar las quemaduras. Aunque este remedio ya no se usa, se obtenía cierto beneficio de los puerros pues poseen cualidades antibióticas significativas que podían prevenir la infección.

• La **gotu kola** (o centella asiática) es una pequeña planta tropical cuyas hojas pueden sanar heridas. Se consigue en cápsulas y ungüento. Para las quemaduras tome una o dos cápsulas de 300 mg con las tres comidas del día.

Enfríe una boca escaldada

Tomar una bebida caliente, saborear un bizcocho de microondas, morder una pizza crujiente: todo ello puede causar insoportables quemaduras dentro de la boca. El paladar es muy delgado y se quema con facilidad. Como toda otra lesión, este tipo de quemaduras toma tiempo en sanar. Por sí sola, su boca debe curarse por completo en una semana, pero puede reducir el tiempo si actúas con rapidez para enfriar la quemadura.

Agua, agua por doquier

• Al igual que una quemadura en la piel, lo mejor es enfriar la escaldadura bucal. Y el modo más fácil es con **agua fría**. Durante cinco a 10 minutos sólo enjuáguese, escupa y haga gárgaras con agua fría hasta reducir el dolor en la boca.

- Un método aún más rápido es usar hielo, si puede consiga uno rápidamente. Chupe cubos de hielo hasta detener el escozor.

- Tras acabar el enfriamiento inicial, enjuáguese y haga gárgaras con **solución salina**. Mezcle media cucharadita de sal en un vaso de agua tibia y enjuáguese con ella la boca. (No se lo pase.) La sal es antiséptica y limpiará y desinfectará la quemadura.

Frío y dulce

- El modo más rápido y rico de enfriar una quemadura bucal causada por pizza —en especial si tiene ocho años— es con una cucharada, o tres, de **helado**.

No pare el proceso de curación

- Unos días después de quemarse la boca, **evite las bebidas calientes**. Deje entibiar el té y el café antes de acercarlos a su boca, o aficiónese a las bebidas frías por un rato.

- Temporalmente **borre** del menú las **baguettes duras**. Haga lo mismo con las barras, zanahorias crudas y manzanas frescas. Cualquiera de estos alimentos pueden arañar una quemadura durante la curación.

- También **evite el picante**, pues irrita la piel dañada.

Pruebe un enjuague orgánico

- Las **hojas de zarzamora** tienen propiedades antibacteriales y antiinflamatorias. Prepare un extracto añadiendo 10 g de hojas secas en 100 ml de agua fría. Hierva y deje reposar 15 minutos. Cuele, si quiere endulce con miel, enjuáguese y haga gárgaras con ella las veces que desee.

¡No lo haga!

Un viejo remedio para las quemaduras era untarles mantequilla. Posiblemente es lo mismo que intentar apagar un incendio con petróleo. Aplicar grasa sobre la quemadura simplemente la mantendrá caliente y la empeorará. Mejor trátela con mucha agua fría.

Quemaduras de sol

Si tiene el color de una langosta hervida y mucho dolor tome un antiinflamatorio común, como aspirina o ibuprofeno, para reducir la inflamación y aliviar el escozor. Y haga lo que haría con cualquier otra quemadura: enfríela con agua helada. También puede usar un aerosol para después de asolearse con ingredientes anestésicos (en la farmacia le pueden recomendar uno). Tome muchos líquidos, pues además de quemado quizás esté deshidratado. Y recuerde usar bloqueador la próxima vez que se exponga al sol.

¿Qué ocurre?

Las capas externas de su piel se han inflamado por exponerse en exceso a los rayos ultravioleta (UV). La mayoría de estas quemaduras son de primer grado, aunque también puede sufrir de insolación. El dolor aparece unas cuatro horas después de la exposición y dura dos o tres días; luego de cinco o siete días la piel quemada comienza a pelarse. Las quemaduras constantes aceleran el envejecimiento exterior y aumentan el riesgo de cáncer de piel. La gente rubia con piel delgada corre mayor peligro. Ciertos medicamentos también incrementan la sensibilidad a la luz solar: algunos antibióticos, tranquilizantes, diuréticos, píldoras anticonceptivas y medicinas orales para la diabetes.

Primero enfríelo

- El tratamiento más importante para las quemaduras de sol es enfriarlas, así que hágalo antes que cualquier otra cosa. Moje las áreas quemadas con agua fría o compresas frías durante 15 minutos. El frío reduce la inflamación y apaga el calor de su piel.
- Si se quemó por entero, tomé un baño frío y añádale **harina de avena**. Puede comprar una harina coloidal como el Aveeno —que se mantiene en suspensión en el agua— o moler finamente una taza de avena en la licuadora y añadirla a la tina.
- Prepare una taza de **té verde** y déjela enfriar. Moje una tela en ella y úselo como compresa. Los ingredientes del té verde protegen la piel del daño de los rayos ultravioleta y reducen la inflamación.
- Aproveche las cualidades aromáticas y refrescantes de la menta para aliviar el escozor. Puede preparar un té o mezclar dos gotas de aceite de hierbabuena o menta en una taza de agua tibia. Enfríe el brebaje, moje en él una tela y enjuague con suavidad el área quemada.

Analgésicos de despensa

- Frote las dolorosas zonas quemadas por el sol con rebanadas de **pepino** o **papa**. Los componentes de ambos enfrían las quemaduras y reducen la inflamación.
- El **vinagre** también alivia. Puede aliviar el dolor, el escozor y la inflamación de la quemadura. Moje unas servilletas en vinagre blanco o de manzana y colóquelas sobre las zonas

quemadas. Déjelas hasta que se seque el papel. Repita el tratamiento las veces necesarias.

- Parta una cápsula de **vitamina E** y aplíquela sobre la piel.
- Si la quemadura pica, tome un baño frío y añada a la tina dos tazas de **vinagre** antes de meterse.

Aplique una capa protectora

- Cubra la quemadura por el sol con una pasta hecha de **cebada**, **cúrcuma** y **yogur** (use cantidades iguales de cada uno).
- Enjuague la piel quemada con **té helado** ordinario.
- Aplique una mezcla de **clara de huevo**, **miel** y **olmo escocés** (o uno solo de ellos).
- Se dice que la **pasta de dientes** disminuye el dolor de quemaduras pequeñas y evita las ampollas.
- Aplique una delgada capa de **aloe vera** puro a la piel adolorida, sacada de una hoja fresca de la planta o en forma de gel (vendido en farmacias). Asegúrese que el gel sea 100% aloe vera puro.
- Pruebe untarse un **ungüento de hipérico** como bálsamo contra las quemaduras: las propiedades antisépticas y analgésicas de la hierba se han aprovechado por siglos para sanar heridas y quemaduras. Si decide ingerir la hierba, manténgase lejos del sol pues su piel se volverá más sensible a los rayos dañinos.

El poder de la prevención

- Siempre cubra su piel con bloqueador solar con factor de protección solar (FPS) de 15 o más, al menos 30 minutos antes de salir. Y pídale lo mismo a sus seres queridos.
- Entre las 11 am y las 3 pm, **limite su exposición al sol**. Entonces los rayos están a su máximo nivel.
- Si su piel se quema con facilidad o ha tenido cáncer de piel en el pasado, no se arriesgue. **Protéjase del sol**. Eso significa pantalones largos, mangas largas, sombrero amplio y gafas oscuras.
- Finalmente, un estudio del año 2001 reveló que comer **puré de tomate** puede ayudar a prevenir las quemaduras en pieles delicadas. Se cree que el nutriente licopeno de los jitomates protege la piel contra los dañinos rayos ultravioleta.

¿Llamaré al doctor?

Llame al médico (o a la ambulancia) de inmediato si la persona afectada por quemaduras de sol se siente confundida o desorientada o muy débil para permanecer de pie. Hágalo también si tiene ampollas muy grandes (mayores a 1.5 cm de largo) o señales de infección en la piel como pus, líneas rojas o dolor creciente.

Mito...

Para muchos, la leche puede tranquilizar el dolor de una quemadura de sol

...y verdad

La leche tiene un alto contenido de grasa pero no sella la piel como debería. Si la leche le hace sentir mejor, adelante. Pero nunca, nunca use ningún tipo de aceite o grasa sobre la quemadura, pues sellan el calor y terminan de freír la piel.

Retención de líquidos

De acuerdo con la causa, los doctores a veces tratan la retención con diuréticos que hacen al cuerpo excretar el líquido excesivo. Pero estos medicamentos pueden hacer al cuerpo perder minerales importantes que, entre otras cosas, mantienen el buen funcionamiento cardiaco. Aunque los diuréticos son necesarios para ciertas dolencias, –los remedios simples– como modificar su dieta, beber tés de hierbas y hacer caminatas varias veces por semana, son suficientes para ayudarle.

¿Qué ocurre?

El fluido que debería viajar por los vasos sanguíneos y linfáticos se escurre en las células y los pequeños espacios entre ellas. A veces es fácil identificar la causa de la retención de líquidos: demasiada sal en la dieta, aunque las calcetas largas con elásticos apretados pueden inflamar las rodillas, así como permanecer mucho tiempo de pie o sentado con las piernas abajo (en vez de apoyarlas sobre un escabel). La retención de fluidos antes de la menstruación se debe a cambios en los niveles hormonales que modifican las funciones de los vasos sanguíneos y los ganglios linfáticos. Con poca frecuencia, la retención de líquidos se vincula con enfermedades de riñón o hígado. En los ancianos, la causa común es una dolencia cardiaca.

Venza al agua con agua

Suena extraño, pero **beber más agua** puede resolver la retención de líquidos. Si está deshidratado, su cuerpo almacena agua para lidiar con un periodo seco. Además, cuando bebe más agua, orina más y expulsa más sal del cuerpo. Por la mañana guarde dos litros de agua en el refrigerador y trate de acabárselos durante el día.

Ajuste su equilibro sal-potasio

Coma menos **sal**. La mayoría de la sal viene de los alimentos procesados, como sopas, salsas, sándwiches empacados e incluso pan de caja. Mejor escoja alimentos frescos como frutas, vegetales y granos integrales que no vengan en caja, bolsa o lata. Si puede, haga su propio pan (un horno para pan es buena inversión). Cuando coma alimentos procesados, compre aquellos con la etiqueta "bajo en sal" o "bajo en sodio".

Consuma más **potasio**. Aunque este mineral no es diurético, el equilibrio correcto entre potasio y sodio es crucial para regular el nivel corporal de fluidos. La mayoría consume poco potasio y demasiado sodio. Coma muchas frutas y vegetales altos en potasio, como los plátanos, aguacates, papas, naranjas y jugo de naranja. También la carne, aves, leche y yogur contienen altos niveles de potasio.

Expulse los líquidos de modo natural

Beba entre dos y cuatro tazas de té de diente de león al día. Las hojas del **diente de león** son un diurético natural, permitiendo a sus riñones drenar más agua. La hierba también es una rica fuente de potasio. Para hacer el té, añada una y media cucharaditas de planta seca (disponible en tiendas naturistas) a un litro de agua y hierva. Baje la flama unos 15 minutos, cuele y deje enfriar antes de beber.

• Pruebe el té de **ortiga**, hecho de ortigas irritantes comunes. La ortiga es un diurético natural. Para preparar el té, agregue una cucharadita de raíz en polvo a una taza de agua fría. Hierva por un minuto y deje reposar otros 10. Beba una taza cuatro veces al día.

• Los **cabello de elote** son algo diuréticos, quizás por su alto contenido de potasio. Eche una cucharadita de cabellos secos (disponibles en tiendas naturistas y en Internet) en agua fría. Hierva de dos a tres minutos, luego cuele. Bebe una taza varias veces al día.

• Mientras llena su plato con frutas y vegetales buscando el potasio, deje espacio para el **apio**, la **sandía**, el **espárrago** y el **pepino**. Todos contienen químicos que funcionan como diuréticos naturales.

• La **cúrcuma**, especia del polvo de curry, posee cualidades antiinflamatorias y puede inhibir la retención de líquidos, según un estudio chino. Úselo cuando cocine.

Acabe con la hinchazón premenstrual

• Si sufre de retención de líquidos antes de menstruar, durante cinco días antes de su periodo tome una dosis diaria de 100 mg de **vitamina B$_6$**. Esta vitamina es diurética, es decir, ayuda a excretar más orina (reduciendo el contenido corporal de agua). También ayuda a equilibrar los niveles de estrógeno y progesterona. Puede incrementar su ingesta de vitamina B$_6$ durante todo el mes comiendo más espinacas, pescado, aves, garbanzos, aguacates y plátanos. (*Alerta* la dosis de vitamina B$_6$ recomendada para mujeres adultas es de sólo **1.2 mg al día**, y la Agencia Federal de Alimentos de Estados Unidos. advierte contra las dosis mayores de 10 mg diarios, salvo bajo control médico. De hecho, los doctores no recomiendan tomar vitaminas B solas: acompáñelas con un **complejo B**.)

Limite la inflamación

• Haga **ejercicio** regularmente para disminuir la inflamación en las piernas, resultado usual de la retención de líquidos.

¿Llamaré al doctor?

Si la retención de líquidos causa inflamación en abdomen y miembros durante más de una semana, consulte al médico. También hágalo si la retención causa una hinchazón tan severa que al picar la piel con el dedo quedan "abolladuras". Si el problema deriva de una dolencia cardiaca o de otra enfermedad seria, debe ponerse bajo cuidado médico.

Mito...

El perejil es un remedio tradicional contra la retención de líquidos.

...y verdad

Se ha demostrado que el perejil funciona como un suave diurético. Para preparar té de perejil, añada dos cucharaditas de hierba seca a una taza de agua hirviendo y deje reposar por 10 minutos. Beba hasta 3 tazas al día para reducir la retención.

Como la gravedad empuja el agua hacia abajo, descubrirá que sus pantorrillas y tobillos se inflaman al final del día. Si ejercita los músculos de dichas zonas, más líquido será bombeado de sus piernas a través de las venas. Trate de hacer entre 20 y 30 minutos diarios de caminata, trote, bicicleta u otro ejercicio para piernas durante buena parte de la semana.

● Otro modo de reducir la inflamación de piernas es colocarse un par de **mallas apretadas** por la mañana. Las mallas se ajustan a las piernas y minimizan la hinchazón.

● Para exprimir el fluido de sus piernas, **aplíquese un masaje**. Primero siéntese en el suelo con sus rodillas flexionadas. Tome su espinilla justo bajo la rodilla, con los dedos sobre la pantorrilla y los pulgares a lo largo de la espinilla. Mueva lentamente sus manos hacia la pantorrilla, presionando suavemente con los pulgares. Luego, coloque ambos pulgares al interior de la pantorrilla y regrese a la rodilla. Finalmente, envuelva su pantorrilla con las manos y masajee "apretando y soltando" hasta el pie. Repita en la otra pierna.

● Si se le inflaman pantorrillas y pies, cuando llegue a casa acuéstese sobre el sofá y **suba las piernas** para colocarlas más arriba del pecho. El fluido excesivo bajará a través del torrente sanguíneo hasta los riñones, de donde saldrá en forma de orina. De ser posible, manténgase así una o dos horas al día.

Ronquidos

Si usted es el roncador de la casa, quizás disfruta más sueño que su compañero de cama. Por la armonía del hogar, muéstrele a su pareja los consejos del apartado "autodefensa". Luego pruebe las siguientes medidas preventivas. Puede bastar con cambiar de posición al dormir, pero para muchos es indispensable una operación mayor —como bajar de peso— para lograr noches tranquilas.

Póngase en buena posición

- Compre almohadas extra y **recuéstese sobre ellas** en vez de yacer sobre su espalda. Evitará la caída de los tejidos de la garganta sobre sus conductos de aire.
- **Eleve la cabecera de su cama**. Lo puede hacer con facilidad colocando tablas planas bajo las patas superiores de la cama. También un par de directorios viejos bajo cada pata pueden elevar la cama lo suficiente.
- **Duerma de lado**. Naturalmente, no podrá quedarse así toda la noche, pero al menos comience abrazando una almohada de lado. Hay una buena razón para no dormir boca arriba: en esa posición la lengua y el paladar caen detrás de la garganta, bloqueando el conducto de aire.
- Si abrazar una almohada no funciona, puede atacar el problema con una **pelota de tenis**. Cosa una bolsita detrás de su pijama y métale una pelota dentro. Si en la noche intenta colocarse boca arriba, la pelota lo hará regresar a su posición de lado.

Desbloquee la nariz

- Si la congestión nasal lo hace roncar, antes de dormir tome un descongestionante o un antihistamínico. Pero sólo úselo como remedio temporal si sospecha que la culpa la tiene una alergia o un resfriado. El uso prolongado es dañino.
- Coloque en su nariz una **tira nasal**, disponible en farmacias. Puede lucir rara, ¿pero quién lo ve? Siguiendo las instrucciones del paquete, coloque una tira en la nariz antes de dormir. Funcionan alzando y abriendo las fosas nasales para aumentar el flujo de aire.

¿Qué ocurre?

Cuando ronca, las estructuras de la boca y la garganta —lengua, garganta superior, paladar y úvula— vibran contra las amígdalas y ganglios. Existen varias causas. El sobrepeso puede hacernos roncar pues, según los expertos, el tejido graso excesivo contrae los conductos de aire. Otro factor es beber alcohol antes de dormir: relaja los músculos de la garganta y afloja los tejidos. Y cuando sufre de congestión nasal debido a resfriados o alergias, es más seguro que ronque porque los tejidos inflamados y el moco extra estorban la corriente de aire.

• Haga gárgaras de menta para hundir el recubrimiento de nariz y garganta. Esto es muy efectivo si su ronquido es temporal y causado por un resfriado o una alergia. Para preparar la infusión para hacer gárgaras, añada una gota de aceite de menta o hierbabuena a un vaso de agua fría (sólo enjuáguese, no lo trague).

Alce la barbilla

• Puede parecer extremo, pero algunos han empleado un **collarín** –del tipo usado por gente lesionada– para detener los ronquidos. Funciona manteniendo su barbilla extendida para que su garganta no se pliegue y el canal de aire se mantenga abierto. No necesita usar un duro collarín de plástico. Uno suave de esponja, disponible en farmacias y tiendas de suplementos médicos, es más cómodo y funciona igual (puede encargarse uno a la medida).

Lidie con las alergias

• Si desea desbloquear la nariz, elimine los alergénicos de la recámara (polvo, caspa de animales, moho) **aspirando piso y cortinas**. Cambie con frecuencia sábanas y cubrealmohadas. (Vea *Alergias.*)

• Si ronca por temporadas –y es alérgico al polen– pruebe el té de **ortiga**. Los naturistas lo recomiendan para reducir la inflamación vinculada con alergias al polen. Para hacer el té, vierta una taza de agua hirviendo sobre una cucharadita de hoja seca (disponible en tiendas naturistas). Cubra el té y déjelo reposar cinco minutos. Cuele y beba hasta tres tazas al día, una justo antes de dormir.

Fíjese en lo que come, bebe e inhala

• **No cene pesado ni beba alcohol** tres horas antes de dormir. Ambos pueden relajar los músculos de la garganta más de lo normal.

• **Perder peso** puede reducir los ronquidos al reducir la contracción del conducto superior de aire.

• **Deje de fumar**. El humo del tabaco irrita las membranas mucosas, lo cual inflama la garganta y se estrecha el paso de aire. Los fumadores también tienen problemas con la congestión nasal.

Breve curso de autodefensa contra ronquidos

Si duerme con alguien que ronca, el ruido nocturno quizá provoque tensiones en la relación. Pero recuerde: otras parejas han lidiado con ello y han logrado sobrevivir. Así que antes de rendirse y escapar a la sala, considere estos consejos prácticos para enfrentar el problema.

- Cómprese un par de tapones de oídos. Son baratos, y cómodos cuando ya se ha acostumbrado a ellos.

- Una máquina de ruido blanco puede volver soportables las noches de ronquidos. Este aparato electrónico genera un sonido constante que apaga los demás.
- Duérmase antes que su pareja roncadora. Al menos le llevará ventaja y dormirá un poco antes de ser molestado. Algunas parejas experimentadas se las arreglan para dormir en medio de una monstruosa sinfonía de ronquidos.

Si regularmente toma **medicinas**, hable con el doctor sobre alternativas. Ciertos medicamentos empeoran los ronquidos, como las pastillas para dormir y los sedantes.

El aire seco propicia los ronquidos. Hay muchos modos de lidiar con el aire seco. Un **humidificador o vaporizador** en la recámara puede mantener húmedos sus conductos de aire; sólo límpielo constantemente, según las instrucciones del fabricante. Otro modo es **respirar vapor**. Antes de dormir, llene una olla con agua caliente, cubra su cabeza con una toalla, incline su nariz unos 30 cm sobre el agua y respire hondamente durante unos minutos.

Rosácea

Parece ruborizada, aunque no lo esté. Peor aún, luce como adolescente con severos problemas de acné. Calma. Si la princesa Diana pudo con su rosácea —seguramente ni sabía que tenía— usted también puede. Pruebe estos consejos para prevenir erupciones leves y el rubor. Si empeora su condición, acuda con el dermatólogo para mantener el enrojecimiento bajo control.

¿Qué ocurre?

A veces la rosácea parece un simple rubor. Pero el mal puede empeorar hasta asemejar un acné severo. Si tiene rosácea, los pequeños vasos sanguíneos del rostro se expanden y llenan de sangre hasta que algunas partes de la cara se saturan de rojo. El enrojecimiento desaparece horas después, pero si la rosácea no se trata la cara puede parecer quemada por el sol y lucir "baches"; los vasos sanguíneos se vuelven visibles a través de la piel y la nariz se enrojece y agranda.

Enfríe su piel

- Cuando su rostro se calienta y enrojece, su primera reacción es correcta: enfríelo. El modo más sencillo es mojar una tela en **agua helada** y colocarla sobre las zonas rojas durante 10 minutos. El frío contrae los vasos sanguíneos.

- La manzanilla, aplicada a la piel, posee efectos antiinflamatorios. No use aceite de manzanilla, pues está muy concentrado y puede causar reacciones en la piel; mejor use **té de manzanilla**. Remoje tres bolsitas de té en 600 ml de agua hirviendo durante 10 minutos. Cuele el líquido y métalo en el refrigerador. Cuando su cara enrojezca, moje un algodón en el té y aplíquelo sobre el área afectada.

Lávese con jabones suaves

- Cuando se lave la cara, use un **jabón o limpiador humectante** y sin aroma diseñado para piel sensible. Evite cualquier jabón irritante o áspero. Luego, enjuague la piel con agua tibia, no caliente.

- Evite limpiadores exfoliantes o **contra el acné**. Éstos contienen ingredientes irritantes; de hecho, los tratamientos para el acné pueden empeorar la rosácea.

- También **aléjese de** los limpiadores con **ácido salicílico**, **peróxido de benzol** o **alcohol** entre sus ingredientes. Éstos también pueden empeorar la rosácea, como cualquier impiador abrasivo.

Evite lo que enrojezca la piel

- Evite los alimentos más picantes, incluyendo **salsas**, **chiles** y **jalapeños**. Luego de comerlos, su cara no sólo siente como si se ruborizara: lo está haciendo. Las finas arterias se expanden como reacción a la comida picante.

- El **alcohol también expande los vasos sanguíneos**. Tome nota de cualquier rubor tras beber. Si su rostro se enrojece tras tomar un trago, una cerveza o un vaso de vino, en su próxima fiesta pida jugo o agua mineral.

- **Aléjese de bañeras calientes y saunas**. El calor puede alentar el enrojecimiento de la piel del rostro.

Tenga cuidado con la luz del sol

- **Aléjese de la luz solar** cuanto pueda, en especial a mediodía cuando el sol calienta más. La luz solar puede generar brotes de rosácea, pues calienta la piel dilatando los vasos sanguíneos del rostro.

- Si va a salir durante un día soleado, use un **sombrero de ala ancha** que brinde sombra a sus orejas, mejillas y nariz. Una gorra con visera no es suficiente.

- Use mucho **bloqueador solar** durante todo el año. Si tiene rosácea, los mejores bloqueadores contienen **dióxido de titanio** u **óxido de cinc**. A muchos pacientes de rosácea otros bloqueadores les irritan la piel, aunque la temperatura de la misma no aumenta; funcionan reflejando (en vez de absorber) los rayos solares.

No se enoje

- Cuando crece su enojo, también lo hacen los vasos sanguíneos, lo cual puede generar rosácea. Para mantener a raya sus emociones sólo **cuente hasta diez**. Aún mejor: respire hondamente mientras cuenta. Exhale por completo mientras vuelve a contar hasta diez. Luego de hacerlo varias veces, podrá manejar la situación con más calma.

Cuidado al rasurarse

- Los hombres con rosácea deben tener mucho cuidado de no irritar su cara mientras se rasuran. En vez de rastrillo use **rasuradora eléctrica**. La rasuradora irrita mucho menos.

- Si usa loción, evite productos con alcohol, olmo escocés o mentol.

¿Llamaré al doctor?

Consúlte al médico si presenta enrojecimiento persistente, síntoma de rosácea. Un diagnóstico y tratamiento tempranos con medicamentos prescritos (cremas con metrodinazol y antibióticos orales como la oxitetraciclina) pueden evitar que empeore la dolencia. Su médico quizás lo envíe con el dermatólogo (especialista en piel) para controlar mejor la situación.

Rozaduras

Basta con mirar la colita enrojecida de su bebé para que los padres se llenen de culpa, en especial si el niño llora por la incomodidad. El mejor tratamiento para las rozaduras es quitar el pañal. Esto es fácil en el jardín o en el piso lavable de la cocina. De otro modo, cambie el pañal las veces necesarias. ¿Qué más puede hacer? Pruebe una nueva técnica de limpieza y use el ungüento adecuado para dar protección.

¿Qué ocurre?

Todo padre sabe que la erupción roja, granulosa y dolorosa en las partes más tiernas del bebé es provocada por un pañal mojado o sucio. La mayoría de las llamadas rozaduras son quemaduras causadas por el amoniaco, producido cuando la orina hace contacto con las bacterias de las heces. Los excrementos por sí solos pueden irritar.

Limpie con cuidado

• Cuando retire las heces de su bebé, hágalo con mucha suavidad. Llene una botella de aerosol con **agua caliente** y algunas gotas de **aceite de bebé**, rocíe la mezcla, y entonces frote la zona con una tela limpia.

• Si usa toallitas limpiadoras, busque productos marcados "para piel sensible" y que **no contengan alcohol** o **fragancias**.

• Si limpiar duele mucho, enjuague el trasero del bebé en una bacinica o tina con agua tibia, y seque con una tela suave de muselina. **No use jabón**, pues es irritante.

Seque con la secadora de pelo

• Si las nalguitas de su bebé están demasiado irritadas como para pasarles la toalla tras bañarlas o cambiarlas, use la **secadora de pelo** en el nivel más frío (constantemente verifique que no esté demasiado caliente). Acérquela al menos a 20 cm de la piel, y muévala hacia arriba y abajo.

Déle aire a su bebé

• Cuando no traiga pañal y esté limpio, déle al bebé un **baño de aire** durante unos 10 o 15 minutos, dejando las nalguitas expuestas al aire. Si el niño está contento, puede estar boca abajo, sobre una toalla colocada encima de una tela a prueba de agua. Mientras más tiempo pase sin pañal, mejor.

Escoja el ungüento correcto

• Use un ungüento con **óxido de cinc**, que posee suaves propiedades antisépticas y crea una barrera entre la piel del bebé y la humedad que la irrita.

¿Será una micosis?

Si la erupción de su bebé es rojo carne con puntos rosas dentro del área enrojecida, quizás no sea una rozadura: puede ser una micosis (conocida como afta o cándida). Los pañales sucios son un campo de cultivo de hongos. Las micosis no son serias y se curan fácilmente. Quizás su bebé también tenga una afta en la boca y, si lo está amamantando, posiblemente le duelan los pezones. Visite a su médico para recibir tratamiento antimicótico para ambos.

Si la rozadura luce muy roja, tiene fronteras irregulares y pequeños puntos alrededor de los límites, consulte a su médico, quien quizás prescribirá una **crema antimicótica** (como Canesten) con un suave esteroide para reducir la inflamación. Debe aplicarla en la zona genital, nalgas, ingles y en cualquier pliegue inflamado. Luego, aplique encima una **crema protectora**, que protege la piel de sustancias irritantes. No use vaselina, pues evita que el pañal absorba la orina.

Para hacer una crema que alivie las rozaduras causadas por hongos y amoniaco, mezcle partes iguales de crema **Nivea**, crema **Canesten**, **harina de maíz** y **Sudocrem**. Aplique esta mezcla en cada cambio de pañal.

Siente al bebé en el baño

Un baño también puede aliviar el malestar de su bebé. Varias veces al día llene la bañera con un poco de agua caliente y deje a su hijo sentarse y divertirse con juguetes durante cinco o 10 minutos, asegurándose de permanecer siempre a su lado. Si su bebé no se puede sentar, métase con él a la tina: papá y mamá forman el mejor soporte de baño para el menor.

No añada burbujas de jabón u otra cosa al agua de la bañera. Pueden contener sustancias que después irriten unas pompas lastimadas.

El poder de la prevención

Si usa pañales desechables, cómprelos **ultra absorbentes**. Conducen más la orina hacia el centro de gel del pañal, lejos de la piel. Pero también deberá cambiar el pañal con frecuencia (en cuanto advierta que se ensució), **hasta 10 veces** al día mientras la rozadura sea severa.

¿Llamaré al doctor?

Lo más probable es que la rozadura desaparecerá aplicando alguno de los consejos sugeridos. Si esto no ocurre en tres o cuatro días, consulte al doctor. Éste investigará si la rozadura se ha extendido a otras áreas, si los pliegues entre las piernas están rojos o lastimados, o si han aparecido ampollas. Granos o ampollas en las nalgas pueden anunciar una infección por estafilococo que requiera tratamiento antibiótico. Si su bebé tiene rozaduras con úlceras y sangrado, y las cremas no funcionan, acuda con el médico en cuanto antes.

¿Sabía qué?

• Si usa pañales de felpa o franela y los lava usted misma, añada cuatro cucharaditas de **vinagre blanco** durante el enjuague. El ácido del vinagre evitará el crecimiento de bacterias y acercará el pH del pañal al nivel neutro de la piel del bebé.

• Si es posible, **no cubra los pañales de tela con calzones de plástico**. El plástico retiene la humedad, lo cual propicia las rozaduras.

• Si usa pañales desechables, **colóquelos más flojos** que como se muestra en los comerciales de TV. Los pañales muy ajustados evitan la circulación del aire y generan rozaduras.

• Las mamás y los abuelos adoran el olor a talco del bebé. Algunos talcos poseen aditivos que provocan rozaduras, en vez de prevenirlas. También contienen partículas finas que pueden provocarle problemas respiratorios. Si desea usar talco, use **harina de maíz** (el cual carece de aditivos irritantes). Mézclela con una crema suave y aplíquela en las nalgas del niño.

Sarpullido

Cuando su piel ha sido irritada por el calor, dolencia que los médicos llaman miliaria rubra, lo primero que debe hacer es enfriarla. Durante unos días pase todo el tiempo que pueda bajo techo (y mejor con aire acondicionado). Tome muchos baños fríos o duchas. Pida a su pareja, amigo o hijo que lo abanique, o siéntese junto al ventilador. Y mientras espera que su piel se enfríe, pruebe estos otros remedios.

Empáquelo con hielo

Cualquier cosa que reduzca la temperatura de su piel también reducirá el escozor y la inflamación. Si no tiene tiempo de tomar un baño, coloque sobre la erupción un **paquete de hielo** o una **compresa fría** durante 10 minutos cada cierto tiempo.

Use el polvo mágico

Parece que el **bicarbonato de sodio** es bueno para casi todo, en especial para el sarpullido. Agregue unas cucharaditas a la bañera y métase en el agua. Ayudará a disminuir la comezón y lo hará sentir mejor mientras el sarpullido sana. También puede usar **harina de avena** finamente molida.

Aplique **bicarbonato de sodio** o **harina de maíz** directamente sobre la erupción para absorber el sudor y la humedad. Este es un viejo remedio recomendado por las abuelas. Para algunos la harina de maíz es mejor, pues es más suave para la piel. Hágalo varias veces al día, tras enjuagar y secar la piel.

Busque alivio con un calmante

El refrescante gel de la hoja de **zábila** se usa para aliviar la comezón y acelerar la curación. Aplique el gel sobre la piel afectada dos o tres veces al día, lavando la zona antes de cada aplicación. Puede usar el gel de una hoja fresca o de un producto que lo contenga (como los que se usan tras asolearse).

Aplique **loción de calamina**. Este remedio de plantas rosáceas para las quemaduras de sol también puede aliviar el sarpullido. Pida al farmacéutico una loción aceitosa de calamina.

¿Qué ocurre?

Los granos rojos e irritantes, extendidos por cuello, axilas, pecho e ingles, son causados por el sudor acumulado. Normalmente la transpiración se evapora, enfriando la piel. Pero el sudor atrapado por la ropa no puede escapar. La piel se inflama, bloquea los poros y la transpiración se introduce en la piel, de donde sale en forma de sarpullido. Mientras aparecen los granos que liberan su sudor, puede experimentar la irritación que le da su otro nombre al sarpullido: urticaria. El calor, el clima húmedo, el sudor y las ropas ajustadas propician el sarpullido. También lo hace la piel que roza contra piel, como en la gente con sobrepeso.

¿Llamaré al doctor?

Salga al aire

● Si el sarpullido se acompaña de ampollas, **no las cubras**. El aire fresco acelerará la curación.

El poder de la prevención

● Limite su actividad física en clima muy caliente y húmedo. (El cuidado del sarpullido es una buena excusa para evitar el trabajo.) Y para prevenir el sarpullido (más que para tratarlo) tome los suficientes **baños** o **duchas tibias** para enfriarse. Es mejor el agua tibia que la fría, pues ésta cierra los vasos sanguíneos de la piel para conservar el calor y aumentarlo dentro.

● Use ropa cómoda de **algodón o de lino**. Mantendrá más fácilmente su piel seca, disminuyendo la probabilidad de adquirir sarpullido. Evite las telas sintéticas y la ropa ajustada, en especial durante los ardientes días veraniegos.

● **Evite los bloqueadores aceitosos** o los productos con **manteca de cocoa**. Escoja bloqueadores bajos en grasa, hipo-alergénicos y que protejan contra la luz UVA y UVB.

● En la playa, siéntese bajo una **sombrilla**. Allí se sentirá mucho más fresco que bajo el sol.

● Si puede **perder un poco de peso**, hágalo. La gente con sobrepeso tiende a sudar más y a generar más calor, propiciando la aparición de sarpullido.

● Consuma más **ácidos grasos** esenciales comiendo salmón, atún, caballa u otros pescados aceitosos, y aceite de linaza (semilla de lino). Estas grasas benéficas inhiben la inflamación corporal, reduciendo la susceptibilidad al sarpullido.

Síndrome de colon irritable

El síndrome de colon irritable (SCI) no tiene cura, y los médicos no saben con exactitud la causa. Quien sufre de SCI lidia a su manera con la dolencia. La clave es no desesperarse. Los cambios de dieta y el manejo adecuado del estrés deben dar alivio. Para mejores resultados, combínelos con las terapias alternativas descritas abajo. Ya que tenga un sistema para controlar los síntomas, el SCI le molestará menos.

Corte el circuito estresante

· Puesto que el estrés es uno de los factores generadores del SCI, aprenda a eliminarlo con **meditación, yoga** o **ejercicios de respiración** como éste. Siéntase cómodamente o túmbese. Fije su atención en la entrada y la salida del aire. Cuando sobrevengan pensamientos incómodos o estresantes, concéntrese en su respiración. Practique diariamente. Así, cuando se sienta ansioso o tenso, logrará calmarse.

· **Escriba un diari**o de sus síntomas del SCI, anotando el tipo de problema y su gravedad. También apunte los sucesos estresantes del día. De vez en cuando revise el diario. Por ejemplo, si descubre más síntomas de SCI antes de viajar en avión o a asistir a juntas, quizás haya una conexión. Una vez identificadas las situaciones desencadenantes, busque maneras –como técnicas de respiración– de lidiar mejor con ellas.

Sea amable con sus intestinos

· **Reduzca las comidas fritas**, carnes, aceites, margarina, lácteos y otros alimentos grasosos. Pueden contraer violentamente su colon, lo cual genera diarrea y dolor abdominal.

· **Aléjese del picante**. La capsaicina de los chiles, por ejemplo, causa espasmos intestinales que pueden provocar diarrea.

· **Elimine la cafeína**. Puede empeorar el SCI.

· **Evite alimentos** como la col, coles de Bruselas y el brócoli.

· No masque chicle ni coma golosinas con endulzantes artificiales. Éstos contienen **sorbitol** y **manitol**, con efectos laxantes porque son muy difíciles de digerir. Cuando las bacterias del colon sí pueden romper estos azúcares no absorbidos, sufre de gases y diarrea.

¿Qué ocurre?

Normalmente, la comida viaja por el sistema digestivo impulsada por contracciones rítmicas de los músculos intestinales. Pero si usted tiene síndrome de colon irritable o SCI, las contracciones son irregulares: rápidas y erráticas, causando diarrea; o lentas y débiles, causando estreñimiento. Dolor abdominal y gases son otros síntomas. Se desconocen las causas exactas, del SCI aunque los doctores han descubierto que los niveles altos de estrés y ciertas comidas lo agravan. Las mujeres son dos veces más susceptibles que los hombres de padecerlo.

¿Llamaré al doctor?

Consulte al médico si hay sangre en sus heces, ha perdido peso sin proponérselo, o los síntomas del SCI son tan graves que no lo dejan salir. También debe hacerlo si tiene más de 50 años y sufre de SCI por primera vez; o si lo ha padecido durante años, pero advierte cambios en el patrón anterior. El doctor revisará, entre otras cosas, sus recetas médicas para verificar si los cambios del colon se deben a efectos secundarios de las medicinas. Si hubiera intolerancia a ciertos alimentos, quizás lo envíe con el dietista.

• **Deje de fumar**. La nicotina desencadena los síntomas del SCI. Además, cuando fuma traga aire, y la gente con SCI es muy sensible al aire en el tracto digestivo.

Ajuste la fibra

Las creencias recientes sobre la fibra y el SCI han cambiado. Parece que la fibra soluble e insoluble ayudan a los pacientes de SCI con **estreñimiento, heces duras y urgencia**, pero no a aquéllos con inflamación abdominal, diarrea o flatulencias (y puede empeorar los síntomas). Así que atienda los siguientes consejos si su problema principal es el estreñimiento.

• Coma mucha **fibra insoluble**, presente en el trigo integral y otros granos, salvado, verduras, frijoles y legumbres. La fibra insoluble le da consistencia a la materia fecal, acelerando su paso por los intestinos.

• La **fibra soluble** también permite a sus intestinos trabajar con más eficiencia, con la ventaja de bajar los niveles de colesterol. Las mejores fuentes son los **frijoles**, la **avena preparada** y frutas como **manzana, fresa y toronja**.

• Un modo sencillo de añadir fibra soluble a su dieta es tomar diariamente **plantago**, el ingrediente principal de suplementos de fibra como Metamucil. A largo plazo, es más seguro consumir plantago que otros químicos laxantes. Siga las instrucciones del producto.

• Si hasta ahora no ha consumido suficiente fibra, **aumente gradualmente la cantidad**. Añadir demasiada de golpe puede causarle gases e inflamación. Comience con ocho gramos de fibra al día —la cantidad presente en dos peras— y aumente su ingesta tres o cuatro gramos diarios hasta llegar a 30 gramos diarios.

¿Es intolerancia a la lactosa?

Muchos creen sufrir de síndrome de colon irritable, pero en realidad tienen intolerancia a la lactosa: su cuerpo no puede digerir bien dicha azúcar, presente en los lácteos, debido a la falta de una enzima. Para diagnosticarse usted mismo, beba dos vasos de 250 ml de leche. Si es intolerante a la lactosa padecerá cólicos, gases y diarrea. De ser así, considere eliminar algunos lácteos de su dieta, en especial la leche. Pero quizás con todo pueda seguir comiendo yogur y quesos duros, como el Cheddar.

Beba por lo menos 6 u 8 vasos de **agua** al día para mantener en movimiento la fibra a través de su cuerpo.

Mastique, no se atragante

Haga varias comidas pequeñas. Ingerir demasiado alimento de una sola vez puede estimular en exceso tu sistema digestivo.

Si suele devorar sus alimentos, **coma con lentitud** y atienda su masticación. Quienes comen rápido tragan mucho aire, el cual se convierte en gases molestos.

Coma yogur

La diarrea puede expulsar a las bacterias buenas que previenen el crecimiento desmedido de las bacterias malas. Cuando el SCI le produzca diarrea (y si no es intolerante a la lactosa), coma mucho **bioyogur** con bacterias activas como la *acidophilus*. O tome suplementos **probióticos**. La dosis usual es de dos cápsulas tres veces al día, con el estómago vacío.

Menta y jengibre

Diariamente, beba una o dos tazas de **té de menta**, pues relaja los intestinos, reduce los espasmos y los gases dolorosos. Compre un té con menta natural y no con saborizante. O tome cápsulas de aceite de menta, con capa entérica, que le permite al aceite llegar al intestino en vez de deshacerse en el estómago. Tome una o dos cápsulas tres veces al día, entre comidas. (*Alerta* evite la menta si sufre de gastritis.)

Beba el reconfortante **té de jengibre**. Para preparar el más fresco, ralle ½ cucharadita de raíz fresca en una taza, vierta agua caliente, deje reposar 10 minutos, cuele y beba. También hay bolsitas de té de jengibre. Beba entre cuatro y seis tazas al día.

Prevenga con ejercicio

Cuando pueda, haga al menos 30 minutos de **ejercicio** no competitivo, como caminar. El ejercicio le libera del estrés, genera endorfinas (analgésicos naturales) y mantiene a su cuerpo –incluyendo al sistema digestivo– trabajando bien.

¡No lo haga!

Si tiene SCI evite medicamentos para modificar los hábitos del colon: laxantes para el estreñimiento o medicinas para la diarrea. Éstos pueden hacerle oscilar entre el estreñimiento y la diarrea.

Síndrome de las piernas inquietas

De todos los misterios del cuerpo, éste es uno de los más extraños. Cuando está listo para descansar, ¿por qué demonios sus piernas quieren correr? Cuando cada una de sus fibras dice "¡quietas!", ¿por qué patea a su compañero de cama? Como el síndrome de las piernas inquietas (SPI) parece deberse –en parte– a desequilibrios minerales, quizá es mejor acudir a suplementos. También puede practicar algunos rituales antes de dormir para calmar esas piernas inquietas.

¿Qué ocurre?

El nombre del síndrome de piernas inquietas (SPI) describe bien su naturaleza, aunque no lo angustioso que puede ser. Al acostarse a dormir o descansar, comienza a sentir "bichos" en las piernas. Generalmente, el único modo de detener esto es moviendo las piernas o caminando. Los más susceptibles son los ancianos, las embarazadas y los diabéticos o la gente con problemas en la región lumbar. Se desconocen las causas del SPI, pero los grupos con alto riesgo poseen bajos niveles de magnesio. Los síntomas del SPI también se asocian con el consumo de alcohol, cafeína y ciertos medicamentos controlados.

Tome suplementos

- Diariamente tome 800 mg de **calcio** y 400 mg de **magnesio** (algunos expertos proponen comenzar con dosis más bajas, como 500 mg de calcio y 250 mg de magnesio, aunque ambos minerales deben tomarse en una proporción de 2:1). También tome 800 mg de **potasio**. Reducir estas dosis puede agitar más las piernas.

- Beba agua mineral alta en **magnesio.** El nivel óptimo de magnesio por litro de agua es de unos 100 mg.

- Ingiera más vitamina B del tipo **ácido fólico** (también llamado folate). El ácido fólico ayuda a crear glóbulos rojos, que a su vez oxigenan el cuerpo. Eso es muy bueno, pues el SPI se asocia con una baja del oxígeno sanguíneo. Entre las fuentes alimenticias de ácido fólico destacan los vegetales de hojas verdes, el jugo de naranja, los granos integrales y los frijoles. También encontrará folato en varios multivitamínicos.

- Coma alimentos ricos en **hierro**, como verduras verde oscuro, hígado, germen de trigo, frijoles colorados y carne magra. El hierro forma parte de la molécula de mioglobina, proteína que almacena oxígeno en los músculos. Sin hierro, la mioglobina no puede guardar suficiente oxígeno, lo que quizás genere problemas musculares.

Estírese

- Cuando sientas la urgencia de mover sus piernas, frótelas o estírelas al máximo y extienda sus dedos. Estos movimientos intencionales enviarán señales al cerebro para detener el extraño hormigueo del SPI. Pero deténgase si al estirarse siente calambres en las piernas. Esto indica una deficiencia de magnesio, imposible de aliviar con estiramientos.

- Siéntese en el borde de la cama y **masajee** con firmeza sus pantorrillas para estimular sus músculos a profundidad.
- Si estos tratamientos no lo calman, **camine** un poco. Dé largas zancadas y doble las piernas para estirar los músculos.

Antes de acostarse

- Siéntese en una bañera con confortable **agua caliente** durante unos 10 o 15 minutos antes de dormir.
- Enfriar sus piernas también puede ayudar. **Frote una bolsa con hielos contra sus piernas** antes de irse a dormir.
- O combine los **tratamientos de calor y frío**. Meta las piernas en una bañera con agua caliente durante dos minutos; luego aplique la bolsa con hielos a sus piernas por un minuto. Repítalo varias veces antes de irse a dormir.

Relaje sus músculos

- Luego de meterse en la cama, practique el ritual de tranquilidad conocido como **relajación progresiva de los músculos**. Respire profundamente por algunos minutos; luego tense los músculos de los pies. Sostenga la tensión durante algunos segundos y después relájese. A continuación, tense los músculos de las pantorrillas, sostenga y relaje. Haga lo mismo con los músculos de los muslos. Repita el patrón de tensión y relajamiento en todo su cuerpo hasta los músculos del cuello y de la cara. Al terminar, deberá sentir todo el cuerpo relajado.

Pruebe con la homeopatía

- Los médicos homeópatas recomiendan **causticum** en una dilución 12 c para piernas inquietas durante la noche.
- Otra alternativa es una dilución 12 c de tarentula hispánica tres veces al día hasta que los síntomas disminuyan.

El poder de la prevención

- Por la tarde, **evite las bebidas alcohólicas o con cafeína**, pues éstas estimulan los músculos y nervios de las piernas.
- Los estudios han descubierto que los fumadores son más propensos a contraer SPI que las personas que no fuman. Así que deje de fumar.
- **Evite los remedios contra el catarro y la sinusitis, los cuales pueden agravar los síntomas del SPI.**

¿Llamaré al doctor?

Si el SPI le causa pérdida severa de sueño o interfiere con su trabajo o vida diaria, y los remedios caseros no funcionan, hable con su médico. Éste puede prescribir algo para calmar las cosas. Si por primera vez le tiemblan las piernas, también consulte al doctor, pues quizá ello sea síntoma de un problema más serio, como diabetes, dolencias del hígado o mal de Parkinson.

Mito...

El agua quinada puede mitigar esa inquieta sensación en las piernas.

...y verdad

Esta bebida contiene quinina, capaz de aliviar los síntomas en ciertos pacientes.

Síndrome del túnel del carpo

La última vez que obtuvo un certificado médico, quizás una infección le hacía sentir débil. Esta vez no se siente mal. Pero si sufre del síndrome del túnel del carpo (STC), necesitará días libres para descansar de lo que haya inflamado los tendones dentro del túnel del carpo. Tras obtener permiso para darle un respiro a sus muñecas, puede usar férulas, suplementos y ejercicios para ayudarlas a sanar. Una vez que vuelva al trabajo, tome medidas preventivas y continúe fortaleciéndose con ejercicios.

¿Qué ocurre?

Dentro de cada muñeca hay un estrecho pasaje llamado túnel del carpo. En su interior corren nueve tendones que mueven los dedos, junto con el nervio mediano. Esos tendones pueden inflamarse y dilatarse, contrayendo el nervio. El movimiento repetitivo de la mano es la principal causa del STC, pero hay otros factores: embarazo, píldoras anticonceptivas, artritis reumatoide, hipotiroidismo, diabetes y sobrepeso. El hormigueo es el síntoma más común, además de adormecimiento de los dedos, dolores súbitos en la muñeca y el antebrazo, malestar en el cuello y los hombros, y debilidad de la mano.

Procure aliviar el dolor

• Para disminuir con rapidez el dolor y la inflamación, enfríe sus muñecas con una **bolsa de hielo** envuelta en una toalla delgada. Déjela actuar unos 10 minutos. Repita cada hora.

• El **calor** puede reducir el dolor, relajando los músculos. Mójese las manos y muñecas en agua tibia o caliente durante 12 o 15 minutos antes de dormir. Pero, como el calor también aumenta la presión en la zona, no hagas esto si empeora los síntomas.

• Frote sus muñecas con ungüento de **árnica** dos veces al día. Este remedio natural, famoso por sus propiedades antiinflamatorias, reduce los achaques. Aplique una porción del tamaño de un chícharo en la parte posterior de cada muñeca; luego masajee la zona con el pulgar de la otra mano hasta la base de la palma. Hágalo así por la mañana y por la noche hasta que los síntomas desaparezcan.

• Para muchos, los **movimientos rápidos de muñeca** disminuyen los síntomas, en especial por la noche.

• **Use una férula por la noche.** Mientras duerme quizás dobla la mano bajo la almohada, aplicando presión sobre la muñeca. De hecho, el dolor despierta con frecuencia a quienes padecen de STC. Una férula mantiene los dedos en posición neutral y libera de la presión al nervio mediano. Puede comprarla en las farmacias, pero necesita una del tamaño correcto y saber usarla correctamente. Pida orientación al farmacéutico.

• También puede usar una férula durante el día, en especial si hace trabajos que requieren mover mucho la mano.

Suplementos benéficos

• La bromalina, enzima derivada de la piña, digiere las proteínas inflamatorias, por lo cual puede reducir la hinchazón de las muñecas adoloridas. Además de reducir el dolor, le ayuda a sanar más rápido. La potencia de la bromalina se mide en MCU (unidades coagulantes de leche). Busque suplementos con al menos 2 000 MCU, y durante un ataque de STC tome 1 000 mg dos veces al día. Cuando los síntomas disminuyan, sólo tome 500 mg. Ingiera la bromalina entre comidas. Si lo hace junto con los alimentos, su eficacia se desperdiciará durante la digestión.

• El **hipérico**, mejor conocido como antidepresivo, también sirve para reparar los nervios y reducir el dolor y la inflamación. Tome hasta 250 mg de extracto (estandarizado al 0.3% de hipericina) tres veces al día. Si tras dos semanas no funciona, toma entre 300 y 400 mg tres veces al día.

• Tome una cucharada sopera de **aceite de linaza** (semilla de lino) al día, y espere por lo menos dos semanas para que surta efecto. El aceite de linaza es rico en ácidos grasos Omega-3, que reducen la inflamación. Tómelo con las comidas para absorberlo mejor. Puede mezclarlo con jugo de naranja.

• La **curcumina** es una sustancia antiinflamatoria que contiene la cúrcuma. En la medicina aryuvédica –originaria de la India– esta especia se ha usado desde antaño para el dolor y la inflamación. Pero, por si sola, la cúrcuma no funciona como lo hace

¿Llamaré al doctor?

Acuda con el médico si los síntomas interfieren con sus actividades diarias. Si el síndrome del túnel del carpo no se trata, sus manos pueden debilitarse y quizá experimente un fuerte dolor en los antebrazos o los hombros. Además, como el malestar se asocia con la artritis, la diabetes y una baja actividad de la tiroides, el doctor debe revisarlo para descartar cualquiera de estas dolencias.

¿B de beneficio?

La vitamina B_6 es el suplemento más conocido para tratar el síndrome del túnel del carpo, pero también es controvertida. Para algunos expertos funciona; para otros, no. Además, el exceso de vitamina B_6 (más de 50 mg al día), tomada por periodos largos, puede generar problemas nerviosos.

Tomar vitamina B_6 puede ser útil, pues mantiene sanos los nervios y puede aumentar la velocidad de los impulsos nerviosos que se dirigen a las manos. Hay quienes afirman que el STC es provocado por una deficiencia de vitamina B_6. Lo cierto es que algunas personas necesitan más vitamina que otras, y las condiciones de la vida moderna, en particular el estrés, pueden aumentar su necesidad de ella.

Para actuar con cautela, consuma muchos alimentos ricos en B_6, como pechuga de pollo, cereales integrales, arroz integral, salmón, verduras verdes y yemas de huevo. Si quiere usar un suplemento, tome hasta 50 mg de la vitamina, en dosis divididas, hasta atenuar los síntomas. Si decide continuar, reduzca la dosis diaria de vitamina B_6 a 10 mg.

Aunque el síndrome del túnel del carpo no siempre es causado por el trabajo excesivo, se volvió famoso gracias al amplio uso de las computadoras. Otras actividades repetitivas capaces de generar STC son tocar el piano, clavar con martillo u ordeñar vacas. Músicos, carpinteros y granjeros son propensos a sufrir de STC.

un suplemento. Busque uno estandarizado al 95% de curcumina y tome 300 mg tres veces al día, con los alimentos.

● Tome 300 mg de **magnesio** dos o tres veces al día. Este mineral participa en las funciones nerviosas y el relajamiento muscular. Un suplemento es útil, en especial si no come muchos granos integrales, nueces, legumbres, verduras verdes oscuro o mariscos (todos ellos ricos en magnesio). La forma más asimilable es el citrato de magnesio. El único efecto secundario posible es un aflojamiento de los movimientos intestinales. Si esto le ocurre, reduzca la dosis o pruebe el gluconato de magnesio, que tiene un efecto más suave sobre el tracto digestivo.

Tome precauciones con el teclado

● Si pasa mucho tiempo frente a la computadora, **ajuste la silla** y **el teclado**. Sus brazos deben flexionarse en un ángulo de 90 grados cuando escribe, manteniendo las muñecas paralelas al suelo. También las rodillas deben seguir la regla de los 90°. Y siéntese derecho, sin inclinar los hombros hacia adelante.

● Si puede bajar el teclado, colóquelo para que las **teclas estén un poco más abajo de las muñecas**. Así, los dedos reposarán suavemente sobre las teclas.

● **Toque levemente las teclas** en vez de golpearlas. Mientras menos presión aplique, mejor.

● Use productos ergonómicos "protege-manos" en todo momento. Especialmente útil es el **descansador de muñecas**, a la venta en las tiendas de productos para oficina.

● Consiga un **teclado con contornos o divisible**. Estos teclados están diseñados para mantener las manos en posición natural mientras sus dedos presionan levemente las teclas (la presión requerida por estas teclas es mucho menor que la de un teclado normal). En los modelos con contornos, las teclas, divididas en dos grupos, se ubican sobre un marco amoldado, con zonas confortables para colocar las muñecas. Los teclados divisibles tienen marcos separados que pueden acomodarse de modos diferentes para la máxima comodidad de las muñecas.

SÍNDROME DEL TÚNEL DEL CARPO

Cuando use la computadora o haga movimientos repetitivos con la mano, es esencial reposar con regularidad y hacer ejercicios de estiramiento. Descanse 15 minutos cada dos o tres horas. Párese, relaje los hombros y agite los brazos para relajar las muñecas y restaurar la circulación. Cierre los puños durante unos segundos, ábralos y separe los dedos cuanto sea posible posible. Repita la operación 4 veces. Practique los siguientes ejercicios, cuando sea posible, .

Extienda al frente el brazo izquierdo y doble hacia arriba la muñeca. Coloque los dedos de su mano derecha contra la palma izquierda y jale hacia atrás con suavidad. Cuente hasta 10 y cambie de mano.

Extienda al frente su brazo izquierdo y cierre el puño. Tome el puño con los dedos de la mano derecha y jale suavemente hacia abajo. Cuente hasta 10 y cambie de mano para hacerlo con el brazo derecho.

Extienda el brazo izquierdo al frente y doble la muñeca hacia abajo. Con los dedos de la mano derecha sobre los de la izquierda, tire suavemente hacia usted. Cuente hasta 10 y cambie de mano.

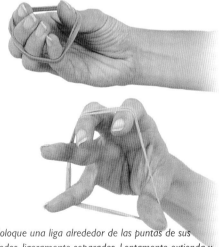

Coloque una liga alrededor de las puntas de sus dedos, ligeramente separados. Lentamente extienda y cierre los dedos, manteniendo constante la tensión de la liga. Repita 10 veces.

Síndrome premenstrual (SPM)

No sólo son los cambios de humor y los dolores de cabeza. Ni el dolor ni la inflamación. Lo más fastidioso del SPM es su naturaleza repetitiva: los síntomas de este mes se repiten el siguiente, y así sucesivamente... Según varios expertos, la mejor receta para el síndrome premenstrual no es una medicina o un suplemento, sino el ejercicio. Camine, baile o nade diariamente; si puede, aumente la actividad antes de que inicien los síntomas. Y pruebe algunos de los siguientes consejos.

¿Qué ocurre?

El SPM puede empezar una o dos semanas antes de su periodo. Los síntomas comunes son dolor de senos, cambios de humor, dolores de cabeza y de espalda, e inflamación. Los expertos aún no saben por qué algunas mujeres sienten con mayor rigor que otras los síntomas del SPM, si bien esto se relaciona con una falta de equilibrio hormonal. Los principales culpables son el estrógeno y la progesterona. Los niveles de ambos aumentan antes de menstruar, pero luego se desploman. Estas fluctuaciones quizá desquician los niveles de serotonina (químicos reguladores del humor).

Muévase

• Cada mes haga por lo menos de 20 a 30 minutos de **ejercicio** aeróbico al día. Lo mejor es caminar vigorosamente o nadar. Y si estas formas de ejercicio le parecen sosas o aburridas, también hay patinaje, karate, kickboxing, aeróbicos acuáticos, baile y muchos más. Ejercítese hasta sudar. Si es constante, bajará los niveles de estrógeno que circulan en su sistema. El ejercicio disminuye el estrés y mejora el ánimo, pues libera analgésicos naturales llamados endorfinas –químicos que le hacen sentir bien– y relaja los músculos. Además, el ejercicio combate la retención de líquidos.

Controle su dieta

• **Consuma menos sal** durante todo el mes, en especial antes de su periodo. La sal aumenta la retención de líquidos y, por ende, la inflamación. Evite alimentos procesados como sopas en lata, salsas para cocinar y botanas empacadas, pues son altos en sal. Lo mismo pasa con el pan de caja: revise las etiquetas u hornee el suyo propio.

• **Evite el alcohol y la cafeína**, pues propician el SPM.

• **Coma mucha fibra.** Los alimentos altos en fibra ayudan a eliminar el exceso de estrógeno. Consuma granos integrales como cebada, avena, pan integral, verduras y frijoles.

• **Beba más agua.** Si lo hace, la orina elimina sal sobrante, lo que previene la inflamación. Tome al menos 8 vasos grandes de agua al día.

• **Evite las golosinas.** El antojo de dulces aumenta cuando tiene SPM, pero los caramelos y los bizcochos disparan los niveles sanguíneos de azúcar. Cuando éstos se desploman después, usted se siente cansada e irritable. Para controlar su humor limite el consumo de azúcar y, cuando le asalte el antojo, mejor coma frutas.

Calcio y más allá

* Tome 500 mg de **calcio** y 250 mg de **magnesio** al día. El calcio reduce los dolores de cabeza, los cambios de humor y los calambres. Como también causa somnolencia, mejor tómelo antes de dormir. Muchas mujeres con SPM severo tienen niveles bajos de magnesio, el cual trabaja con el calcio para controlar la actividad muscular. En combinación, ambos minerales mitigan los síntomas.

* Tome 50 mg al día de **vitamina B$_6$** para reducir la irritabilidad y la depresión. Entre otras virtudes, la B$_6$ puede calmar los nervios inquietos aumentando el nivel de serotonina, el químico cerebral que regula el humor. También modera la retención de líquidos, el dolor de senos, el incremento de azúcar y la fatiga. Entre las principales fuentes de B$_6$ destacan los alimentos con proteínas (carne, aves y pescado) y los cereales fortificados.

* Algunas mujeres toman **aceite de prímula** para el SPM, pero como no hay evidencia de su eficacia, los doctores ya no lo recetan como antes. Si quiere probar, tome 1 000 mg tres veces al día.

Equilibre sus hormonas

* Tome suplementos de **sauzgatillo**. Esta hierba es famosa por suavizar los síntomas del SPM, equilibrando las hormonas. Tome una o dos cápsulas de 225 mg al día cuando no esté menstruando. Déle tiempo: pueden pasar hasta seis meses antes de sentir los beneficios.

* Use **cimifuga negra** unos diez días antes de su periodo. La cimifuga negra (usualmente prescrita para los bochornos menopáusicos) también regula las hormonas. Tome dos cápsulas de 40 mg al día con la comida, y espere entre cuatro y ocho semanas para que la hierba comience a actuar.

* El **hipérico**, un relajante natural, puede ayudarle con sus cambios de ánimo. Tome 300 mg de extracto estandarizado al 0.3% de hipericina, tres veces al día.

¿Llamaré al doctor?

Si el SPM altera su capacidad de disfrutar una vida normal, coméntelo con su médico. Éste podrá recetarle un tipo de terapia hormonal para regular las fluctuaciones de las hormonas, o bien un antidepresivo como la fluoxetina, la cual incrementa los niveles de serotonina en el cerebro.

Puros cuentos

La afirmación de que las mujeres devoran chocolate cuando sufren de SPM porque andan bajas de magnesio ha sido desmentida por los científicos. Después de todo, el germen de trigo y las verduras de hojas verdes son altos en dicho mineral, y la gente no los devora. Sin embargo, el chocolate posee sustancias que suben el ánimo (lo que explicaría el antojo). Satisfaga su deseo con chocolate amargo, que contiene menos azúcar y grasa que el de leche.

Sinusitis

Está tapado, le duele la cara y la presión lo está atrapando. Si una infección bacterial es la causa de su sinusitis, el médico puede ayudarle con antibióticos. De otro modo, los descongestionantes orales o nasales pueden darle alivio temporal (pero no los use más de tres días o sus senos nasales pueden empeorar.) No necesita correr a la farmacia cada vez que sus senos se inflamen. Hay muchas otras maneras de desbloquear los conductos y hacerle sentir mejor.

¿Qué ocurre?

Los senos nasales (cavidades llenas de aire a cada lado de la nariz) están recubiertos con una delgadísima membrana mucosa. Cuando ésta se infecta, se inflama y bloquea los canales por donde el moco se vierte hacia la nariz. La presión resultante causa dolor de cabeza, congestión nasal, flujo amarillo verdoso y dolor de pómulos. La sinusitis que dura tres semanas o menos (sinusitis aguda) puede generarse por una infección bacteriana, un resfriado, una gripe o por nadar en agua contaminada. La sinusitis crónica es causada por un tabique desviado, una infección micótica o una irritación provocada por el polvo o el humo de cigarro.

Límpiese con vapor

• El **vapor** puede aliviar la presión de los senos nasales. Dése una ducha caliente, inhalando el vapor y dejando caer el agua sobre la cara. Luego resople y aspire el agua caliente hasta dejar los senos limpios.

• Déle a sus senos nasales un tratamiento con vapor mentolado. En una olla con agua hirviendo agregue unas gotas de **aceite de eucalipto**. Colóquela sobre una superficie estable (ni en sus rodillas ni en la cama); luego cubra su cabeza y sus hombros con una toalla e inclínese para formar una tienda sobre la olla. Manténgase unos 45 cm del agua mientras respira hondamente por la nariz. Conforme asciende el vapor, lleve pequeñas partículas de aceite hacia sus senos y afloje las secreciones.

Aspire una solución salina

• Otro modo de aflojar las mucosidades y reducir la inflamación es irrigar los senos con una **solución salina**. Puede comprarla en la farmacia o hacer la suya: mezcle ⅓ de cucharadita de sal de mesa con una pizca de bicarbonato de sodio en una taza de agua tibia. Luego llene un gotero (de los que se usan para administrar medicinas a los bebés) con la solución. Tape una de las fosas nasales con el pulgar, recline hacia atrás la cabeza y exprima la solución en la otra fosa mientras aspira. Suénese con suavidad y repita del otro lado.

• También puede usar un artefacto llamado **lota neti**, disponible en Internet y en algunas tiendas naturistas (el lota neti se usa en la medicina ayurvédica y parece una pequeña regadera con un pico estrecho). Vierta la tibia solución salina en una fosa nasal. El líquido saldrá por el otra. Ya que se haya secado, suénese suavemente con un pañuelo. Repita en el otro lado usando el resto de la solución salina.

Limpie esas cavidades

- Inhale **rábano picante** fresco y picado. La acre raíz contiene una sustancia poderosa que adelgaza el moco. Use guantes de goma para picar el rábano y aléjelo de sus ojos.
- También puede mezclar partes iguales de **rábano picante** rayado y **jugo de limón**; coma una cucharadita de la mezcla una hora antes del desayuno y otra una hora después de cenar. Lo hará llorar.
- Si le encantan los alimentos picantes, agregue unos cuantos chiles a sus comidas. Los chiles contienen **capsaicina**, sustancia que combate la congestión y estimula el drenaje de moco. Si no tiene chiles frescos en el refrigerador, puede usar picante en polvo: también contiene poderosa capsaicina.
- Varios estudios demuestran que la alicina, sustancia **del ajo**, posee propiedades antibacteriales. Muela un diente de ajo y remójelo en cuatro cucharaditas de agua. Luego use un gotero para succionar el líquido y vierta 10 gotas en cada fosa nasal dos veces al día. Su infección debe estar en vías de sanar después de tres días.

Relaje su cuerpo

- Una taza de té caliente puede adelgazar la mucosa nasal. El **té de manzanilla** es un remedio tradicional para la sinusitis. Si le gusta, adelante. Otros dos tés naturales que puede probar son el de jengibre y el de escaramujo. Beba varias tazas al día, y también inhale el vapor.
- **Descanse**. Pero cuando se acueste coloque una almohada bajo su cabeza para drenar sus senos nasales. Si se tumba boca arriba sin almohada empeorará la congestión.
- Póngase una **tela caliente** sobre sus ojos y pómulos. Déjesela hasta que se enfríe. Vuelva a calentarla y repita las veces que quiera hasta sentir alivio.

Masajee su rostro

- Si le da a sus senos nasales un **pequeño masaje**, aumentará la circulación sanguínea en la zona y disminuirá el dolor. Con

¿Llamaré al doctor?

Usualmente la sinusitis responde bien al tratamiento casero. Pero consulte al doctor si los senos nasales le duelen por más de dos semanas, o si sufre ataques recurrentes. En casos raros la dolencia es seria. Llame al médico de inmediato si le duelen los ojos, o si se paralizan o si se enrojecen o si se hinchan. También hágalo si tiene náuseas y vomita. En casos muy raros, la infección puede extenderse a los ojos o al cerebro, causando graves complicaciones.

sus índices presione con fuerza el límite externo de sus fosas nasales al final de la nariz. Luego masajee el tabique de arriba hacia abajo, entre las cejas.

• Otra técnica para liberar la presión es **colocar los pulgares** a ambos lados de la nariz, a medio camino, y presionar firmemente sobre el cartílago. Hágalo durante 30 segundos y suelte. Repítalo las veces que desee.

• Otras zonas de presión útiles son las ligeras muescas **bajo cada ceja**, a unos dos centímetros de la nariz, y el extremo inferior de los **pómulos** en medio de cada mejilla (esto puede doler si tiene sinusitis). En cada caso aplique presión durante 10 segundos, suelte y repita tres veces.

• Puede aumentar la efectividad de estos mini masajes si al mismo tiempo inhala **aceite de romero**. Llene una olla con agua caliente y agréguele unas gotas de la esencia para poder aspirar el vapor mientras aplica presión sobre su cara adolorida.

Use el arsenal mayor de hierbas

• La **equinácea y el astrágalo** son dos hierbas capaces de incrementar las defensas y, a veces, de eliminar virus y bacterias. Tome 200 mg de equinácea cuatro veces al día, y 200 mg de astrágalo dos veces al día entre comidas. Si la sinusitis le da súbitamente después de un resfriado o una gripe, tome la dosis completa de ambas hierbas durante unas semanas o hasta que la dolencia mejore. Para la sinusitis crónica (la que no quiere irse) alterne una semana equinácea, y astrágalo la otra.

Cuando volar causa sinusitis

Algunos pasajeros experimentan, durante un viaje, dolor en los senos nasales. El aire en el oído medio se expande mientras baja la presión de la cabina al ascender; cuando descendemos, la presión crece y debe escapar rápido, pero no lo hará si la trompa de Eustaquio (que conecta oído y nariz) se bloquea. Algunos sufren al subir, pero la mayoría se queja al aterrizar. Hay muchos modos de atenuar el problema.

Cualquier acto que despeje la trompa de Eustaquio, como masticar, tragar o bostezar, ayuda. Intente chupar un dulce o masticar un chicle. O haga lo que los pilotos: tápese la nariz, cierre la boca y sople contra el bloqueo, empujando aire a la trompa de Eustaquio. Si funciona, oirá un "pop" y la presión y el dolor desaparecerán. Se llama maniobra Valsalva. Si nada de esto funciona, use un descongestionante nasal en aerosol o pídale al doctor un inhalador.

• Tome a diario cuatro dosis de 125 mg de **cúrcuma cana-diense** durante cinco días. Se cree que esta hierba combate las infecciones, y a veces se combina con equinácea. El té de cúrcuma se puede beber o usar como enjuague nasal. Para hacerlo, hierva 1 g de la hierba en una taza de agua.

El poder de la prevención

• Use un **humidificador** en su recámara por las noches para mantener húmedos los conductos de la nariz y de los senos. Limpie el aparato una vez a la semana para evitar la proliferación de hongos y moho.

• **Reduzca** su consumo de **alcohol**, pues inflama las membranas de la nariz y de los senos nasales.

• **Evite nadar en albercas cloradas**, y nunca bucee. El cloro irrita el recubrimiento de la nariz y de los senos. Bucear empuja el agua desde los conductos nasales hacia los senos.

• **Aléjese de los cuartos llenos de humo**. El humo del cigarro seca los conductos nasales, y las bacterias quedan atrapadas en los senos.

• Si está resfriado y le preocupa que sus senos nasales se infecten, deje temporalmente los **productos lácteos**, pues promueven la formación de moco.

Torceduras

Las torceduras serían mucho menos frecuentes si todos los campos de juego fueran planos. Pero poner torpemente un pie en un bache poco profundo puede dar como resultado un tobillo torcido. No lo ignore, trátelo. O quizá usted está entrenando para uno de los grandes maratones (lo que significa que ha estado corriendo en una superficie dura) y tiene un agudísimo dolor en las espinillas. Para un alivio inmediato, sus mejores opciones son el hielo y un analgésico de dolor de venta directa, como ibuprofeno o aspirina, para aliviar la blandura e hinchazón. Las torceduras y la dolorosa inflamación de espinillas requieren descanso y recuperación.

¿Qué ocurre?

La torcedura más común ocurre en el tobillo. Ni siquiera tiene que hacer algún deporte para lastimarse de esta manera: sólo con tropezarse en las escaleras o con una piedra puede resultar en una dolorosa torcedura. Por otro lado, la inflamación de las espinillas es preferentemente, una lesión de deportistas. Con frecuencia afecta a los corredores, bailarines y futbolistas, de hecho, cualquier persona cuyo ejercicio golpee la parte baja de la pierna. Durante el ejercicio, los músculos se distienden y presionan contra el hueco formado por la tibia y el peroné, los huesos que se extienden de la rodilla al tobillo. Esta molesta presión cerca de los músculos, tendones o ligamentos, y causa dolor.

Siga la regla DHCE

- Para cualquier lesión, los expertos confían en el régimen **DHCE**: el mnemotécnico significa descanso, hielo, compresión y elevación. Eleve la pierna o articulación lesionada, enfríela con hielo y envuélvala con una venda elástica de crepé. Si se ha torcido la muñeca, manténgala elevada con un cabestrillo.

- El hielo desinflamará y mitigará el dolor. Si está tratando una torcedura, el frío también reducirá la acumulación de líquido en el área lesionada. Use una **bolsa de hielo** flexible o una **bolsa de verduras congeladas** envuelta en una funda de almohada o en una toalla desechable y manténgala en el área torcida por hasta 20 minutos. La tela entre la bolsa de hielo y su piel evitará que se queme con el hielo.

- Para la inflamación de espinillas podría aplicar un cubo de hielo en lugar de la bolsa de hielo. **Congele agua en un vaso de unicel**; luego quite una parte del envase y presione el hielo contra la espinilla. Cuando el hielo se derrita, sólo quite la otra parte del vaso. Sin embargo, si usa este método, limite el tiempo de las aplicaciones a menos de 8 minutos. Y dé a la piel fría la oportunidad de calentarse antes de aplicar el hielo una segunda o tercera vez.

- Una articulación inflamada necesita descanso. Esto no parece tan malo, pero trabajar con el dolor incrementará el daño. Mientras la articulación sana, envuélvala con una venda elástica (la "compresión" restringirá el movimiento para ayudar a que los ligamentos sanen, y reducirá la inflamación al limitar la cantidad de líquido que se acumula en el área).

E-s-t-i-r-e

Para la inflamación de las espinillas, siéntese o recuéstese con las rodillas un poco dobladas. **Flexione el pie** de la pierna dolorida hacia arriba y abajo, dentro y afuera, y en círculos. Su pierna debera permanecer estática. Repita cada movimiento 10 veces.

Para un **estiramiento de pierna**, empiece el ejercicio en una posición sentado en el piso. Mantenga la pierna estirada, con la rodilla un doblada. Pase una toalla alrededor del talón y, con la rodilla aún doblada, tire suavemente de la toalla. Sostenga de 15 a 30 segundos, y luego relaje. Repita el ejercicio tres veces.

Levante y **ponga las manos contra la pared** al nivel de los ojos. Dirija la espinilla sana hacia adelante y mantenga la espinilla dolorida atrás, con el talón sobre el piso. Gire ligeramente el pie trasero hacia dentro. Inclínese hacia la pared hasta que sienta un estiramiento en la pantorrilla. Sostenga 30 segundos.

Repita el mismo estiramiento de pie, pero esta vez **cruce la pierna trasera** detrás de la delantera, de modo que la mayor parte de su peso recaiga en los bordes exteriores de los pies. Mantenga este estiramiento durante 30 segundos.

En una posición de pie, con una mano contra una pared, **flexione la rodilla** de su pierna lesionada y sujete la punta de su pie. Empuje los dedos de ese pie hacia el talón para provocar un estiramiento en la parte frontal de su espinilla. Mantenga la postura de 15 a 30 segundos. Repita el ejercicio tres veces.

Sujetándose a una silla para equilibrarse, **párese de puntas**, mantenga la posición cinco segundos, y baje lentamente. Repita el ejercicio 10 veces. Haga otras dos series de 10.

Alterne **caminar sobre los talones** durante 30 segundos con 30 segundos de paso normal. Repita el ejercicio cuatro veces.

Para esguinces

Luego de un esguince, los músculos que rodean la articulación parecen paralizarse (debido en parte a la falta de uso y en parte a la contusión). Aunque tenga la cautela de estirar la articulación, es bueno pasar unos minutos cada día flexionándola suavemente y moviéndola con lentitud en su radio de movilidad normal.

Proteja la articulación y limite la hinchazón con una tobillera elástica, la cual puede conseguir en farmacias.

¿Llamaré al doctor?

Si a una torcedura la acompaña un dolor muy intenso, o mucha inflamación o derrames, entonces vaya al departamento de rayos X de algún hospital, ya que es probable que se haya fracturado un hueso. Cualquier torcedura que no mejore significativamente después de tres semanas deberá ser revisada por un médico. Usted podría tener una fractura de tensión o una condición conocida como síndrome compartimental. Una fractura de tensión es una pequeña fisura en el hueso que causa dolor en una pequeña área dentro de la tibia, acompañado de inflamación y blandura. Puede empeorar sin tratamiento. El síndrome compartimental ocurre cuando los músculos de la espinilla se agrandan demasiado para el "compartimiento" fibroso que los contiene. Esto puede requerir tratamiento quirúrgico.

Las torceduras pueden debilitar los ligamentos y llevar a la recurrencia de lesiones. Asegúrese de calentar siempre antes de ejercitarse. Si una articulación ya ha sido debilitada por una torcedura, protéjala usando un vendaje de soporte al hace ejercicio.

• Tres días después de la lesión puede empezar a aplicar calor a la articulación. Si usa el calor muy pronto, incrementará la inflamación al aumentar la circulación. Puede sumergirla en un baño caliente o aplicarle una bolsa de agua.

• Pruebe con **bromelina**, una enzima derivada de la piña. Tome 500 mg tres veces al día, con el estómago vacío, para prevenir la inflamación y reducir la hinchazón.

El poder de la prevención

Usted puede reducir el riesgo de torcedura e inflamación de espinillas al seguir estas sugerencias.

• **Estire los músculos de las pantorrillas** antes de ejercitarse. Sea que realice ejercicios aeróbicos o de otro tipo, caliente y estire las piernas antes y después de cada sesión.

• Escoja la **superficie más suave posible** para ejercitarse. Corra sobre césped o una pista de arcilla, en lugar de asfalto o concreto. Si hace aeróbicos en un piso duro (como cemento), ponga primero un tapete absorbente de impacto.

• Compre zapatos bien acojinados con un excelente soporte de arco. Pregunte a un podólogo sobre los **soportes de arco o los insertos de talón.**

• Cuando compre zapatos deportivos, pregunte **a un experto sobre lo que es mejor para usted**. Si, por ejemplo, voltea los tobillos hacia dentro (pronación) cuando corre, esto fuerza a sus tendones a compensar, aumentando el riesgo de torceduras de espina. Una buena tienda de deportes le venderá los zapatos que le ayudarán a corregir esa tendencia.

• No espere que un zapato deportivo sea multifuncional. **Compre el zapato correcto** para su deporte. Por ejemplo, los que son para correr no proporcionan el soporte necesario para los jugadores de squash.

• Si es usted un corredor regular, compre un par de zapatos para correr nuevos antes de que los viejos muestren huellas de desgaste. Si corre más de 40 kilómetros a la semana, probablemente necesitará zapatos nuevos cada dos o tres meses. Aunque corra menos, es una buena idea revisar el desgaste de la suela de los zapatos después de cuatro meses aproximadamente.

• Quien tiene pies planos debe asegurarse de que los zapatos tengan el arco de soporte y acojinamiento absorbente de golpe adecuados.

Tos

L a tos no sólo es molesta para usted, sino también para los que lo rodean, ya sea un ser querido, alguien en la fila frente al cine o todo un auditorio durante un concierto de música clásica. Pero si usted tiene una tos productiva, no querrá suprimirla, pues es la forma en que el cuerpo elimina la mucosidad. De hecho, lo que usted desea es estimularla para deshacerse de la flema y terminar con la tos. Por otro lado, si tiene tos seca, la clave es cubrir la garganta y aplacar el cosquilleo.

Chupe algo que alivie

- Chupe una pastilla para la tos o un caramelo. Éstos aumentan la secreción de saliva y provoca que trague más, lo que por consiguiente elimina la tos.

- Para la tos productiva, intente el manrubio blanco. Una hierba amarga que actúa como expectorante, disparando el reflejo de la tos y ayudando a eliminar la flema. En las farmacias se puede encontrar una mezcla de marrubio y semillas de anís para la tos.

- Para la tos seca, intente y consiga pastillas de olmo desliza-dizo (se venden en Internet y en algunas tiendas de alimentos para la salud). Se hacen de la corteza del árbol olmo desliza-dizo, que alguna vez fueron los elementos básicos de la medi-cina para el pecho. El olmo deslizadizo tiene una sustancia gelatinosa que recubre la garganta y mantiene la tos al mínimo.

Dosifique la tos con jarabes caseros

- Mezcle dos cucharadas de jugo de limón con una de miel y agregue una pizca de **pimienta picante**. La miel recubre la gar-ganta, tranquilizando los tejidos irritados, mientras que el limón reduce la inflamación y proporciona una dosis de vita-mina C que combate la infección. La pimienta estimula la cir-culación en el área, acelerando el proceso de curación. O, en lugar de pimienta, agregue un poco de **chile piquín en polvo,** que contiene compuestos que disparan el reflejo de tos y ayudan a expulsar las flemas.

- Un **remedio con cebollas** consiste en pelar y picar seis cebollas medianas y ponerlas en cuatro cucharadas de miel en un recipiente a baño maría. Cubra y deje hacer la infusión

¿Qué ocurre?

Es muy probable que la causa de la tos sea un resfriado o, si no tiene suerte, una gripe. Una infección del tracto respiratorio superior puede provocar inflamación e irritación de las vías respiratorias superiores y, algunas veces, mucosidad, que puede expulsar como flemas al toser. Hay dos tipos de tos. Una húmeda o productiva, que produce mucosidad, es por lo general causada por alergias, resfríos u otra infección respiratoria. Y una tos seca o improductiva, que puede también ser a causa de un resfriado pero con más frecuencia se produce por el humo del cigarro, polvo, humos o alguna otra forma de irritación. Lo único que hace esta tos es irritar la garganta, haciendo que usted tosa más.

¿Llamaré al doctor?

La mayoría de las toses se alivian solas en un periodo de una semana a 10 días. Pero si la suya dura más de cuatro semanas, o si arroja flemas verdes o con sangre, vea a su doctor. Toser puede ser síntoma de una enfermedad más seria, como una obstrucción crónica de las vías respiratorias o asma. Incluso puede indicar una falla del corazón, especialmente si se acompaña de dificultad para respirar, falta de aliento o inflamación de tobillos. Si usted tiene agudos dolores en el pecho, escalofríos o una fiebre superior a 38°C por más de tres días, además de la tos, debe tener pulmonía. Vea a su doctor lo más pronto posible si la tos afecta a un bebé o a una persona mayor.

durante dos horas. Cuele la mezcla y tome una cucharada cada tres horas.

- Por la noche, mezcle un poco de **licor de grosella negra** (escoja una versión "alta en jugo") con una copita de oporto; el alcohol es puramente terapéutico para ayudar a dormir.
- Para un jarabe que suavice la garganta, mezcle seis **dientes de ajo** con una taza de **miel** y guarde la mezcla en el refrigerador toda la noche. Por la mañana, quite los ajos y tome una cucharada según se necesite. Los dientes de ajo mitigan el dolor y la miel reduce la inflamación.
- Algunos productos útiles incluyen al jarabe de lobería para la tos (de los herbolarios Napier se puede pedir por correo o en www.napiers.net); el jarabe para la tos **Galloway**, que contiene ipecacuana, vinagre de esquila, aceite de menta y cloroformo, y el jarabe anticatarral de **glicerina y grosella negra** (ambos se consiguen con los farmacéuticos).
- El **vinagre de frambuesa** se puede tomar a cucharadas, solo o con jugo, si desea disfrazar el sabor. El vinagre también es útil como gargarismo, si la tos va acompañada de una garganta irritada.
- Una antigua "cura" es el jarabe de escaramujo: cubre dulcemente la garganta y es rico en vitamina C.
- La **manzanilla** es una hierba reconfortante: ayuda a dormir cuando se toma como té, y a la tos con catarro cuando se usa como inhalación. También puede añadir unas cuantas gotas de tintura de manzanilla en un recipiente sobre un calentador en la recámara, por la noche.

Prepare un té calmante para la tos
- El **tomillo** es expectorante y también contiene sustancias que relajan el tracto respiratorio. Para hacer un té de tomillo,

Elimine el garrotillo con vapor

Un niño con garrotillo tiene una tos muy áspera que empeora de noche. El garrotillo, causado por una infección viral o bacterial, por lo general no es peligroso, pero puede ser atemorizante para los padres. Para tratarlo, lleve a su hijo al cuarto de baño y deje correr el agua caliente hasta que el vapor llene el cuarto para crear un ambiente húmedo. Mantenga al niño en el vapor hasta que el garrotillo disminuya. Si no mejora —o si el niño tiene problemas para respirar- llame al doctor o lleve al niño a un hospital.

¿Podría la acidez gástrica ser el problema?

Si la tos le molesta principalmente después de las comidas, por la noche o mientras está recostado, su problema podría no estar en el pecho sino en su sistema digestivo. La acidez gástrica resulta cuando los ácidos del estómago suben al esófago, irritando el delicado tejido, lo que puede provocar tos. Si puede controlar cualquier síntoma de acidez gástrica, encontrará que al mismo tiempo está tratando a la tos.

ponga dos cucharadas de tomillo fresco (o una de tomillo seco) en una taza de agua caliente.

El hisopo aromático se ha usado en licores y en medicinas desde los tiempos bíblicos. Se puede tomar una infusión de flores secas de hisopo tres veces al día para la tos, el asma y la bronquitis.

Tome a sorbos té de malvavisco. Cuando se combinan con agua, las hojas de malvavisco producen una goma viscosa que adelgaza la mucosidad de los pulmones, aliviando la tos. Para hacer el té, prepare una infusión con tres gramos de hojas secas en una taza de agua caliente durante 10 minutos y cuele antes de beber. Tome tres tazas al día.

Agregue 45 gotas de tintura de **regaliz** a una taza de agua caliente y tómela a sorbos tres veces al día. El regaliz relaja los espasmos bronquiales. (*Alerta* Tome regaliz sólo durante unas dos semanas, pues puede subir la presión arterial.)

Los practicantes del Ayurveda, la medicina tradicional de India, recomiendan un **té de especias** que se puede tomar varias veces al día. Para hacer el té, agregue media cucharadita de **jengibre** pulverizado y una pizca de polvo de ajo y canela en una taza de agua hirviendo, mezcle y bébalo.

Masaje de alivio

Compre una **pomada para el pecho** que contenga alcanfor o mentol y aplíquela en el cuello y el pecho. Puede ayudarle a respirar con más facilidad al reducir la congestión. Prepare una infusión con hojas de **eucalipto** y aceite esencial, e inhale el vapor por la boca y la nariz. El aceite esencial se puede untar en el cuello y el pecho dos veces al día.

Si no tiene nada para untarse en el pecho, haga una cataplasma de mostaza para aliviar la congestión. Mezcle una parte de polvo de mostaza con dos partes de harina en un recipiente. Agregue sólo el agua suficiente para hacer una pasta. Espárzala en una toalla desechable y dóblela a la mitad. Proteja su piel con una capa de vaselina y aplique la cataplasma. (No ponga la mezcla de mostaza directamente sobre la piel, ya que puede quemar.) Quite la cataplasma si se irrita la piel. Algunas personas recomiendan usar clara de huevo en lugar de agua para reducir las probabilidades de que la pasta queme.

Aprenda una nueva técnica para toser

• Si la garganta se irrita por la tos, **oblíguese a hacer una serie de pequeñas y suaves tosidas,** para terminar con una fuerte. Las pequeñas tosidas ayudan a desplazar la mucosidad hacia la parte superior de las vías respiratorias.

Ponga un poco de ritmo en su remedio

• Si está en casa y tiene alguien que le pueda ayudar, use una técnica de percusión de pecho para lograr despejar la congestión. Recuéstese sobre el estómago en una cama firme o en un tapete. Pida que rítmicamente le den golpes en la espalda con la mano ahuecada, yendo de la espalda baja hacia la nuca. Repita varias veces hasta que la congestión empiece a ceder.

Luces apagadas, vapor encendido

• Para ayudar a prevenir la tos nocturna, use un humidificador en su recámara para humedecer el aire, particularmente en invierno.

Elección de un jarabe para la tos

Cuando vaya con su farmacéutico para comprar un jarabe o una mezcla para la tos, ¿cuál escogería? El farmacéutico está calificado para darle el mejor consejo, así que no intente saber más que él y pregúntele. Si usted tiene que expulsar flema, compre un jarabe expectorante para la tos que contenga guaifenesina y tómelo durante el día: aflojará la mucosidad y será más fácil despejar las vías respiratorias bajas. Sólo tome una sustancia deprimente si tiene una tos seca o que provoque fuerte dolor. Busque en la etiqueta por codeína o un destrometorfano. Como una alternativa de estas medicinas para la tos, acuda a una farmacia homeopática a que le preparen un compuesto para la tos.

Infecciones del tracto urinario

Para las mujeres, esa sensación de ardor cuando orinan usualmente significa una cosa: infección del tracto urinario (ITU). Una de cada cinco mujeres sufre por lo menos de una infección como ésa –conocida como cistitis- una vez al año; la ITU es menos frecuente en el hombre. Si a usted le recetan antibióticos, asegúrese de terminar la dosis prescrita. Mientras tanto, siga este consejo para acortar la infección y aliviar el dolor.

Tómelo

• Al primer signo de infección, prepare una fría y espumosa bebida con bicarbonato de sodio. Disuelva $1/4$ de cucharadita de bicarbonato en 125 ml de agua. Beba dos vasos de agua simple y luego esta mezcla, que hace que la orina sea menos ácida, lo que reduce la comezón y el ardor cuando orina.

• Durante el día, beba un vaso de agua cada hora aproximadamente. Cuando llena de agua su tracto urinario, desaloja a la bacteria. También, entre más agua beba, más diluida es su orina y menos irritante.

• No es un cuento de la abuela: una investigación científica ha demostrado que el jugo de **arándano** verdaderamente ayuda a las mujeres a deshacerse más rápido de las infecciones urinarias. También ayuda a prevenirlas. No hay nada en el jugo que evite que la bacteria se multiplique, pero contiene una sustancia que le impide adherirse al revestimiento del tracto urinario. Y, si la bacteria no se adhiere se eliminará fácilmente con la orina. Beba un vaso de 300 ml todos los días para prevenir y tratar las ITU.

• **Evite bebidas cítricas, jugo de tomate, café y alcohol.** Todas estas bebidas pueden hacer más doloroso el orinar.

Pruebe estos tés que eliminan la infección

• Haga una taza de té de ajo. Suena muy desagradable pero si está sufriendo de dolor por cistitis probará cualquier cosa. El ajo contiene poderosos componentes que matan a la bacteria, lo que lo hace ideal para luchar contra los bichos que causan las ITU. Pele un par de dientes de ajo frescos macháquelos bien, luego póngalos en agua tibia. Deje que se haga la infusión durante cinco minutos.

¿Qué ocurre?

Las mujeres padecen infecciones del tracto urinario (ITU) con más frecuencia que los hombres. Esto se debe a que ellas tienen una uretra mucho más corta que está más cerca del ano y de la vagina, lo que significa que los bichos pueden entrar fácilmente en la vejiga. Los síntomas incluyen ardor al orinar, una sensación de vejiga llena y una frecuente necesidad de orinar, y a veces fiebre. Generalmente, los hombres tienen ITU cuando una inflamada glándula prostática obstruye el flujo urinario. Tome en cuenta que pueden surgir síntomas similares como resultado de una irritación mecánica o química, como sucede después de tener relaciones sexuales, por alergias, una mala higiene o debido a ciertos medicamentos.

¿Llamaré al doctor?

¿Sabía qué?

Aunque pocos hombres sufren de infecciones del tracto urinario, cualquier hombre con una próstata agrandada tiene un riesgo mayor que el promedio. Pero hay remedios que pueden ayudar a manejar este problema (vea Problemas de la prostata).

• Para ayudar a su sistema inmunológico a luchar contra la infección –y estimular su ingesta de fluidos al mismo tiempo- haga **té de equinácea** usando bolsas de té o al hacer una infusión con dos cucharaditas de raíz cruda en agua caliente. Beba tres tazas de té al día.

• Haga un té de **apio de monte** (pariente de las zanahorias) al vaciar una taza de agua hirviendo en dos cucharaditas de la raíz picada y seca. Deje hacer la infusión durante 10 minutos, luego cuele y beba. Esta hierba de jardín contiene componentes con poderes antiinflamatorios y que matan las bacterias. También es diurético, lo que ayuda a enjuagar el sistema.

• Tome **té de ortiga**. Esta hierba es diurética. Hará que orine más, lo que ayuda a eliminar la bacteria. Use una cucharadita de hierba seca en una taza de agua caliente. Beba una al día.

Antisépticos herbales

• Cuando la orina es alcalina, como sucede con los **vegetarianos**, la hierba **gayuba** es particularmente recomendada. Los demás también pueden usar el remedio, pero temporalmente, deberían seguir una dieta estricta que incluya muchas frutas y vegetales, y muy poca carne. La gayuba es un pequeño arbusto lechoso cuyas hojas se han usado por cientos de años para tratar las infecciones del tracto urinario debido a sus propiedades antisépticas. Tome una o dos cápsulas de 100-200 mg, tres veces al día con los alimentos. Deje de tomar esta hierba cuando se sienta bien otra vez y no la tome por más de una semana, ya que altas dosis a largo plazo pueden dañar el hígado. Si está tomando gayuba, tampoco tome vitamina C; hará que su orina sea más ácida y contrarreste los efectos de la hierba.

• El **sello dorado** es una arma natural contra la bacteria *E. coli*, la culpable detrás de muchos casos de ITU. No sólo lucha contra la bacteria, sino que también estimula su sistema inmunológico y ayuda a sanar la inflamación en el tracto urinario. Tome de 500 a 1 000 mg de extracto de sello dorado, una vez al día durante una semana como máximo.

El poder de la prevención

• Lo más importante es que usted puede **orinar regularmente** –por lo menos cada cuatro horas– y asegurarse que la vejiga se vacíe totalmente cada vez: cuando usted crea que ha terminado, espere (las mujeres deberían pararse) y luego trate una segunda vez.

- La **vitamina C** y los **flavonoides** protegen su vejiga de la bacteria adherente. Tome hasta 1 000 mg de vitamina C y hasta 600 mg de flavonoides al día.

- Si usa espermicidas o un diafragma, considere **otro tipo de control de natalidad**. Estos pueden contribuir a la ITU al modificar la bacteria en la vejiga, que entonces puede meterse en la uretra. Los diafragmas también pueden irritar mecánicamente.

- Use jabones suaves y sin perfume, y evite los baños con aceites esenciales y burbujas.

- Evite ciertos alimentos incluyendo los espárragos, espinacas, betabeles, zanahorias crudas, tomates, frutas cítricas, fresas, carne roja y leche —todo esto puede agravar la cistitis.

- Tenga cuidado de tener limpia el área genital y anal. Siempre lávese antes de **tener relaciones sexuales** y **vaya al baño después**. La orina limpiará la bacteria que se haya introducido en la uretra durante el contacto sexual.

- Después de usar el baño, límpiese de **adelante hacia atrás** para evitar la transmisión de bacterias hacia el tracto urinario.

- Cuando la ropa interior es caliente y húmeda, se convierte en un lugar ideal para la proliferación de la bacteria. En lugar de fibras sintéticas, use **ropa interior suelta de algodón** que "respire" y evite mallas apretadas y trusas apretadas.

- Por la misma razón, no permanezca mucho tiempo en un traje de baño mojado y apretado. Cámbiese a **ropa seca** lo más pronto posible después de nadar.

- Un reciente estudio finlandés encontró que las mujeres que frecuentemente comen queso y yogur tienen menos ITU; es posible que esto se deba a que estos alimentos contienen bacterias beneficiosas que ayudan a mantener a las bacterias problemáticas bajo control. Todos los días, tome de **dos o tres envases de yogur**, que contenga las bacterias "amigables", *Lactobacillus acidophilus*. Este es un consejo especialmente útil si usted está tomando antibióticos, que no sólo matan los gérmenes dañinos, sino que también eliminan a las bacterias buenas.

Trastorno afectivo estacional (TAE)

Cuando algunas personas oyen sobre los síntomas del TAE, su primera reacción es, "¡Ah, ese es mi problema!" Si las profundidades del invierno siempre han parecido especialmente melancólicas, puede ser tranquilizante saber que no es usted la única persona que padece la depresión estacional. Si su estado de ánimo se vuelve tan negro como para no poder funcionar normalmente, no dude en llamar a su doctor. Pero si sus síntomas son leves, los siguientes remedios pueden ayudarle a encender su vida.

¿Qué ocurre?

El trastorno afectivo estacional (TAE) es especialmente predominante en los meses más oscuros del invierno –diciembre, enero y febrero– cuando la luz del sol es poca. Los síntomas incluyen depresión que va de leve a severa, bajos niveles de energía, mucho sueño, deseo de azúcar y fécula, y aumento de peso. El TAE se ha ligado con la hormona melatonina que la glándula pineal produce en el cerebro. Bajos niveles de luz resultan en un aumento de la producción de melatonina. Otra teoría sugiere que la luz del sol afecta los niveles de los químicos del cerebro reguladores del estado de ánimo, como la serotonina.

¡Ilumínate!

• Haga todo lo que pueda para **aumentar la cantidad de luz natural** que entra en su casa. Mantenga las cortinas y persianas abiertas. Si las ramas de los árboles bloquean la luz, córtelas. En un cuarto oscuro, considere el instalar un tragaluz, en especial si es la cocina o un área donde para mucho tiempo.

• En los días invernales soleados, **salga a caminar**. Aunque la luz invernal no tenga una intensidad de verano, una dosis de sol es mucho más efectiva que los focos interiores.

• Planee sus vacaciones más largas durante los meses de invierno y vaya a **climas cálidos y soleados** si le es posible. El sólo hecho de escaparse una o dos semanas de la tristeza del invierno puede proporcionar un agradecido alivio a los síntomas TAE.

Únase a un gimnasio o camine en el frío

• Mientras que una investigación muestra que el ejercicio ayudará a aliviar la depresión, es difícil motivarse en invierno. Si usted se une a un deportivo y establece una hora regular para asistir, es más probable que haga el ejercicio que necesita para intensificar su estado de ánimo.

• Mejor aún, haga **ejercicio en el exterior**. Camine, corra o ande en bicicleta –cualquier cosa que usted disfrute y que lo haga salir al aire fresco y a la luz de día. Hasta en los días grises, usted se las arreglará para absorber algún ligero rayo de sol si anda afuera haciendo ejercicio. Si en realidad es demasiado horrible, qué le parece sentarse en una bicicleta estática frente a una caja luminosa.

Una hierba antipreocupaciones

• Para ayudarse a levantar su estado de ánimo, tome una cápsula de 500 mg de **hierba de San Juan** tres veces al día. Una vez llamada "gracia de Dios" o "hierba bendita", es un antidepresivo ligero. Durante los últimos 20 años, se ha demostrado que uno de sus componentes ayuda a aumentar los químicos del cerebro que fomentan el estado de ánimo, las serotoninas. Sin embargo, un inconveniente de la hierba de San Juan consiste en que aumenta la sensibilidad de la piel a la luz del sol. Cuando lo esté tomando, asegúrese de usar mucho bloqueador de sol antes de salir. (*Alerta* No combine la hierba de San Juan con una terapia de luz, pues tiene el riesgo de dañar sus ojos y su piel. Tampoco tome la hierba con antidepresivos.)

Otros promotores del estado de ánimo

• Tome diariamente un suplemento multivitamínico y minerales que contenga vitamina B_6, **tiamina** y **ácido fólico**. Los estudios han demostrado que todas estas vitaminas B pueden mejorar el estado de ánimo.

• No abuse del pan, dulces o algún otro alimento azucarado. La azúcar refinada puede darle un empujón inicial, pero después su energía cae en picada, al igual que su ánimo. Prefiera los alimentos **altos en proteína** que pueden **ayudar** a aumentar su agudeza –quizá, un huevo hervido para el desayuno y un sándwich de pechuga de pollo para la comida.

• Para prevenir los cambios bruscos de humor, **no tome alcohol**. Una bebida puede ayudar a disipar la ansiedad por poco tiempo. Pero debido a que el alcohol es un depresivo, su humor decaerá cuando pase el efecto.

¿Llamaré al doctor?

Si experimenta una severa depresión y cambios en su hábitos alimenticios o de dormir, vaya al doctor. Su condición puede mejorar con antidepresivos y también con una terapia de luz –que involucra al exposición a un accesorio de luz especialmente diseñado.

Deje que entre la luz

Venza la depresión de invierno al estimular su exposición a la luz. Usted puede comprar una caja de luz de espectro completo que emita luz artificial brillante para compensar la falta de luz natural. Se piensa que la luz altera los niveles de melatonina y serotonina, así que tiene una posible influencia en los patrones de sueño y los sentimientos de bienestar.

Ponga la caja a un metro de altura de donde esté trabajando, cocinando o leyendo, y conéctela. Algunas personas obtienen un claro beneficio con una exposición de 30 minutos. Otras necesitan de varias horas. Pruebe y vea: no puede tomar una dosis excesiva de luz. Las cajas de luz están disponibles en línea.

Trastornos auditivos

No hay nada como un dolor de oído para evocar los recuerdos más desagradables. Dicho sencillamente, los dolores de oído no son gratos. Usted puede acercarse al problema desde afuera, usando gotas para oídos o un jugo de ajo, o desde adentro con sopas y gárgaras que ayuden a drenar la mucosidad y a expandir las trompas de Eustaquio. Tratamientos de calor y frío también pueden ayudar a resistir el dolor.

¿Qué ocurre?

Un dolor de oído significa que algo está fuera de control en el oído medio, que es um pequeño espacio detrás del tímpano. Un canal llamado trompa de Eustaquio corre del oído medio a la parte posterior de la garganta. Permite que el fluido se drene y es el lugar donde la presión interna se ajusta para unirse con la del aire exterior. El virus del resfriado común puede provocar que se acumule el fluido en la trompa de Eustaquio, disparando un dolor significativo. La bacteria prolifera en el fluido, conduciendo a infecciones en el oído medio. Éstas son muy comunes en los niños, pero también pueden golpear a los adultos. Si tiene un dolor de oído por volar, probablemente la causa es una excesiva presión de aire más que una infección.

Ponga gotas

● Caliente una cucharada de **aceite para bebé**, **mineral** o de **oliva**, sobre un recipiente con agua caliente durante un minuto, pruebe la temperatura en el dorso de la mano, luego vierta unas cuantas gotas del aceite caliente dentro de su oído.

Drénelo, séquelo

● Pruebe con una **sopa de pollo condimentada** o un ardiente platón de **carne con chile**. Lo picoso hace que su mucosidad fluya y ayude a sus oídos a drenarse, liberando la presión.

● Beba mucha **agua** al día. Los músculos que trabajan cuando se traga, ayudar a que las trompas de Eustaquio se abran, permitiendo que sus oídos se drenen.

● Haga gárgaras con **agua salada tibia**. Ayuda a aumentar la circulación de sangre a las trompas de Eustaquio y disminuye cualquier inflamación que pudiera bloquearlas

● Pruebe la **equinácea** y **el sello dorado**. La primera ayuda a su cuerpo a luchar contra la infección y el segundo a secar el fluido en el oído. Agregue un gotero completo de tintura de cada uno a un poco de agua y bébalo cada dos a tres horas.

● Use una **almohada extra** para apoyar la cabeza un poco más elevada de lo normal mientras duerme. Esto ayudará a sus oídos a drenar, liberando la presión..

Calor y frío

● Recuéstese de lado y coloque una **bolsa de agua confortablemente caliente** o una **almohadilla eléctrica** sobre el oído. O use una toalla humedecida en agua caliente. El tranquilizante calor aumenta la circulación al oído y también ayuda a reducir la presión.

Use una **secadora de pelo** como otra fuente de calor. Póngala en la temperatura más baja, sosténgala a por lo menos 15 cm del oído, y dirija la corriente de aire hacia el oído.

Para eliminar la inflamación del oído infectado, use **calcetines helados** en los pies y **aplique compresas calientes** en el oído. Empape unos calcetines de algodón en agua helada, exprímalos y póngalos en la planta de los pies. Luego póngase unos calcetines de lana sobre los fríos para mantenerlos en su lugar. Al mismo tiempo, coloque una compresa húmeda caliente sobre el oído adolorido.

Alivie el dolor con ajo

Coma uno o dos dientes de ajo crudo al día. El pungente bulbo ayuda a luchar contra virus y bacterias. Algunos valientes sólo mastican los dientes. Otros machacan ajo fresco, lo mezclan con aceite de oliva y lo untan en su pan favorito.

Haga **gotas antibacteriales** para los oídos. Exprima un diente de ajo y mezcle unas cuantas gotas del jugo antibacterial en una cucharadita de aceite de oliva. Ponga gotas en su oído para luchar contra la infección.

Quite la cerilla

Cuando sus oídos producen mucha cerilla o cuando usted sin darse cuenta la empuja al tratar de limpiarla, puede formar un tapón en lo profundo del oído. Esto provoca dolor, zumbido, pérdida de la audición y problemas de equilibrio. Quitar la cerilla es un proyecto de dos partes: primero, la inserción de algo que suavice la cerilla, luego un lavado de oído para remojar la sustancia pegajosa y sacarla.

Dé un suave **masaje** en el área directamente atrás del lóbulo para ayudar a aflojar la cerilla. Luego **jale el lóbulo** mientras abre y cierra la boca.

Suavice y enjuague

Cuando se vaya a dormir, llene un gotero con aceite de oliva caliente y viértalo en el oído afectado. Deje que el suavizante fluido penetre en su oído. Después, ponga un **tapón de algodón** en el oído para evitar que se manche la almohada. Repita el tratamiento de aceite de oliva caliente por cuatro días. Si la cerilla es suave, **saldrá por sí sola**.

¿Llamaré al doctor?

Vea a su doctor si el dolor de oído es muy fuerte, si dura más de unos días o está acompañado por fiebre. También debería hablar con el médico sobre cualquier líquido que salga del oído, sensaciones de mareo o dolor cuando mastica. Un dolor repentino e intenso, seguido por algún alivio, podría indicar una ruptura del tímpano. Otros signos comunes de ruptura de tímpano es un líquido que sale del oído (algunas veces sangre), una audición disminuida, zumbidos y la sensación de mareo y vértigo. *Si usted tiene estos síntomas, vea a su doctor antes de tratar cualquiera de los remedios de este capítulo.* También, consulte al médico si su audición se bloquea debido a cerilla impactada y los intentos de eliminarla en casa no producen ningún alivio. El doctor puede sugerir gotas para el oído o una inyección.

El oído de nadador es una infección del canal auditivo exterior. No es necesario que usted sea un nadador para padecerla, también la puede causar el baño en regadera. Surge cuando el agua queda atrapada dentro de los oídos, permitiendo que florezcan bacterias u hongos. Para empezar, se puede sentir el oído bloqueado o irritado. No tratar la infección puede causar inflamación y alguna supuración. La forma de verificar si padece un oído de nadador es sentir un dolor agudo al presionar la carnosidad triangular que cubre la entrada al canal auditivo.

Aire para escuchar

- Después de terminar el lavado para sacar la cerilla, use una **secadora de pelo** para secar los oídos. Préndala en el nivel más frío y sosténgala a unos 30 cm de distancia.

¿Limpiar o no?

- Cada vez que se lave, pase una franela húmeda alrededor de los círculos y espirales de su oído exterior. A no ser que esté retirando cerilla, suavizando con aceite, **nunca introduzca un hisopo** ni ningún otro objeto en el oído. Podría perforar el tímpano o raspar el canal auditivo.
- Algunos expertos creen que las **grasas saturadas** hacen que su cuerpo produzca mayor cantidad de cerilla y que también la engruesan. **Elimine** las carnes grasosas, la mantequilla y los quesos amarillos, además minimice su consumo de grasas hidrogenadas que se encuentran en los alimentos procesados. Reemplace estas grasas dietéticas con unas más saludables, como las que se encuentran en el pescado azul, nueces y semillas
- Si utiliza una **prótesis auditiva**, límpiela con un pañuelo desechable todas las noches antes de dormir, cuando se lo quite. Esto quita los residuos de cerilla antes de que tenga tiempo de acumularse.
- Para las personas que tienen mucho vello en la oreja –en particular los ancianos- es útil recortarlo con un **recortador de vello de oreja** operado con baterías. Esto ayudará a impedir que la cerilla se apelmace en el vello alrededor de la apertura del canal auditivo.

Estrategias para los oídos de los nadadores.

- Primero **vea a un farmacéutico**. Explíquele sus síntomas y pídale un remedio adecuado de venta directa. Si su oído aún está en la etapa de irritación, algunas gotas pueden aliviarlo antes de que la infección se propague.
- Alternativamente, mezcle partes iguales de alcohol desnaturalizado y vinagre blanco, y use un gotero limpio para poner unas gotas en su oído irritado. Ladee la cabeza para que la mezcla entre al canal auditivo, luego tire del lóbulo para asegurarse que entre por todo el canal. Mantenga la cabeza ladeada o recuéstese por unos minutos, luego siéntese y ladee

la cabeza hacia el hombro para drenarlo. La acidez del vinagre crea un ambiente hostil para la bacteria y el hongo, mientras que el alcohol se evapora rápidamente, ayudando a secar el canal auditivo.

El poder de la prevención

Unos cuantos pasos sencillos que pueden evitar que tenga que preocuparse del dolor de oído o del oído de nadador.

• Cuando esté resfriado, **suénese suavemente**. Si lo hace con demasiada fuerza, puede empujar la bacteria de regreso al oído medio desde los senos nasales y disparar la infección.

• Usualmente, las infecciones de oído pueden ser un signo de **alergia de alimento**. Con más frecuencia, los alimentos problemáticos son los lácteos, el trigo, maíz, nueces o naranjas. Pruebe retirar estos alimentos de su dieta por algunas semanas para ver si se siente mejor. Luego, intégrelas nuevamente una a la vez. Si sus oídos se empiezan a irritar, elimine ese alimento en particular de su dieta.

• Mastique **chicle sin azúcar** que contenga edulcorante artificial, que viene del árbol del abedul (y también del de fresas o ciruela). En un estudio, niños que masticaron dos piezas de chicle cinco veces al día durante dos meses tuvieron el 40% menos de infecciones de oído. Este edulcorante puede cortar el crecimiento de la bacteria que causa las infecciones en el oído medio.

• **Use tapones** para oídos cuando nade y cuando se lave el cabello o se se bañe bajo la regadera, para no permitir que entre el agua. Escoja tapones de cera o silicona que pueden suavizarse y moldearse para que encajen en el canal auditivo o compre tapones para oído especialmente diseñados para nadadores, que también están disponibles para niños.

• Después de nadar o bañarse, **seque sus oídos**. Ponga la secadora en lo más bajo y dirija el aire tibio a su oído por unos 30 segundos. Manténgala por lo menos a 30 cm de distancia.

• No trate de sacar toda la **cerilla** de su oído. En cantidades normales, ésta cubre el canal auditivo, lo que protege el oído interior de la humedad.

• Evite la exposición a **ruidos fuertes** —si está haciendo algún trabajo ruidoso, use protectores de oído.

Úlceras pépticas

Ésta es una dolencia que hace que uno agradezca los antibióticos capaces de exterminar el *Helicobacter pylori*, la bacteria que causa la mayoría de las úlceras. Lejos están los días en que se creía que sólo era el estrés el que hacía agujeros en el estómago. Si en su caso el *H. pylori* es el culpable, es probable que le prescriban un tratamiento de antibióticos durante 14 días. La recuperación se lleva cerca de ocho semanas. Mientras tanto, hay pasos que puede dar para aliviarla. No use ninguna medicina herbal hasta que haya terminado el tratamiento de antibióticos.

¿Qué ocurre?

Las úlceras pépticas son llagas como cráteres en el revestimiento del estómago o en la sección más alta del intestino delgado, el duodeno. Esto ocurre cuando la pepsina, una enzima digestiva, empieza a digerir su propio tejido. Por lo general, su tracto gastrointestinal se protege a sí mismo de los jugos digestivos con una gruesa capa de mucosidad y antiácidos naturales. Pero la bacteria que puede estar viviendo en la pared de su tracto digestivo, llamada *Helicobacter pylori*, puede romper este sistema de defensa. Lo mismo sucede con el uso prolongado de medicamentos antiinflamatorios sin esteroides como la aspirina y el ibuprofeno.

Neutralice el ácido

- Los más rápidos liberadores de dolor son los antiácidos, que ayudan a neutralizar la acidez estomacal, proporcionando alivio en 10 a 15 minutos. Tome dos cucharadas después de cada comida, a la hora de dormir y cada vez que sienta que su úlcera empieza a dar guerra.

- Es posible que le receten un **bloqueador H$_2$** para el alivio del ardor y la indigestión, reducen la secreción de ácido estomacal y ayudan a sanar con más rapidez. Tome los bloqueadores H$_2$ recetados en la dosis recomendada en la etiqueta. Pero no tome antiácidos exactamente a la misma hora del día en que toma los bloqueadores H$_2$, o la efectividad posterior se reducirá. Deje pasar por lo menos una o dos horas entre los diferentes medicamentos. (*Alerta* no intente recetarse usted mismo; debe contar con la aprobación de su médico, existe el peligro de que la autoprescripción pudiera disfrazar los síntomas de una condición más grave, como un cáncer gástrico).

- **Comer** también puede ayudar a aliviar temporalmente la molestia. Esto se debe a que los ácidos estomacales se neutralizan mientras se digiere el alimento. Pero si tiene una úlcera duodenal, el comer empeorará el dolor, *a no ser* que ingiera una dieta rica en fibra. Ésta hace más lento el proceso digestivo. El dolor *duodenal* se alivia cuando el alimento atraviesa más lentamente a través del estómago, dándole más tiempo al ácido estomacal para neutralizarse.

- Algunos estudios en animales indican que el **jengibre** puede ayudar a reducir la liberación de fluidos digestivos en el tracto gastrointestinal. También combate la inflamación. Puede ingerir cápsulas o romperlas y disolverlas en agua o jugo. No tome más de una cucharadita al día, ya que demasiado puede tener un efecto contrario. También puede mascar jengibre cristalizado. Es probable que las bebidas de jengibre manufacturadas no contengan suficiente de esta raíz para hacer mucho bien, pero la cerveza de jengibre real puede ayudar.

Ponga una capa protectora

• El regaliz, que forma una capa protectora entre el revestimiento estomacal y el ácido estomacal, ha probado su utilidad para sanar las úlceras. Compre la forma conocida como regaliz desglicirrinado (RDG), ya que el regaliz ordinario puede elevar la presión sanguínea. Mastique una o dos obleas de RDG unos 30 minutos antes de cada alimento (necesita masticar obleas más que tomar cápsulas, ya que RDG se activa sólo cuando se mezcla con la saliva). No ingiera regaliz si todavía está tomando antibióticos. No es fácil encontrar las obleas de RDG. Es posible que las tenga que ordenar en una tienda de alimentos naturales o comprarlas en línea.

• También la corteza interna del **roble rojo** se usa para cubrir las gargantas irritadas, ya que produce mucho mucílago, una pegajosa sustancia transparente y gelatinosa que puede ayudar a proteger el revestimiento del estómago. Tómelo como té, usando una cucharadita en una taza de agua caliente. Beba tres tazas al día. Otros tés que pueden ayudar a calmar las irritadas membranas mucosas son la caléndula, la manzanilla, el malvavisco y la ulmaria.

• Mastique y trague una cucharadita de **semillas de linaza**. Igual que el roble rojo, las semillas crean un mucílago tranquilizador en el estómago. Y además agregan un saludable bono al ser una excelente fuente de ácidos grasos Omega-3, que también pueden ayudar a bajar los niveles de colesterol.

• Pruebe el **jugo de zábila**. Un remedio tradicional europeo para las úlceras; parece que el jugo mitiga la inflamación gastrointestinal y puede reducir las secreciones ácidas estomacales.

Agregue alimentos contra la úlcera

• Beba jugo de col cruda. Quizá no sea lo que usted escogería para beber, pero si sufre de úlcera péptica, es lo que necesita.

¿Llamaré al doctor?

Vea al doctor si tiene alguno de los siguientes síntomas de úlcera:
• Una sensación de ardor en los intestinos;
• Eructos, distensión abdominal o dolor;
• Sangre roja en las heces;
• Lentas heces negras;
• Inexplicables náuseas;
• Vomita sangre (que parece granos de café marrones o negros, o que es rojo brillante o café). Si siente un dolor extremo (en tal caso su úlcera puede haber perforado, una condición potencialmente amenazadora de vida), marque el número de emergencia o vaya al departamento de Urgencias más cercano de inmediato.

Los médicos tradicionales la usaron por años antes de que un estudio de 1950 mostrara que es un remedio efectivo. La sustancia activa de la col es la glutamina, un aminoácido que nutre las células del tracto gastrointestinal. Si no tiene un extractor de jugos en casa, compre el jugo de col crudo en las tiendas de alimentos naturales. Beba un litro al día durante tres semanas.

- Si no le gusta la col, la **piña** es otra fuente de glutamina.
- Coma mucha **cebolla**. Contiene compuestos de sulfato que pueden ayudar a neutralizar el *H. pylori*.
- Trátese con **miel**. Algunos estudios muestran que puede evitar el crecimiento de la bacteria *H. pylori*, causante de la úlcera. Ponga miel en su pan de la mañana, úsela en lugar del azúcar sobre el cereal o agréguela como endulzador a los tés.

Plantas protectoras

- El **astrágalo** es un potenciador inmunológico, antibiótico natural y antiinflamatorio que puede usar cuando no esté tomando antibióticos. Tome 200 mg dos veces al día.
- Otro miembro de la familia jengibre, la **cúrcuma**, parece proteger el recubrimiento gastrointestinal y también reducir las flatulencias. Use hasta una cucharadita de raíz en polvo al día para sazonar los alimentos como sopas y platillos de arroz. La cúrcuma no sirve para hacer tés porque no se disuelve en agua. Debido a que usted necesita una inmensa cantidad de raíz pulverizada para obtener el beneficio medicinal, puede elegir tomar un suplemento. Busque uno que se describa como extracto estandarizado de raíz, que contiene el 95 por ciento de curcuminoides y tome 300 mg hasta tres veces al día con los alimentos. El exceso de cúrcuma puede empeorar la úlcera, así que no exagere.

Encienda la tetera

- El **té de manzanilla** es un antiguo remedio favorito para tranquilizar el estómago porque calma la inflamación. Vierta una taza de agua muy caliente (no hirviendo) sobre dos cucharaditas de flores secas. Deje hacer la infusión por cinco minutos, luego cuele. Beba hasta tres tazas al día.
- La **menta** es otro antiinflamatorio que puede aliviar el dolor y ayuda a sanar. Para hacer el té, vierta 1 taza de agua hirviendo sobre dos cucharaditas de hojas secas, deje reposar por cinco

minutos, luego cuele las hojas. (*Alerta* No use la hierbabuena si tiene hernia hiatal ya que la hierba relaja los músculos gastroesofágico y empeora los síntomas)

Elimine el estrés

• Practique **respiraciones profundas**, **meditar**, **escuchar** música suave, hacer **yoga**, inhalar esencias relajantes… haga todo lo que pueda para eliminar el estrés. Antes de que supiéramos del *H. pylori*, se pensaba que las úlceras eran el resultado de un excesivo estrés. Hoy sabemos que éste no es el caso. Y si ya tiene *H. pylori* en su organismo, la oportunista bacteria aprovechará su reducción de defensas.

• Si está pasando por un periodo particularmente pesado, trátese con un **masaje** semanal. No hay una manera más agradable para relajarse y deshacerse del estrés.

El poder de la prevención

• La *vitamina C* puede disminuir el crecimiento de *H. pylori* si usted tiene colonias de esta bacteria en el estómago. Tome 500 mg dos veces al día. Los cítricos y los tomates son una buena fuente dietética, pero evítelos si ya tiene una úlcera.

• La **vitamina A** es indispensable. Las personas que toman esta vitamina son las menos propensas a desarrollar úlceras duodenales. La forma más sana para tomar suficiente vitamina A es agregar una amplia gama de frutas y verduras a su dieta.

• Coma mucho **yogur** que contenga cultivos activos, especialmente el *Lactobacillus acidophilus*, una bacteria beneficiosa que inhibe el *H. pylori*. En especial, es una buena idea comer mucho yogur mientras esté tomando antibióticos, ya que estos medicamentos no distinguen entre las bacterias dañinas y las beneficiosas, y matan las "buenas".

• **Reduzca la ingestión de alcohol**, pues irritar la pared estomacal.

• **Evite la cafeína y el tabaco.** Aumentan la producción de ácido estomacal, además el tabaco forma antibióticos menos efectivos.

Puros **cuentos**

Los doctores pensaban que los alimentos condimentados no eran buenos para las personas con úlceras pépticas. Sin embargo, las investigaciones modernas han demostrado que esto no es necesariamente la causa. De hecho, existe alguna evidencia que sugiere que los chiles, que contienen un químico llamado capsaicina, pueden ayudar verdaderamente a sanar las úlceras al estimular el flujo sanguíneo hacia la herida.

Uñas encarnadas

El cuidado de las uñas de los pies tal vez no sea una de las habilidades que más desee dominar, pero cuando una uña encarnada produce molestias, es sorprendente la rapidez con que el tema despierta nuestro interés. De los males menores en la vida, éste se cuenta entre los más prevenibles. Cuando una uña encarnada empieza a producir dolor, uno es capaz de probar cualquier cosa con tal de quitarla. Siga estos pasos para corregir el problema.

¿Qué ocurre?

Las uñas encarnadas son un problema que se presenta con mayor frecuencia en el dedo gordo del pie. Una uña gruesa y afilada comienza a encarnarse en la piel sensible que la rodea y va cortando la piel al crecer. La zona lesionada se enrojece, se vuelve dolorosa y vulnerable a infecciones. Algunas personas tienen uñas que crecen naturalmente de modo que propicia la aparición de este problema. Sin embargo, hay otros factores que intervienen; por ejemplo, usar zapatos o calcetines apretados o cortarse mal las uñas. Además, es mucho más probable que las uñas se encarnen si existen irregularidades estructurales, como los juanetes o los dedos en martillo.

Remoje los pies

- Llene hasta la mitad un cubo grande con **agua caliente**. Agregue varias cucharadas de **sal** y agite hasta que la sal se disuelva. Remoje los pies de 15 a 20 minutos todos los días. El agua caliente suaviza la piel que rodea la uña encarnada y la sal contribuye a combatir la infección y reduce la hinchazón.

Pruebe este truco con algodón

- Después de remojarse los pies, quite la sal con **agua tibia jabonosa**, enjuáguelos y séquelos.
- Introduzca un trozo pequeño de gasa de **algodón** entre el borde afilado de la uña y la piel sensible en la que se ha encarnado. Es posible que necesite una herramienta que le ayude a hacer esto. Sumerja un **palillo de dientes** limpio en **alcohol** para esterilizarlo. A continuación, use el palillo para empujar con cuidado el algodón debajo del borde cortante de la uña. Con el borde de la uña cubierto por la gasa en lugar de cortar la piel, sentirá menos dolor. Asimismo, la uña podrá ahora crecer sobre la piel en la que se ha encarnado.
- Aplique un antiséptico para prevenir infecciones y repita el procedimiento con un trozo limpio de gasa todos los días.

Mantenga limpios los pies

- Póngase **un par de calcetines limpios** todos los días. Aunque no es posible mantener los pies libres de gérmenes, habrá menos riesgo de infección si los mantiene limpios.
- Siempre que se dé un baño o una ducha, asegúrese de frotarse bien los pies con un **paño suave enjabonado**. En seguida, póngase un **ungüento antiséptico** en el dedo.

Muestre los dedos

En casa y en clima templado, use zapatos **abiertos en la punta**, como las sandalias. Los zapatos apretados sólo exacerban el problema porque hacen que la uña se entierre más profundamente en la piel que ya de por sí duele.

En invierno, asegúrese de que los zapatos cerrados sean **amplios en la punta**. Los zapatos puntiagudos son terribles para las uñas encarnadas.

El poder de la prevención

Antes de cortarse las uñas, remoje los pies en agua tibia unos minutos para **suavizarlas**. Cuando se corte las uñas de los pies, **córtelas en línea recta de lado a lado**, dejando un poco de uña extra en cada lado. A continuación, **lime las esquinas** muy levemente, apenas para que no queden afiladas. Aunque debe cortar así todas las uñas de los pies, preste atención especial a la del dedo gordo, ya que es la más vulnerable.

No se escarbe las uñas. Es muy probable que las esquinas se rompan y el borde restante de la uña puede encarnarse.

Asegúrese de comprar calzado que le quede bien, haga que le **midan los pies** siempre que compre zapatos nuevos. Los pies se agrandan y ensanchan con la edad y los zapatos que alguna vez le quedaron bien ahora pueden presionar los dedos.

Compre zapatos al final del día. Los pies suelen hincharse con el trajín del día y adquieren su mayor tamaño al anochecer.

Preste atención a cómo se **ata los zapatos**. Lo importante es evitar que el pie se deslice hacia el interior del zapato para que los dedos no topen con la puntera del zapato. Para lograr mejor este objetivo, asegúrese de que los cordones estén más apretados (pero no de manera que resulte incómoda) cerca de la parte superior del empeine.

Aunque usted no lo crea, las medias o calcetines apretados también afectan las uñas, incluso si el zapato es flojo y cómodo. Elija **medias o calcetines que no aprieten** los dedos.

¿Llamaré al doctor?

Consulte a su médico si el dedo supura, lo que es señal de infección. También necesitará atención médica si alguna lesión en la base de la uña hace que ésta crezca torcida. El enrojecimiento, en especial las vetas que se extienden por el pie, pueden ser síntoma de una infección grave, aunque no se presente fiebre. Si padece de diabetes, consulte a un médico o podólogo siempre que tenga una uña encarnada: al igual que cualquier otro problema en los pies, puede provocar complicaciones graves.

¡No lo haga!

No cubra el dedo lesionado con vendajes o apósitos apretados. Sólo conseguirá que la uña afilada se encarne más.

Uñas, problemas de las

Algunas personas se cuidan mucho las uñas, en tanto que a otras no les importan. Sin embargo, ya sea que le guste o no arreglárselas, necesitará buscar ayuda cuando la fragilidad, decoloración, protuberancias o infecciones de hongos afeen las uñas de las manos o los pies. He aquí algunas maneras para que se recuperen rápido con mejor nutrición, complementos seleccionados y antimicóticos.

¿Qué ocurre?

Aparte de las uñas encarnadas (vea la página 370), los hongos son probablemente el problema más desagradable de las uñas. Cuando se contrae esta afección, por lo general en la uña del dedo gordo del pie, la uña se hace más gruesa de lo normal, cambia de color y se desmenuza fácilmente. Otros problemas incluyen las uñas quebradizas, que pueden ser resultado de la edad, exceso o escasez de humedad o deficiencias nutricionales. Además, ciertas enfermedades de la piel pueden afectar las uñas, como la psoriasis (que puede producir uñas gruesas y picadas) y la caída del cabello por zonas redondeadas, conocida como alopecia areata (que puede producir uñas picadas, con protuberancias y rugosas).

Combata los hongos

• Para combatir los hongos pertinaces de las uñas, pruebe el **aceite de árbol de té**. Es un antiséptico potente que ayuda a que desaparezcan los hongos de las uñas. De hecho, en un estudio se demostró que es tan eficaz como un medicamento antimicótico. Una o dos veces al día, aplique una o dos gotas en la uña descolorida. El mejor momento para aplicarlo es después del baño o la ducha, cuando la piel está más suave.

• O si no, puede usar un **polvo antimicótico** que absorbe la humedad y previene la aparición de hongos. Algunos polvos eficaces son Canesten AF o Daktarin (a menudo recomendados para el pie de atleta). También puede aplicar un polvo fungicida medicado en los calcetines.

• Si tiene los pies sudorosos al llegar a casa, póngase de inmediato un **par de calcetines limpios**. Si trabaja en una oficina, lleve un par de calcetines limpios, en especial en los días calurosos del verano, para que pueda cambiarse antes de empezar a trabajar.

• **No recorte las cutículas**. Si lo hace, eliminará la barrera protectora de las uñas. Es más fácil que los hongos y bacterias se reproduzcan alrededor de la base de la uña sin cutícula.

Diga no a las uñas frágiles

• Tome 300 mcg de **biotina**, una vitamina B (también conocida como vitamina H), tres veces al día con los alimentos. Esta vitamina fortalece las uñas. Si tiene las uñas frágiles o quebradizas, la biotina puede ser todo lo que necesite para fortalecerlas y hacerlas más gruesas. Sin embargo, no funciona al instante. Es necesario seguir este tratamiento durante seis meses o más para producir una diferencia perceptible. Los alimentos que contienen biotina incluyen la cebada, nueces, arroz y soya.

• Beba una taza de **té de cola de caballo** u **ortiga** una vez al día. Estas hierbas tienen un alto contenido de sílice y otros minerales que las uñas necesitan para crecer. Ambas hierbas se venden en bolsas de té en las tiendas naturistas.

Coma bien para tener uñas hermosas

• Si tiene uñas quebradizas o escamosas, trate de comer más ácidos grasos esenciales. Estos ácidos se encuentran en alimentos como **pescados grasosos** (macarela, sardinas y salmón) y en las **semillas de linaza** o el **aceite de linaza**. Si no come mucho pescado, tome una cucharada de aceite de linaza al día (úselo en lugar de otro tipo de aceite en los aderezos para ensalada) o espolvoree semillas de linaza en el cereal u otros alimentos.

• El **aceite de onagra** es otra fuente de ácidos grasos esenciales. Tome 1 000 mg tres veces al día con los alimentos.

• Si las uñas tienen manchas blancas, es posible que padezca de una deficiencia de **cinc**. Para aumentar la ingesta de cinc en la dieta, coma carne de res, cerdo, hígado y aves (en especial la carne oscura), huevos y mariscos. El cinc también se encuentra en el queso, frijoles, nueces y germen de trigo.

Humecte y proteja

• Si tiene las uñas secas y quebradizas, frote vaselina o una crema espesa en las uñas para conservar la humedad debajo y alrededor de ellas. Si lo hace a la hora de acostarse, póngase un par de guantes delgados de algodón antes de dormir.

• **Use guantes de hule** cuando lave o realice otras tareas.

• Evite los quitaesmaltes con acetona o formaldehído. Secan las uñas. Use quitaesmaltes **a base de acetatos**.

¿Llamaré al doctor?

A menos que sospeche que tiene una deficiencia nutricional subyacente, las uñas quebradizas son un problema cosmético y no de salud. En cuanto a los hongos de las uñas, son persistentes y pueden pasar meses, o incluso años, para que desaparezcan por sí solos, por lo que debe preguntar a un médico si hay algún medicamento que pueda ayudarle.

Las uñas postizas crean hongos

Para las mujeres que tienen problemas de uñas frágiles y quebradizas, las uñas postizas pueden parecer una bendición. Pero si quiere evitar los hongos de las uñas, olvídese de los postizos, por más que desee tener uñas elegantes. Las uñas postizas se pegan encima de las verdaderas y el hueco intermedio crea un terreno propicio para los hongos. Aún peor, es una zona en la que puede desarrollarse una infección bacteriana. Las uñas postizas son la causa más común de infección por hongos en las uñas de las mujeres.

Urticaria

Un antihistamínico ayuda a reducir la reacción alérgica que causa la urticaria, nombre que se dio a esta dermatitis, porque los habones se parecen a las lesiones cutáneas producidas por la ortiga (del latín *urtica,* que quiere decir ortiga). Pregunte al farmaceuta por un medicamento que no provoque somnolencia. Mientras surte efecto, pruebe uno los siguientes tratamientos caseros para sentir mayor alivio.

¿Qué ocurre?

La urticaria, que puede presentarse en una zona pequeña o extenderse por todo el cuerpo, es una reacción alérgica que produce la aparición en la piel de bultos rojizos o blancos, llamados habones, que provocan comezón. Son el resultado de que las células liberen histamina, un agente químico que hace que los vasos sanguíneos filtren líquido en las capas más profundas de la piel. No se sabe con exactitud por qué algunas personas presentan urticaria, en tanto que otras no, y los "factores desencadenantes" son tantos que se clasifican en la categoría general de "varios". Algunas de las causas de la urticaria son: luz solar, calor, frío, estrés, infecciones virales o medicamentos. Lo que causa una alergia también puede provocar urticaria, como polen, polvo, caspa, ácaros, mariscos y otros alimentos.

Ahóguela con atención

• A menos que la causa de la urticaria sea el frío (lo que es raro), tome un **baño fresco** o aplique una **compresa de agua fría**. El frío constriñe los vasos sanguíneos e impide mayor liberación de histamina. Para aliviar la comezón, agregue **avena coloidal** al agua del baño y sumérjase de 10 a 15 minutos. (Sin embargo, tenga cuidado al salir del baño, ya que avena finamente molida hace que el piso sea muy resbaloso.)

Para conseguir alivio

• Aplique toques de loción de **calamina o hamamelis** en los habones. Estos astringentes ayudan a constreñir los vasos sanguíneos para que no filtren demasiada histamina.

• O pruebe con **leche de magnesia o Pepto-Bismol**. Debido a que son alcalinos, ayudan a aliviar la comezón.

• En una taza pequeña, agregue unas gotas de agua a **bicarbonato de sodio o cremor tártar**o y mezcle para formar una pasta. Extiéndala sobre la urticaria para aminorar la irritación y aliviar la comezón.

• Si sólo tiene unos cuantos habones pequeños y desea aliviar temporalmente la comezón, aplique una **crema de hidrocortisona** que se vende en farmacias sin necesidad de receta médica. Siga las instrucciones de la etiqueta.

• Mezcle una cucharadita de cualquier tipo de **vinagre** con una cucharada de agua tibia y aplique el líquido en la zona de urticaria con una mota de algodón para calmar la comezón.

• Un remedio tradicional chino para la urticaria recomienda hervir 60 g de **azúcar morena** y 30 g de **jengibre** en 200 ml de **vinagre** durante varios minutos. Mezcle un poco del líquido resultante con agua tibia y aplique varias veces al día.

Pruebe una hierba común

• Los herbolarios recomiendan la **ortiga** como una alternativa a los antihistamínicos. Tome hasta seis cápsulas de 400 mg al día. O recoja unos puñados de la hierba, póngala a hervir y cómala. Use guantes, mangas y pantalones largos para protegerse contra las hojas irritantes de la ortiga.

Pescados y vitamina C

• Tome 1 000 mg de **aceite de pescado** en forma de cápsula tres veces al día. Estas cápsulas contienen ácidos grasos esenciales que tienen propiedades antiinflamatorias. Los pescados grasosos, como el salmón, el atún fresco y la macarela, son buenas fuentes alimenticias.

• Tome hasta 1 000 mg de **vitamina C** en tres dosis divididas. En este nivel, la vitamina C tiene un efecto que emula la acción de los antihistamínicos. No tome más de 1 000 mg al día porque le puede dar diarrea.

Adopte medidas para evitar el estrés

• El estrés puede provocar o empeorar la urticaria. Si necesita reducir la tensión, aprenda alguna técnica de relajación, como la **meditación** o el **yoga**.

• Prepárese una taza de té de **manzanilla** o **valeriana**. Estas hierbas producen un efecto sedante que alivia el estrés y, en consecuencia, la urticaria. Para preparar el té, agregue una cucharadita de la hierba en una taza de agua hirviendo, deje reposar durante 10 minutos, cuele y beba la infusión.

El poder de la prevención

• Para evitar la urticaria, se necesita averiguar qué la ocasiona. Si no lo sabe, empiece a llevar un **diario**. Lo más probable es

¿Llamaré al doctor?

Aunque la urticaria es molesta, por lo general es inocua y desaparece en pocos minutos u horas. Si le sale urticaria alrededor de los ojos o en la boca o si tiene dificultades para respirar, resuello, mareos o somnolencia, busque atención médica de inmediato. Es posible que se encuentre en un estado que pone en riesgo la vida, llamado anafilaxia, y la hinchazón de los tejidos internos puede bloquear las vías respiratorias. Si tiene predisposición a la urticaria, pregunte a su médico si debe llevar consigo una jeringa preparada con adrenalina para inyectarla con rapidez en caso de que se presente una reacción anafiláctica. Si padece de urticaria crónica que no responde a los tratamientos leves, es posible que su médico prescriba esteroides orales.

Graffiti en la piel

Uno no piensa en que la piel es como un cuaderno, pero si padece un tipo de urticaria llamado dermografismo, podría parecerse. La gente que padece de dermografismo nota que cuando se rasguña, se forman habones parecidos a los de la urticaria. Esto se debe a la liberación de histamina y otros agentes químicos que ocasionan inflamación. Los pacientes que tienen dermografismo no muestran indicios de alergias y, por lo general, la reacción desaparece sin tratamiento, no así la tendencia.

En la búsqueda incesante de las causas de la urticaria, los médicos han descubierto algunos factores desencadenantes muy peculiares. A ciertas personas les sale urticaria inmediatamente después de exponerse al agua. Aún más extraño es que la urticaria puede producirse por la exposición a algo que vibra, como el mango de una aspiradora o la vibración rápida de un aparato eléctrico de masaje para los pies.

que las causas sean las cosas que come, bebe o traga: alimentos, bebidas, complementos y medicamentos. Pero incluso si no nota ninguna conexión aparente, siga llevando su diario y anote otros factores, como el clima, los niveles de estrés, la ropa que se pone o cuánto tiempo pasa al sol. Con un control cuidadoso, es posible que pueda relacionar un factor específico de su estilo de vida con la erupción de esos habones que causan comezón.

• Los alimentos que tienen más probabilidades de producir urticaria son los **mariscos, las nueces, el chocolate, el pescado, los tomates, los huevos, las bayas frescas y la leche**. Algunas personas reaccionan a los conservadores en ciertos alimentos y el vino, como los sulfitos. Una vez identificado el factor alimenticio desencadenante, elimínelo de la dieta y vea si tiene menos brotes como resultado.

• Los **desencadenantes medicamentosos** más comunes incluyen los antibióticos y las drogas antiinflamatorias que no contienen esteroides, como la aspirina y el ibuprofeno. Sin embargo, los doctores se han enterado de muchos otros desencadenantes, como los sedantes, tranquilizantes, diuréticos, complementos dietéticos, antiácidos, medicamentos para la artritis, vitaminas, gotas para los ojos y oídos, laxantes e irrigadores vaginales.

Varicela

La varicela dura sólo una semana o dos, pero en general, parece que el fin tarda una eternidad en llegar. Si el dolor es el problema, alívielo con paracetamol, nunca con aspirina. Si la comezón se vuelve insoportable, pruebe con un baño fresco y un antihistamínico para niños. Además, hay algunos trucos que puede reservarse para reducir el sufrimiento.

Mantenga fresco al niño

- Si es invierno, **ponga la calefacción** a la temperatura más baja que resulte confortable. En el verano, use un **ventilador**. El calor estimula el flujo de sangre hacia la superficie de la piel y exacerba la comezón.

- Déle un baño de agua tibia al niño durante 15 o 20 minutos cada pocas horas. No use jabón. En cambio, agregue media taza de **bicarbonato de sodio** a la tina con poca agua o una taza completa si el baño es profundo para ofrecer alivio adicional. La **avena coloidal** agregada al agua del baño también combate la comezón. Si no tiene avena coloidal (avena molida de forma tan fina que se queda suspendida en el agua), coloque avena común y corriente dentro de una media, ate el extremo y agite la media en el agua.

- Cuando el niño quiera rascarse, ofrézcale un **paño húmedo y fresco** para aplicarlo sobre la piel irritada. Si el niño se rasca puede provocarse infecciones y cicatrices. El uso del paño húmedo calma la comezón sin causar ningún daño. Como protección contra rascaduras, corte las uñas del pequeño y póngale guantes a la hora de dormir.

Combata la comezón

- ¿Debe aplicar **calamina**? La loción de calamina es un remedio tradicional que se usa desde hace mucho tiempo para calmar la comezón que produce la varicela. Sin embargo, los médicos se muestran ahora menos dispuestos a recomendarla y los dermatólogos creen que incluso puede empeorar la picazón.

- Aplique una **crema antihistamínica** para ayudar a calmar la comezón.

¿Qué ocurre?

El niño tiene una enfermedad infantil común, ocasionada por el virus varicella zoster. El virus se manifiesta al principio como una erupción o manchas rojas en el tronco, que se propagan a otras zonas del cuerpo en pocos días. Pueden aparecer sólo unas cuantas manchas o cientos de ellas. En el transcurso de aproximadamente una semana, muchas de las manchas se convierten en vesículas pequeñas, que se rompen y producen costras. El niño también puede presentar fiebre y tener comezón, que puede ser leve o intensa. Después de que las vesículas se curan, el virus entra en un estado latente y vive en los nervios sensoriales del organismo. Puede surgir años más tarde en la forma de una afección dolorosa llamada herpes.

SOPAS CURATIVAS DE TODO EL MUNDO

Las sopas son muy recomendables. Reconfortan, son fáciles de digerir y aportan nutrientes que el cuerpo necesita para recuperarse. El caldo de pollo es el mejor remedio para los resfriados. En China, la sopa hecha de vinagre de arroz, jengibre y ajo, se usa para aliviar la congestión. La de col ahora se recomienda como remedio para las úlceras. En otras partes del mundo, existen muchas recetas de sopas reverenciadas por sus beneficios para la salud. Éstos son algunos ejemplos.

India: sopa de frijol de Kulthi para la presión arterial alta

En el centro de India, un cultivo indígena llamado "frijol de Kulthi" se prescribe para controlar la hipertensión arterial. Es una semilla pequeña, parecida a la lenteja, que tiene el aroma del heno recién cortado. Cuando las vainas con las semillas maduran, se recogen, se secan y se baten con palas de madera. Las semillas se limpian y clasifican.

La sopa de frijol de Kulthi es un plato ligero con un leve sabor a mostaza. Se acostumbra mezclar con yogur y se sirve con arroz. Las semillas de frijol se ponen en remojo durante ocho horas, luego se dejan brotar otras ocho horas y, por último, se hierven a fuego lento en agua. Otros ingredientes que se usan son: *kokum* (fruto morado de un árbol de hojas perennes) y dientes de ajo machacado. Se agrega una cucharada de semillas de granada, molidas en una pasta, a una taza de sopa de frijol para ayudar a disolver cálculos renales y biliares.

Esta semilla se vende en tiendas especializadas en alimentos de la India. Pero si no puede encontrar frijol de Kulthi, puede preparar una sopa con alto contenido de fibra con una bolsa de lentejas.

China: gachas de nuez para trastornos de viaje en avión

Grace Young es una cocinera china que viaja en avión miles de kilómetros al año. Siempre que vuelve con su familia, hay una olla grande gachas de nuez de ginkgo (ginkgo biloba) en la estufa, plato ligero (siu ye) para servirse por la noche que ayuda a curar el organismo de los efectos nocivos de los viajes en avión. Las nueces de ginkgo de esta receta, según la medicina tradicional china, son benéficas para aliviar la tos y reducir las flemas. Los ingredientes esenciales son: cuajada de frijol seco, nueces de ginkgo sin cáscara y ostiones desecados chinos, y una generosa porción de jengibre rallado. Algunos cocineros incluyen carne de cuadril.

Filipinas: sopa de pollo para el dolor de las articulaciones

Los fármacos como aspirina e ibuprofeno alivian los ataques agudos de artritis, pero, ¿por qué no probar una alternativa caliente? La sopa de jengibre, que contiene gingerol, un compuesto que bloquea la acción de prostaglandinas, agentes químicos parecidos a hormonas que contribuyen a la inflamación. El jengibre también ayuda a combatir el virus de la gripe. En Filipinas, la sopa de pollo y jengibre (tinola de pollo) se prepara por lo general con papaya verde, pero ésta puede sustituirse con espinacas frescas.

Tinola de pollo

La siguiente receta clásica es del Maya Culinary Arts Centre de Manila.

    6 cucharadas de aceite vegetal
    3 dientes de ajo picado
    2 cucharadas de jengibre fresco molido
    1 cebolla grande
    1.5 kg de pollo deshuesado, rebanado
    1.75 litros de agua
    2 puñados grandes de espinacas frescas
    Salsa de pescado al gusto
    Pimienta al gusto

En una cacerola grande, caliente la mitad del aceite y saltee ajo, jengibre y cebolla. Cuando la cebolla esté acitronada, retire todos los ingredientes y póngalos aparte. En la misma cacerola, agregue el aceite restante y fría el pollo hasta que esté bien cocido. Vuelva a poner el ajo, jengibre y cebolla en la cacerola, agregue el agua y caliente hasta que suelte el hervor. Baje el calor y deje hervir a fuego lento, con la cacerola parcialmente tapada, durante 30 minutos. Agregue las espinacas y revuelva. Antes de servir, agregue la salsa de pescado y la pimienta. Rinde 8 raciones

Estados Unidos: la sopa de pollo favorita de mamá

Éste bien puede ser uno de los remedios más populares que se hayan inventado. Las investigaciones demuestran que hay verdades científicas detrás del folclore: la sopa de pollo puede ayudar a prevenir que los glóbulos blancos produzcan inflamación y congestión en las vías respiratorias superiores.

Hay muchas razones para preparar una olla de sopa a fuego lento cuando uno tiene gripe o resfriado. El caldo sustancioso y caliente alivia la congestión y los condimentos, como el ajo y la cebolla, poseen propiedades antivirales moderadas. Para darle a la sopa un refuerzo adicional contra el resfriado, rebane unos dientes de ajo y agréguelos a la olla cuando la sopa esté casi cocinada.

La sopa de pollo favorita de mamá

Para mayor potencia contra la congestión, agregue un poco de pimienta de Cayena y una cucharada de jengibre fresco picado.

    1 pollo entero, cortado en 8 piezas
    1kg de zanahorias picadas
    1kg de cebollas
    4 dientes de ajo, machacados
    sal, pimienta, perejil y eneldo al gusto

Coloque el pollo en una cacerola, cubra con agua y deje al fuego hasta que suelte el hervor. Baje el calor, hierva a fuego lento y espume. Agregue las zanahorias y cebollas, y deje hervir a fuego lento de 2 a 3 horas, agregando agua según sea necesario. Agregue los ajos; sazone al gusto con sal, pimienta, perejil y eneldo. Para preparar una sopa más espesa, saque un cucharón o dos de las verduras, hágalas puré y viértalo en la sopa. Rinde 10 porciones.

Huya del sol candente

Si su hijo ha estado en contacto reciente con alguien que tiene varicela, no permita que se asolee. Una dosis de sol puede empeorar las vesículas cuando aparezcan al fin. Cuando pase la varicela, la piel del niño seguirá siendo muy sensible a la luz solar durante un año. No tiene que encerrar al niño en la casa, pero es bueno que le aplique filtro solar todos los días, en especial en los días soleados de primavera y verano.

¿Llamaré al doctor?

En general, la varicela es más un fastidio que un peligro; en la mayoría de los casos desaparece entre 10 y 14 días sin problemas. Consulte a su médico si el niño tiene fiebre alta acompañada de dolor de cabeza intenso; si tiene fiebre que dure más de unos cuantos días; si las extremidades le duelen mucho; vomita repetidamente; le da tos; o tiene una zona grande de enrojecimiento alrededor de una o más vesículas, lo que es síntoma de infección. Además, llame al médico si el niño tiene convulsiones, se desorienta o se queja de dolor en el cuello. En casos muy raros, la varicela puede producir meningitis.

- Administre jarabe de **paracetamol** o **ibuprofeno** para que el niño que tiene fiebre o dolor de cabeza se sienta mejor. Siga las instrucciones de la etiqueta.
- Si la comezón es muy intensa, administre al niño un **antihistamínico oral**, como la cetirizina si el pequeño tiene por lo menos dos años de edad.

Calme la piel con algodón fresco

- Mantenga fresco al niño con **piyamas de algodón**. El algodón es menos irritante que otras telas. Elija piyamas de manga larga y pantalón largo para evitar que el niño se rasque.

Cuide la boca

- Si el niño tiene vesículas de varicela en la boca, el mejor tratamiento es enjuagar o hacer gárgaras con **agua con sal**.
- Administre **paletas heladas**. Son muy refrescantes.
- Ofrézcale al niño **alimentos blandos**, como gachas, pudín de arroz, gelatina, sopas y plátanos mientras las vesículas están abiertas.

El poder de la prevención

- Si no le ha dado varicela a su hijo, puede tratar de mantenerlo alejado de los niños que la tienen. Sin embargo, **es mucho mejor tener varicela de niño** que soportarla de adulto.
- Hay una **vacuna contra la varicela**, que puede aplicársele a personas que no han tenido varicela y que viven o trabajan con gente que correría un riesgo enorme si contrajera el virus, como quienes tienen sistemas inmunológicos débiles (por ejemplo, cualquiera con VIH o sida, leucemia o que esté sometido a tratamiento con medicamentos inmunosupresores, como la quimioterapia).

Várices

Las venas azuladas, dilatadas y nudosas pueden arruinar el aspecto de las piernas, además de que también pueden doler y dar comezón. Hay varios métodos quirúrgicos para tratar las venas varicosas que se consideran seguros y eficaces. Sin embargo, muchas medidas menos drásticas pueden reducir la prominencia de las várices y ayudar a impedir que empeoren. Para empezar, es recomendable comer más fibra dietética y recostarse con los pies en alto siempre que se presente la oportunidad..

Ponga los pies en alto

• Recuéstese en un sofá con las **piernas en posición más alta que el corazón**. Las várices son resultado del estancamiento de la sangre en las venas y si levanta los pies, se facilita el retorno de la sangre venosa al corazón. Si realiza quehaceres domésticos, descanse de vez en cuando para poner los pies en alto. Incluso en el trabajo, tal vez pueda reclinar la silla y levantar los pies un rato.

• Como método más activo, pruebe este sencillo movimiento de **yoga**: recuéstese de espaldas cerca de una pared, apoye los pies en la pared con las rodillas derechas para que las piernas queden en un ángulo de 45°. Mantenga la posición tres minutos y respire profunda y uniformemente.

Ayude un poco a las venas

• Durante tres meses, tome 250 mg de **castaña de Indias** dos veces al día. Se trata de un remedio herbolario tradicional para las várices, que incluso los especialistas recomiendan en la actualidad. La castaña de Indias mejora la elasticidad de los vasos sanguíneos y parece que también fortalece las válvulas dentro de las venas. Después del tercer mes de tratamiento con castaña de Indias, tómela sólo una vez al día.

• Tome 200 mg de extracto de gotu kola tres veces al día. Esta hierba aumenta la fortaleza de las paredes de los vasos sanguíneos y el tejido conectivo que rodea las venas. En un estudio realizado en Italia, la gente que tomó gotu kola mostró mejoras mensurables en el funcionamiento de las venas. No debe tomarse durante el embarazo.

¿Qué ocurre?

Las várices son venas dilatadas, nudosas y tortuosas, y así es como se ven. Las venas transportan la sangre hacia el corazón en un solo sentido. A lo largo de las venas hay válvulas que impiden que la sangre circule en sentido contrario. Cuando estas válvulas se debilitan, por lo general es en las piernas, donde la sangre tiene tendencia a estancarse por la fuerza de gravedad. Las venas se expanden. Las venas varicosas, o várices, son dos veces más comunes en las mujeres, en particular las embarazadas. Sin embargo, las personas que pasan mucho tiempo de pie, especialmente las que están de pie y sin moverse todo el día, siempre están en riesgo

Tome **vitamina C** con **flavonoides** a diario. La vitamina C ayuda al organismo a mantener tejidos conectivos fuertes que soportan las venas y las mantiene flexibles y resistentes. Los flavonoides ayudan al organismo a aprovechar la vitamina C. Tome 500 mg de vitamina C y 250 mg de flavonoides al día, pero reduzca la dosis de vitamina C si empieza a tener diarreas.

Coma alimentos que contienen compuestos conocidos como **complejo proantocianidina oligomérica (OPC, por sus siglas en inglés)**. Se trata de un tipo de flavonoides que se encuentra en la mayoría de las frutas y verduras, pero en concentraciones especialmente altas en **arándanos, moras y otras bayas jugosas**, así como en el extracto de semillas de uva, corteza de pino, grosella negra y té verde. También se venden como suplementos (tome de 150 a 300 mg al día). Al parecer, los OPC fortalecen los vasos sanguíneos y los vuelven menos proclives a filtraciones. En un estudio, las várices mejoraron en 75% de las personas que tomaron OPC frente a 41% de quienes no lo tomaron.

Deje correr el agua

Deje correr **agua caliente y fría** en las piernas. Con las temperaturas alternadas, los vasos sanguíneos se expanden y contraen, con lo que mejora la circulación de la sangre. La próxima vez que tome una ducha, dirija el chorro de agua a las piernas y deje correr el agua caliente de uno a tres minutos. En seguida, cambie a agua fría durante el mismo tiempo. Repita tres veces, terminando con agua fría.

Obtenga soporte con medias

Las mujeres que tienen pocas várices por lo general se sienten mejor si usan **medias de soporte**. Estas medias están diseñadas para ejercer presión en las piernas, lo que ayuda a impedir que las venas se dilaten. Encontrará las medias de soporte en farmacias y tiendas departamentales.

Si las várices son más abundantes, necesita usar medias elásticas. Estas medias quedan más ajustadas en el tobillo y un poco más flojas en las piernas. Esta presión graduada ayuda a impulsar la sangre hacia el corazón. Estas medias más especializadas se venden en tiendas de equipo médico y en algunas farmacias, o puede ordenarlas en catálogos especializados o por

Internet. En el caso de las mujeres, las mallas o leotardos son muy eficaces. Muchas empresas tienen medias de compresión, estilo leotardo, que se ensanchan en la cintura y abdomen para mujeres embarazadas.

• Póngase las medias elásticas **antes de levantarse de la cama**. Acuéstese boca arriba con las piernas en el aire y suba las medias uniformemente, asegurándose de que no le aprieten en las pantorrillas o la entrepierna.

Mantenga la sangre en movimiento

• Evite **estar de pie o sentado** por periodos largos.

• Cuando tenga algún descanso, **camine**. Si las piernas están en movimiento, ayudan a impulsar la circulación de la sangre.

• Ya sea que se encuentre de pie o sentado, tome un descanso aproximadamente cada hora y **flexione los pies**. Durante unos 10 minutos, levante y baje la parte anterior de la planta del pie para ejercitar los músculos de la pantorrilla. Debido a que estos músculos son adyacentes a las venas, flexionarlos ayuda a contraer los vasos y a impulsar la sangre hacia arriba.

• Si está sentado, asegúrese de **no cruzar las piernas**. Cuando se pone una pierna encima de la otra, se ejerce presión indebida en las venas y se bloquea la ruta de retorno al corazón.

• Haga por lo menos 20 minutos de **ejercicio aeróbico** tres veces a la semana. (Si tiene sobrepeso, hay más presión sobre las venas de las piernas.) Caminar es un ejercicio especialmente bueno para las várices, pues se bombea sangre al corazón cada vez que se contraen los músculos de las piernas.

• Dé a las piernas un **masaje** suave para estimular la presión de la sangre, presionando los dos pulgares en el músculo (pero no directamente en las venas) y subiéndolos hacia el corazón.

• Trate las piernas (u otras zonas afectadas) con compresas de tela empapadas en té fuerte de **corteza de roble**, que se cree que estimula la circulación de la sangre.

Elimine el estreñimiento

• Consuma alimentos con **mucha fibra**, como salvado, peras y manzanas con cáscara, frijoles y granos integrales. El esfuerzo que provoca el estreñimiento obstruye la circulación en las piernas y presiona las venas de la parte baja de las piernas.

¿Sabía qué?

El uso de zapatos planos en lugar de tacones puede ayudarle. Con los zapatos de tacón bajo o planos, se flexionan los músculos de las pantorrillas, lo que ayuda a bombear sangre en las piernas hacia arriba.

¡No lo haga!

Si le duelen las piernas al final de una jornada larga debido a las várices, quizá se sienta tentado a remojarlas en agua caliente. Resista la tentación. Aunque alternar agua caliente y fría constituye un tratamiento útil, cuando las piernas están mucho tiempo en agua caliente, las venas se dilatan aún más.

PARTE 2

LOS 20
PRINCIPALES
REMEDIOS CASEROS

Cada vez más, la gente prefiere **métodos de curación menos agresivos**, y el uso de plantas y remedios de cocina es un modo de lograrlo. ¿Qué le parece usar **limones** para prevenir los cálculos renales, fortalecer las venas y protegerse contra el cáncer de la piel? Es posible que ya esté enterado de que la **zábila** alivia las quemaduras de sol, pero ¿sabía que puede usar esta planta para tratar el acné y la psoriasis? ¿O que el **jugo de ajo** mata los hongos que causan infecciones de los oídos? Aquí descubrirá las **propiedades curativas** de 20 hierbas, alimentos y productos comunes. Averigüe cómo usar **la manzanilla** contra las encías inflamadas, las **Sales de Epsom** para tratar esguinces y aliviar los pies cansados, el **jengibre** para quitar las migrañas y aliviar la artritis, la **lavanda** para quitar la comezón y la **mostaza** para librarse del pie de atleta. Además, aprenda muchos usos de la **miel, el bicarbonato** y el **vinagre**, así como de otras nueve sustancias curativas.

Ácidos grasos Omega-3

Tal vez usted crea que la grasa hace daño. Pero existen los ácidos grasos Omega-3, de los que debe usted comer más. Los ácidos Omega 3 son un grupo de grasas poli-insaturadas –que incluyen los ácidos eicosapentaenoico, docosahexaenoico y alfalinolénico– presentes sobre todo en los pescados, cumplen una función decisiva en procesos vitales del organismo, y van del control de la presión sanguínea a la disminución de la inflamación.

¿Para qué sirve?

- arrugas
- artritis
- asma
- bursitis y tendinitis
- colesterol alto
- depresión
- eczema
- enfermedad inflamatoria del intestino
- gota
- hipertensión arterial
- palpitaciones
- piel seca
- problemas de la próstata
- problemas de las uñas
- problemas de memoria
- problemas menstruales
- psoriasis
- urticaria

Los científicos empezaron a estudiar los ácidos Omega-3 al observar que los inuit (esquimales) rara vez sufrían de artritis reumatoide o enfermedades cardíacas, a pesar de que su dieta consistía en una marea negra de aceites de pescado, foca y ballena. Estos alimentos tienen un alto contenido de ácidos Omega-3, así que los médicos no tardaron en darse cuenta de que este tipo de grasas es esencial para la buena salud.

Reduzca el riesgo de padecer cardiopatías

La mayoría de los ataques al corazón ocurren cuando se forman coágulos de sangre en las arterias y obstruyen el flujo de sangre y oxígeno al corazón. Innumerables estudios han demostrado que una dieta rica en ácidos grasos Omega-3 reduce el riesgo de sufrir ataques al corazón y de apoplejía. ¿Cómo ayudan los ácidos Omega-3?

Disminuyen la presión arterial porque inhiben la producción de prostaglandinas, leucotrienos y tromboxane, sustancias en el organismo que pueden estrechar los vasos sanguíneos.

Forman estructuras celulares en la sangre (plaquetas), que tienen menos probabilidades de agruparse y formar coágulos.

Reducen los niveles de triglicéridos (grasas relacionadas con el colesterol), vinculados con enfermedades cardíacas.

Reducen la inflamación en las arterias y parece que también fortalecen el ritmo de palpitación del corazón.

Los ácidos Omega-3 desempeñan una función importante en la prevención. Existen pruebas de que son una opción valiosa para quienes padecen enfermedades cardíacas. Si se toman en grandes cantidades, ayudan a prevenir la reaparición de estenosis, (reducción del tamaño de las arterias después de haberse sometido a una angioplastia.

Si usted tiene una cardiopatía o desea asegurarse de que no la va a contraer, los médicos aconsejan comer pescados grasos, que son ricos en ácidos Omega-3, cada semana. Estos pescados incluyen salmón, macarela, atún fresco y sardinas frescas o enlatadas. Se recomienda hasta cuatro veces a la semana para hombres y mujeres después de la edad reproductiva; para niñas y mujeres en edad fértil, el límite es de dos raciones por semana. Si no soporta el pescado, tome cápsulas de aceite de pescado.

Elimine el dolor de huesos y articulaciones

Los ácidos grasos Omega-3 inhiben los efectos de las sustancias químicas inflamatorias, como las prostaglandinas y son una excelente opción para las personas que padecen de dolor y rigidez de las articulaciones a causa de la artritis reumatoide. Son tan eficaces, de hecho, que la gente que depende de la aspirina y otros antiinflamatorios logran reducir la dosis una vez que empieza a tomar suplementos de aceite de pescado.

Lo que es bueno para las articulaciones también lo es para los huesos, en especial en las mujeres posmenopáusicas con osteoporosis. En un estudio se descubrió que las mujeres que tomaron ácidos grasos Omega-3 durante 18 meses tenían huesos más densos y menos fracturas que las que no los tomaban.

Una miríada de otras aplicaciones

Los resultados de las investigaciones demuestran que los ácidos Omega-3 tienen también otros beneficios.

Reduce el dolor abdominal Un estudio, con duración de un año, de pacientes con la enfermedad de Crohn, un tipo doloroso de enfermedad inflamatoria del intestino, determinó que el 69% de quienes tomaron suplementos de aceite de pescado permanecían asintomáticos, en comparación con sólo 28 por ciento de quienes no tomaron el aceite.

Mejora la salud mental Algunos científicos sospechan que la incidencia creciente de depresión en Estados Unidos se debe en parte a los niveles menores de consumo de pescado. Los bajos niveles de ácidos Omega-3 pueden debilitar las membranas celulares y la producción de neurotransmisores en el cerebro. Cuando los científicos estudiaron a 44 personas con trastorno bipolar, descubrieron que casi dos de cada tres mejoraban si se les administraba aceite de pescado.

◦ **Control de lupus** Esta grave enfermedad autoinmune parece mejorar un poco en los pacientes que toman suplementos de aceite de pescado, probablemente porque los ácidos Omega-3 reducen la inflamación y también impiden que el sistema inmunológico reaccione en exceso.

◦ **Aliviar el dolor menstrual** Las mujeres que toman ácidos Omega-3 experimentan menos cólicos durante sus periodos, tal vez porque los suplementos reducen los niveles de prostaglandinas, agentes que aumentan los cólicos y las molestias.

◦ **Posiblemente prevenir el cáncer** Hay indicios preliminares de que los aceites de pescado pueden ayudar a prevenir el cáncer mamario y de colon.

Datos sobre el aceite de pescado

◦ Los ácidos Omega-3 de fuentes distintas del pescado no ofrecen los mismos beneficios que se encuentran en el aceite de pescado o el aceite de hígado de bacalao.

◦ Guarde siempre los suplementos de aceite de pescado en el refrigerador para evitar que se hagan rancios.

◦ La dosis recomendada de aceite de pescado es por lo general de 3 000 a 5 000 mg al día. Para evitar los efectos secundarios comunes (distensión abdominal y flatulencia, diarrea u olor corporal a pescado), divida la dosis en dos o tres. O congele las píldoras y tómelas con alimentos.

◦ Algunos médicos naturistas aconsejan tomar ácidos Omega-3 de aceites de pescado en verano y de aceite de hígado de bacalao en invierno, porque este último es rico en vitamina D. (En verano, obtenemos vitamina D de la exposición a la luz solar.) La ventaja del aceite de hígado de bacalao es que tomar un par de cucharaditas (10 ml) al día es tan benéfico como tomar unas 15 cápsulas de aceite de pescado al día. (*Alerta* las mujeres embarazadas no deben tomar aceite de hígado de bacalao porque tiene un alto contenido de vitamina A.)

◦ El exceso de aceite de pescado puede dificultar la coagulación: no tome más de 6 000 mg al día. (*Alerta* consulte a su médico antes de tomar suplementos de aceite de pescado si toma un adelgazador de la sangre, como la aspirina, o tiene un trastorno hemorrágico. Si padece de diabetes, limite el consumo a 2 000 mg al día, ya que dosis más altas pueden elevar los niveles de azúcar en la sangre.

Ajo

Los entusiastas del ajo han exagerado sus propiedades terapéuticas. La historia de esta planta de olor fuerte pone de manifiesto su potencial y los historiadores médicos han identificado más de cien usos no culinarios del ajo. Por ejemplo, los egipcios se lo daban a los constructores de las pirámides para aumentar su fuerza y prevenir la disentería. Los europeos lo comían en la Edad Media para protegerse contra la peste. Los médicos de los campos de batalla en las dos Guerras Mundiales usaban ajo para desinfectar heridas. Se ha utilizado para tratar pie de atleta, tuberculosis e hipertensión. Incluso se rumora que posee propiedades afrodisíacas.

En las últimas décadas, las investigaciones científicas han recogido las tradiciones populares y el ajo es tema de más de mil estudios farmacológicos. La mayoría de éstos se centran en la función que el ajo juega en las enfermedades cardiovasculares y el cáncer junto con sus propiedades antibacterianas y antioxidantes. Resulta evidente que el ajo es una planta medicinal digna de tomarse en cuenta, y un remedio cuyos efectos rivalizan, en algunos casos, con los de las drogas farmacéuticas.

¿Para qué sirve?

- catarros y gripe
- colesterol alto
- cortaduras y rasguños
- diarrea
- garganta irritada
- hipertensión arterial
- infecciones de hongos
- infecciones del tracto urinario
- mordeduras y picaduras
- orzuelo
- problemas del oído
- sinusitis
- tos

Ayuda para el corazón

El ajo contiene más de cien compuestos químicamente activos. Uno de los más importantes es la alliina, un compuesto de azufre que se transforma en allicina cuando los bulbos se trituran o mastican. Los científicos creen que la allicina es responsable de las propiedades antibióticas del ajo, así como de muchos de sus beneficios para el corazón. Lo que se sabe a ciencia cierta es que en los países donde la gente come mucho ajo, parece haber índices inusualmente bajos de enfermedades cardiacas.

Considérense los efectos del ajo en las plaquetas, estructuras celulares de la sangre que tienden a unirse y formar coágulos en las arterias coronarias. En un estudio se descubrió que el índice de agregación o agrupación de las plaquetas en los hombres a quienes se administró el equivalente a seis dientes de ajo fresco bajó entre 10 y 58%. Ciertos agentes químicos que contiene el ajo pueden ser tan eficaces como la aspirina para inhibir la formación de coágulos.

Al parecer, el ajo funciona de manera semejante a los medicamentos que inhiben la producción de colesterol en el hígado; el colesterol es la sustancia cerosa que contribuye a la formación de plaquetas y aumenta el riesgo de enfermedades cardíacas. Revisiones de docenas de estudios científicos indican que comer ajo todos los días puede reducir los niveles de colesterol entre 9 y 12%.

El ajo mejora la circulación sanguínea en todo el cuerpo y no sólo en las arterias coronarias. Es vasodilatador, lo que significa que expande los vasos sanguíneos y baja la presión arterial. También se cree que mejora la flexibilidad de las arterias.

Combate del cáncer

Docenas de estudios indican que el ajo impide los cambios celulares que pueden producir cáncer y que puede destruir las células cancerosas que ya se han formado. En un estudio, se demostró que comer menos de un diente de ajo al día reduce el riesgo de sufrir cáncer de próstata en un 50%. En un estudio de mujeres en Iowa, Estados Unidos, se determinó que quienes comen ajo cada semana tienen aproximadamente un tercio menos de probabilidades de contraer cáncer de colon que quienes nunca lo comen.

En un estudio chino se mostró que el consumo de ajo se asocia con un riesgo menor de cáncer estomacal. La incidencia en personas que comen mucho ajo fue de sólo 8% de la que se registra en personas que comen muy poco ajo, pero el consumo de ajo era muy elevado, y ascendía a 20 gramos cada día.

Nadie sabe con certeza cómo el ajo combate el cáncer exactamente. La allicina y otros compuestos que contiene parecen trabajar directamente contra los tumores. El ajo puede bloquear la formación de compuestos carcinógenos. Neutraliza a las moléculas peligrosas llamadas radicales libres, subproductos del proceso de oxidación que contribuyen al envejecimiento de las células y dañan el ADN e inician cambios carcinogénicos en las células. El ajo inhibe la formación de nitritos, sustancias químicas que inciden en la aparición del cáncer del estómago. Además, fortalece el sistema inmunológico.

Ajo

Un antibiótico comestible

El ajo crudo que se tritura y aplica a las heridas mata una variedad de organismos que causan infecciones, incluidos los hongos que producen el pie de atleta, las infecciones vaginales por hongos y muchos tipos de infecciones del oído. Mata muchos tipos diferentes de bacterias, incluida la que causa la tuberculosis y la temida *E. coli*, responsable de muchas infecciones del tracto urinario. Incluso puede matar algunas bacterias que son resistentes a los antibióticos de uso común.

El ajo destruye gérmenes tanto en el exterior como en el interior del cuerpo. Comerlo puede ayudar a proteger el revestimiento estomacal contra *H. pylori*, la bacteria que causa la mayoría de las úlceras pépticas. Además, debido a que el aceite esencial del ajo se excreta a través de los pulmones, resulta especialmente benéfico para tratar las afecciones respiratorias.

Cuánto tomar

Uno o dos dientes de ajo crudo o sancochado al día bastan para obtener sus beneficios curativos. El ajo crudo contiene más propiedades, ya que la cocción inhibe la formación de allicina y elimina algunos agentes químicos curativos.

Debe machacar o picar y masticar el diente para garantizar que la alliina del ajo crudo se convierta en allicina. Según el Instituto Nacional del Cáncer de Estados Unidos, un retraso de unos 15 minutos entre pelar y cocinar el ajo permite que las enzimas realicen actividades que pueden ayudar a preservar algunas propiedades curativas que se pierden en la cocción.

Los problemas con el ajo son su olor y su sabor. Si desea evitar el aliento a ajo, mastique perejil después de comer ajo.

Los médicos coinciden en que el ajo fresco ofrece mayores propiedades curativas y preventivas. Sin embargo, si usted no tolera el sabor, tome suplementos de ajo con capa entérica. Éstos no provocarán olor a ajo en el aliento porque pasan por el estómago sin digerir. Los médicos aconsejan tomar de 400 a 600 mg de ajo en forma de suplemento al día, pero esta dosis puede tomarse cuatro veces al día cuando se trata de combatir una gripe.

(*Alerta* No tome dosis terapéuticas de ajo si toma el medicamento warfarina para adelgazar la sangre.)

Arándanos

En Estados Unidos, los arándanos se asocian tradicionalmente con la cena de Navidad y el pavo asado. Se usan en muchas recetas, tanto en salsas como en postres, y se comen frescos, secos o exprimidos para jugo. Además de los usos culinarios, los médicos y profesionales complementarios cada vez recomiendan más los arándanos como tratamiento y prevención a la gente que padece de infecciones frecuentes en la vejiga.

¿Para qué sirve?

- incontinencia (desodoriza la orina)
- infecciones del tracto urinario

El arándano, un arbusto originario de las turberas y bosques de América del Norte. El arbusto sobrevive al frío extremo, aunque las heladas matan los capullos y se necesita el calor de los rayos solares para madurar las bayas.

Las bayas pequeñas, color rojo oscuro, se han usado en la medicina desde hace cientos de años. Además de estar indicadas para las infecciones urinarias, los arándanos se han usado para tratar trastornos de la sangre, problemas del hígado, molestias estomacales y mal apetito. Los arándanos reducen el olor de la orina, es útil para quienes sufren de incontinencia. Los componentes de los arándanos también ayudan a prevenir la descomposición de los dientes porque impiden que las bacterias se adhieran a los dientes e inhiben la acumulación de placa.

Los fitoquímicos en los arándanos incluyen taninas y antocianinas antioxidantes (que son buenas para la visión nocturna), y el aceite de la semilla contiene ácidos grasos Omega-3. La fruta también es fuente abundante de vitamina C. El jugo de arándanos puro es muy ácido y tan fuerte que puede erosionar el esmalte dental, por lo que las bebidas de arándano se diluyen por lo general, a menudo con azúcar.

Combate las infecciones de la vejiga

Los arándanos combaten las infecciones del tracto urinario. En el pasado, se creía que los arándanos acidificaban la orina, elevando el nivel del ácido hipúrico, una sustancia que crea un ambiente inhóspito para la *E. coli* y otras bacterias que pueden colonizar el tracto urinario. Sin embargo, aunque el arándano es ácido, no acidifica la orina. Las investigaciones se centran ahora en otros componentes de los arándanos, en especial la fructosa y los antioxidantes de la fruta. Se ha demostrado que estos ingredientes no sólo impiden que las bacterias colonicen el tracto urinario, sino también que se adhieran a las paredes de la vejiga donde podrían reproducirse.

Las investigaciones han demostrado que beber jugo de arándano en abundancia puede reducir la incidencia de infecciones del tracto urinario en las personas susceptibles. Al parecer, acorta la duración de los síntomas, pero si existe la infección consulte a su médico.

Beneficios para la sangre

Los estudios han demostrado que el jugo de arándano aumenta los niveles de colesterol "bueno" (LAD) y de los antioxidantes en la sangre. El jugo de arándano podría ayudar a prevenir enfermedades cardiacas, pero las cantidades necesarias para producir un efecto benéfico perceptible en este estudio eran muy grandes: tres vasos al día de jugo sin diluir, durante tres meses.

¿Cuánto, con qué frecuencia?

En la mayor parte de los estudios científicos que se ocupan de la prevención de las infecciones del tracto urinario se usan 800 mg de extracto de arándano al día. Esto equivale a beber 500 ml de jugo de arándano sin diluir dos veces al día. El jugo que se vende en los supermercados está realmente muy diluido para ser eficaz. Puede preparar su propio jugo con un extractor o comprar un jugo sin diluir en una tienda naturista. Si le parece que el jugo sin diluir es demasiado ácido, trate de mezclarlo a partes iguales con jugo puro de manzana, que es dulce.

Los arándanos, incluso en grandes cantidades, no ofrecen ningún riesgo en general. Pero, desafortunadamente, los pacientes que toman anticoagulantes, como la warfarina, no deben tomar arándanos, ya sea en forma de bebida, concentrado o cápsulas, porque los arándanos pueden intensificar el efecto anticoagulante de la warfarina y causar hemorragias graves. Asimismo, consulte a su médico antes de beber jugo de arándano si tiene problemas de la próstata o enfermedad renal grave. Beber más de un litro al día durante períodos prolongados también puede aumentar el riesgo de formar cálculos renales porque los arándanos contienen oxalatos.

Arándanos

Árnica

No se deje engañar por la apariencia bonita del árnica. Las atractivas flores de esta hierba de montaña contienen compuestos tóxicos que podrían disparar la presión arterial y causar daños permanentes en el corazón. Por eso, no deben ingerirse los aceites destilados de árnica ni las infusiones preparadas con las flores secas. Sin embargo, para uso externo, el árnica es eficaz para el dolor de músculos, contusiones y esguinces. Si sufre algún accidente leve o se lesiona, el árnica proporciona alivio.

¿Para qué sirve?

• bursitis y
  tendinitis
• contusiones
• dolor de pies
• síndrome del
  túnel carpo

Olvídese de las contusiones, elimine los dolores

El árnica ha recibido el sello de aprobación de la Comisión E de Alemania, considerada como la principal autoridad mundial en la seguridad y eficacia de las hierbas, como tratamiento externo para las contusiones, así como para los dolores musculares y de otro tipo. Nunca ingiera el árnica (excepto como remedio homeopático cuando está demasiado diluida para causar daños), ni la use cerca de los ojos, la boca o una herida abierta: es venenosa.

El árnica se puede comprar en gel, crema, ungüento y tintura. También pueden hacerse compresas de árnica. En primer lugar, prepare un té fuerte con dos cucharadas de flores de árnica por taza de agua hirviente. Deje enfriar el té; remoje un paño limpio en él y aplique. Esta hierba es muy eficaz para:

Sanar contusiones El árnica borra los moretones porque ayuda al organismo a reabsorber la sangre que se filtra en los tejidos. Una crema o ungüento que contiene de 5 a 25% de extracto de árnica, aplicada varias veces al día, reduce el dolor y la inflamación junto con los moretones. Si prefiere usar la tintura, mezcle una parte de tintura con entre tres y 10 partes de agua, moje un paño limpio en el líquido y aplíquelo sobre la zona afectada. Dos de los agentes químicos del árnica, la helenalina y la dihidrohelenalina, tienen propiedades analgésicas y antiinflamatorias cuando se absorben por la piel. También puede tomar una o dos tabletas del remedio homeopático Árnica 30 c tan pronto como sea posible después de sufrir una contusión para reducir la aparición de moretones. Siga las instrucciones sobre la dosis adecuada en la etiqueta.

• **Aliviar torceduras y esguinces** Debido a que reduce la inflamación, el árnica es ideal para tratar torceduras leves. También puede mejorar la circulación porque aumenta el flujo de los nutrientes curativos en los músculos y elimina, al mismo tiempo, ciertos subproductos de la lesión, como el ácido láctico, que causan dolor. También ayuda a aliviar el dolor. En virtud de que el árnica es tóxica cuando se toma internamente, no la use en heridas abiertas.

• **Aliviar el dolor de pies** ¿Le duelen los pies por la noche? Trate de darse un baño de pies con agua tibia a la que agregará una cucharada de tintura de árnica. La circulación de la sangre mejora casi al instante y el dolor se reduce.

Tenga cuidado con el sarpullido

La mayoría de la gente disfruta de los beneficios del árnica sin experimentar ningún efecto secundario. Sin embargo, si usted es alérgico a la helenalina, una de las sustancias químicas activas en el árnica, el uso regular de la hierba puede provocarle dermatitis de contacto, una afección inofensiva, pero sumamente irritante, de la piel. Esto se presenta con mayor frecuencia en personas que usan la hierba a menudo o aplican una tintura demasiado fuerte a la piel.

Si es alérgico a los crisantemos u otros miembros de la familia aster *(Asteraceae)*, evite el contacto con el árnica, que forma parte de la misma familia de plantas.

Bicarbonato de sodio

Se han escrito libros enteros sobre los poderes curativos y otros usos del bicarbonato de sodio. Es famoso como limpiador doméstico. También se emplea como agente para levantar en repostería, porque produce burbujas de dióxido de carbono que "levantan" los pasteles, bollos y algunos panes y galletas. Además de todo esto, posee amplias propiedades curativas.

¿Para qué **sirve?**

- acidez estomacal
- boca seca
- comezón
- garganta irritada
- huesos astillados
- indigestión
- infecciones del tracto urinario
- mordeduras y picaduras
- olor corporal
- olor de pies
- pie de atleta
- problemas de las encías
- quemaduras de sol
- sarpullido causado por el calor
- úlceras bucales
- urticaria
- varicela

El bicarbonato de sodio, también conocido como bicarbonato de soda o simplemente bicarbonato, se cuenta entre los antiácidos de acción inmediata. Quita la comezón causada por mordeduras y picaduras de insectos. Ayuda a eliminar la placa dental y neutraliza los ácidos que dañan los dientes. Calma los síntomas de las infecciones de la vejiga. Los médicos lo usan incluso para reducir los ácidos en la sangre durante la diálisis para insuficiencia renal. Por eso, no dé por descontado esa pequeña caja de plástico en la repisa de productos para hornear.

Neutralizante natural

Todas las sustancias químicas pueden clasificarse de acuerdo con su pH, una medida de la acidez y alcalinidad. El agua, que tiene un valor de pH de 7.0, es neutra. Todo lo que tenga un valor superior a 7.0 es alcalino y todo lo que tenga un valor por debajo de 7.0 es ácido. El bicarbonato de sodio, con un pH de 8.4, es alcalino y suaviza los ácidos potencialmente fuertes.

Pongamos por caso la acidez estomacal. Por lo general se presenta cuando el ácido clorhídrico, que es muy corrosivo, sube del estómago al esófago y causa una quemadura química temporal. Para obtener alivio, tome una tableta de bicarbonato de sodio o una cucharadita de bicarbonato de sodio con unas gotas de jugo de limón mezcladas en un vaso de agua. (El jugo de limón ayuda a disipar parte del gas que el bicarbonato de sodio forma cuando se combina con el ácido estomacal.) Cuando se toma este remedio efervescente, neutraliza el ácido clorhídrico y lo convierte en cloruro de sodio inocuo y dióxido de carbono. Los efectos duran sólo unos 30 minutos, pero se producen casi instantáneamente.

(*Alerta* No use este remedio con demasiada frecuencia porque el bicarbonato tiene un alto contenido de sodio, que puede elevar la presión arterial.)

Existen muchas otras formas de aprovechar el bicarbonato de sodio. Por ejemplo:

Reduce los ácidos que dañan los dientes Los ácidos producidos por las bacterias en la boca desgastan el esmalte de los dientes. Para neutralizarlos, enjuáguese la boca con una solución de bicarbonato de sodio varias veces al día. El bicarbonato (que ahora se agrega a muchas pastas de dientes) es ligeramente abrasivo y pule los dientes sin dañar el esmalte.

Elimina el mal olor de pies Añada bicarbonato a un baño de pies para neutralizar los ácidos bacterianos que provocan el mal olor de los pies. También puede usarlo cuando se asee para combatir el mal olor de las axilas. Además, un emplasto de bicarbonato y agua puede ayudar a quitar el pie de atleta.

Quita la comezón que causan las picaduras No se rasque hasta dejar la carne viva si los mosquitos lo han convertido en el plato del día. En cambio, mezcle un poco de agua con bicarbonato de sodio y aplique la pasta en las áreas que producen picazón. Un emplasto de bicarbonato también puede ayudar a aliviar la comezón que producen las vesículas de la varicela.

Suaviza la piel del bebé Los bebés que sufren de irritación en las nalgas se sienten mejor después de un baño de bicarbonato. Agregue un poco de bicarbonato al agua del baño del bebé. Disminuye la picazón y ayuda a sanar la piel.

Ataca las infecciones de la vejiga Las bacterias se multiplican en el ambiente ligeramente ácido del interior de la vejiga. Cuando tenga una infección, un cóctel de bicarbonato de sodio y agua es la bebida perfecta para después de cenar.

Refresca la piel quemada por el sol Agregado a un baño tibio, el bicarbonato de sodio "ablanda" el agua y le permite darse un baño calmante.

Alivia la garganta irritada Agregue ½ cucharadita de bicarbonato a un vaso de agua y haga gárgaras cada 4 horas para reducir los ácidos que provocan dolor. Enjuáguese la boca con la solución para aliviar también las úlceras bucales.

Hamamelis

Junto con el paracetamol, el desinfectante y los emplastos, el agua de hamamelis no puede faltar en un botiquín. Es un extracto líquido hecho de una planta americana (Hamamelis virginiana) que se usa externamente para calmar la picazón, quitar el ardor de las hemorroides y refrescar la piel. No tiene nada que ver con las brujas, pero el hecho de que las ramas horquilladas de este árbol se usaran para buscar agua en el subsuelo le dio al hamamelis cierto cariz mágico. La madera es tan flexible que los indios de América del Norte la usaron en alguna época para fabricar arcos.

¿Para qué **sirve?**

- comezón
- contusiones
- hemorroides
- olor corporal
- piel grasosa
- piel irritada por las afeitadas
- urticaria

El ingrediente activo del hamamelis tradicional es la tanina, un compuesto químico con propiedades astringentes: cierra los poros igual que los modernos tónicos para la piel. La tanina también constriñe los vasos sanguíneos y puede reducir el sangrado de cortaduras de navajas de afeitar y otras heridas menores. Debido a las taninas, el hamamelis se usó internamente en alguna época para combatir la diarrea. Sin embargo, la preparación destilada que se usa como agua de hamamelis en las farmacias es un remedio completamente diferente.

A finales del siglo XIX los fabricantes abandonaron el método tradicional de maceración de las hojas y cambiaron a un proceso de destilación por vapor. La nueva técnica es más eficiente, pero las altas temperaturas del proceso de evaporación eliminan prácticamente todas las taninas en la moderna agua de hamamelis. Su acción levemente astringente se debe a su contenido de alcohol. Sin embargo, todavía se pueden comprar preparaciones herbales de hamamelis, que incluyen el extracto líquido, hojas secas (que pueden usarse para preparar una infusión) o tintura. También es un ingrediente activo en muchas preparaciones para el cuidado de la piel.

Astringente refrescante

A pesar de que el agua de hamamelis que se puede conseguir en las farmacias actualmente tiene poco en común con el remedio tradicional, el contenido de alcohol (casi igual que el del vino de mesa) la convierte en un astringente eficaz y seguro que se usa para:

◦ **Alivia las cortaduras de navajas de afeitar** Aplique un poco de agua de hamamelis para desinfectar la cortadura. (Pero no use el agua de hamamelis en cortaduras grandes: el alcohol puede aumentar el daño en la piel.) El agua de hamamelis deja la piel suave si se usa como loción para después de afeitarse.

◦ **Deja la piel más fresca** Remoje una gasa de algodón en agua de hamamelis y limpie la cara para eliminar la grasa, cerrar los poros y tonificar la piel.

◦ **Quita el ardor de las picaduras** Como astringente suave, el agua de hamamelis es útil para las quemaduras de sol, inflamación de la piel y picaduras de insectos.

El verdadero hamamelis

Para beneficiarse de las taninas curativas del hamamelis, prepare una infusión o un compre extracto líquido:

◦ **Prepare un rocío para la piel** Mezcle con agua de rosas y geranios como una loción calmante para afecciones de la piel.

◦ **Bálsamo para contusiones** Aplique la tintura a contusiones y esguinces.

◦ **Alivio para las hemorroides** Vierta infusión de hamamelis fuerte o extracto líquido en una mota de algodón y aplíquela a la zona sensible. La tanina es vasoconstrictora y el líquido produce una sensación refrescante y calmante al evaporarse.

◦ **Calma la comezón del sarpullido** Tenga una mezcla de hamamelis y manzanilla en el refrigerador para aplicarla sobre sarpullido, eczema, dermatitis, varicela o sarampión.

◦ **Refresca el aliento** Use una infusión suave como enjuague bucal. Los extractos de hamamelis inhiben la proliferación de bacterias en la boca y pueden ser útiles contra las enfermedades periodontales. Enjuáguese y escupa, no trague la infusión.

◦ **Alivia eritemas** Los efectos antiinflamatorios, hidratantes y antibacterianos sirven para tratar el intertrigo (afección inflamatoria que se presenta en los pliegues húmedos de la piel) y algunas dermatitis. Aplique la infusión en la zona afectada usando un atomizador, un paño suave o algodón.

◦ **Bálsamo para después de asolearse** Las propiedades antiinflamatorias del hamamelis calman la piel después de asolearse. Dado que se cree que uno de sus componentes, la hamamelitanina, protege contra los rayos ultravioleta, el hamamelis se usa en algunas lociones para después de asolearse.

Jengibre

El jengibre, un rizoma de sabor picante y fuerte, se cuenta entre los remedios de cocina más ampliamente usados y mejor estudiados. Pariente cercano de la cúrcuma y el cardamomo, el jengibre se ha usado en la medicina y como condimento desde hace por lo menos 5 000 años. Es famoso por su capacidad de aliviar náuseas vómito, náuseas matutinas y otros digestivos, que no siempre curan los medicamentos. Además, los posibles usos medicinales del jengibre se han extendido más allá del tracto digestivo.

¿Para qué sirve?

- acidez estomacal
- artritis
- bursitis y tendinitis
- colesterol
- comezón
- dolor de cabeza
- dolor de muelas
- gripe
- indigestión
- migrañas
- náuseas
- problemas menstruales
- síndrome del intestino irritable
- tos
- úlceras pépticas
- urticaria
- ventosidades

Sin importar si tiene el estómago revuelto o siente el cuerpo cortado y está resfriado, el jengibre puede ayudarlo. Se puede tomar como té, cápsula o cristalizado en azúcar. Se puede agregar como condimento a la comida o disfrutarse simplemente en galletas de jengibre. Muchas plantas medicinales tienen que tomarse en grandes cantidades para producir efectos benéficos en la salud. El jengibre es diferente porque la cantidad que se pone en un curry o guiso bien puede igualar o superar la cantidad usada en suplementos.

Calmante estomacal

El jengibre es uno de los remedios más potentes para el mareo, así como para los trastornos estomacales comunes y corrientes. De hecho, algunos estudios han demostrado que funciona igual de bien que ciertos medicamentos contra la náusea y el mareo. En un famoso estudio, los científicos colocaron a los voluntarios en sillas giratorias, les abrocharon el cinturón de seguridad y los pusieron a girar. Las personas a las que se administró medicación farmacéutica contra la náusea aguantaron sólo unos cuatro minutos y medio antes de empezar a suplicar que cesara el movimiento. La mitad de las personas que recibieron jengibre, por otro lado, duraron seis minutos, con menos náuseas que el grupo medicado.

Los compuestos químicos que dan al jengibre su sabor fuerte y picante, sobre todo gingerol y shogaol , reducen las contracciones intestinales, neutralizan los ácidos digestivos e inhiben el "centro del vómito" en el cerebro. Los médicos suelen recomendar el jengibre para evitar las náuseas porque no provocan somnolencia como los medicamentos contra las náuseas. Se ha empleado incluso para reducir las náuseas inducidas por la quimioterapia y las que se presentan después de una cirugía.

El jengibre es mucho más eficaz para prevenir la náusea que para quitarla. Si usted se marea fácilmente con el movimiento, por ejemplo, el momento ideal para tomar el jengibre es antes de subirse al auto o abordar un barco. Tome aproximadamente ¼ de cucharadita de jengibre en polvo, un gramo de jengibre en forma de cápsula o una rebanada de 1 cm de raíz fresca de jengibre por lo menos 20 minutos antes de salir

Protección para todo el cuerpo

El jengibre es muy popular para las náuseas y los trastornos estomacales, pero hay indicios de muchos otros beneficios. Por ejemplo:

Evita las migrañas Los investigadores daneses informan que ⅓ de cucharadita de jengibre fresco o en polvo, tomado a la primera señal de migraña, puede reducir los síntomas porque bloquea las prostaglandinas, agentes químicos que causan inflamación en los vasos sanguíneos del cerebro. A diferencia de la aspirina y otras sustancias relacionadas, el jengibre bloquea sólo los tipos de prostaglandinas que causan inflamación y no los que tienen funciones benéficas, como fortalecer el revestimiento del estómago.

Alivia el dolor de la artritis Las mismas prostaglandinas que contribuyen a producir el dolor de la migraña también pueden causar la inflamación de las articulaciones en personas con artritis reumatoide u osteoartritis. Un estudio de 56 personas concluyó que el jengibre aliviaba los síntomas del 55% de los pacientes con osteoartritis y 74% de los que padecían de artritis reumatoide. La aplicación repetida de la raíz triturada de jengibre a la piel puede proporcionar alivio adicional, ya que agota las reservas de la sustancia P, un neurotransmisor que transporta las señales del dolor a la médula espinal y, en última instancia, al cerebro.

Reduce los coágulos sanguíneos Los médicos suelen aconsejar a sus pacientes que tomen aspirina cada tercer día porque "adelgaza" la sangre al interferir la acción de las plaquetas, estructuras celulares que producen coágulos y aumentan el riesgo de ataques al corazón. El jengibre produce efectos semejantes, pero sin las frecuentes molestias estomacales que provoca la aspirina (a menos, por supuesto, que su estómago sea sensible al jengibre o que coma demasiado).

Quita la congestión nasal de los resfriados El jengibre puede bloquear la producción de sustancias en el organismo que promueven la constricción nasal, así como la fiebre. El gingerol del jengibre también actúa como supresor natural de la tos.

Disminuye el colesterol Estudios de laboratorio indican que el jengibre reduce la absorción de colesterol en el organismo y también promueve su excreción.

Alivia cólicos menstruales Los compuestos químicos en el jengibre actúan como antiespasmódicos. Inhiben las contracciones dolorosas del útero, así como de los músculos lisos del tracto digestivo.

Las numerosas formas del jengibre

Los ingredientes activos del jengibre conservan su potencia cuando se procesan casi en cualquier forma. Muchas personas prefieren las cápsulas de jengibre porque son fáciles de ingerir y ofrecen una fuente concentrada (y predecible) de los compuestos químicos del jengibre. La dosis normal es de 100 a 200 mg, tres veces al día. Las siguientes son las cantidades curativas de otras formas del jengibre:

- Una rebanada de un centímetro de raíz de jengibre. Rallar el jengibre libera más ingredientes activos que rebanarlo o picarlo. También es importante comprar el jengibre cuando está fresco. Evite la raíz de jengibre que tenga zonas blandas y piel mohosa y arrugada.
- 1 cucharadita de jengibre en polvo.
- 1 o 2 piezas de jengibre cristalizado.
- 1 taza de té de jengibre, hecho con una bolsa de té de jengibre o media cucharadita de raíz de jengibre rallada. Vierta en una taza de agua caliente.
- Un vaso de 350 ml de cerveza de jengibre natural. Sin embargo, revise la etiqueta para asegurarse de que contenga jengibre de verdad y no simplemente saborizante.

Jengibre

Lavanda

Nadie hubiera imaginado que un medicamento podría tener una fragancia tan atrayente. Los aceites de lavanda, valorados desde hace mucho en la fabricación de perfumes, jabones y sachets perfumados, también ayudan a la digestión, alivian la angustia y ahuyentan el insomnio. Existen incluso pruebas científicas de que uno de los aceites de lavanda, el alcohol de perililo, puede usarse algún día para tratar el cáncer.

La lavanda, un arbusto perenne con espigas de flores de color azul claro o violáceo, tiene un largo historial de usos medicinales. Las flores secas se pueden poner en una bolsita que se coloca bajo la almohada para conciliar el sueño reparador. El aroma de la lavanda proviene de moléculas transportadas por aire de ésteres de linalilo, aceites que estimulan el nervio olfativo del cerebro y calman el sistema nervioso central. La simple esencia de lavanda puede ser tan eficaz para lograr un sueño apacible como los medicamentos más potentes (y que pueden crear hábito).

La lavanda también es una hierba útil para combatir la tensión o angustia. Los investigadores han descubierto que la lavanda aumenta el tipo de ondas cerebrales que se relacionan con la relajación. Agregue un poco de aceite de lavanda a un difusor para dispersar el aroma en una habitación. Si no tiene difusor, agregue 3 gotas de aceite de lavanda a un tazón de agua hirviendo e inhale el vapor. Cuando disponga de tiempo, agregue aceite de lavanda para baño o un puñado de flores secas de lavanda al agua para darse un baño relajante.

No es por coincidencia que se usen infusiones de lavanda para preparar los aceites de masaje. Los aceites esenciales de lavanda se absorben fácilmente por la piel y sus efectos sedantes sobre el sistema nervioso central ayudan a relajarse. A diferencia de otros aceites esenciales, el de lavanda (que se vende en tiendas naturistas) puede aplicarse directamente en la piel. Sin embargo, puede provocar hipersensibilidad y debe usarse con precaución. También puede mezclarse con un aceite portador ligero, como el de olivo. Otros usos de la lavanda son:

Remedio para el dolor de cabeza Aplíquese un poco de aceite en las sienes cuando tenga dolor de cabeza, dése un masaje y experimentará alivio notable.

¿Para qué sirve?

- angustia
- caspa
- dolor de cabeza
- insomnio
- mordeduras y picaduras
- olor corporal
- olor de pies
- pie de atleta
- piel grasosa
- piojos
- problemas del oído
- ventosidades

Lavanda

Auxiliar en trastornos estomacales Los médicos alemanes acostumbran recomendar el té de lavanda como auxiliar digestivo. Los aceites relajan los músculos lisos del tracto digestivo y alivian los cólicos estomacales e intestinales después de comer. La lavanda también ayuda a reducir los gases intestinales que producen flatulencia. Para preparar una infusión, vierta una cucharadita colmada de flores de lavanda en una taza de agua hirviente durante 10 minutos y cuele.

Combate de infecciones Las taninas que contiene la lavanda matan las bacterias y ayudan a prevenir infecciones en corta-duras menores y rasguños. Sumerja un paño limpio en una infusión de lavanda y aplique la compresa en la herida.

Alivio para los oídos El mismo compuesto químico de la lavanda que combate las infecciones de la piel acaba con la picazón y la irritación de la otitis externa.

Analgésico El aceite de lavanda posee propiedades analgé-sicas menores. Al parecer, reduce la transmisión de los impulsos nerviosos que transportan las señales del dolor. Mezcle unas gotas de aceite de lavanda en una cucharadita de aceite por-tador y frote la zona afectada. La lavanda también alivia la comezón gracias a su acción antiinflamatoria. Es el remedio ideal para mordeduras y picaduras de insectos.

Cómo la lavanda combatirá el cáncer algún día

Los especialistas en cáncer han observado que un tipo de compuestos químicos de la lavanda, llamados monoterpenos, inhiben el desarrollo de células cancerosas y pueden contribuir a evitar que se multipliquen. Las primeras investigaciones de laboratorio indican que los monoterpenos, como el alcohol de perililo, pueden inhibir ciertos cánceres del tejido blando, como los que se presentan en el hígado, las glándulas mamarias y la próstata. Se ha demostrado incluso que estos compuestos hacen más lento el crecimiento de los tumores en el colon y el hígado.

Es demasiado pronto para decir en definitiva que la lavanda tiene efectos benéficos sobre el cáncer. Sin embargo, los primeros resultados de las investigaciones son tan prometedores que el potencial para combatir el cáncer de los aceites esenciales se está probando en estudios clínicos.

Lavanda

Limón

Se obtiene más que un sabor agrio al chupar una rebanada de limón o beber una limonada. El limón es una fuente rica de compuestos químicos curativos que aumentan las defensas del organismo, fortalecen los vasos sanguíneos, ayudan a sanar a la piel e incluso pueden bloquear ciertos cambios celulares que producen cáncer. Unas gotas de limón en las axilas ayudan a combatir olores desagradables. El jugo de limón con agua caliente y miel es el elixir perfecto para aliviar la garganta irritada. Además, el limón es un ingrediente vital cuando se trata de preparar mezclas caseras para la tos.

Hace siglos, los navegantes ingleses comían limones a granel para prevenir el escorbuto, una enfermedad mortal causada por deficiencia de vitamina C. Un solo limón contiene 40 mg de vitamina C, la ingesta diaria total recomendada. El escorbuto ya no nos preocupa porque existen muchas fuentes de vitamina C en nuestra dieta. Sin embargo, los limones ofrecen un sinnúmero de otros beneficios.

Poder cítrico

Nunca subestime el poder de la vitamina C ni el consejo comprobado y seguro de tomar bebidas de limón cuando se resfríe. La vitamina C de los limones reduce los niveles de histamina, el agente químico que produce congestión en la nariz y ojos llorosos. La vitamina es un potente antioxidante que también reduce los niveles de los radicales libres, moléculas inestables que dañan las células, y protege contra enfermedades cardíacas. (Varios estudios han demostrado que los niveles bajos de vitamina C aumentan el riesgo de ataques al corazón. Cuando el colesterol se oxida —es atacado por radicales libres— aumentan las probabilidades de que se convierta en placa que obstruye las arterias.) El organismo utiliza la vitamina C para estimular la actividad de las células inmunológicas y fabricar colágeno, la sustancia formadora de tejidos que ayuda a que las heridas sanen.

He aquí algunas razones más para disfrutar del placer ácido de los limones:

¿Para qué sirve?

- acidez estomacal
- acné
- afecciones del embarazo
- boca seca
- cabello grasoso
- cálculos renales
- callos
- garganta irritada
- herpes labial
- hipo
- laringitis
- manchas de la piel por la edad
- náuseas matutinas
- olor corporal
- piel grasosa
- piojos
- resfriados y gripe
- tos
- várices
- verrugas

Limón

○ **Menos cálculos renales** Los limones están cargados de ácido cítrico, un agente químico que reduce la excreción de calcio y ayuda a prevenir la formación de estas piedras pequeñas, pero dolorosas. Dos litros de limonada al día, preparada con jugo de limones recién exprimidos y la menor cantidad de azúcar posible, son tan eficaces como los medicamentos a base de citratos.

○ **Venas más fuertes** La cáscara de limón es rica en un bioflavonoide (un grupo de químicos vegetales antioxidantes) llamado rutina, que fortalece las paredes de las venas y los vasos capilares y reduce el dolor, e incluso la formación, de venas varicosas.

○ **Protección mamaria** Otra sustancia química, que se encuentra en la cáscara de limón y la membrana blanca debajo de ésta, es el limoleno. Los experimentos indican que el limoleno tiene una intensa actividad antitumoral. Los investigadores estudian ahora el limoleno por su posible aplicación como prevención y tratamiento del cáncer, en especial el mamario. Los científicos probaron la sustancia −en el laboratorio− en células cancerosas de mama humana y descubrieron que inhibe su crecimiento. El limoleno también hace que el estrógeno se descomponga en una forma debilitada en el organismo, lo cual es importante porque los niveles altos de estrógeno se relacionan con mayor riesgo de cáncer de mama. El limoleno también aumenta la capacidad del hígado de eliminar posibles agentes carcinógenos de la sangre.

○ **Beneficios cosméticos** Si se aplica frecuentemente en las manchas de envejecimiento, el jugo de limón desvanece a la larga estas marcas de la edad madura. También se puede aplicar en las lesiones de acné para que sanen más rápido.

○ **El té de limón reduce el riesgo de cáncer de la piel** En un estudio de 450 personas se descubrió que quienes beben té negro con regularidad, y en especial aquellos que acostumbran ponerle limón al té, tienen un menor riesgo de contraer ciertos tipos de cáncer de la piel. Tal vez se deba a que el limón aumenta la actividad de una enzima, llamada glutatione S-tranferasa, que desintoxica los compuestos que causan cáncer.

Limón

Manzanilla

De sabor agradable, la infusión de manzanilla tiene efectos sedantes. Una taza de manzanilla a la hora de acostarse calma los nervios y ayuda a conciliar el sueño. Además, los científicos han identificado más de una docena de compuestos químicos activos en sus flores semejantes a margaritas, que no sólo alivian el estrés, sino que pueden eliminar las molestias estomacales casi tan rápido como se dice Pepto Bismol.

Una sustancia química en la manzanilla, llamada apigenina, calma el sistema nervioso central y facilita conciliar el sueño por las noches. Si se siente muy tenso, beba una taza de té de manzanilla o relájese en un baño caliente adicionado con varias tazas de té de manzanilla, 10 gotas de aceite de manzanilla o un puñado o dos de flores de manzanilla. El aceite esencial penetra la piel y alivia la angustia y el estrés.

¿Para qué sirve?

- conjuntivitis
- dentición
- dolor de pies
- enfermedad inflamatoria del intestino
- eructos
- estrés
- forúnculos
- indigestión
- problemas de las encías
- problemas menstruales
- psoriasis
- roséola
- úlceras pépticas
- urticaria

Más usos internos y externos

La manzanilla no sólo tiene efectos sedantes. Varios de sus compuestos químicos, en especial uno llamado bisabolol, actúan como antiespasmódicos: esto significa que relajan los músculos blandos que revisten el tracto digestivo y el útero y alivian el dolor estomacal después de comer o los cólicos menstruales. Una o dos tazas de té de manzanilla al día también pueden reducir los efectos irritantes para el estómago de la aspirina y otras sustancias relacionadas que son útiles para la gente que tiene artritis u otras enfermedades dolorosas que requieren tomar analgésicos todos los días.

Por sus propiedades antiinflamatorias y antisépticas, la manzanilla es útil para otras molestias y afecciones menores.

Sarpullido y quemaduras La manzanilla es benéfica para la piel, así como para el tracto intestinal. Cuando la manzanilla se aplica externamente en la forma de crema o compresa preparada con un té de manzanilla fuerte, ayuda a que las quemaduras, cortaduras y erupciones cutáneas sanen más pronto. Si tiene quemaduras leves de sol, mezcle aceite de manzanilla (se vende en las tiendas naturistas) con partes iguales de aceite de almendras u otro aceite neutro. Aplíquelo a la piel enrojecida para reducir la inflamación que causa la picazón.

Irritación de la piel En Alemania, donde las hierbas se usan ampliamente en la medicina convencional, los médicos acostumbran recomendar una crema a base de manzanilla, llamada Kamillosan, para las heridas o la inflamación provocada por eccema, alergias de contacto y daños en la piel causados por los tratamientos con radiación. El aceite de manzanilla puede aplicarse en cantidades pequeñas para tratar afecciones de la piel como los forúnculos.

Infecciones Un lavado con manzanilla mata algunas de las bacterias y hongos que causan infecciones de los ojos y la piel. El té de manzanilla puede usarse como enjuague bucal para aliviar las encías inflamadas, ayudar a combatir las enfermedades de las encías y acelerar la curación de las úlceras bucales.

Compra y uso de la manzanilla

Puede comprar bolsas de té de manzanilla o buscar las flores secas en las tiendas naturistas. Algunas personas espolvorean el contenido de una bolsa de té de manzanilla en la tierra y han logrado cultivarla en sus jardines. Tenga en cuenta que hay dos variedades diferentes de manzanilla: la romana (*Chamaemelum nobile*) y la alemana (*Matricaria recutita*), también conocida como manzanilla húngara. Aunque las dos plantas son casi idénticas, la alemana es más popular y se cree que posee grandes poderes curativos.

Encontrará la crema de manzanilla en las tiendas naturistas; sin embargo, es igual de fácil, y menos costoso, preparar su propia infusión para sanar la piel. Vierta una taza de agua hirviendo sobre una cucharada colmada de flores de manzanilla. Déjela reposar 10 minutos, espere a que se enfríe a temperatura ambiente y después sumerja un paño en el té y aplíquelo a una cortadura, sarpullido o quemadura durante unos cinco minutos.

Manzanilla

Menta

H ay una buena razón por la que en la pizzería del barrio hay un tazón lleno de mentas al lado de la caja registradora. Son un dulce agradable para después de comer y también un buen refrescante del aliento a corto plazo. La menta, en la forma adecuada, también combate la indigestión y reduce la flatulencia y la distensión abdominal. La menta no es sólo un dulce digestivo ideal: sus propiedades curativas son más potentes de lo que uno imagina.

Protección del intestino

La menta es una de las mejores hierbas para los problemas digestivos y el dolor intestinal. Los aceites que contiene, en especial el mentol y la mentona, relajan los músculos lisos que revisten el tracto intestinal y ayudan a aliviar los cólicos. Los gastroenterólogos ingleses que rociaban aceite de menta diluido en los endoscopios –instrumentos en forma de tubo usados en colonoscopia– descubrieron que detenía los espasmos dolorosos en menos de 30 segundos.

Las propiedades antiespasmódicas de la hierba la convierten en la opción natural para aliviar el síndrome del intestino irritable (SII), enfermedad que causa cólicos impredecibles, indigestión y episodios alternados de constipación y diarrea.

En un estudio realizado en Taiwán, los pacientes con SII que tomaron cápsulas de aceite de menta de 15 a 30 minutos antes de los alimentos experimentaron una reducción significativa en la distensión abdominal y flatulencia. El dolor abdominal se redujo o desapareció por completo en algunos casos.

Los doctores interesados en la medicina herbolaria recomiendan la menta para algunas molestias digestivas:

Flatulencia Como mejora la digestión, la menta puede ayudar a evitar la flatulencia.

Cálculos biliares Información preliminar indica que la menta ayuda a disolver los cálculos biliares y posiblemente podría reducir la necesidad de cirugías.

Náuseas La menta anestesia levemente las paredes del estómago y reduce las náuseas ligeras.

• **Úlceras estomacales** La menta también ayuda a aliviar el dolor y promueve la curación. (*Alerta* no use menta si tiene acidez estomacal frecuente. La menta relaja el esfínter

¿Para qué **sirve?**

- dolor de cabeza
- dolor de muelas
- dolor de pies
- enfermedad inflamatoria del intestino
- indigestión
- mordeduras y picaduras
- náusea
- náuseas matutinas
- olor corporal
- piel grasosa
- quemaduras de sol
- ronquidos
- síndrome del colon irritable
- úlceras pépticas
- ventosidades

esofágico, el anillo muscular que impide que los ácidos fuertes del estómago invadan el esófago.)

Menos congestión y dolor

Ya sea que prefiera beber el té o aspirar los vapores aromáticos, descubrirá que la menta es un descongestionante eficaz que adelgaza las mucosidades y reduce la inflamación nasal. Incluso, puede reducir la constricción bronquial y el estrechamiento de las vías respiratorias que se presenta en los ataques de asma.

Si padece de dolores de cabeza frecuentes, pruebe a frotar un poco de aceite de menta diluido en la frente y las sienes. En un estudio limitado de 32 pacientes de cefalea se estableció que el aceite es un analgésico eficaz.

El mentol que contiene la menta posee excelentes propiedades analgésicas. Sin importar que sea un atleta o un guerrero de fin de semana, tenga aceite de menta (o algún ungüento que contenga mentol) en el botiquín para frotar los músculos adoloridos. Como es muy fuerte para usarlo puro, mezcle unas gotas con una cucharada de un aceite portador neutro, como el de girasol u olivo.

Debido a sus propiedades anestésicas, la menta también es útil para combatir el dolor de muelas.

Como muchos aceites esenciales, la menta mata ciertos virus y bacterias. Agregue unas gotas de aceite de menta a una taza de agua para preparar un enjuague bucal, con sabor a menta, que mata los gérmenes. O para refrescar el aliento, ponga una gota o dos del aceite en la lengua. (*Alerta* no tome más de esta cantidad por vía oral: no es sólo que el aceite puede irritarle el estómago, sino que sólo un par de cucharaditas puede ser fatal.)

La hora del té

A la mayoría de la gente le agrada el aroma y sabor refrescante del té de menta. Beba una taza o dos al día para aliviar o prevenir molestias digestivas. También puede tomar cápsulas con capa entérica entre las comidas, siguiendo las instrucciones en la etiqueta (las cápsulas con capa entérica pasan a través del estómago y se descomponen en los intestinos). O agregue de 10 a 20 gotas de tintura de menta, que es mucho menos potente que el aceite, a un vaso de agua y bébalo según sea necesario.

Menta

Miel

Normalmente se aconseja reducir el consumo de alimentos dulces, pero la miel es especial. La miel es el producto único de enjambres de abejas que abarcan un radio de casi diez kilómetros durante la recolección de néctar. ¡Cualquier cosa que exija tanto trabajo tiene que ser buena! La miel es más dulce que el azúcar: contiene 65 calorías por cucharada frente a 48 del azúcar refinada. Aparte de las calorías, tiene algunos beneficios sorprendentes para la salud.

La miel no es una fuente inagotable de nutrición. Contiene cantidades mínimas de vitamina B, aminoácidos y minerales, pero en realidad no es más nutritiva que el azúcar común. Si la miel llama la atención de los médicos es por otras razones. Su textura espesa como de jarabe es ideal para aliviar el dolor de la garganta irritada, en especial cuando se agrega a un té caliente de limón o de alguna hierba con efectos sedantes, como la manzanilla.

Pero la miel hace mucho más. Mata bacterias y ayuda a que las cortaduras y heridas sanen más pronto. Es un laxante natural. Parece ser que reduce el dolor de las úlceras estomacales. Y es una fuente de energía, de acción rápida, que vigoriza los músculos cansados en menos de lo que canta un gallo. Incluso, los científicos han descubierto que los atletas tienen un mejor rendimiento cuando comen un poco de miel.

¿Para qué sirve?

- acné
- alergias
- garganta irritada
- insomnio
- laringitis
- manchas de la piel por la edad
- tos
- úlceras pépticas

Antiséptico dulce

Las infecciones constituían la mayor amenaza para la salud en los tiempos anteriores a los antibióticos. Hasta las cortaduras o rasguños pequeños podían volverse mortales, razón por la que los doctores acostumbraban llevar un poco de miel en sus maletines. La miel contiene peróxido de hidrógeno y propóleos, un compuesto en el néctar que mata las bacterias. Incluso en la actualidad, cuando se encuentran cremas antisépticas en todo botiquín, algunos doctores creen que la miel puede ser un mejor remedio para las heridas en algunos casos. En efecto, funciona tan bien que una serie de fabricantes vende apósitos impregnados de miel para las heridas difíciles de sanar.

De dónde viene la miel

Las abejas beben un poco de néctar cuando realizan sus rondas entre las flores, pero transportan la mayor parte a la colmena y lo almacenan en celdas de cera hexagonales del panal para alimentar a las abejas jóvenes. El néctar líquido se convierte en miel cuando la humedad se evapora. El producto final es sobre todo azúcares –fructosa y dextrosa– y un poco de polen, cera, proteínas, vitaminas y minerales. La miel de trébol que ocupa buena parte de los anaqueles de los supermercados es la variedad más desabrida. Otras mieles más ricas en sabor provienen de la lavanda, los capullos de los cítricos y las flores de frambuesa.

El alto contenido de azúcar en la miel extrae humedad de las heridas y niega a las bacterias el ambiente húmedo que necesitan para sobrevivir. También impide la entrada de contaminantes externos nocivos. Además, como la miel es barata, puede ser la opción ideal en los países donde no hay acceso a las modernas cremas antisépticas.

En la década de 1970, los cirujanos anunciaron que las mujeres que se sometían a cirugías ginecológicas tenían estancias más breves en el hospital y no mostraban síntomas de infección cuando las incisiones se recubrían con miel. Estudios en India muestran que las quemaduras tratadas con miel sanan más pronto y con menos dolor y cicatrización que las que se cubren con sulfadiazina de plata, un tratamiento convencional para quemaduras.

La miel se ha empleado para tratar problemas superficiales de los ojos, como la conjuntivitis y las quemaduras químicas. En un estudio de más de 100 pacientes con trastornos oculares que no respondían a los tratamientos convencionales, los médicos probaron un ungüento de miel. En el ochenta y cinco por ciento de los casos se registró mejoría. La aplicación de miel a los ojos (no lo haga sin consultar antes a su médico) puede causar una breve sensación de ardor y cierto grado de enrojecimiento, pero es poco probable que ocasione otros efectos secundarios.

Miel

Buena digestión

Los curanderos tradicionales usaban la miel como remedio para una variedad de molestias gastrointestinales. En la actualidad, existen pruebas de que funciona. Por ejemplo:

Alivia las úlceras estomacales   La miel de abeja puede reducir los síntomas de úlcera y acelerar el tiempo que tardan en sanar. Según parece, la miel disminuye la inflamación, estimula la circulación de la sangre y promueve el crecimiento de las células epiteliales expuestas en las paredes interiores del estómago y del intestino. Los estudios también han demostrado que la miel mata la bacteria *H. pylori*, que provoca la mayoría de las úlceras. La miel sin procesar (que se vende en mercados y en apiarios) es la mejor opción, ya que el procesamiento a altas temperaturas que se emplea para efectuar la pasteurización puede neutralizar algunos de los compuestos activos. Una forma de miel llamada "miel activa de manuka", que se produce en Nueva Zelanda a partir del árbol de manuka y se vende en las tiendas de alimentos naturales, parece ser más eficaz que otros tipos.

Promueve la regularidad   La elevada concentración de fructosa en la miel es ideal para el estreñimiento ocasional. La fructosa sin digerir nutre las bacterias normales del intestino. La fermentación resultante aporta agua al intestino grueso y tiene un efecto laxante.

Advertencia

No dé miel a los niños menores de un año, ya que es posible que contenga una cantidad pequeña de esporas de una bacteria llamada *Clostridium botulinum*, el organismo que causa el botulismo. Las esporas no sobreviven en los intestinos de adultos ni niños mayores. Sin embargo, pueden multiplicarse en los bebés y causar una forma grave de intoxicación alimenticia conocida como botulismo infantil.

Mostaza

Desde hace mucho tiempo, los científicos saben que la acritud de la mostaza adelgaza las mucosidades y permite respirar más fácilmente cuando uno tiene catarro o gripe. Sin embargo, este versátil condimento culinario ha resultado ser algo más que un remedio para sentirse bien. La mostaza, pariente cercano del brócoli, la col y otras verduras crucíferas, contiene compuestos químicos con grandes propiedades curativas.

¿Para qué sirve?

- catarros y gripe
- dolor de cabeza
- dolor de espalda
- fiebre
- pie de atleta

Cuando la nariz está tan congestionada que apenas se puede respirar, un poco de mostaza –por ejemplo, en un *hot dog*– libera una dosis potente de mirosina y sinigrina, por cuya acción las mucosidades se tornan más acuosas y, por tanto, es más fácil expulsarlas del organismo.

Un remedio tradicional para la congestión es aplicar al pecho una cataplasma de mostaza, que se prepara triturando unas cucharadas de semillas de mostaza que luego se mezclan con una taza de harina y un poco de agua para formar una pasta. El aroma descongestiona las fosas nasales, mientras que el "picor" aumenta la circulación de la sangre en el pecho y hace más fácil respirar. Para proteger la piel del pecho, aplique una capa gruesa de vaselina antes de poner la cataplasma. No deje la cataplasma más de 15 minutos, porque puede quemar la piel.

Otra forma de beneficiarse de las propiedades de la mostaza que combaten la congestión es agregar un poco de semilla de mostaza molida al agua del baño.

Esto es apenas el principio de la magia de la mostaza. También se usa para:

Alivia los síntomas de la enfermedad de Raynaud Para la gente que sufre periódicamente de los dolorosos dedos fríos que caracterizan este problema circulatorio, se ha descubierto que ayudan los emplastos de mostaza. Éstos se usan desde hace mucho tiempo para tratar la enfermedad de Raynaud. Aplicada a la piel, la mostaza provoca irritación leve que aumenta el flujo de sangre local y crea una sensación hormigueante y cálida, el antídoto perfecto para los dedos helados. Mezcle 100 g de mostaza recién molida con agua caliente, pero no hirviendo, para formar una pasta espesa. Extienda la pasta en un trozo de gasa del tamaño adecuado para envolver los dedos afectados. Aplique el emplasto y retírelo después de un minuto. Si la piel se enrojece (lo que es muy probable), frótela con un poco de aceite de oliva. Úntese un poco de vaselina en las manos antes de aplicar el emplasto para evitar que la mostaza queme la piel.

Estimula el apetito La adición de mostaza en los alimentos aumenta el flujo de saliva y jugos digestivos, un medio natural para estimular el apetito cuando uno no se siente bien.

Acaba con el pie de atleta Una pizca de polvo de mostaza en un baño de pies ayuda a matar los hongos que producen el pie de atleta.

Calma el dolor de espalda y de articulaciones Al igual que la pimienta de Cayena, parece que también agota las células nerviosas de la sustancia P, un agente químico que transmite las señales de dolor de la espalda al cerebro. De hecho, el aceite de mostaza es el principal ingrediente de un linimento contra la artritis. Para usar la mostaza contra el dolor, mezcle un emplasto de mostaza (vea la parte anterior de esta sección) o sumerja un paño en una infusión fuerte de mostaza (para prepararla, vierta una taza de agua hirviendo en una cucharada de mostaza molida y déjela reposar cinco minutos). Aplique esta compresa a la zona adolorida. Un enfermo de artritis propuso masajear una mezcla de aceite de mostaza caliente y alcanfor en las articulaciones adoloridas, pero el aceite de mostaza es demasiado fuerte para aplicarlo directamente en la piel, por lo que no recomendamos este método.

Alivia el dolor de cabeza, la fiebre y la congestión Sumergir los pies en agua caliente con un poco de polvo de mostaza puede lograr varios objetivos: despeja la cabeza embotada por el resfriado, ayuda a reducir la fiebre y alivia el dolor de cabeza. El aumento del flujo de sangre en los pies descongestiona, aumenta la circulación y alivia la presión de los vasos sanguíneos de la cabeza.

Existen diversas variedades de mostaza, entre otras, negra, marrón y blanca (también llamada amarilla). Las semillas de mostaza blanca no son tan acres como las de otras variedades. Si toma semillas de mostaza por vía oral, tenga cuidado: tienen un efecto laxante. El polvo de mostaza también se emplea para inducir el vómito; es probable que con más de una cucharadita se produzca este efecto.

Aceite de onagra

Aceite de onagra

La onagra, nativa de América del Norte, comenzó a diseminarse por el mundo en el siglo XVII. Las semillas fueron transportadas en los lastres de los barcos que viajaban de Norteamérica a Europa, donde echaron raíces. De Europa, la onagra se extendió a Asia. Tradicionalmente, la planta y su raíz se usaron para tratar contusiones, hemorroides, tos y dolores estomacales, pero las semillas son las que en realidad contienen los aceites terapéuticos.

¿Para qué sirve?

- dolores artriticos
- eczema
- sindrome premenstrual

El aceite de onagra proviene de las semillas de esta planta bianual, que son de color rojizo y se producen durante el segundo año de la planta (sólo echa hojas durante el primer año). Cuando el Sol empieza a ponerse, se abren las flores de color crema y aroma dulce, de ahí que también se le conozca por los nombres de estrella de la noche y prímula nocturna.

El aceite de las semillas contiene un ácido graso llamado ácido gammalinolénico (AGL). Esta sustancia es el ingrediente activo del aceite de onagra y constituye de 7 a 10% de sus ácidos grasos. El AGL se convierte en el organismo en varios compuestos parecidos a las hormonas (prostaglandinas y leucotrienos) que combaten la inflamación.

El AGL puede formarse en el organismo a partir de otros tipos de grasa, como el ácido linoleico, que se encuentra en los aceites vegetales y las margarinas insaturadas. Sin embargo, algunas personas no tienen una cantidad suficiente de la encima necesaria. El aceite de onagra puede usarse contra la falta de enzimas y para estimular el organismo a fabricar estos compuestos antiinflamatorios. Por esta acción, el aceite de onagra es útil para varias afecciones.

Alivia la irritación del eczema Puede presentarse eczema y piel irritada si el organismo tiene dificultades para convertir las grasas de los alimentos en AGL. Se ha descubierto que tomar aceite de onagra durante tres o cuatro meses alivia la picazón y reduce la necesidad de usar cremas que contengan esteroides y otros medicamentos.

Aminora los problemas menstruales El aceite de onagra es eficaz para tratar los trastornos menstruales, como el síndrome premenstrual, la sensibilidad en los senos que algunas mujeres experimentan antes de sus periodos y los cólicos menstruales.

Reduce los dolores reumáticos Algunas personas creen que si toman aceite de onagra se reducen los síntomas y dolor de la artritis reumatoide. Trate de tomarlo en combinación con los ácidos grasos Omega-3, que se encuentran en el aceite de pescado o de linaza.

Alivia otros trastornos inflamatorios Las enfermedades que producen inflamación, como la roséola, el acné y las distensiones también pueden aliviarse con el aceite de onagra.

Los niños hiperactivos y los ácidos grasos

Existe un gran interés en la función de los ácidos esenciales grasos, entre otros, el AGL y los ácidos grasos Omega-3, en los niños que presentan trastorno de hiperactividad y déficit de atención. Se cree que algunos de estos niños pueden tener deficiencias de estos ácidos grasos. Los suplementos que contienen AGL y ácidos grasos Omega-3 están a la venta en el mercado y vale la pena probarlos. Compre alguno que esté hecho especialmente para niños y siga las instrucciones sobre la dosis en la etiqueta del envase.

Cuándo no debe tomarse

El aceite de onagra no ofrece ningún riesgo para la mayoría de las personas. En ocasiones, puede ocasionar efectos secundarios leves, como dolor de cabeza, trastornos estomacales ligeros o distensión abdominal. Existe cierta inquietud respecto a que el aceite de onagra puede aumentar las probabilidades de que surjan problemas durante el embarazo, por lo que las mujeres embarazadas o las madres lactantes no deben usarlo. El aceite de onagra puede retrasar la formación de coágulos sanguíneos, así que evite tomarlo con otros medicamentos anticoagulantes porque podrían aumentar las probabilidades de que se produzcan moretones y hemorragias. También puede incrementar el riesgo de ataques, por lo que no debe usarlo si tiene epilepsia o toma algún medicamento que aumente el riesgo de ataques (como el grupo de fenotiazina de las drogas antipsicóticas).

Sales de Epsom

Es sorprendente lo que un mineral común puede hacer. El sulfato de magnesio, mejor conocido como sales de Epsom, es popular para agregarlo al agua del baño, ya sea para reducir el estrés, suavizar la piel o aliviar molestias y dolores. Fuera del ámbito de los remedios, los jardineros le tienen una fe ciega porque ayuda a que las rosas crezcan sanas, mientras que los alfareros agregan en ocasiones sales de Epsom a la arcilla para mejorar su elasticidad..

¿Para qué **sirve?**

- acné
- calambres musculares
- callos
- hemorroides
- herpes
- olor de pies
- piel seca
- tiña

Las sales de Epsom se encuentran en cualquier parte donde el agua mineral o del mar se evapora. El nombre procede de un manantial mineral en Epsom, Surrey. Hace no mucho tiempo, las sales de Epsom se administraban como parte de la ronda primaveral de purgantes para limpiar el cuerpo de "toxinas" que supuestamente se acumulaban durante el invierno. Probablemente, una de la razones era su efecto laxante. Hasta hace unas décadas, cuando los laxantes patentados comenzaron a ocupar los anaqueles de las farmacias, las sales de Epsom eran un remedio popular para regular las evacuaciones. Las sales de Epsom, el ingrediente activo de la leche de magnesia, son un laxante salino: el magnesio lleva líquidos de la sangre hacia el intestino, lo que hace más blandas las heces, y desencadena contracciones intestinales que estimulan las evacuaciones.

Algunas personas todavía toman una o dos cucharadas de sales de Epsom en un vaso de agua para aliviar el estreñimiento. El problema con este remedio es que suele ser muy potente y produce diarrea o cólicos abdominales. Además, puede entorpecer la absorción de nutrientes esenciales en el organismo. Por eso, es mejor no usar las sales de Epsom como laxante, a menos que así lo aconseje el médico.

Baños y suavizantes

Los usos externos de las sales de Epsom, por otro lado, son completamente seguros e increíblemente útiles. Entre otras cosas, las sales de Epsom se pueden usar para:

Para sacar astillas y aguijones Las sales de Epsom extraen las toxinas de las picaduras de insectos y hacen aflorar las astillas a la superficie de la piel. Agregue agua a las sales de Epsom para formar una pasta y aplíquela en la zona afectada; en general, comienza a funcionar en aproximadamente 10 minutos. También puede darse un baño con sales de Epsom para suavizar la piel y ayudar a sacar una astilla.

Limpia los poros a profundidad Agregue una cucharadita de sales de Epsom a medio vaso de agua tibia y frote la piel con la solución para sacar espinillas, limpiar los poros abiertos y refrescar la piel.

Alivia dolores musculares Una solución de sales de Epsom extrae líquidos del cuerpo y ayuda a disminuir la hinchazón de los tejidos. Al extraer fluidos a través de la piel, también extrae ácido láctico, cuya acumulación incide en los dolores musculares. Agregue una taza o dos de las sales a una bañera de agua caliente y disfrute de un baño relajante.

Desinflama esguinces y contusiones Las sales de Epsom reducen la hinchazón de esguinces y contusiones. Agregue dos tazas de sales de Epsom a un baño de agua tibia y remoje.

Alivia las hemorroides Debido a que reduce la inflamación de los tejidos, las sales de Epsom son un remedio excelente para las hemorroides. Agregue un puñado a su baño o bidé y sumerja la zona adolorida.

Suaviza la piel Aplique masaje a la piel con puñados de sales de Epsom mientras se baña. La acción del masaje le exfoliará la piel (en otras palabras, quitará las células muertas de la piel) y ésta lucirá más suave y fresca.

Baño para pies fabulosos

Esta receta para tener "pies fabulosos" proviene de Epsom Salts Industry Council. Mezcle los siguientes ingredientes en un baño para pies o en una palangana grande de aseo:

2 tazas de sales de Epsom
1 taza de sal del Mar Muerto
1 cucharada de aceite de olivo
½ cucharadita de aceite de menta
2 cucharadas de avena
Suficiente agua, de tibia a caliente, para llenar la palangana

Ponga a remojar los pies hasta que el agua se enfríe; a continuación, use una piedra pómez para alisar todas las áreas ásperas de la piel. Enjuague los pies en agua fría y seque cuidadosamente. Frote los pies con vaselina y póngase un par de calcetines. No trate de caminar hasta que se haya puesto los calcetines: la vaselina hace que los pies resbalen con facilidad. Déjese los calcetines puestos toda la noche para obtener mejores resultados. Repita con la frecuencia deseada.

Té

El té contiene en promedio la mitad de cafeína que el café y ofrece una refrescante estimulación sin poner los nervios de punta. Sin embargo, beber té es mucho más que un hábito; podría ser incluso una costumbre que salve la vida. Los investigadores han descubierto que los bebedores de té pueden tener un riesgo menor de sufrir enfermedades cardiacas, ataques de apoplejía, cáncer y caries dental.

¿Para qué sirve?

- comezón
- diarrea
- dolor de cabeza
- dolor de muelas
- fiebre
- hemorroides
- olor de pies
- pie de atleta
- problemas de las encías
- quemaduras de sol
- úlceras bucales

A principios de la década de 1990, los investigadores observaron que las japonesas que practicaban la tradicional ceremonia del té tenían índices de mortalidad menores que otras mujeres. Los científicos no tardaron en entender que los compuestos químicos del té –sobre todo los polifenoles, que forman casi el 30 por ciento del peso en seco del té– se cuentan entre los antioxidantes más potentes. Los antioxidantes son agentes que bloquean los efectos de los radicales libres, las moléculas bribonas de oxígeno que dañan las células en todo el organismo y aumentan los riesgos de enfermedades graves como el cáncer

A propósito, los tés herbales, como el de manzanilla, no deben confundirse con el verdadero té que proviene de la *Camellia sinensis*, la planta de té. El té verde popular en los países asiáticos es simplemente las hojas secas y hervidas de esta planta. El té que se toma en Inglaterra, acertadamente llamado té negro, pasa por un proceso de fermentación que le da sabor más fuerte y color más oscuro y puede reducir los niveles de los compuestos químicos protectores de la salud.

¿Se prepara la prevención del cáncer?

Hace mucho tiempo que el té se reconoce en el laboratorio como un antioxidante, pero los resultados de los estudios realizados en seres humanos han sido contradictorios. En algunos estudios epidemiológicos, que comparan a los bebedores de té con personas que no lo toman, se afirma que beber té previene el cáncer; en otros, no. Se han realizado más estudios basados en el té verde, así que la información a la fecha es mejor respecto a este té. Por ejemplo, en estudios que se llevaron a cabo en China se demostró que el consumo regular de té verde reduce considerablemente el riesgo de cáncer estomacal y esofágico. Sin embargo, un estudio en Holanda no encontró ninguna relación entre el consumo de té y la protección contra el cáncer. Debido a que el proceso de producción reduce las cantidades de antioxidantes en el té negro, parece probable que el té verde sea más potente para combatir el cáncer que el té negro, aunque los dos ofrecen beneficios protectores.

El té verde tiene un alto contenido de sustancias llamadas catequinas. Se trata de antioxidantes potentes –cien veces más poderosos que la vitamina C– que, según parece, protegen el ADN de las células contra cambios que inducen el cáncer. El té negro también tiene catequinas, pero en cantidades menores.

En estudios de cáncer de la piel, animales de laboratorio que tomaban té verde desarrollaron una décima parte de los tumores que en los animales que bebían agua. Cuando se trata de prevenir el cáncer en la piel, el té verde parece ser igualmente eficaz si se bebe de una taza o se aplica a la piel. Fabricantes de cosméticos han comenzado a agregar té verde a los productos para el cuidado de la piel debido a que sus efectos antioxidantes pueden reducir las arrugas u otros indicios de daños en la piel.

El Instituto Nacional del Cáncer de Estados Unidos estudia el té verde como agente preventivo del cáncer de la piel. Un estudio investiga los efectos protectores de una píldora de té verde contra los daños en la piel inducidos por el sol; en otro se investiga la aplicación tópica del té verde para reducir los cambios precancerosos en la piel.

Aunque el té verde se valora por sus propiedades preventivas del cáncer, existen indicios de que puede ayudar a la gente que ya tiene cáncer. Las catequinas del té verde inhiben la producción de uroquinasa, una enzima que las células cancerosas necesitan para desarrollarse. También parece estimular el proceso de muerte celular programada en las células cancerosas. En un estudio realizado en pacientes de cáncer mamario, las mujeres que bebieron cinco tazas de té verde al día tuvieron menos probabilidades de que el cáncer se extendiera a los nodos linfáticos que quienes bebieron menos té.

Salud del corazón y más

En virtud de que los polifenoles del té son antioxidantes potentes, desempeñan una función protectora en todo el organismo en áreas donde los radicales libres causan daños, incluidas las arterias. El té también posee propiedades antibacterianas que benefician la salud dental. Una taza de té al día puede ofrecer:

Menos enfermedades cardiacas Los agentes químicos del té ayudan a evitar que el colesterol se oxide. La oxidación se produce cuando los radicales libres bombardean el colesterol. El proceso hace que haya más probabilidades de que el colesterol se adhiera a las paredes de las arterias, un paso en el camino para desarrollar enfermedades del corazón. Investigadores holandeses informaron que los hombres que consumían más flavonoides, una familia de sustancias químicas que incluye los polifenoles del té, tuvieron 58% menos riesgos de morir de enfermedades cardiovasculares que los hombres que consumían menos flavonoides. Los hombres más sanos que participaron en el estudio bebían alrededor de cuatro tazas de té al día.

Menor riesgo de apoplejías Las mujeres que beben té con frecuencia parecen tener índices más bajos de apoplejía que otras que beben menos, tal vez porque los polifenoles del té reducen los daños a los vasos sanguíneos vulnerables del cerebro.

Alivio de quemaduras de sol y más Como el té contiene astringentes que ayudan a reducir la inflamación, una bolsa de té húmeda proporciona alivio a la piel quemada por el sol, así como para hemorroides y úlceras bucales. (El té es alcalino, por lo que neutraliza los ácidos que corroen los tejidos expuestos por una úlcera.)

Beba a su salud

Dos tazas de té al día bastan probablemente para proporcionar la mayoría de los beneficios para la salud. Los suplementos de té verde, que se venden en las tiendas naturistas, también son eficaces. La dosis normal es de 250 a 400 mg al día.

Si usted acostumbra beber té con leche, tal vez pierda una parte de la protección de la salud. Las proteínas de la leche pueden unirse a los polifenoles del té y bloquear sus efectos benéficos.

Vaselina

El petrolato, mejor conocido por la marca comercial Vaselina, es el equivalente farmacéutico de una lata de aceite: se puede usar prácticamente para todo. Es un excelente humectante; la vaselina quita la resequedad en los labios; alivia los trastornos de la piel como el eczema; y por si no fuera suficiente, también puede usarse para cubrir terminales de acumuladores para prevenir la corrosión.

Como se puede inferir por su nombre, el petrolato está hecho de petróleo, la misma sustancia básica que lubrica un motor de automóvil y entra en el tanque de gasolina. La razón por la que el petrolato o vaselina se unta en lugar de verterse es porque se fabrica con productos de petróleo más pesados, como los aceites minerales y la parafina. Constituye una excelente base para bálsamos y ungüentos y también es útil por sí misma.

Los doctores acostumbran recomendar vaselina como humectante para el invierno porque es más pesada y atrapa más humedad que las lociones comunes. Es ideal para las manos y pies secos, en especial cuando se les aplica una capa extra gruesa y se cubren con guantes o calcetines antes de acostarse. Para obtener la mejor protección para la piel, aplíquese vaselina después de la ducha o el baño. Esto atrapa la humedad en la piel donde más se necesita. Al mismo tiempo, los aceites penetran en la piel y la dejan tersa y suave.

¿Para qué más sirve la vaselina? Para muchas cosas. Por ejemplo, puede usarse para:

Previene el enrojecimiento de la piel producido por el viento fuerte La vaselina forma una excelente barrera protectora entre la piel y el viento.

Alivia la psoriasis Aplique vaselina a las manchas de piel seca causadas por este trastorno crónico de la piel. Lubrica y ayuda a quitar escamas duras que producen picazón.

Elimina los piojos Los piojos irritantes que son resistentes a los medicamentos que se venden en las farmacias para combatirlos pueden sucumbir a una capa gruesa de vaselina aplicada al cuero cabelludo. Déjela toda la noche y repita el tratamiento varias noches consecutivas. Al quitarla con aceite

¿Para qué sirve?

- alergias
- ampollas
- cortaduras y rasguños
- eczema
- hemorragia nasal
- hemorroides
- herpes labial
- labios partidos
- piel seca
- piojos
- psoriasis

Vaselina

para bebé, se liberará de los piojos al mismo tiempo. Tenga en cuenta que este tratamiento no elimina la necesidad de buscar las liendres. Algunas madres piensan que este remedio es más problemático que benéfico, ya que es difícil quitar la vaselina. Si el aceite para bebé no funciona, pruebe el truco que una madre usa: aplique una pasta aguada de detergente líquido para vajillas y maicena. Déjela secar hasta que endurezca y después lave con champú.

• **Alivia los labios partidos** Frote vaselina en los labios para evitar la evaporación rápida que tiene efecto secante. Es un humectante ideal y también sirve como brillo para los labios.

Protege cortaduras y rasguños Una capa de vaselina conserva la humedad y evita que penetre el aire y las bacterias.

Humecta quemaduras en proceso de curación No aplique vaselina inmediatamente después de sufrir una quemadura, porque atrapa el calor y aumenta el daño en la piel. Sin embargo, después de unos tres días, cuando la piel empieza a sanar, la humectación con vaselina puede ser útil para reducir la sequedad y promover una mejor curación.

Atrapa polen Unte un poco de vaselina en las fosas nasales o narinas para atrapar esporas de polen que flotan en el ambiente antes de que penetren en las vías respiratorias.

Previene hemorragias nasales Para evitar las hemorragias nasales, mantenga húmedas las membranas mucosas untando de vaselina las narinas. Éste es un consejo especialmente útil si va a viajar en avión.

Producto multiusos

Las personas ingeniosas guardan un frasco de vaselina en la caja de herramientas, así como en el botiquín. Si va a pintar, aplique una capa de vaselina a las manijas y bisagras de las puertas para evitar que la pintura se pegue. Los mecánicos acostumbran untarse las manos de vaselina para que la piel no se manche de grasa o aceite. La vaselina puede usarse incluso para quitar chicle pegado del cabello, sacar anillos demasiado apretados y quitar el maquillaje.

Vinagre

El vinagre, tan ácido como una manzana verde, combate las bacterias y hongos; quita la comezón que producen las picaduras de mosquitos y alivia las quemaduras de sol. También puede calmar el estómago revuelto, prevenir la otitis externa, abrillantar el cabello y suavizar la piel. Algunas personas dicen que el vinagre mezclado con miel y agua caliente alivia el dolor de los calambres en las piernas. Otras usan vinagre para secar el herpes labial. Además, si alguien se desmaya, el vinagre es una opción útil en lugar de las sales de olor.

Ponga una gota de vinagre en la lengua y al instante percibirá sabor agrio. El sabor fuerte del vinagre se debe a su alta concentración de ácido acético, que se forma cuando las bacterias digieren líquidos fermentados. El ácido acético puede ser suave para el organismo, pero también es un producto con potencia industrial: millones de toneladas de este ácido se usan en la manufactura de películas fotográficas y fibras artificiales, como el rayón.

El poder del ácido

El vinagre es un arma eficaz contra las bacterias. Las curas de vinagre han exterminado los bichos infecciosos una y otra vez. En la Primera Guerra Mundial, las heridas de los soldados se limpiaban con vinagre e incluso en la actualidad, si se puede tolerar el ardor, es un desinfectante muy adecuado para un rasguño o una úlcera. Es igualmente pernicioso con los hongos que causan infecciones. La mayoría de éstos ceden cuando se los ataca con una dosis de vinagre.

El vinagre también es bueno para el cabello y la piel. Como ácido, el vinagre reacciona con las bases químicas para producir H_2O neutro (agua), junto con algunas sales. Cuando se aplica al cabello o se usa como enjuague final, elimina los residuos de jabón, champú o acondicionador. Enjuagar el cabello con vinagre también puede ayudar a reducir la caspa y calmar la comezón en el cuero cabelludo.

Los siguientes son algunos de los otros usos del vinagre:

Asienta el estómago Si sufre de indigestión a causa de falta de ácido en el estómago, una cucharada de vinagre después de

¿Para qué sirve?

- acné
- boca seca
- cabello grasoso
- caspa
- contusiones
- dolores de cabeza
- hipo
- indigestión
- irritación en la piel de los bebés
- mordeduras y picaduras
- olor corporal
- olor de pies
- piojos
- problemas del oído
- psoriasis
- quemaduras de sol
- urticaria
- verrugas

los alimentos puede ser precisamente lo que necesita. (Por supuesto, si el problema es *demasiado* ácido estomacal, el vinagre no ayudará en nada y tal vez empeore las cosas.)

Refresca suavemente Al extenderse en la piel, se evapora con rapidez, lo que produce un suave frescor que quita el ardor de las quemaduras de sol. El vinagre también ayuda a disminuir la inflamación que causa picazón en la piel quemada por el sol.

Mata las bacterias y combate los hongos Cuando las bacterias y hongos florecen en las cavidades cálidas y húmedas del canal auditivo, se produce una afección llamada otitis externa. El vinagre cumple una doble función porque combate a los dos tipos de invasores, razón por la cual, cuando se mezcla a partes iguales con alcohol y se ponen gotas en el oído, puede ayudar a curar la infección (sin embargo, nunca se ponga nada en el oído si hay alguna posibilidad de que el tímpano esté roto y, si tiene duda, siempre siga el consejo de su médico).

Entre los dedos de los pies Remojar los pies en vinagre es un tratamiento eficaz contra el pie de atleta.

Elimina los olores El alto contenido de ácido le da un aroma agradable y fuerte que elimina los malos olores. Un enjuague de vinagre quita el olor a cigarrillo en la ropa, refresca la piel de los bebés cuando se agrega al agua para el enjuague final o expurga el tufo desagradable de axilas y pies.

Quita el ardor Las picaduras de medusas y mosquitos se alivian con vinagre, que neutraliza las sustancias que provocan dolor al penetrar en la piel. El vinagre también alivia la comezón de la urticaria: dilúyalo con un poco de agua y aplíquelo en la piel con una bola de algodón.

Alivia el dolor de cabeza El vinagre es uno de los remedios más populares para combatir el dolor de cabeza. El método tradicional consiste en mojar papel de estraza con vinagre de manzana y aplicarlo en la frente. También puede mojar un paño limpio en vinagre y atárselo en la cabeza. Nadie sabe a ciencia cierta por qué funciona, pero muchas personas le tienen fe ciega.

Calma la irritación de garganta El vinagre también es un remedio popular de confianza para las gargantas irritadas. Algunas personas recomiendan hacer gárgaras con una cucharada de vinagre disuelta en un vaso de agua tibia. Otras preparan un jarabe casero para la tos combinando cantidades iguales de miel y vinagre de manzana, que se agitan o revuelven hasta que se disuelven.

Más que uvas agrias

Si viajara por el mundo en busca de variedades de vinagre, encontraría preparados hechos de caña de azúcar en Filipinas, de coco en Tailandia y, en China, vinagres de vino de arroz rojos, blancos y negros que han dado sabor a las frituras y guisos desde hace más de 5 000 años. En otras partes, quizá encontraría vinagres de miel, papas, dátiles, nueces y bayas. Pero si va de compras más cerca de casa, los tipos más comunes que encontrará son: el vinagre marrón de malta (sensacional con papas fritas), vinagre de sidra (hecho de manzanas), vinagres de vino y jerez (de uvas) o vinagre blanco de alcohol destilado, que se produce de grano y es tan útil tanto como limpiador doméstico como en la cocina.

El vinagre de manzana se recomienda a menudo por sus beneficios para la salud por encima de los demás. Existen dos buenas razones. En primer lugar, las manzanas fermentadas son ricas en pectina, un tipo de fibra que es muy buena para la digestión. En segundo término, las manzanas contienen ácido málico, que se combina con el magnesio del organismo para ayudar a combatir dolores y molestias.

El vinagre se puede preparar muy fácilmente en casa, pero es necesario usar frascos y utensilios esterilizados para evitar la contaminación bacteriana. Empezando con sidra o vino, la fermentación se acelera con la adición de una "madre", en otras palabras, un chorro de vinagre existente que desencadena el proceso. Cuando sea un fabricante de vinagre más experimentado, empezará a reconocer el momento en que la preparación está lista.

Después de embotellarlo, taparlo y guardarlo, el vinagre hecho en casa puede utilizarse durante meses. Pero se puede usar cualquier vinagre comercial como remedio casero.

Yogur

Sabía que que en el cuerpo humano hay más bacterias que células? Alrededor de 500 especies de bacteria habitan sólo en el tracto digestivo. No se asuste. La gran mayoría de los organismos intestinales –*más de un kilo de ellos*– son benéficos. Fortalecen el sistema inmunológico, digieren los azúcares de la leche (lactosa), ayudan en la absorción de nutrientes y, en general, mantienen la salud digestiva. Sin embargo, algunas bacterias intestinales, junto con los organismos en la vagina y el tracto urinario, pueden causar todo tipo de problemas. Por eso, es una buena idea tener el refrigerador abastecido de yogur "vivo".

¿Para qué sirve?

- diarrea
- enfermedad inflamatoria del intestino
- flatulencia
- herpes labial infecciones causadas por hongos
- infecciones del tracto urinario
- pie de atleta
- síndrome del intestino irritable
- úlceras bucales

El yogur es leche a la que se agregan cultivos de bacterias. Las bacterias consumen el azúcar en la leche para obtener energía y excretan ácido láctico (el mismo ácido que se acumula en los músculos durante el ejercicio), que fermenta la leche. El yogur que contiene "cultivos activos", es decir, bacterias vivas, es el que ofrece abundantes beneficios para la salud. Eso se debe a que los organismos, como *lactobacillus acidophilus, streptococcus thermophilus* y *lactobacillus bulgaricus* –conocidos colectivamente como probióticos– protegen al organismo contra bacterias nocivas porque consumen los recursos que esas bacterias necesitan para multiplicarse. Además, algunas bacterias del yogur producen ácidos que matan otras bacterias, incluidos los gérmenes que causan el botulismo, entre otros males.

Coma para tener salud digestiva

Cuando una persona está sana, aproximadamente 85% de las bacterias en el intestino grueso son organismos lactobacillus. El otro 15% consta en su mayoría de otras cepas benéficas. Pero si toma antibióticos, los medicamentos aniquilan las bacterias "buenas" junto con las "malas" que son responsables de la infección. Esto puede producir diarrea, cólicos estomacales, flatulencia y distensión abdominal, infecciones producidas por hongos y absorción menos eficiente de los nutrientes.

El yogur brinda protección. Investigadores estadounidenses descubrieron que los pacientes que comen dos raciones de 250 mg de yogur vivo al día sufren la mitad de las diarreas asociadas con los antibióticos que las personas que no lo comen.

Otros estudios demuestran que las bacterias benéficas en el yogur (o suplementos probióticos) reducen la diarrea infantil, suprimen los síntomas de la enfermedad inflamatoria del intestino y del síndrome del intestino irritable y alivian algunos tipos de intoxicación por alimentos. Incluso, hay indicios de que los organismos saludables del yogur, en combinación con una dieta rica en fibra, pueden prevenir la diverticulosis, una enfermedad dolorosa y potencialmente grave en la que se forman bolsas pequeñas en las paredes del colon.

No se puede vivir sin ellos

El yogur se ha usado desde hace siglos como remedio para muchos trastornos, pero hasta hace apenas una década, los científicos descubrieron cuán benéfico es el yogur en realidad. He aquí algunas de las cosas que puede hacer:

Elimina las aftas El hongo *Candida albicans*, que habita en la vagina, se mantiene controlado por otros organismos. Cuando se multiplica, causa la horrible comezón y ardor de las aftas. En un estudio realizado en Estados Unidos se descubrió que la incidencia de infecciones disminuye de manera considerable en las mujeres que comen 250 mg de yogur vivo al día. Comer yogur vivo, o usar suplementos acidófilos en forma de óvulos vaginales, coadyuva en el tratamiento de infecciones activas. Sólo hay que asegurarse de que se trate en realidad de una infección causada por hongos; tratar una infección bacteriana con yogur empeora el problema.

Protege la vejiga El yogur puede influir de manera notable si usted es una de las muchas mujeres que sufren de infecciones recurrentes en el tracto urinario. Investigadores finlandeses informan que las mujeres que comen por lo menos tres raciones de yogur y queso a la semana tienen casi 80% menos probabilidades de padecer de infecciones urinarias que quienes comen productos lácteos menos de una vez a la semana.

Fortalece el sistema inmunológico Investigadores médicos en California descubrieron que comer dos tazas de yogur vivo al día puede cuadruplicar los niveles de gamma interferón, una proteína producida por los glóbulos blancos que ayuda al sistema inmunológico a combatir los gérmenes.

Combate el cáncer Los bacilos acidófilos del yogur no son una cura del cáncer, pero se ha demostrado que ayudan a prevenir la recurrencia de tumores en pacientes tratados por cáncer en la vejiga. Según parece, las bacterias benéficas pueden impedir que las nocivas creen sustancias cancerígenas en el organismo cuando esas bacterias reaccionan con los alimentos.

● **Fortalece los huesos** Muchas personas son intolerantes a la lactosa (carecen de la enzima necesaria para digerirla) y, por tanto, no toman leche y el calcio fortificante de los huesos que ésta contiene. El yogur vivo puede ser una opción fácil de digerir porque los organismos que contiene digieren la lactosa antes de que uno lo coma. Así, las personas con intolerancia a la lactosa pueden comer yogur sin sufrir flatulencias u otros síntomas incómodos. El yogur contiene más calcio que la leche, con más de 400 mg en una sola ración.

Qué debe buscar

No suponga que todos los yogures que se venden en los super-mercados contienen bacterias benéficas. Busque productos con las palabras "vivo", "activo" o "bio" en la etiqueta. Además, ase-gúrese de obtener la mayor cantidad posible de organismos vivos: compre y coma yogures con la mayor anticipación a su fecha de caducidad.

Incluso si usted no es aficionado al yogur, puede aprovechar la mayoría de los beneficios si toma suplementos probióticos. Las dosis óptimas aún no se han determinado, pero los investi-gadores creen que se necesitan aproximadamente 10 millares de organismos al día. Parece mucho, pero en realidad sólo es una cápsula o dos. Asegúrese de guardar los suplementos en el refrigerador, ya que los probióticos son organismos vivientes. Sin embargo, no los ponga en el congelador; las temperaturas de congelación (así como las temperaturas elevadas) matan con facilidad los cultivos.

Yogur

Zábila

En toda ventana de la cocina debería haber dos macetas con plantas de aloe vera, también conocida como zábila. Esta planta se ha usado en la medicina desde épocas prehistóricas. En la actualidad, la sustancia gelatinosa y transparente que contienen las hojas de aloe vera es un remedio herbolario popular para tratar quemaduras de sol, heridas leves y otros problemas de la piel. Incluso se ha usado contra hemorroides y picaduras de insectos, y el gel forma un recubrimiento fresco y calmante sobre los tejidos irritados que producen picazón.

Los investigadores estudian el aloe vera por posibles beneficios cuando se toma por vía oral, pero hasta el momento no han llegado a conclusiones definitivas. Sin embargo, los entusiastas del aloe vera están convencidos de que el gel (o un jugo que contiene una concentración elevada de aloe vera) puede tomarse oralmente como tratamiento contra la artritis, diabetes y úlceras pépticas. Tal vez lo más prudente sea tomar dichas aseveraciones con cierta reserva, pero lo que sí se sabe es que el aloe vera es uno de los mejores remedios naturales para la piel que se hayan descubierto hasta la fecha.

Propiedades curativas potentes

Los científicos no están completamente seguros de cómo funciona el aloe vera, pero han identificado muchos de sus componentes activos. El gel contiene sustancias viscosas que forman emolientes naturales calmantes. Es rico en compuestos antiinflamatorios, así como en un agente químico llamado bradiquininasa, que actúa como un analgésico tópico. El lactato de magnesio en el aloe vera calma la picazón y el gel contiene sustancias que promueven la curación porque dilatan los vasos sanguíneos y aumentan el flujo sanguíneo en las zonas lesionadas.

El aloe vera es útil para tratar una variedad de afecciones de la piel, entre otras:

Quemaduras leves Una aplicación rápida de jugo de aloe vera reduce el dolor, humedece la piel y forma una barrera contra los gérmenes y el aire. También calma el dolor de las

¿Para qué sirve?

- acné
- ampollas
- arrugas
- cabello seco
- herpes
- irritación después de afeitarse
- manchas producidas por la edad
- pie de atleta
- piel seca
- psoriasis
- quemaduras de sol
- sarpullido causado por el calor
- verrugas

Zábila

quemaduras de sol. Para aliviar el dolor de las quemaduras de sol extensas, agregue una taza o dos de jugo de aloe vera a la tina llena de agua tibia y dése un baño refrescante.

Cura cortaduras y rasguños El gel de aloe vera se seca y forma un vendaje natural sobre la piel que acelera la curación. Sin embargo, no es una buena elección para heridas graves. Investigadores de un hospital en Los Ángeles descubrieron que el gel prolonga el tiempo que estas heridas tardan en curar.

Psoriasis El gel alivia la inflamación y suaviza las escamas que caracterizan esta enfermedad crónica de la piel y producen mucha picazón. En un estudio de cuatro semanas se determino un índice de 83% de recuperación de la piel en pacientes que usaron aloe vera, en comparación con sólo 6% en quienes usaron una crema inactiva.

Acné Aplique aloe vera cuando tenga un brote doloroso. En un estudio se determinó que el 90% de las úlceras de la piel sanaban a los cinco días con el uso de aloe vera: casi el doble del índice de éxito de quienes aplican otros medicamentos contra el acné.

Herpes Las lesiones dolorosas que causa el virus del herpes sanan más pronto cuando se aplica aloe vera a la piel. Al parecer, el gel posee ciertos efectos antivirales. Además, el aloe vera dilata unos vasos sanguíneos muy pequeños, conocidos como capilares, lo que permite que llegue más sangre a la zona afectada y acelera la curación.

Las interioridades

Los doctores coinciden unánimemente en que el gel de aloe vera es útil para las afecciones leves de la piel; sin embargo, ¿qué sucede si se toma el gel o jugo por la vía oral? Aún no se ha comprobado nada, pero una serie de estudios dejan entrever posibilidades fascinantes. Por ejemplo, en un estudio científico se concluyó que los voluntarios que tomaron jugo de aloe vera dos veces al día durante 42 días registraron reducciones significativas en el azúcar en la sangre, lo que indica que es potencialmente útil para tratar la diabetes.

Investigadores japoneses informan que los ingredientes activos del aloe vera inhiben las secreciones y llagas del estómago, lo que da sustento a la fama del aloe vera de que es un buen remedio para las úlceras. En realidad, dos de los compuestos químicos activos del aloe vera parecen inhibir o destruir el Helicobacter pylori, la bacteria que causa la mayoría de las úlceras.

Por último, un compuesto químico llamado acemanan, que se encuentra en la capa exterior del aloe vera, puede tener actividad antiviral. Sin embargo, todavía falta mucho trabajo por hacer antes de que los científicos puedan determinar su utilidad.

Demasiado fuerte para ofrecer bienestar

El aloe vera es un laxante eficaz, demasiado eficaz en realidad. El látex de aloe, que se extrae del borde de las hojas, se clasifica como un laxante estimulante. Estimula las contracciones intestinales que promueven las evacuaciones. Sin embargo, al igual que con otros laxantes estimulantes, los médicos rara vez lo recomiendan. Puede provocar retortijones o diarrea graves, junto con la pérdida de líquidos y electrolitos vitales (minerales que desempeñan funciones vitales en el organismo).

Cómo usar el aloe vera

Se pueden comprar productos para el cuidado de la piel que contienen aloe vera en supermercados y farmacias, pero no se sabe con certeza si la forma "estabilizada" de aloe vera en estos productos tiene los mismos efectos benéficos que el gel natural. Si compra cremas o lociones preparadas, asegúrese de que el aloe vera figure entre los primeros lugares de la lista de ingredientes. Para uso interno, compre jugos que contengan por lo menos 98% de aloe vera.

Se aprovechan todos los beneficios del aloe vera, no hay sustituto de la planta. Es fácil cultivar la planta de aloe vera, incluso para el jardinero menos experimentado. Crece sin necesidad de cuidados, requiere poco agua y tolera la sombra y la tierra de mala calidad. Sin embargo, el aloe vera no debe exponerse a temperaturas por debajo de los 5°C y, por tanto, es una planta ideal para cultivarla en ventanas e invernaderos.

Para aliviar las quemaduras de sol, cortaduras, hemorroides y quemaduras leves, lave bien la zona afectada con agua y jabón. Corte un trozo de una hoja grande, rebánelo a lo largo y exprima el gel. Aplique una capa generosa sobre la zona afectada y repita el tratamiento dos o tres veces al día.

Advertencias y efectos secundarios

Los suplementos son útiles para muchos problemas de salud; sin embargo, como ocurre con los medicamentos, es necesario tener cuidado al tomarlos. Incluso las hierbas y otras sustancias en apariencia inofensivas pueden tener efectos secundarios desagradables si se usan de manera incorrecta. Antes de tomar una hierba o suplemento recomendado en este libro, lea las advertencias que se presentan a continuación. Si experimenta algún efecto secundario mientras toma un suplemento, suspéndalo y hable con su médico. *Alerta* si está embarazada o amamantando no tome ninguna hierba o suplemento sin hablar antes con su doctor.

ACEITE DE PESCADO Evítelo durante el embarazo. No tome más de dos cucharaditas de aceite de pescado al día pues puede entorpecer la coagulación. Si toma adelgazadores de la sangre o aspirina, no tome aceite de pescado, a menos que así lo indique su médico. Evítelo si tiene algún trastorno de la sangre, hipertensión o alergia al pescado. Evítelo si tiene enfermedad hepática. Si padece de diabetes, consulte con su médico antes de tomar aceite de pescado. El aceite de pescado aumenta el tiempo de coagulación, lo que posiblemente provoque hemorragias nasales y moretones. Puede causar molestias estomacales.

ÁCIDO FÓLICO No exceda de 1 000 mcg al día sin supervisión médica. Tomar más de 400 mcg puede ocultar la deficiencia de vitamina B_{12}; el exceso puede causar daños en los nervios, si existe deficiencia de B_{12}. Puede bloquear la acción de drogas antiepilépticas. No lo use si tiene cáncer, salvo bajo indicación médica.

ÁCIDO GAMMA LINOLÉNICO (AGL) No tome aceite de borraja ni de onagra (ambos contienen GLA) durante el embarazo o la lactancia. No lo use sin consultar al médico si toma aspirina o adelgazadores de la sangre, tiene convulsiones o toma medicamentos para la epilepsia, como las fenotiazinas. Puede causar dolor de cabeza, indigestión, náusea y ablandamiento de las heces.

ACIDÓFILO Al principio, puede aumentar la flatulencia y distensión abdominal. Si toma antibióticos, espere por lo menos dos horas antes de tomar bacilos acidófilos.

AJO Evite los suplementos de ajo con anticoagulantes (warfarina) y medicamentos para la diabetes.

ALHOLVA No debe tomarse durante el embarazo, aunque las cantidades de uso culinario no representan ningún riesgo. Consulte con su médico si es diabético o toma adelgazadores de la sangre.

ANÍS Evite tomarlo durante el embarazo (aunque las cantidades usadas en la cocina no representan ningún riesgo). No lo tome con hierro. Puede producir sensibilización a la luz solar; no tome baños de sol. No lo use si toma preparados a base de hormonas.

ARÁNDANO No lo tome si está bajo tratamiento con medicamentos adelgazantes de la sangre.

ÁRNICA No se aplique a la piel abierta o sangrante. Evítelo durante el embarazo. Puede causar una erupción alérgica en gente sensible o con el uso prolongado.

ASTRÁGALO No lo tome si está tomando ciclofosfamida. No lo tome con infecciones agudas, como las que causan fiebre elevada o hinchazón pronunciada.

BETACAROTENO Evítelo si está embarazada o sufre de hipotiroidismo. Es mejor tomarlo como un suplemento carotenoide mixto. Las dosis grandes pueden poner la piel anaranjada, no tienen ningún beneficio y pueden causar daños.

BROMELINA Puede causar náusea, vómito, diarrea, sarpullido y sangrado menstrual fuerte. Puede aumentar el riesgo de hemorragia en la gente que toma aspirina o adelgazadores de la sangre. No lo tome si es alérgico a la piña.

CALCIO No exceda 1 500mg al día, salvo bajo supervisión médica. Evite el calcio derivado de conchas de ostras, harina de huesos y dolomita: puede estar contaminado con plomo. El exceso puede causar estreñimiento. Consulte con su médico si ha tenido cálculos renales de oxalato de calcio antes de tomarlo.

CANELA No la tome en grandes cantidades durante el embarazo.

CARNITINA Tome sólo la forma "L" (L-carnitina), y exclusivamente con autorización de su médico. La forma "D" puede desplazar el agente activo de la carnitina en los tejidos y producir debilidad muscular. Las dosis superiores a 2 g pueden causar dolor estomacal, náusea y diarrea. Puede requerir supervisión de los niveles de sangre y orina con el uso prolongado. Tenga precaución si tiene enfermedad renal. El uso de aminoácidos individuales en grandes dosis es experimental y se desconocen los efectos de largo plazo en la salud.

CÁSCARA SAGRADA Evítela durante el embarazo o si se encuentra en un estado debilitado. No se tome más de ocho de días, salvo con autorización médica. No la use si tiene inflamación y obstrucción intestinal o dolor abdominal. Puede causar dependencia a los laxantes y diarrea. No se tome con medicamentos anticoagulantes, como la warfarina.

CASTAÑA DE INDIAS Evítela durante el embarazo. No debe usarla si sufre de enfermedad renal. Puede interferir con otras drogas, en especial los adelgazadores de la sangre. Puede irritar el intestino.

CINC No tome más de 25 mg al día, a menos que así lo indique su médico. Los suplementos de cinc deben incluir cobre siempre. El exceso en el consumo de cinc puede afectar el sistema inmunológico.

COBRE No lo tome si padece de la enfermedad de Wilson. No exceda de 1mg al día regularmente. Las dosis altas pueden causar dolor de estómago, diarrea y náusea y puede dañar el hígado y los riñones.

COENZIMA Q$_{10}$ No la tome más de 20 días a dosis diarias superiores a 120 mg sin supervisión médica. Los efectos secundarios, como acidez estomacal, náusea y dolor de estómago, pueden evitarse tomándola con los alimentos. Puede reducir la acción de la warfarina.

COHOSH NEGRO Evite tomarlo durante el embarazo o la lactancia. Si está bajo terapia de estrógenos, consulte a su médico antes de tomarlo. No lo use más de seis meses. Evítelo si tiene enfermedad cardiaca o toma medicamentos para la hipertensión. Puede causar estómago revuelto, dolor de cabeza, menor ritmo cardiaco y presión arterial alta. El exceso puede causar vértigo, náusea, visión borrosa, vómito, mala circulación y daños en el hígado.

COMPLEJO B No exceda la dosis recomendada en la etiqueta.

CORTEZA DE SAUCE Evítela si es alérgico a la aspirina o toma un adelgazador de la sangre, como la warfarina. Puede desencadenar asma o alergias y causar hemorragia gastrointestinal, disfunción hepática, trastornos en la coagulación de la sangre, daños renales o reacciones anafilácticas. Puede interaccionar con barbitúricos o sedantes, como anobarbital o alprazolam, y causar irritación estomacal cuando se toma con alcohol.

CURCUMINA Puede causar acidez estomacal.

DIENTE DE LEÓN No lo use como auxiliar dietético. Busque el consejo de un herbolario médico antes de usarlo para tratar cálculos biliares. Evítelo si tiene obstrucción del conducto biliar. Si tiene enfermedades de la vesícula biliar, no use los preparados de la raíz.

ENZIMAS DIGESTIVAS Los suplementos de alfagalactosidasa alteran la forma en que se procesan los azúcares: no lo use sin autorización médica si padece de diabetes. No lo use si tiene galactosemia. No lo tome si es sensible a los mohos o penicilina (estos suplementos se hacen a menudo de un tipo de moho).

EQUINÁCEA Evítela si tiene una enfermedad crónica inmunológica (tuberculosis, lupus, esclerosis múltiple o artritis reumatoide). También si toma medicamentos contra el VIH, la angustia, el colesterol, el cáncer, o inmunosupresores. Evite usarlo conjuntamente con drogas que son tóxicas para el hígado, como esteroides anabólicos, amiodarona, metotrexato y keoconazol, ya que puede empeorar los daños en el hígado. No la use más de ocho semanas a la vez.

ESPINO No tome esta hierba si está bajo tratamiento con digoxina. Si tiene alguna enfermedad cardiovascular, no la tome regularmente más de unas cuantas semanas. No la use si tiene presión arterial baja debido a problemas de las válvulas del corazón. En grandes cantidades puede causar somnolencia (no conduzca).

GINKGO BILOBA Rara vez, el ginkgo biloba puede causar dolor de cabeza o de estómago, inquietud o irritabilidad (estos efectos secundarios por lo general desaparecen). No lo use con antidepresivos MAOI; aspirina u otras drogas antiinflamatorias sin esteroides; medicamentos adelgazadores de la sangre, como la warfarina. Puede causar erupciones, diarrea y vómito en dosis superiores a 240 mg de extracto condensado.

GINSENG Si tiene alguna enfermedad de corazón, hipertensión arterial o un trastorno de ansiedad, consulte con su médico antes de tomar ginseng. No lo tome con warfarina. Puede causar insomnio, nerviosismo, diarrea, dolores de cabeza e hipertensión. Se ha informado que causa hemorragias menstruales en mujeres posmenopáusicas. El ginseng coreano, chino y americano no deben usarse si existe alguna enfermedad aguda, fiebre o hinchazón. Evite el ginseng siberiano si padece de hipertensión o fiebre alta. No tome ginseng con ningún otro estimulante herbal, en particular la efedra y limite el consumo de cafeína.

GLUTAMINA No la tome si tiene insuficiencia hepática en etapa terminal o insuficiencia renal.

GOTU KOLA No la tome durante el embarazo o la lactancia. No la use con medicamentos para la diabetes o hipertensión. Hable con su médico si piensa tomarla durante un periodo prolongado. Rara vez, puede causar sarpullido o dolor de cabeza.

HIERBA DE SAN JUAN No debe usarse durante el embarazo. Puede sensibilizar la piel a la luz, por lo que debe usar filtro solar y no tomar baños de sol. Consulte con su médico antes de tomar cualquier medicamento que contenga hierba de San Juan, ya que reacciona con muchas drogas, entre otras: anticonceptivos orales; teofilina; digoxina; medicamentos para combatir el VIH; tamoxifeno; antidepresivos prescritos; alcohol y las curas para el resfriado que se venden sin receta médica. Puede causar hipertensión si se toma con compuestos de efedra. No la use para autotratamiento de la depresión clínica, una enfermedad grave que requiere atención médica.

HINOJO No lo use medicinalmente más de seis semanas.

JENGIBRE Si está embarazada, consulte a su médico o partera antes de usar jengibre. No use la raíz seca o el polvo si tiene cálculos biliares.

LINAZA No la use si tiene obstrucción intestinal o problemas de la tiroides. Siempre tómela con agua. Puede disminuir la absorción de los medicamentos. No caliente el aceite.

LISINA Es experimental; se desconocen los efectos a largo plazo. Úsela sólo bajo supervisión de un médico. No tome lisina y arginina al mismo tiempo, ya que se cancelan mutuamente.

LÚPULO Evítelo durante el embarazo. No lo tome si es propenso a la depresión. Manipule las hojas frescas o secas con cuidado, ya que en ocasiones pueden causar erupciones en la piel.

MAGNESIO No lo tome si padece de cardiopatías, insuficiencia renal, hipertensión, migrañas o si toma diuréticos. Puede causar diarrea. No tome dosis superiores a 400 mg al día.

MANZANILLA Tomada por vía oral puede causar una reacción si se es alérgico a las plantas relacionadas, como el aster y crisantemo. La manzanilla contiene un anticoagulante: úsela con precaución si tiene algún trastorno de coagulación de la sangre o toma medicamentos anticoagulantes.

MENTA Puede relajar el esfínter esofágico y aumentar el riesgo de acidez estomacal.

MILENRAMA Rara vez, la manipulación de las flores puede causar sarpullido. No la use durante el embarazo. En dosis grandes puede causar dolor de cabeza y mareo. Puede sensibilizar la piel a la luz solar; no tome baños de sol.

N-ACETILCISTEÍNA (NAC) No la use si tiene úlceras pépticas o toma medicamentos que se sabe que causan lesiones gástricas.

ORTIGA No debe tomarse durante el embarazo. Puede causar trastornos estomacales leves o reacciones en la piel.

PAPAYA Pude afectar el azúcar en la sangre: no la use si tiene diabetes. Si toma warfarina, consulte a su médico: tanto la fruta de la papaya como sus enzimas pueden interaccionar con esta sustancia.

PEREJIL No lo use en grandes cantidades si tiene enfermedad renal; puede incrementar el flujo de orina. No debe usarse terapéuticamente durante el embarazo, pero no ofrece riesgos en cantidad normal como guarnición o en salsas.

POTASIO Obtenemos este mineral en abundancia de los alimentos que comemos. Sólo tome suplementos si así lo indica su médico.

PROBIÓTICOS Pueden aumentar la flatulencia y distensión abdominal al principio, lo que es señal de que las bacterias buenas están fermentando. En una semana, el organismo se adaptará al cambio.

PSYLLIUM Siempre tome este suplemento de fibra con abundante agua. Puede causar distensión abdominal o estreñimiento. Hable con su médico antes de tomarla si tiene dificultad para tragar o padece de diverticulitis, colitis ulcerante, enfermedad de Crohn, obstrucción intestinal o si toma insulina.

PYGEUM AFRICANUM Llamada también ciruela africana. Evítela durante el embarazo y si padece de hipertensión. Hable con su médico antes de usarla como tratamiento para el agrandamiento de la próstata.

RÁBANO PICANTE No debe tomarlo si tiene úlceras gástricas, enfermedades de la tiroides o trastornos renales. No debe administrarse a niños menores de cuatro años.

REGALIZ DEGLICIRRIZINADO (DGL) Evítelo durante el embarazo. No lo tome con medicamentos para la presión arterial, antiarrítmicos, corticosteroides, diuréticos o antihistamínicos. Tome sólo DGL, si tiene hipertensión y nunca regaliz puro. Tenga precaución si padece de hipertensión, anormalidades del ritmo cardiaco, enfermedades cardiovasculares, hepáticas o renales o niveles bajos de potasio. No use el DGL más de tres veces a la semana por más de cuatro a seis semanas. El uso excesivo puede producir retención de agua, hipertensión o afecciones en la función cardiaca o renal.

ROMERO En grandes cantidades puede causar sangrado menstrual excesivo. No debe tomarse durante el embarazo.

SAM-E (S-ADENOSILMETIO-NINA)
Puede aumentar los niveles de homocisteína en la sangre, un factor de riesgo de enfermedades cardiovasculares.

SAÚCO, BAYAS DE SAÚCO
No lo use durante el embarazo. Las semillas, corteza, hojas y frutos no maduros pueden causar vómito y diarrea grave. Las semillas de las bayas crudas son tóxicas: cómalas maduras y cocinadas.

SAUZGATILLO
No lo tome durante el embarazo. Puede afectar la acción de los anticonceptivos orales. Lea con cuidado la etiqueta si tiene hipertensión: las cápsulas pueden contener regaliz o ginseng siberiano, que pueden elevar la presión arterial. Pueden causar trastornos estomacales, dolor de cabeza, comezón, sarpullido e irregularidades menstruales

SELENIO
Evite tomarlo si padece de hipotiroidismo. No exceda de 350 mcg al día. El exceso puede causar uñas frágiles y engrosadas; dolor estomacal; náusea; diarrea; olor a ajo en el aliento y la piel; sabor metálico en la boca; pérdida de sensación en las manos y pies; irritabilidad y fatiga. Se sabe que las dosis de 800 mcg causan daños en los tejidos. Funciona mejor cuando se toma con vitamina E.

SELLO DE ORO
No debe usarse más de una semana porque disminuye la absorción de vitamina B_{12}. No la tome durante el embarazo o si tiene hipertensión, hipoglicemia (bajos niveles de azúcar en la sangre) o mala digestión. Evítela si tiene alguna enfermedad autoinmune, como esclerosis múltiple o lupus, o si es alérgico a las plantas de la familia de las margaritas, como la manzanilla y la caléndula. Nunca tome más de 2g al día: el sello de oro es venenoso si se toma en exceso.

SEMILLA DE APIO
No la use durante el embarazo. Úsela con precaución si tiene algún trastorno renal; puede tener efectos diuréticos, por lo que no debe tomarlo si ya toma diuréticos. Evítela con adelgazadores de la sangre (aspirina o warfarina). Puede sensibilizar la piel a la luz solar; no tome baños de sol.

SENA
No debe tomarse durante el embarazo. No lo tome más de ocho a diez días. Tómelo una hora después de otros medicamentos y siempre con agua. No lo use si tiene dolor abdominal, diarrea, hemorroides, obstrucción intestinal o cualquier otro trastorno inflamatorio de los intestinos. No debe administrarse a niños menores de 12 años. Suspenda el uso si tiene diarrea o heces acuosas. En cantidades excesivas puede reducir los niveles de digoxina, por lo que no debe usarlo si toma este medicamento sin consultar antes con su médico.

SERENOA (SAW PALMETTO)
Si tiene problemas de la próstata, consulte a su médico antes de tomar este suplemento. No lo tome con anticoagulantes. Rara vez se han observado problemas estomacales.

TAURINA
A veces se recomienda para úlceras y diabetes, pero es mejor no tomarla si no es bajo supervisión médica. Puede aumentar el ácido estomacal o causar diarrea.

UNICORNIO FALSO
Esta hierba es famosa como tónico uterino y pueden recomendarse dosis pequeñas para combatir las náuseas matutinas y para la prevención de abortos, pero no debe tomarse durante el embarazo si no es bajo supervisión médica. No la tome si está extenuada o experimenta inflamación aguda. Puede causar irritación gastrointestinal.

UÑA DE GATO
No la use si tiene hemofilia o durante el embarazo. No la tome con drogas inmunosupresoras. Los efectos secundarios pueden incluir dolor de cabeza y de estómago o dificultad para respirar. La uña de gato puede afectar la fertilidad.

VALERIANA
Evite tomarla con sustancias como diazepam o amitriptilina. No beba alcohol. Puede intensificar los efectos de las drogas reguladoras del sueño o del estado anímico. Suspenda el uso si experimenta palpitaciones, nerviosismo, dolores de cabeza o insomnio.

VITAMINA A
No la tome durante el embarazo o si está tratando de concebir. No exceda de 1 500 mcg al día. Los posibles efectos secundarios incluyen baja de peso, problemas de la piel, dolor de huesos, hemorragias, vómito, diarrea, fatiga, mareo, visión borrosa, pérdida del cabello, dolor de las articulaciones y agrandamiento del hígado y el bazo.

VITAMINA B_6
El límite superior sin riesgos en el Reino Unido para los suplementos a largo plazo es de 10 mg al día. En el corto plazo, no tome más de 100 mg al día. Reduzca la dosis si tiene hormigueo en los dedos de las manos o de los pies, le duelen las extremidades o se siente débil y aturdido, o deprimido y cansado.

VITAMINA C
Más de 1 000 mg al día pueden causar diarrea. Las mujeres embarazadas no deben tomar más de 200mg de vitamina C al día. Consulte a su médico si padece insuficiencia renal crónica o está bajo tratamiento de hemodiálisis. Siempre reduzca la dosis a 100 mg al día por lo menos tres días antes de un examen médico; los altos niveles pueden afectar ciertas pruebas, en particular los análisis de sangre en heces y azúcar en la orina. Las dosis grandes pueden interferir con los medicamentos anticoagulantes. La gente alérgica al trigo puede reaccionar a suplementos a base de harina de trigo.

VITAMINA E
Si toma aspirina, warfarina u otros adelgazadores de la sangre, consulte a su médico antes de tomar vitamina E.

Índice

Créditos Fotográficos
18-19 (all) RD ©/Sarah Cuttle; 64-65
RD©/Richard Surman; 115 Getty
Images/Romilly Lockyer; 156-157,
Science Photo Library/ Maximilian
Stock Ltd.; 208-209 Getty
Images/Photodisc; 248-249 Getty
Images/Photodisc; 258-259 Getty
Images/Photodisc; 299 Punchstock